colección fábula/236

Con la colección FÁBULA, Editorial Planeta se ha propuesto ofrecer al público los títulos más representativos, dentro del campo narrativo, de aquellos escritores que, frente al inmovilismo mental al uso, ofrecen un ejemplo constante de imaginación creadora y anticonvencional.

El séptimo santuario

Daniel Easterman
El séptimo santuario

Traducción de
Blanca Ribera

Planeta

COLECCIÓN FÁBULA
Dirección: Rafael Borràs Betriu
Consejo de Redacción: María Teresa Arbó, Marcel Plans y Carlos Pujol

Título original: The seventh sanctuary

Editorial Planeta, S. A., Córcega, 273-277, 08008 Barcelona (España)
Diseño colección, cubierta y foto de Hans Romberg (realización de Jordi Royo)
Primera edición: abril de 1988
Segunda edición: julio de 1988
Depósito legal: B. 27.671-1988
ISBN 84-320-4697-3
ISBN 0-385-19814-0 editor Doubleday & Company, Inc., Garden City, Nueva York, edición original
Printed in Spain - Impreso en España
Talleres Gráficos «Duplex, S. A.», Ciudad de Asunción, 26-D, 08030 Barcelona

Índice

Para Beth, Nancy y Sammy*;*
a la primera porque la quiero,
a la segunda porque ambos la queremos,
y al tercero porque muerde

PRÓLOGO

27 DE ABRIL DE 1944

En un largo corredor de paredes de piedra, en el castillo de Wewelsburg, Westfalia, Heinrich Himmler paseaba nerviosamente. En las sombras que le rodeaban aún creía ver más sombras. Todavía faltaba un largo rato para el amanecer. En el exterior, las aves nocturnas ululaban, pero el cielo se hallaba en calma. Las nubes cubrían una luna enfermiza. Los guardias, de pie en los torreones y puertas, delgados hombres vestidos de negro, se estremecían en el aire nocturno.

Himmler vestía un batín con brocados y unas pesadas zapatillas rematadas en piel. Hacía frío y no podía conciliar el sueño. Bajó por el corredor y salió de sus habitaciones privadas del ala sur. Un guardia le vio, y reconociéndole, se enderezó rígidamente poniéndose en guardia. No reparó en la presencia del hombre. Caminó hacia el ostentoso comedor y bajó un tramo de escalera que conducía a la cripta de piedra. Parecía una nevera. O una tumba. Se estremeció. Allá abajo, esa noche, no se sintió en absoluto señor del castillo ni Reichführer de las SS.

Tras él, unos pasos resonaron por la escalera de piedra. Se volvió. Un hombre alto se hallaba de pie observándole detenidamente. Himmler no dijo nada, pero reconoció al hombre y adivinó por qué había venido.

—Es tarde, Heinrich —dijo el hombre—, ¿no puedes dormir?

Himmler sacudió la cabeza, pero el gesto se perdió en las sombras.

—¿Has tomado ya una decisión? —preguntó el hombre; su tono era grave y confidencial.

—¿Qué otra cosa puedo hacer? —respondió Himmler—. No me dejas alternativa. Si rehúso ayudarte, recurrirás a otros.

—Entonces, ¿nos ayudarás?

—Desde luego.

—También será tu santuario, ¿comprendes?

—Sí. Y del Führer.

El hombre pareció sacudir la cabeza.

—No —dijo—, del Führer no. Eso es precisamente lo que debes decirle. Él no debe tener santuario. No lo permitiremos. Ya está decidido; pero no te preocupes, yo me ocuparé de eso. Él puede abandonar Alemania, pero no debe vivir.

—¿Puedo preguntar por qué no? —musitó Himmler. Tenía el corazón oprimido por el miedo y el frío y las sombras parecían agolparse en su interior.

—Nos ha fallado —replicó el hombre—, ¿no es suficiente?

¿Qué respuesta podía haber?

—Vete a la cama, Heinrich —prosiguió el hombre—. Debes de tener frío. Esto parece un depósito de cadáveres y ya habrá bastantes sitios así cuando llegue el momento.

Himmler suspiró. Deseaba permanecer en el frío y en la oscuridad, en su propio castillo, su baluarte. Pero el hombre le hizo señas y él le siguió. Subieron juntos la escalera. Una vez arriba se volvió y miró al otro hombre.

—¿Es cierto que todo ha terminado? —inquirió abarcando con un gesto los muros grises, los emblemas, las banderas, el propio castillo... y tal vez algo más.

El hombre asintió.

—Sí —dijo—. Se acabó, créeme.

Himmler le miró sintiendo un escalofrío.

—Pero no para siempre —dijo el hombre—, no para siempre.

Primera parte

¿No habéis visto a nuestro Señor tratar con los de Ad, en Iram de las Columnas, a semejanza de la cual ninguna otra tierra ha sido creada?

Corán, 87, 7

Elegiréis ciudades que sean para vosotros ciudades de refugio, donde pueda refugiarse el homicida...

Números, 35, 11

CAPÍTULO 1

CAMBRIDGE, 198...

Una baja neblina se extendía por los márgenes del río y flotaba sobre la balaustrada del curvado puente construido sobre pilares. Caía sobre él con un aire tenuemente amenazador mientras se aproximaba a las altas verjas que conducían a Butt Close y al patio este del Clare College, donde se estrechaba discretamente entre el Trinity Hall y el King's Hall. La gravilla crujió bajo sus pies y de nuevo se estremeció mientras el frío aire de noviembre le envolvía con su húmedo abrazo. A su derecha, más allá del río, sobre la niebla, el gran ventanal este del King's Chapel colgaba en un marco de antigua piedra, reflejando en sus vidrios la luz del sol que declinaba. Visto desde el otro lado, el ventanal debía resultar un caleidoscopio de luces azules y doradas; los rayos del sol doblados, sacudidos y desgarrados como gotas de tinta traslúcida a través de las losas de pálida piedra que se amontonaban al pie de la pesada puerta oeste.

Continuó caminando hasta que los muros del Clare le ocultaron la vista, reduciendo el horizonte a los confines del pequeño patio. A su alrededor, las luces acababan de encenderse en las silenciosas habitaciones. Al declinar el día, la quietud, la intimidad de la vida de los colegios se impuso como cada noche. Era un momento que pocos visitantes habían visto, la callada posesión de los incuestionables privilegios que el Cambridge académico se reservaba a través de las heladas noches de su largo invierno, mientras el aire soplaba entre los muros y el río se convertía en hielo.

John Gates notó frío y se sintió estúpido y solo en ese confortable mundo de luces y fuegos parpadeantes. Había llegado a Cambridge cuatro años antes, con veintiún años, con la huella del graduado en arqueología de Manchester todavía húmeda, profundamente consciente de su provincianismo y de su falta de experiencia académica, desamparado, indeciso y con un futuro incierto. Durante su primer trimestre en el King's College encontró afecto y, en cierta medida, eso le reconcilió con lo que anteriormente le había desalentado en la vida. Louise había permanecido a su lado, le había soportado más que nadie, había pasado por todas las incertidumbres que se incubaban en su interior, había logrado sacar calor de su interior estéril y libresco, y finalmente se había marchado, ya que sus propias dudas —fomentadas por él— habían crecido. Todo aquello había sucedido hacía casi un año. Desde entonces había viajado sin descanso y había escrito el último capítulo de su disertación doctoral con una sombra de pesar a la que se sumaba un sentimiento de creciente inutilidad. Sus padres no podían ayudarle, no tenía amigos íntimos y su mundo, aparte de los libros y la investigación, era vacío.

Miró hacia atrás y se estremeció. A sus espaldas las sombras se cernían sobre los muros, vacías, desvaneciéndose con la luz. ¿Fantasmas? Navidades pasadas, navidades presentes y navidades futuras. Pronto sería navidad, caería la nieve y cubriría los prados, los patios y los senderos. Todos los fantasmas de Cambridge se reunirían en asamblea por las calles para contemplar las ventanas iluminadas y escuchar los villancicos que se cantarían a la luz de las velas. Generación tras generación de fantasmas, una sucesión de hombres y mujeres que habían cumplido en su día entre las arboledas del academicismo y se habían marchado, con el sabor de té con crema aún persistente en la boca, y la escarcha de una mañana del Baile de Mayo cubriendo todavía su largo cabello muerto. Este año se uniría a ellos como una presencia incorpórea arrastrándose silenciosamente a través de las fiestas de los vivos.

Con los pensamientos a dos mil millas sobre las ruinas de un imperio desvanecido, pasó junto a la vivienda del portero del Clare y salió por debajo de la arcada de la puerta principal hacia Trinity Lane, a la altura de la parte trasera de Old Schools. Allí torció a la derecha para atravesar momentos después la puerta que da al extremo oeste del King's Chapel. Tras él, un catedrático en una vieja bicicleta descendió alegremente por el pasaje de la Casa del Senado, como cada día al anochecer durante los últimos cincuenta años. Cambiándose el montón de libros y carpetas de la mano izquierda a la derecha, John rodeó la parte trasera de la capilla y fue a dar a la explanada que mediaba entre ésta y el gris flanco del edificio Gibbs. Al llegar a la altura de la puerta sur, el silencio se quebró, dando paso al susurro amortiguado del coro interior, cuyas voces resonaron fuertemente entre los muros de piedra maciza. Miró su reloj. Eran casi las cuatro; el ensayo del coro habría comenzado hacía unos diez minutos. Estarían ensayando los cantos dominicales de adviento, para el que sólo faltaban unos días.

La pequeña verja de hierro del porche de la capilla se hallaba cerrada a los visitantes hasta las cinco y cuarto, hora en que abriría sus puertas para los cantos corales. De repente, sin saber por qué, saltó la verja y empujó la parte inferior de la puerta que conducía a la capilla. La espaciosa y desierta nave se hallaba sumida en la oscuridad, donde un ancho ventilador giraba casi imperceptiblemente sobre su cabeza.

Las velas del coro vacilaron a su derecha; las llamas y sus sombras oscilaban gentilmente como siguiendo el compás de la música. Durante un instante, los ecos flotaron en el silencio y las voces se alzaron en medio de la quietud entonando una nueva melodía. La reconoció inmediatamente: era la música que Ravenscroft puso a un villancico del siglo XVI, *Remember O thou man*. Permaneció en pie observando las columnas decoradas que se erguían hacia el sombrío techo y pensó en la navidad.

Remember, O thou man,
O thou man, O thou man,
Remember, O thou man,
Thy time is spent (1).

Esa noche tendría lugar su examen oral y se decidiría su destino. Hasta el momento había tenido confianza, pero esa noche, sumido en la melancólica oscuridad de la antigua capilla, ya no estaba seguro de su propio mérito ni del valor del trabajo realizado en los últimos cuatro años. Mientras permanecía allí, con la música resonando a través de las bóvedas de la nave, le pareció que al llegar el domingo él no se encontraría ya entre los asistentes al oficio navideño, como si su vida en Cambridge hubiera llegado a un abrupto final. Y si eso ocurría, ¿qué otra cosa le quedaba?

Regresó a la noche, saltó de nuevo la pequeña verja y se dirigió hacia la habitación de su supervisor en el edificio Bodley, junto al río. El doctor Greatbatch le había dicho que pasara sobre las cuatro para tomar el jerez con él y los dos examinadores antes de poner manos a la obra en la ardua tarea de interrogarle sobre su tesis. En Cambridge la tortura era civilizada. En el patio principal se habían encendido más luces y la gente de la ciudad comenzaba a circular por la puerta del King's Parade para atajar a través del colegio en su camino de vuelta a casa. Los pasos resonaban por los senderos helados. La puerta del edificio Wilkins se abría y cerraba dando paso a los apresurados estudiantes que entraban y salían de

(1) Recuerda, oh, hombre / oh, hombre, oh, hombre, / recuerda, oh, hombre, / tu tiempo se ha consumido.

la sala de alumnos. Se sintió como un fantasma que camina indistintamente, sin que nadie se dé cuenta, su delgada y menuda silueta más pequeña que su sombra, apretando la tesis contra su pecho como si fuera un amuleto que le protegería de alguna desgracia inminente.

En el edificio Bodley se apresuró por los peldaños de la escalera Y que conducían a las habitaciones de Greatbatch en el tercer piso. Greatbatch era un extraño personaje: estudiante durante unos veinte años, había estado casado brevemente —al menos, eso se rumoreaba—; sufrió una curiosa tragedia, tras la cual se mudó a aquellas habitaciones, donde había vivido desde entonces. Taciturno a veces, y normalmente introvertido y susceptible, Gates halló en él un amigo imprescindible y un mentor. Había intervenido escasamente en el trabajo de Gates, pero sus dilatadas conversaciones, que se prolongaban a menudo más allá de medianoche, le habían guiado sutilmente y refinado los matices de su ámbito. El árabe de Greatbatch era extraordinario para un hombre que jamás había puesto los pies en Oriente; su conocimiento de los emplazamientos arqueológicos del sur de Arabia resultaban asombrosos para alguien que nunca había excavado ni manejado un palustre. Greatbatch había vivido a través de las exploraciones de otros hombres, de los libros de otros hombres. Pero de ellos había inferido cosas que habían pasado inadvertidas a la observación y a la experiencia directa de sus autores, había extraído conclusiones que otros fueron incapaces de hacer. Sin ellos, pensaba Gates, él no hubiera pasado de ser un estudiante competente y laborioso, pero él le había contagiado su entusiasmo e imaginación hasta tal punto que incluso los textos más áridos le habían parecido encantadores y el polvo de la rutina se transformó en el brillo de la vida.

Abrió la puerta exterior, apartó la cortina separadora y golpeó con los nudillos la puerta de atrás. Greatbatch abrió en seguida; alto, lunático, desaliñado, cada pulgada de la pedante figura de excentricidad consumada que agotó a los profesores, y con la cual soñaron las jóvenes aspirantes al graduado durante los largos meses de verano que precedían el inicio del trimestre. El lúgubre hombre miró a Gates escrutadoramente, casi con adoración, levantó una ceja y le arrastró hacia adentro.

—John —susurró como si compartieran un secreto—, date prisa, entra. Debe de hacer un frío horroroso ahí fuera. Ya he tenido que poner el fuego más fuerte una vez y el ambiente va a estar muy cargado.

Gates se deslizó hacia adentro y cerró la puerta cuidadosamente a sus espaldas. El repentino calor de la habitación le sofocó durante un instante, mientras divisaba dos hombres junto a la ventana que se volvieron para mirarle. Antes de que pudiera recuperarse, Greatbatch le había cogido por un brazo y le arrastraba en dirección a los dos extraños, un hombre de unos treinta y cinco años, con el pelo oscuro, y el otro ya mayor, con el pelo blanco; extrañamente familiares, pensó Gates.

—John, permíteme presentarte a tus examinadores —dijo Greatbatch. Con la mano derecha señaló al más viejo—. Conocerás, sin duda, por su reputación al profesor Paul Haushofer. Ha llegado de Heidelberg esta tarde y le he convencido para que se quede, por lo menos, hasta los villancicos del domingo.

El hombre parecía enfermo; tenía la cara pálida y surcada por las arrugas, y su cuerpo flotaba en el interior de unas ropas que parecían varias tallas más grandes de lo que le correspondía. Mientras alargaba la mano en dirección a él, John tuvo dificultades para reconocer en aquel rostro de enormes ojos de mirada fija el de las fotografías que había visto. Haushofer debía de haber envejecido rápidamente, pensó John, para haber cambiado tanto. Por su mente cruzó el pensamiento de que aquel hombre se estaba muriendo. Sin embargo, la mano que estrechó era firme y los ojos que sondearon los suyos eran límpidos y enérgicos.

—Bien —dijo el hombre con voz débil pero clara—, es un gran privilegio conocerle por fin, mister Gates. He leído su tesis. Un trabajo impresionante. He hablado de ella con varios colegas. Le envidio.

Gates se sintió momentáneamente aturdido. No esperaba aquello. De todos los hombres que podían examinar su tesis, Breatbatch había escogido ¡a Haushofer! ¿Se habría vuelto loco? John sonrió frunciendo el entrecejo a la vez, y estrechó la mano del viejo. Se sintió estúpido entre aquellas personas, con sus pretensiones y sus rancias ambiciones. Notó la mano de Greatbatch en su brazo y se volvió para saludar al otro hombre, el más joven.

—John —dijo Greatbatch—. Conoces a Peter Micklejohn, pero no creo que os hayáis visto mucho, ¿verdad?

John sacudió la cabeza.

—No —respondió—. El doctor Micklejohn se encontraba de permiso el año que yo llegué; luego me marché a viajar por los campos y, de hecho, no nos hemos visto excepto en fiestas ocasionales.

Micklejohn rió entre dientes. Era un hombre bajo y grueso, con una enorme barba poblada como un matorral. Sus amigos le llamaban «el Gnomo» y sus detractores «el Cro-Magnom».

—Bueno —dijo—, tal vez tengamos oportunidad de rectificar eso cuando toda esta tontería se acabe. Me voy de vacaciones a Buraimi y me gustaría que me diera su opinión sobre ciertos asuntos antes de irme. Pero hay tiempo. Ya concretaremos algo más tarde.

Aprovechando la pausa, Greatbatch intervino precipitadamente.

—Tomarás un jerez, ¿verdad, John? Desde luego. Antes de dedicarnos a asuntos serios —comentó sonriente pero sin conseguir animar a John. Emborracharle primero, ésa era la idea.

Sin aguardar respuesta, el profesor llevó media docena de antiguas copas de jerez al mueble donde guardaba la garrafa persa con un retrato de Nasir al-Din Shah. Gates sonrió nerviosamente y suspiró para sus adentros. En los cuatro años que llevaba allí, jamás había tenido valor suficiente para confesar a nadie, y menos al insistente Greatbatch, que, de hecho, odiaba el jerez, o al menos, la variedad absolutamente seca que se servía en tantas habitaciones de los colegios.

Con los vasos en la mano, los cuatro hombres tomaron asiento alrededor de la mesa de comedor de Greatbatch. La pulida y brillante madera reflejó el suave brillo de las luces amarillas de la pared; el reflejo parecía reposar bajo la superficie de la madera, en otro mundo, contiguo pero a la vez curiosamente remoto del mundo donde ellos se hallaban sentados, cuatro europeos modernos, cuyas vidas y pensamientos eran cautivos de otra época y de otro lugar del globo. Sobre la mesa, delante de ellos, colocaron cuatro copias de la tesis de Gates, junto con notas y papeles que requerían para el trabajo de aquella noche. Greatbatch murmuró unas palabras de introducción a la labor que los ocupaba y cedió la palabra a Haushofer. El viejo contempló la mesa y luego alzó la vista hacia John.

—Mister Gates —comenzó—, cuando nos han presentado le he dicho que he encontrado su tesis impresionante, y ello no era sólo un halago. No tengo ninguna necesidad ni tampoco el deseo de halagarle. Lo que he dicho era cierto, me ha impresionado. —Hizo una pausa respirando profundamente—. Soy un viejo —continuó— y hace poco he contraído una seria enfermedad. Ya ve cómo me he desgastado. Moriré pronto, tal vez antes de navidad.

La habitación se hallaba sumida en el más absoluto silencio. El anciano continuó.

—Pero eso no es lo que me preocupa. Al fin y al cabo tiene que ocurrir, ¿no? Con todo, me alegro de haber leído su tesis. Usted promete llegar lejos, mister Gates, y es bueno pensar que uno deja la docencia en tan buenas manos como las suyas. Eso facilita las cosas.

»Ahora bien, en su trabajo hay puntos realmente notables. Ha realizado ciertos descubrimientos interesantes, además de desarrollar algunas teorías extremadamente provocativas. Naturalmente no estoy de acuerdo con todas, pero las encuentro bien argumentadas. Y hay un descubrimiento ciertamente excitante, si realmente conduce a lo que usted espera; seguro que sabe a qué me refiero. En fin, antes de discutirlo creo que deberíamos fijarnos en asuntos más rutinarios. Déjeme ver... sí, en la página quince menciona el problema de los objetos de loza del último Kassite en las tumbas de Umm al-Nar, en Abu Dhabi...

Y así empezó.

En la cálida habitación, arrullado por suaves voces y sombras que oscilaban y se mecían a su alrededor, John Gates vio nacer su futuro, su vida modelada y planificada por él mismo en el espacio de una noche. Supo entonces que conseguiría el doctorado, que tal vez sería animado a solicitar una beca, ayudado a encontrar fondos y capacitado para efectuar el descubrimiento que sin duda le estaba esperando, tan sólo si pudiera conseguir hombres y un equipo para excavar y encontrarlo. Si es que era necesario excavar. Y supo que su nombre se convertiría en sinónimo de su descubrimiento, como el de Schliemann del de Troya, y Wooley del de Ur. Se transformaría en algo más que un mero tejedor de teorías sobre el pasado, más que un saqueador de oscuras ruinas: traería a la vida parte del pasado.

Un reloj sonaba quedamente en la pared junto a la chimenea. El gas siseó mientras el fuego crepitaba alegremente en la vieja y confortable habitación. Sólo faltaba que nevara fuera, blancos copos cayendo sobre el río y los prados, para que todo fuera perfecto. Las preguntas y las largas y detalladas explicaciones que siguieron apenas importaban. Lo que realmente importaba era la calma, la sensación de posesión, la seguridad, sencillamente. John deseó que la noche jamás llegase a su fin, que la oscuridad cubriera Cambridge eternamente y también el mundo, para que él pudiera permanecer sentado así, contemplando para siempre las luces que brillaban sobre las superficies de madera pulida en aquella habitación.

Nadie reparó en que la puerta se abría silenciosamente. Es costumbre en los colegios dejar la llave sin echar cuando el ocupante se halla en la habitación. La gente suele llamar. Se oyó un sonido suave al cerrarse la puerta. Había un hombre en pie, confundido en la penumbra, con la cara oculta por la larga sombra que proyectaba la puerta. Greatbatch levantó la cabeza y echó una ojeada a la puerta.

—¿Sí? —preguntó—. ¿Quién es? ¿Eres Jonathan? Mira, me temo que no puedo verte ahora, Jonathan; estamos en pleno examen y no creo que acabemos antes de una o dos horas. Llegaremos a tiempo para el concierto, así que ya te veré allá.

El hombre de la puerta no dijo nada. Entonces dio un paso fuera de las sombras. No era Jonathan. Ni era nadie de la escalera Y. Era un hombre joven, que parecía viejo por la forma de erguirse, por su expresión. Tenía el rostro serio, lejano, más un escudo que una frontera con el mundo. Su piel era pálida, casi de alabastro. A Greatbatch le recordó una estatuilla árabe, un pálido dios de alabastro. Superaba la altura y el peso medios, pero estaba bien formado, ni débil ni delgado. Sus ojos lo observaban todo sin revelar nada a su vez. Vestía colores pálidos que hacían juego con su piel. Todo ello contribuía a hacer más completo su parecido con un muñeco. Una trinchera de colores claros caía sin abrochar dejando ver el traje y la camisa. No iba apropiadamente vestido para ser invierno; pero, a pesar de su pálida tez, no daba señales de tener frío. En la mano izquierda llevaba una gran maleta.

Greatbatch se incorporó apoyando la mano en el respaldo de la silla, al tiempo que se apoderaba de él una extraña sensación.

Parecía miedo, pero no pudo hallar ninguna razón para experimentar tal emoción.

—Mire —dijo—, no puede usted entrar así en las habitaciones de la gente. ¿Tal vez busca a alguien? Como verá, estamos muy ocupados en este momento, así que será mejor que pregunte en la portería.

Naturalmente el hombre no estaba dispuesto a desandar todo el camino desde la entrada del colegio.

A esas alturas todos se habían dado la vuelta para observar al intruso. Éste podía ver sus caras desconcertadas vueltas hacia él, la curiosidad pintada en sus ojos, su impaciencia ante la interrupción. Depositó la cartera en el suelo. Era negra y daba la impresión de ser pesada, como si contuviera documentos de gran importancia. Greatbatch ya se hallaba en pie, aproximándose al hombre, mientras un sentimiento creciente de ira se apoderaba de él.

—Lo siento pero debe marcharse —le espetó. Tal vez aquel hombre fuese extranjero, un turista fuera de temporada que no hablaba inglés y que trataba de refugiarse de la inusual niebla—. Si necesita saber alguna dirección —pronunció deliberadamente—, el portero estará encantado de poderle ayudar. —No le gustaba la mirada de aquel hombre. Había algo en sus ojos, una sombra de desprecio, una mirada casi helada, como la de un gato al que disgusta tu presencia. Y sobre todo, su manera de mirar mientras permanecía allí clavado sin pronunciar palabra. Era de lo más inquietante.

El hombre estiró lentamente el guante de piel de su mano derecha y la introdujo en el bolsillo de la chaqueta. Cuando volvió a sacarla sostenía una pistola, una larga pistola negra con un silenciador negro mate en la punta. Greatbatch le miró incrédulo mientras el hombre levantaba la pesada y ridícula arma con ambas manos hasta la altura de la cara. Parecía una broma, pero aquel hombre estaba lejos de querer tomar el pelo a nadie. Tras él, los tres colegas de Greatbatch miraban atónitos. Micklejohn se levantó empujando resueltamente su silla. «Un robo a mano armada», pensó Greatbatch, incapaz de comprender la gravedad de lo que estaba sucediendo. «Debemos informar a la policía, alertar de inmediato a los servicios de seguridad del colegio.»

El dedo del hombre se deslizó limpiamente por el gatillo del revólver, empujándolo hacia atrás sin esfuerzo, con un movimiento harto ensayado. Se oyó un sonido grave y la sangre brotó de la nuca de Greatbatch. El revólver retrocedió levemente mientras el hombre lo retiraba de la dirección de su blanco. El agujero de la cabeza de Greatbatch estaba completamente rojo. Sus ojos lanzaron una última mirada de horror e incredulidad. No emitió ningún sonido al doblar las piernas y caer sin vida sobre la alfombra, manchándola toda.

En la mente de John Gates la letra del villancico comenzó a retumbar como un eco, intrascendente pero con insistencia: *Remember, O thou man*.

Era una pesadilla. Un asesino mudo, Greatbatch muerto en su refugio, la muerte en una habitación. Micklejohn avanzó hacia el hombre sin saber muy bien cómo reaccionar, nervioso a causa del revólver, enfadado y asustado.

—¿Qué demonios es esto? —vociferó. Sonó débil y estúpido, como una frase de drama de aficionados. Pero, ¿qué se puede decir a un hombre que acaba de asesinar a un amigo tuyo a sangre fría? Un hombre que además sostiene un revólver con una mano que no tiembla ni por asomo.

No hubo tiempo para reflexiones. El hombre levantó por segunda vez el revólver y apuntó a Micklejohn. Éste gritó algo incoherente, unas palabras finales; pero tampoco había tiempo para palabras. El revólver escupió obscenamente la bala alcanzándole entre los ojos, justo en el sitio donde la nariz se unía a la frente. La bala le atravesó directamente el cerebro y salió por detrás disminuyendo la velocidad a causa del impacto con el hueso. Micklejohn se desplomó como un árbol.

O thou man, O thou man.

Todavía sin sonreír ni mostrar señales de tristeza o alegría, el hombre continuó su labor. Apuntó a Haushofer. Una espiral de humo azul escapó por la boca del silenciador. El viejo permanecía en silencio sabiendo que iba a morir, aunque sin entender por qué. Había logrado entender el cáncer, incluso lo había aceptado, pero aquello no. El pálido dedo acarició una vez más el gatillo y la bala se estrelló contra el cráneo del alemán. La sangre tiñó de carmesí su cabello blanco y Haushofer se desplomó de espaldas sobre la mesa.

Remember, O thou man.

John Gates trató de ordenar sus pensamientos a fin de discurrir alguna manera de escapar. Todo aquello no podía estar sucediendo, no había razón ni motivo, no era lógico. Hacía unos momentos había visto su futuro abriéndose paso ante él, un dilatado panorama de investigaciones y descubrimientos. Y ahora la locura amenazaba con arrebatarle todo aquello con un simple movimiento del dedo de un pistolero. La sangre se agolpó en su cerebro. Se sintió enfermo y con ganas de llorar. Trató de hablar.

—Yo... —dijo, pero no pudo continuar. Las palabras se atascaban en su garganta. ¿No era suficiente esa declaración de existencia personal? ¿Qué otra cosa podía decir uno de cara a la muerte?

El hombre se volvió hacia él y sonrió. Fue una extraña sonrisa, fría pero no obstante comprensiva. Seguramente indicaba esperanza. ¿Por qué aquel hombre no hablaba? Se le ocurrió que tal vez fuera mudo y que por esa razón había sido elegido para matar secretamente a alguien. Se preguntó si todos los asesinos serían mudos, si el perpetuo silencio era una cualificación para el asesinato. De repente le pareció importante saber sobre tales cosas, pero ahora que se hallaba cara a cara con su propio asesino ya no había tiempo para preguntarse sobre lo que acudía a su mente.

Se fijó en que aquel hombre tenía una larga y pálida cicatriz en la mejilla izquierda. De alguna manera le pareció trivial que su asesino pudiera jactarse de tener una cicatriz en la cara. ¿Podría ser más estereotipado aquel asesino? La sonrisa hizo que la cicatriz se le arrugara. Los ojos se estrecharon a la vez que el revólver subía a la altura de la cara y permanecía firme. John le miró las manos, fascinado. Eran firmes como rocas, sin rastro alguno de nervios. El hombre ya había hecho aquello otras veces y lo volvería a hacer. John miró el dedo sobre el gatillo. Su mente se aceleró, totalmente fuera de control, y comenzó a cantar

Tu tiempo se ha consumido.

La bala trazó un sendero a través de la cantarina cabeza de Gates, rasgando los villancicos y los pesebres y los renos, y todos los recuerdos y sonidos de las navidades pasadas, presentes y futuras, convirtiéndolos en una masa confusa de tisú. Su cuerpo cayó contra la mesa y una lluvia de gotas de sangre salpicaron las blancas páginas de su tesis que permanecía allí abierta.

CAPÍTULO 2

EBLA/TELL MARDIKH, SIRIA

La lápida de arcilla se hizo añicos en sus manos. Hacía un instante estaba allí, una pieza histórica, cuatro mil años de antigüedad, y ahora era de nuevo pura arcilla, húmedos cascotes que se desmigajaron en trozos aún más pequeños al caer, polvo que se reunió en el depósito de ocre a sus pies. David Rosen suspiró, tiró el palustre a un lado y se incorporó con el cuerpo entumecido. Todavía caía una fina lluvia. Tenía frío, estaba calado hasta los huesos. Había estado trabajando es esa lápida durante casi una hora, rascando, cepillando, extrayéndola suavemente de la tierra donde se hallaba alojada junto a cientos de ellas durante más de cuatro milenios. La lluvia había empezado a caer de nuevo la noche anterior, un aguacero pesado y persistente, y, en algún momento durante el chaparrón, la lona que cubría el gran hoyo excavado se había desplomado, dejando parte de las lápidas aún sin excavar expuestas a la tormenta. Por la mañana, retazos enteros de historia se habían derretido en una masa informe de fango descolorido. Y la lluvia persistía.

A través de la gris llovizna, las ruinas de Ebla se erguían a su alrededor, oscuras, mojadas y sepulcrales. Sólo las había visto el verano anterior, cuando el calor de agosto resplandecía sobre las piedras cocidas y la arena del desierto era arrastrada hacia las rendijas y grietas de los recién excavados patios, muros y puertas de la antigua ciudad. En aquellos momentos, mientras excavaba allá en la creciente penumbra de noviembre, trató de recordar el lugar tal y como lo había visto a la luz del sol, cuando la cálida luz se deslizaba como un líquido sobre las piedras devolviéndoles la vida después de su largo sueño bajo tierra. Los muros, puertas y escaleras habían adquirido forma e identidad una vez más, perfilando la luz y las sombras en el cielo azul. Pero desde que la lluvia empezó en octubre, las ruinas habían perdido sus contornos, volviendo a su primitiva forma de rocas, arena y fango. La lluvia y el frío habían sido desacostumbrados aquel año, implacables y deprimentes. Excavando fuera de temporada, solo, a excepción de un árabe, le habían llenado de desazón. Creyó que se volvería loco si la lluvia duraba mucho más. Era insidiosa y estremecedora como el frío que le calaba los huesos mientras cavaba encorvado sobre las lápidas, como un desolado paisaje que no contiene sino hombres grises y mujeres aún más grises, ovejas cubiertas de fango y, desgraciadamente, niños también cubiertos de fango. Y, sin embargo, Ebla y sus ruinas de alguna manera se habían ido filtrando en su interior durante el último mes, más profundamente que en cualquiera de sus visitas anteriores. Después de todo, los primitivos habitantes también debieron de haber conocido el invierno además del verano, la lluvia además del sol. Allá, sin los demás, podía sentir los viejos fantasmas a su alrededor.

El árabe, una fatigada figura agachada sobre la tierra, seguía cavando a su izquierda. Estaba resentido con Rosen y —pensó David— sospechaba de él. Sin duda había sido enviado desde Alepo no tanto para ayudarle en la excavación de las lápidas como para controlar a Rosen e informar de sus movimientos al servicio de seguridad sirio. Ambos compartían una pequeña cabaña en Tell Mardikh, encalada y con forma de gigantesca colmena. No tenía ventanas y se hallaba sumida en la penumbra, iluminada tan sólo por una lámpara de aceite; en las largas noches invernales daba la sensación de ser una prisión. Hablaban poco entre ellos. Durante la noche, Rosen se dedicaba a reconstruir, comparar, transcribir y, a veces, traducir las lápidas extraídas durante el día. El árabe le ayudaba, pero era hombre hosco y taciturno, y David le hablaba poco. Quería terminar el trabajo para navidad, regresar a Cambridge y dedicarse de nuevo a su libro de notas sobre la cancillería eblaíta del período IIB1 Mardikh. Pero antes de poder hacer todo eso tenía negocios pendientes en Siria, en una instalación militar a cinco millas al oeste de Sefire. Tendría que deshacerse del árabe durante unas horas, pero eso era más fácil de decir que de hacer: el hombre era como una lapa humana, suave, flexible y pegajosa.

A sus treinta y cuatro años, David Rosen era reconocido como la estrella naciente de la investigación eblaíta. Arqueólogo de Columbia, su imaginación había sido irremediablemente cautivada por el descubrimiento de Paolo Matthiae a mediados de los setenta sobre la ciudad y el imperio perdido de Ebla, oculto a los ojos de los hombres durante incontables siglos bajo la colina siria que recibía el nombre de Tell Mardikh. Eran unas colinas construidas por la mano del hombre, formadas a base de la construcción y destrucción sucesivas de ciudades, una sobre otra, en el mismo lugar, los escombros de generaciones que crecían hasta que la tierra se abandonaba a la naturaleza o bien era cubierta por los últimos edificios. En un principio, Ebla se construyó al tiempo que se fundaba la primera dinastía egipcia, hacia finales del siglo IV a. J.C. Conoció su esplendor a mediados de la centuria siguiente para ser destruida por Naram-Sin de Akkad hacia el 2300. Dos veces más renació y fue destruida, antes incluso de la época de Abraham, para permanecer casi desierta durante años, mientras la arena del desierto y la maleza crecían sobre sus piedras y cenizas.

David contempló aquel lugar por primera vez en 1977, poco antes de comenzar su graduado en Chicago. No tenía esbeltas columnas hacia el sudeste como Palmira, ni se habían hallado tesoros como en la tumba de Tutankamen, ni tallas monumentales como en Persépolis. Pero él no había ido allí en busca de tales cosas. Entre 1974 y su llegada en 1977, Matthiae y su equipo habían descubierto la mayoría de escondrijos de lápidas de arcilla en el palacio del segundo período. Giovanni Pettinato había logrado descifrar la lengua eblaíta y un nuevo mundo comenzó a revelarse. Para David Rosen era el mundo deseado y se había dedicado de lleno al estudio de los eblaítas con toda la pasión de un amante frustrado durante largo tiempo. Era como si hubiese perdido algo muy valioso y tuviese que escarbar temerariamente en el polvo por temor a que se desvaneciera para siempre.

A primera vista, David Rosen no poseía ninguno de los atributos del estudiante convencional. No llevaba gafas ni era cargado de hombros ni paliducho. Cuando no se hallaba en la biblioteca o estudiando en casa, estaba corriendo fuera o levantando pesas en el gimnasio Nautilus cercano al campus. Un abundante cabello negro rizado enmarcaba un rostro que Burne-Jones hubiera disfrutado pintando, si no fuese por la expresión siempre desafiante de los ojos y la línea de la barbilla, bastante pronunciada, como para ahorrar medio camino a los posibles obstáculos. Su padre y su abuelo habían vestido de negro y se habían dejado la vista en los textos talmúdicos en *yeshivas* poco iluminadas. David rompió con todo eso. En él la pasividad, la aceptación creciente del sufrimiento y la muerte habían dado paso a la confianza en la vida y a una gran fuerza moral.

El árabe tosió. Había tosido mucho últimamente. David esperaba que cayera enfermo y se viera forzado a marcharse. Sabía que enviarían a otro en su lugar, pero lo que tenía que hacer en Sefire no sería muy largo. Tal vez tendría el tiempo justo de ir y volver entre uno y otro perro guardián... si no le cogían y le mataban en Sefire, naturalmente. La inteligencia israelí se olía allí algo extraño. Era una base militar, alejada de cualquier ciudad, inaccesible —excepto para el personal fijo— para cualquiera por debajo del rango de brigadier, y los permisos nunca se garantizaban. Allá no servían reclutas y las misiones duraban dos años con descansos R y R ocasionales en un complejo playero de alta seguridad cerca de Latakia. Hasta el momento habían capturado media docena de agentes del MOSSAD que intentaban penetrar en la base y la seguridad se había reforzado cada vez. No querían que Rosen intentara colarse —tal cosa sería un suicidio—, pero querían buenas fotografías, instantáneas reveladoras sobre las medidas de seguridad más recientes. Francamente, había pensado que eso también sería un suicidio.

El árabe tosió de nuevo. La tos sonó seca y cavernosa, de algún punto de la cavidad pectoral. «A lo mejor es algo mortal», pensó David, y confió en que así fuera. Había pasado el último mes junto a aquel hombre y no creía que pudiera durar más de un año. El árabe tendría unos treinta años, anémico, dado a los malos humores y obsesivamente higiénico. Se lavaba y afeitaba cada mañana con agua fría, se vestía meticulosamente bajo el largo sayo que utilizaba para el trabajo al aire libre y oraba con una regularidad exasperante tras largas y laboriosas abluciones. Era de baja estatura, rechoncho, de ojos taimados y ademanes furtivos. Era del tipo de los que se masturbaban sin disfrutar. David adivinó que debía fantasear sobre mujeres de noventa kilos de peso, de pechos desbordantes y labios que hacían pucheros, llamadas Fátima. El pie izquierdo se le había torcido ligeramente hacia adentro y caminaba como el pequeño Ratso de *Cowboy de medianoche*. Al segundo día, antes incluso de que el resto del equipo se marchara, se llevó a Rosen a un lado.

—Perdóneme, profesor —dijo con voz petulante—, pero tengo entendido que Rosen es un nombre judío, ¿es así?

David le miró directamente a los ojos durante diez segundos, dio media vuelta y se alejó despacio. El árabe jamás se atrevió a comentarlo, pero David sabía que no lo había olvidado, que la pregunta se hallaba suspendida, sin palabras, en cada uno de sus encuentros. Y sabía que la pregunta del árabe no obedecía a una curiosidad frívola. El hombre buscaba a un judío, un espía, un saboteador, un blanco para el odio que le corroía interiormente, como el de la mujer que sabe que tendrá que parir un hijo deforme. Podía ser peligroso.

Inclinándose, David le dio unos golpecitos en el hombro.

—Es hora de irnos. Pronto ya no habrá luz.

El árabe comenzó a incorporarse y en aquel momento empezó a toser fuertemente, doblándose en dos, con el pecho desgarrado por los espasmos y las lágrimas saltándole de los ojos. David le miró hasta que la tos cedió. El árabe había rehusado a que le viera un médico.

—¿Por qué no va a ver a un médico? —preguntó David por enésima vez—. Creo que debería hacerlo. Parece estar peor, y no se le irá por sí solo.

El árabe denegó con la cabeza. Se secó los ojos con el reverso de la mano y enderezó la espalda.

—No —dijo—, se irá; ya he tenido tos otras veces.

—Podría morir —afirmó David casi deseándolo—, y no serviría de nada. Yo no podría ayudarle.

—No necesito ayuda. Se irá con el tiempo; es el deseo de Dios. Mañana ya se me habrá ido, *insha'allah*.

David se encaminó hacia el jeep llevando consigo la caja de las lápidas que había logrado extraer durante el día. Había abrochado el palustre, asegurándolo contra la lluvia más potente que pudiera traer la noche. No podía encarar otro día como aquél. El árabe le seguía con otra caja. Rosen casi deseó que le sobreviniera la tos y la dejara caer; sería una buena excusa para librarse de él.

En algún lugar de los campos, más allá de la colina, una avutarda lanzó un chillido melancólico como el paisaje donde buscaba algún refugio. Regresaron al pueblo en silencio. Sobre sus cabezas, la luz comenzó a filtrarse por el cielo, como si la lluvia la exprimiera de las nubes. David recordó las puestas de sol que había visto en verano y deseó una vez más hallarse en Cambridge. El tiempo debía de ser casi tan malo como el de allí, y había oído decir que unas nieblas bajas que emergían del Cam eran puro veneno para el pecho; pero había compensaciones. Londres sólo estaba a media hora en tren. Aquí, aunque pudiera desplazarse a alguna parte, no había adonde ir. Tal y como se sentía, incluso Alaska o una fábrica de pescados en conserva hubiera sido preferible a Siria y su frialdad puritana. Al menos allí podría ir al retrete sin preocuparse de si alguien tenía un interés morboso en su falta de prepucio. Miró al árabe. El hombre se había inclinado, aunque debía de estar muy poco cómodo. A la derecha sobrepasaron el emplazamiento del campamento, que permanecería cerrado hasta la próxima temporada. No tendría sentido tenerlo abierto sólo para David y su ayudante.

David había sido arrancado de la tranquilidad de unas vacaciones en Cambridge hacia el final de la estación. Allessandro Bertalloni había estado excavando una extensa zanja al norte del patio público del palacio real, en busca de rastros de los edificios sagrados del último período. A la altura del período IIB1 había hallado los restos de un edificio que parecía corresponder al templo de la era IIIA-B posterior. E inmediatamente había desenterrado un montón de lápidas totalmente cubiertas. Al ensanchar la zanja descubrió fila tras fila de ellas, un filón tan grande como el tesoro hallado en 1975. Había suficiente trabajo como para ocuparles durante la siguiente temporada, pero todos los jefes tenían compromisos ineludibles a lo largo del siguiente año académico. Sin embargo, dejar aquel filón sin excavar suponía correr demasiados riesgos, de hurto o de destrucción absurda, así que una rápida búsqueda fue efectuada por alguien que se hizo cargo de las excavaciones hasta el verano. David fue obviamente el elegido, cediendo después de una breve insistencia. Unas vacaciones eran unas vacaciones, pero un descubrimiento como aquél sólo ocurre una vez en la vida. Para octubre ya se había desenterrado suficiente material como para permitirle concentrarse en la tarea de clasificar y transcribir las lápidas que se habían sacado a la luz. Si no hubiese sido por el árabe, se habría sentido bastante feliz.

Mientras conducían de vuelta al pueblo, las ruedas del jeep patinaron levemente sobre el fango que cubría la llamada carretera. Comenzaban a oírse los primeros sonidos característicos del anochecer. Del balcón de la casa de Hajj Sulayman, un transistor reverberaba con la voz de Umm Kulthum. La canción, grabada veinte años antes en El Cairo, se oía alta y vacilante, y rezumaba con una especie de sexualidad desesperada que ponía carne de gallina en toda la espalda de David: Umm Kulthum pesaba unos ciento veinte kilos y él jamás había podido escuchar sus ubicuos graznidos sin sentir náuseas.

A su izquierda, un pequeño corro de mujeres jóvenes que llevaban los largos vestidos árabes y cubrían sus cabezas con pañuelos, charlaban a voz en grito mientras esperaban bajo la llovizna junto a la puerta de la panadería de Ahmad al-Khartumi el pan para la cena. En el centro del pueblo, una multitud de perros fangosos y niños pequeños ladraban y se gritaban unos a otros y corrían como locos tras una pelota de fútbol medio desinflada. Aquí y allá grupos de hombres en pie o sentados a la puerta de sus casas hablaban, fumaban y se reían de viejos chistes. Apenas si giraron la cabeza cuando el familiar jeep se detuvo ante la puerta de la choza que venían ocupando los dos arqueólogos.

David y el árabe transportaron las dos cajas de lápidas, junto con cámaras, trípodes y el equipo de tomar medidas, al interior de la cabaña. El ambiente estaba caldeado, la cabaña mantenía una temperatura más o menos constante gracias a un pequeño calentador de queroseno a fin de impedir que las lápidas allí almacenadas se rajaran con el frío. El árabe encendió la lámpara de gas portátil que se hallaba sobre la mesa y se arrellanó en la única silla más o menos confortable. Empezó a toser otra vez. David depositó sobre el suelo la última caja de lápidas y alcanzó la botella de arak que guardaba encima de un estante polvoriento, junto a la primaria estufa. La botella estaba casi vacía; tendría que agenciarse más. Ésta le había durado dos semanas: aquel tiempo era capaz de transformar a cualquiera en un alcohólico. Se sirvió un vaso pequeño y ofreció la botella al árabe. Ya sabía cuál sería su respuesta: la misma de cada noche, un ritual por el que pasaban aunque no tuviese ningún sentido. El árabe sacudió la cabeza irritado.

—Le irá bien para la tos —insistió David.

El árabe le ignoró. David vació su vaso y se sirvió otro, esta vez añadiendo un poco de agua para diluir el alcohol. Era una superstición personal el pensar que el arak haría que el agua se pudiera beber. Hasta el momento había funcionado. Si el agua fuera mala no lo habría notado.

Tras la comida usual, de pan de agave rancio y *ful*, se acomodaron para el trabajo nocturno. En el exterior, la fina llovizna se había transformado en un aguacero. El pueblo estaba silencioso, los habitantes confinados en sus casas, bien abrigados para protegerse contra el aire helado de la noche. De vez en cuando, el árabe tosía mientras medía y anotaba los hallazgos del día. A ratos sus ojos brillaban a la luz de la lámpara al mirar a David, que trabajaba en otra mesa. David no le prestaba atención. Sus ojos se mantenían fijos en la lápida que tenía delante, de forma precisa y cuneiforme, moteada por las sombras que proyectaba la vacilante luz de la lámpara. La había encontrado dos días antes bajo una pila de pequeñas lápidas hechas trizas. Era inusualmente grande, de 37 × 35 centímetros, con treinta y dos columnas de inscripciones diminutas; un tipo de lápida reservado únicamente para textos relacionados con asuntos comerciales. Sin embargo, un examen superficial realizado la noche anterior había revelado que trataba de otros asuntos. Las pocas líneas que había descifrado le habían animado a continuar traduciendo. Comenzó a consultar algunos de los diccionarios y glosarios que se amontonaban en una pila precariamente situada en la parte posterior de la desvencijada mesa.

Explicaba la historia de Ishme-Adad, un du-zu-zu o amanuense que se enamoró de Immeriyya, una princesa de sangre azul de trece años. Ella le concedió sus favores y él la había visitado en sus estancias de palacio durante tres noches, pero a la cuarta los amantes fueron descubiertos y apresados por los guardias de palacio. Immeriyya fue empalada viva e Ishme-Adad conducido al templo de Damu, dios de los remedios y de la magia. Allí fue torturado hasta las puertas de la muerte y luego revivido una y otra vez por las artes de los sacerdotes. Tardó todo un año en morir.

La leyenda causó un gran impacto en David. La lápida había sido escrita por el propio Ishmed-Adad poco antes de su muerte; había un breve codicilo de la mano de uno de los sacerdotes de Damu explicando las circunstancias del castigo de Ishme-Adad y su provisional liberación. Con la lápida en la mano, David notó una sensación de inquietud por todo el cuerpo. Durante cuatro milenios, Ishme-Adad e Immeriyya y su tragedia habían reposado bajo el polvo de Ebla sin ser molestados. Y ahora, con su palustre y su bolígrafo, David los había despertado.

Se echó hacia atrás. El árabe se había quedado dormido apoyado en la mesa. Sus pequeños ronquidos se mezclaban con los siseos de las lámparas. En el exterior, la lluvia golpeaba el tejado con pulso invariable e hipnótico. A la derecha de David, la vieja estufa de queroseno dejaba escapar oleadas de bochornoso y agobiante calor. La cabaña olía a humedad y a queroseno y David se sintió deprimido. En parte, por la historia que acababa de traducir; en parte, por la propia cabaña y por la lluvia; pero también por él mismo, por la sensación de futilidad y absurdo que le había ido invadiendo durante el último año. Se sentó, miró la lápida y echó otro trago de arak.

CAPÍTULO 3

EBLA/TELL MARDIKH

El amanecer era pálido y húmedo. La lluvia había cesado durante la noche, pero el aire todavía retenía la humedad como si fuera una esponja. Había escarcha en el suelo, una fina capa blanquecina que crujía bajo los pies de los labriegos de los áridos campos. El aliento se elevaba sobre sus cabezas en forma de gotitas heladas mientras jadeaban a través de la niebla y el frío aire les daba punzadas en los pulmones al aspirarlo a través de los dientes fuertemente apretados. Se oyó el tintineo de la campanilla de una oveja mientras el pastor sacaba el rebaño a pastar lo poco que encontrara.

David Rosen ya se había levantado. Le gustaba madrugar, en parte por el placer que le proporcionaba despertar al árabe. El desayuno consistía en un poco de café, pan fresco de la tienda de al-Kartumi y confitura de ciruela aguada que era lo único que se vendía en Alepo. Al menos el pan estaba caliente. Durante el desayuno discutieron sobre el trabajo que quedaba en las colinas. David quería acabar con el trabajo al aire libre tan pronto como fuera posible. La humedad y el frío estropeaban las lápidas y quería guardarlas a cubierto en los próximos días. Eso significaba una visita a Alepo para comprar una lámpara voltaica, ya que así podrían seguir trabajando de noche y dejar la tarea de clasificación y comparación para cuando las lápidas estuvieran seguras en la cabaña.

—Escuche —dijo David—. Me voy a Alepo a comprar la lámpara. Le dejo aquí para que vaya clasificando material; ya volveremos a las excavaciones mañana.

Tendría el tiempo justo para acercarse a Sefire antes de regresar. Guardaba el equipo fotográfico en una bolsa a prueba de agua sujeta debajo del jeep. La inteligencia israelí le había proporcionado una cámara trucada. El carrete principal contenía una película de 35 mm expuesta en Tell-Mardikh, de manera que si la abrían y la revelaban no encontrarían nada de que acusarle. Otro carrete contenía varios metros de película en miniatura en un compartimiento oculto en la parte superior de la cámara. Si eso llegaba a descubrirse, podían matarle allí mismo.

El árabe tosió tapándose la boca y sacudió la cabeza:

—Imposible. Tenemos que acabar la sección de ayer. Las lápidas húmedas se pueden haber congelado. Tal vez podamos ir juntos mañana.

David se encogió de hombros. El árabe tenía razón en lo tocante a las lápidas, pero sabía que ése no era el motivo de no dejarle marchar solo. Un agente profesional habría encontrado alguna excusa para deshacerse del árabe sin despertar sospechas, pero David no era un profesional. A pesar del entrenamiento intensivo recibido en el campo de Bet Eshel, en el Negev, de sus vacaciones invernales allí, de su frecuente examen del MOSSAD y de sus lecturas de manuales Shin Beth, era plenamente consciente de su categoría de aficionado. Le molestaba porque contrastaba fuertemente con su dominio en el terreno arqueológico. Y encontró totalmente inútil el uso de su trabajo arqueológico como tapadera de sus ocasionales actividades detectivescas. Tal vez era demasiado susceptible. Ambas profesiones tenían bastante en común: en cierta manera, el arqueólogo era un detective, un agente del servicio secreto cavando en pozos de información, separando el grano de la paja, la ceniza de los escombros, reconstruyendo los cascotes esparcidos, descifrando mensajes ocultos y a menudo reconstruyendo el pasado para ajustar las fechas a su disposición. Los huesos y los cuerpos de los muertos eran para él casi como el grano para un molino que gira eternamente. Los sueños y tragedias de otros hombres pasaban por sus manos como si fueran billetes usados y arrugados. Mentían y robaban, se traicionaban unos a otros y se vendían en nombre de alguna verdad superior, de alguna lealtad más elevada que finalmente lo arreglaba todo, suavizaba los rugosos bordes y redondeaba las melladas esquinas del odio, la avaricia y la envidia. La traición se le había quedado atravesada en la garganta, como un huesecillo de pollo que tuviera allí alojado hacía años y que rehusaba ser expulsado con la tos. Para excavar en lugares como Siria, los arqueólogos dependían de la confianza de las autoridades, una confianza ardua de ganar y sumamente fácil de perder. El régimen baas en Damasco sospechaba desmesuradamente de los extranjeros, precavidos ante las tretas del poder imperial y dispuestos a actuar rápidamente contra cualquiera o cualquier cosa que supusiera una amenaza para la continuidad de su existencia. Rosen lo sabía y si él se exponía, la expedición en masa sería expulsada de Siria, si no definitivamente, sí por una década o más.

¿Y por qué? Por unas miserables fotografías del campo del desierto, unas fotocopias robadas de la casa de un sirviente civil de bajo rango que sería sustituido al día siguiente. Nadie le había explicado qué utilidad, si es que la tenía, había tenido la información que él mismo proporcionó a Jerusalén. ¿Se habían salvado vidas, corregido injusticias o capturado terroristas? Lo dudaba. En el fondo de su mente flotaba la imagen de una pequeña ficha negra donde se leía «Rosen», y que se hallaba al fondo de un archivo en alguna oficina del cuartel del MOSSAD, la cual, de vez en cuando, era extraída para añadir los últimos informes y guardada de nuevo en el fichero.

El árabe se levantó y recorrió el camino hasta el jeep. David le siguió, deteniéndose para echar el cerrojo a la puerta. Los lugareños eran en general gente honrada, pero las lápidas podían ser una tentación. Antes de la llegada de los italianos en 1964 ya se habían realizado excavaciones ilegales y en Damasco aún había mercado para ese tipo de material. Naturalmente, podían destrozar el cerrojo, pero David sabía que nadie lo intentaría; su sola presencia bastaba para convencer a la gente de que la cabaña era terreno prohibido.

David se acomodó en el asiento del conductor sin pronunciar palabra. Dio la vuelta a la llave de contacto, pero el motor resopló y se caló. «Primero el árabe y ahora el maldito jeep», pensó David. Fueron necesarios diez intentos antes de que el motor admitiera su derrota y se encendiera con desgana. David pisó el acelerador y el jeep se deslizó evitando por poco uno de los innumerables baches que sembraban la carretera del pueblo. El frío empezó a hacer mella en su cuerpo. A ambos lados de la carretera, arbustos canijos de retama y tamarindo centelleaban con la escarcha. Bajo la fina capa de hielo que recubría la carretera, el oscuro y cenagoso barro aún persistía. Sobre sus cabezas, el cielo amenazaba con más lluvias. El aire frío era malsano y apestoso. Mientras conducía, el árabe lanzaba furtivas miradas a David. Había encontrado la bolsa con la cámara y la película sujetas bajo el jeep hacía dos días, pero quería cazar a Rosen usándolas; su gente necesitaba saber qué era lo que perseguían los sionistas.

La lona había aguantado toda la noche, pero el suelo de alrededor estaba inundado y la niebla había congelado las lápidas que se hallaban debajo, sobre la tierra. Tendrían que fundirla suavemente para evitar posibles resquebrajaduras. David trajo del jeep un pequeño secador de aire, lo conectó al generador portátil y lo dirigió hacia la superficie de las lápidas. Se volvió hacia el árabe.

—No le quite la vista de encima a esto, ¿de acuerdo? Voy a bajar al palacio a mirar una cosa. Llámeme cuando esté seco, pero, por lo que más quiera, no permita que se quiebren.

Sabía que tendría que vigilar las lápidas él mismo, no se fiaba en absoluto del árabe. Pero aquel día no tenía ningunas ganas. La depresión de la noche anterior todavía no se le había pasado. Ishme-Adad ocupaba aún el centro de sus pensamientos.

Había un pequeño tramo hasta el palacio, una pequeña elevación en el flanco oeste del área de la Acrópolis. A su alrededor, basalto, caliza y ladrillos de barro cocido formaban contornos desconcertantes de grandes edificios derruidos. Resbaló una vez en una losa basáltica húmeda, y cayó dolorosamente sobre un costado. El suelo era desigual y traicionero. Entró en la sala de audiencias del palacio a través de la estrecha escalera ceremonial de la fachada norte. Todo se hallaba en calma. El cielo parecía estar muy bajo, casi al tocar de las grises piedras. Aquélla debía de ser la sala a la que se refería Ishme-Adad al principio de su declaración. Allí habían sido juzgados y condenados por el rey de Ebla, Ibbi-Sipish. El estrado donde se hallaba el trono real todavía estaba allí, con unos enormes huecos justo delante donde debió haber habido columnas. Habían encontrado ojos de caliza esculpidos esparcidos por las baldosas del patio, grandes ojos que antaño habían colgado, pesados y siniestros, del friso de madera que discurría a lo largo de la mitad superior de los muros circundantes. Eran los ojos del dios Dagon. Habían espantado a Ishme-Adad cuando era niño y más tarde cuando ya era un hombre tras el juicio al pie del trono de Ibbi-Sipish.

David permanecía en pie en medio de la sala tratando de imaginar la escena, resucitando en su mente las columnas flanqueadas por los guardias; el rey bajo su dosel de lino, oro y madera de cedro y los oficiales de rango de la corte haciendo reverencias ante él sobre las brillantes losas. Pero todo lo que veía era a Ishme-Adad golpeado y sangrante mientras le conducían a su largo castigo al templo de Damu. La primera noche llevaron a la doncella a su presencia, tan preciosa como siempre, con los pequeños pechos pintados de jena y los cabellos perfumados, y ante sus ojos la introdujeron en una alcoba y procedieron a empalarla. Piedra tras piedra, él la miró hasta que desapareció para siempre de su vista. Embriagada con semillas de adormidera, permaneció en silencio mientras el mundo se alejaba de ella. Él penetró en la oscuridad con ella, perdiendo la cordura.

David permaneció ensimismado en sus pensamientos dentro de la sala. La lápida había revelado claramente algo que él ya sabía desde el primer día que trabajó en una excavación, aunque jamás se lo hubiera planteado. Toda la arqueología se basaba en estados de guerra, muertes violentas y miseria sin fin. Las capas se doblaban y rompían, pero el cemento que las sostenía estaba hecho de sangre y cenizas. Las ciudades nacían y morían con fuego y espadas; los niños nacían y podían considerarse afortunados si lograban vivir durante el lapso de tiempo que tenían asignado. Se sintió al borde de un abismo. Muerte y saqueo era lo que había bajo sus pies, un depósito de siglos. Y el último depósito estaba allí y en aquel momento, con el polvo que se acumulaba día a día. Sangre judía y sangre árabe, ¿qué importaba? Durante mil años, dos mil, ¿quién podía saberlo?, ¿a quién le interesaba? Cuando la sangre se secara y los huesos se quebraran y las cenizas se volvieran arcilla negra, ¿quién se acordaría de la guerra de los Seis Días o de la guerra del Yom Kippur o de cualquier otra guerra que hubiese?

El único sentido se encuentra en la vida y la muerte de las personas. La lápida de Ishme-Adad y su contenido se lo habían recordado, y le habían llenado de un sentimiento de pavor y de un presagio que ni él mismo lograba explicarse. Era irracional, pero desde la noche anterior no había podido desprenderse de él.

Suspiró y se dispuso a regresar por las escaleras hacia el prado. Presagios o no, tenía que ir pronto a Sefire aun a riesgo de atraer la atención sobre él. Desde allí veía lejos a través del campo, hasta donde desaparecía el horizonte. Unos cuantos pájaros volaban lánguidamente en el frío y claro cielo. Sintió un escalofrío y siguió caminando. Cuando apareció ante sus ojos el emplazamiento de las excavaciones, observó que la lona se había desplomado de nuevo. El árabe no estaba a la vista. ¿Por qué el muy idiota no había ido a buscarle o tratado, al menos, de enderezar la lona él mismo?

David saltó al hoyo. Sus pies chapotearon desagradablemente sobre el fango del área excavada. Estiró un brazo para alcanzar el borde de la lona y mientras lo hacía se dio cuenta de que el fango de su alrededor estaba manchado de carmesí. En aquel momento reparó en que la mancha se oscurecía y se extendía por momentos. Levantó con dificultad la lona por un extremo, estirándola hacia la izquierda. El árabe estaba debajo, con el cuerpo horriblemente destrozado, clavado al fango, y había varias lápidas rotas. Le habían cortado el cuello de oreja a oreja, profundamente; la cabeza estaba completamente separada del torso. Sus ojos miraban fijamente, dilatados por el horror. El pulso de David se aceleró y la cabeza empezó a darle vueltas. No había estado fuera ni un cuarto de hora.

Oyó un ruido sordo a su espalda. Se volvió y alzó la mirada. Al borde del hoyo, recortado contra el cielo, había un hombre. Vestía un largo anorak con la capucha levantada sobre su cabeza. Las manos le colgaban a los costados y sonreía. Con la mano derecha sostenía un cuchillo. El metal parecía pálido y de alguna manera suave a la luz oscilante. David no creía que fuera sirio. Tenía los ojos azules y su cutis parecía casi tan suave como el de una mujer. David observó que la dentadura de aquel hombre era perfecta. Se humedeció los labios con la lengua y notó que tenía la boca completamente seca. El hombre le hizo señas para que saliera del hoyo.

Como si despertase repentinamente de un sueño, David giró sobre sus talones, pasó por encima del cuerpo del árabe y se arrastró hasta el extremo más alejado del hoyo. Su adversario estaba aguardando ese movimiento y se encontraba detrás de él justo en el momento en que salía del hoyo ayudándose con las rodillas. David se giró justo a tiempo de ver cómo el cuchillo descendía, un turbio disparo de plata. Fintó con todo su cuerpo mientras el dolor le hacía polvo las costillas y dio un salto para alejarse de la hoja. Ésta le alcanzó de lleno en el hombro, desgarrando la ropa y la carne y resbalando, al tiempo que él rodaba por el suelo para alejarse. Con gran esfuerzo se incorporó y, en cuclillas, intentó levantarse apoyando la mano en el suelo. El hombre del anorak recuperó el equilibrio y le embistió de nuevo con el cuchillo, pero David le lanzó un puntapié por debajo de la hoja, alcanzándole en la rótula. El hombre hizo una mueca de dolor y el cuchillo fue momentáneamente desviado mientras David lograba ponerse en pie y retrocedía hasta el otro extremo del hoyo. Tenía que llegar al jeep, o bien encontrar algo con que defenderse. El asesino se dio la vuelta en el barro y el cuchillo se alzó nuevamente, como un talismán. La sonrisa había desaparecido de su semblante. David corrió, pero le daba la sensación de estar corriendo sobre hielo. Sus pies se deslizaban por el fango, donde encontraba pocos puntos de apoyo. Su aliento cortaba el aire y tenía el pecho agitado.

Una mano le atenazó la garganta por detrás, haciéndole perder el equilibrio, y le arrastró hacia atrás. Perdió pie y en la caída daba codazos atrás y a los lados con el codo derecho. Cayó arrastrando a su asaltante sobre él, pateando y luchando mientras el hombre trataba de hacer palanca y ensartarle contra el suelo. Ambos jadeaban a causa del frío y del esfuerzo. David asestó un rodillazo al hombre, alcanzándole de lleno en la ingle. Se oyó un gruñido salvaje y la presión cedió. El cuchillo cayó al suelo. David liberó uno de sus brazos y apretó el lado de la cabeza de su rival. El asesino se removió logrando recuperar el equilibrio y descargó su puño repetidamente sobre el pecho de David, el cual aulló de dolor. No podía respirar. La cara del hombre estaba justo encima de la suya; sentía su aliento rancio y pesado salir de las aletas de su nariz y sus ojos duros y resueltos. David notó que buscaba a tientas el cuchillo y seguidamente lo vio en su mano. La hoja se elevó en el aire y el hombre cambió de posición buscando el ángulo correcto para asestar el golpe mortal. Sobreponiéndose al dolor, David hizo un movimiento, con el pecho atormentado; ladeó la cabeza de manera que su boca se encontrara con la nariz de su oponente y la lanzó contra él. Mordió fuertemente notando que la carne y los cartílagos cedían mientras sus dientes se hincaban profundamente. Sintió náuseas. Giró la cabeza y escupió todo lo que tenía en la boca, se quitó de encima al hombre y rodó hacia un lado.

Ambos se hallaban tirados en el fango; David, jadeante, intentando recuperar el aliento y el otro dando alaridos y sujetándose la cara con las manos. Estaban cubiertos de pies a cabeza de aquel fango apestoso. No había tiempo para reflexionar ni para hacer preguntas. En aquellos instantes se trataba de una cuestión de supervivencia y nada más. Con el hombro ardiendo y el pecho terriblemente dolorido, David se arrastró hacia el jeep. Cada paso que daba era una renovada agonía y cada bocanada de aire hacía que se le saltasen las lágrimas. A su espalda oía los aullidos de dolor del hombre. Finalmente llegó al vehículo. El secador aún estaba en marcha, conectado al generador de la parte posterior del jeep. David dio un tirón del cable y lo lanzó hacia un lado. Su único pensamiento era escapar. Le parecía que tenía la cabeza desgarrada y la vista se le nublaba. Encontró el camino de la puerta del conductor y estiró de la manecilla. La puerta se abrió hacia él y subió. La llave estaba aún puesta en el contacto. La hizo girar en la dirección del volante pero no sucedió nada. Probó de nuevo, pero nada. El motor estaba parado. Desesperado, hizo girar la llave una y otra vez sin éxito. Ni una chispa.

Sin previo aviso, la puerta del jeep se abrió y una poderosa mano agarró a David por el antebrazo. El hombre estaba allí, con la cara ensangrentada en la parte donde la nariz había sido desgarrada. La sangre aún brotaba copiosamente de la herida. David empujó hacia atrás, luchando, pero el hombre le asió por la pierna izquierda y le hizo perder el equilibrio. David intentó desesperadamente agarrar el volante, pero le resbaló de las manos al tiempo que el hombre le arrastraba fuera del asiento. Se golpeó la cabeza contra la puerta y después contra el suelo mientras volvía a faltarle la respiración. En cuestión de segundos, el extraño se había lanzado sobre él palpando en busca de su garganta y apretándole la tráquea con los dedos. David estaba mareado y sin aliento, y sentía náuseas mientras el mundo daba vueltas a su alrededor y notaba que la conciencia empezaba a abandonarle. En un último esfuerzo, manoteó en un intento de asir la capucha de su oponente y, agarrándola, la estiró hacia atrás con toda la fuerza que fue capaz de reunir. La cuerda delantera tenía un nudo que se apretó contra su delgado cuello. El hombre inclinó la cabeza hacia atrás y se alzó levemente intentando evitar la presión en la garganta. Era la última oportunidad de David. Golpeó con la rodilla los testículos del hombre y, mientras sus manos se aflojaban, estiró todo lo que pudo de la capucha hacia atrás con una mano, mientras con la otra le empujaba la cara. Sus dedos encontraron el hueco donde había estado la punta de la nariz y el hombre aulló de dolor, mientras David conseguía, por fin, liberarse.

En aquel momento, el hombre se interponía entre él y el jeep. El hombre alzó la cabeza salvajemente encolerizado, con los ojos cegados por la ira. Pero aún había algo más: en su astuto interior, la inteligencia luchaba por sobreponerse al dolor y la ira. El hombre se puso repentinamente en pie, sus rápidos ojos vigilando a todas partes. Justo a su derecha vio un montón de herramientas que David y el árabe utilizaban en sus excavaciones. Con un movimiento rápido, agarró una pala con un mango pesado, blandiéndola en sus manos como si se tratara de un hacha. Con movimientos estudiadamente deliberados, la blandió por los aires, manteniéndola siempre en equilibrio, haciéndola sisear. Avanzó hacia David sin dejar de hacer silbar la pala por el aire, pesada y mortífera.

David se tambaleó hacia la izquierda de su oponente, con los ojos fijos en la pala. De repente, el hombre efectuó un rápido movimiento y la pala pasó por encima de su hombro sin rozarlo. David trastabilló hacia un lado, moviéndose en dirección al arma, pero consiguió asestarle un golpe oblicuo en la cadera mientras descendía. Notó que se le desgarraba la carne. A toda velocidad, corrió por el lado del hombre hacia el montón de herramientas y, sin pensarlo dos veces, desesperado, agarró un pico con el mango corto y lo levantó. El hombre había dado la vuelta y corría hacia él. David volteó el pico y lo lanzó con fuerza, acertando al hombre en la espinilla. Éste dio un traspié y resbaló. David corrió hacia él, agarró la pala y la sujetó con fuerza. Lucharon y cayeron de nuevo con la pala entre ambos. David la soltó y, a tientas, dio con el pico.

Una pala con un mango tan largo era difícil de manejar en una lucha cuerpo a cuerpo. Mientras el hombre trataba de blandirla sobre su cabeza, David descargó el pico sobre él. La punta penetró limpiamente en su estómago, clavándose profundamente. Se oyó un grito de angustia y el hombre dejó caer la pala. Sin dejar de gritar, intentó arrebatarle el pico. Durante lo que pareció un siglo, lucharon por su posesión... y por sus propias vidas. De repente, el asaltante de David se detuvo y el pico cayó hacia atrás. Se oyó un crujido y el hombre perdió el sentido. David levantó la cabeza y vio que el pico había golpeado de lleno en el rostro de su rival, penetrando en el cráneo justo entre los ojos. David relajó sus miembros y se desplomó junto al cadáver.

CAPÍTULO 4

No tenía ni idea de cuánto tiempo había permanecido inconsciente. Cuando por fin despertó, frío y dolorido, era ya entrada la mañana. Miró su reloj de pulsera, pero se le había roto durante la pelea. Debajo del suyo, el cuerpo del hombre se había tornado rígido rápidamente; el pico aún se hallaba alojado en su cráneo y su cara era un amasijo de sangre coagulada. Con el cuerpo dolorido repleto de contusiones y de cortes que le escocían, David se puso en pie y miró a su alrededor. El lugar se hallaba aún desierto. Nadie había dado señales de vida.

¿Quién era aquel hombre? ¿De dónde venía? David se agachó y extrajo el pico del cráneo, desviando la vista al hacerlo. Seguidamente comenzó a registrarle los bolsillos. No encontró nada en el anorak, ni tampoco en los pantalones. Hizo descender la cremallera del anorak. Debajo, el hombre llevaba un jersey grueso y una camisa, pero no había más bolsillos. El asesino no llevaba encima nada que le identificara, ni a él ni a quien le había enviado. Bajo la capucha, su pelo era oscuro, pero su rostro no le decía nada.

Vaya suerte la suya, pensó David, en medio de aquel lugar y con dos cadáveres que esconder. Una excavación arqueológica era, con toda probabilidad, el peor sitio del mundo para deshacerse de un cadáver. El verano siguiente habría montones de personas por todo el lugar cavando con palas, picos y palustres, tan ansiosos por encontrar huesos como una jauría de perros. Para entonces él ya se habría ido, claro, pero si quería seguir viviendo después de todo aquello, preferiría que los cuerpos quedaran allí durante algún tiempo. Reflexionó rápidamente y entonces recordó los pozos. En el patio del palacio había dos pozos considerablemente profundos. Acababan de excavarlos, y, por el momento, nadie querría volver a bajar. David pensó que servirían.

Le sería difícil transportar los cuerpos hasta el patio. No podía utilizar el jeep a causa de la cantidad de baches que había por el camino. Uno tras otro, arrastró ambos cadáveres por el suelo mojado. Era un trabajo duro y su cuerpo se resentía al abusar de él de aquella manera después de haber sido tan castigado. Finalmente logró transportar los dos cuerpos hasta el patio.

Tiró al árabe de cabeza en el pozo que se hallaba junto a la fachada norte. Por su parte, el extraño cayó limpiamente en el segundo pozo, al lado este del patio. David regresó a la excavación y recogió en la lona tantos escombros como pudo transportar, cargándola a su espalda como un saco. Hizo dos viajes, para arrojar piedras y tierra a los pozos para cubrir los cuerpos. No quedó perfecto, pero los pozos eran lo suficientemente oscuros y profundos como para que nadie notara lo sucedido. Volvió a la excavación con la lona. El lugar era un desastre: lápidas aplastadas y rotas y sangre congelada por todas partes. Con la ayuda de un palustre hizo lo que pudo para borrar los rastros de sangre. Con las lápidas no podía hacer nada, excepto volver a extender la lona y confiar en que por lo menos las protegiera de la lluvia hasta que alguien pudiera hacerse cargo de todo.

Mientras conducía de vuelta al pueblo todavía era temprano por la tarde. Faltaban unas cuantas horas para que oscureciera. Le dolían bastante las heridas, pero a su juicio eran tan sólo superficiales. Sus ropas se hallaban en un estado lamentable; tendría que cambiarse nada más llegar a la cabaña. Todavía no había concebido ningún plan pero sabía que tenía que salir de Tell Mardikh. No lograba adivinar la identidad del extraño ni sus motivos, y eso le preocupaba. Tal vez existían rivalidades entre las clases dirigentes del servicio de inteligencia sirio que explicarían los acontecimientos del día. Dios sabía que había grandes tensiones dentro del país, y no sólo entre la élite alawi y la mayoría sunní, y David no tenía ningún deseo de quedarse por allí para averiguarlo. Además, había otras preguntas que reclamaban una explicación. ¿Por qué aquel hombre había usado un cuchillo y no un revólver? Sus ropas no eran baratas, obviamente no era un campesino. ¿Sería su intención matar a David y al árabe de manera que sus muertes parecieran obra de bandidos locales? Sin embargo, incluso los bandidos pueden usar revólveres.

Podía esperar a que oscureciera para regresar al pueblo, pero probablemente no le reportaría ninguna ventaja. Tendría que explicar a la gente que el árabe se había ido, que se había marchado a Alepo o a Damasco y que no volvería. Y él tendría que abandonar Tell Mardikh esa misma noche. Podía haber más gente buscándole, incluso podrían estar esperándole en el pueblo. Quizá alguien había llevado al asaltante de David a la excavación antes de regresar al pueblo. Y desde luego no importaba quiénes fuesen si iban armados. David continuó avanzando por la carretera, con el estómago atenazado por los nervios.

El pueblo estaba en calma. Todo el mundo se había retirado a su casa para descansar después de la comida. Incluso los chiquillos, por una vez, estaban tranquilos. Un perro ladró y corrió tras el jeep durante un rato, hasta que se cansó de la persecución y regresó a su esquina junto a una cabaña derruida. En alguna parte cantó un gallo, confundido en la débil luz invernal. Un gallo escarbaba con petulancia entre el polvo en busca de comida. David se detuvo ante la cabaña y apagó el motor. No había nadie a la vista. Salió del coche dando un salto, se dirigió hacia la puerta y entró. La cabaña se hallaba sumida en la oscuridad, como todas las del pueblo, ya que la luz era algo demasiado valioso para ser de uso común. David buscó el farol y lo encendió. Mientras graduaba la llama, la lámpara siseaba como una serpiente, sibilante y monótona, iluminando la pequeña y odiosa habitación.

Como si el entrar en la cabaña le hubiera ayudado a decidirse, David ya sabía lo que tenía que hacer. Si el hombre de la excavación era un agente gubernamental, pronto le estarían buscando por todos los aeropuertos y puertos del Mediterráneo. La pérdida de un agente habría disparado las alarmas entre aquel punto y todos los puestos fronterizos del país. Además, podría ser fácilmente identificado en un país que tenía extraordinariamente pocos residentes extranjeros y prácticamente ningún turista. No tenía ninguna intención de disfrazarse ni de obtener papeles falsos, ni sabía tampoco dónde localizar a los agentes israelíes o cómo ponerse en contacto con ellos. Estaba atrapado.

A menos, claro está, que consiguiera cruzar en seguida la frontera, bien en el jeep, bien a pie. Y no cabía ninguna duda acerca de qué frontera: la frontera con los territorios que todavía controlaban los militares israelíes, al oeste de Quneitra. David tenía sólo una vaga idea de cómo era la región fronteriza, pero estaba seguro de una cosa: ningún bicho viviente había cruzado jamás esa frontera en ninguna de las dos direcciones, ni siquiera un lagarto. Era un suicidio intentarlo, pero también era un suicidio no hacerlo. Él podía no ser más que un espía en sus horas libres, pero nadie reserva balas de juguete para los aficionados.

Sin perder un segundo, se puso ropa limpia. No había tiempo que perder, y no tenía esparadrapo para las heridas. Le llevó menos de un minuto empaquetar todo lo que podía necesitar para el viaje. Los papeles y las lápidas eran importantes, pero en aquellos momentos no había tiempo para ellos.

La calle estaba desierta. Había algo en aquella tranquilidad que a David no le gustó: era demasiado absoluta, demasiado prolongada. En aquel momento nada la turbaba, ni siquiera el ladrido de un perro. ¿Habría alguien avisado a la gente de que se quedaran en sus casas al saber que había problemas en lontananza? Tiró la bolsa en la parte posterior del jeep y se sentó al volante. Con un poco de suerte habría suficiente gasolina en las latas que llevaba detrás para poder realizar el viaje. Lo que pudiera ocurrir después de eso importaba verdaderamente poco. Puso el motor en marcha transmitiendo una ola de vida al pueblo dormido, y a toda velocidad se perdió en la creciente penumbra de la tarde. Al llegar a las afueras del pueblo comenzaron a caer sobre el parabrisas las primeras gotas de una fina llovizna.

CAPÍTULO 5

Los limpiaparabrisas luchaban desesperadamente por mantener el cristal limpio de lluvia y fango. David tenía que forzar la vista para conseguir ver algo a través de la fina película marrón que se había formado sobre el parabrisas, conduciendo más por intuición que por lo que veía. La carretera no era más que una noción, una idea que discurría entre el barro, algo que ningún dibujante de mapas colocaría en los mismos. La realidad no era más que fango y piedras, fango cuando el jeep avanzaba por el camino correcto y piedras cuando se salía fuera al girar demasiado rápido. El jeep daba sacudidas y rodaba despiadadamente; las cuatro ruedas del vehículo apenas si rozaban el suelo mientras él conducía a ciegas bajo aquel diluvio, en dirección a la carretera principal de Damasco.

Con aquel tiempo habría sido una locura intentar conducir campo a través. En las primeras millas ya se habría perdido, y si no, habría volcado. Pero sólo había una carretera que pudiera tomar: a través de Damasco hasta Quneitra, y unos pocos cientos de metros más allá, la frontera. Faltaban unas ciento sesenta millas hasta Damasco, otras cincuenta hasta Quneitra, unas doscientas en total. Camino de Damasco avanzaría muy lentamente, encontraría caravanas como de costumbre, y también barricadas. Antes de llegar a Damasco pasaría por dos ciudades grandes y varios pueblos.

Giró por la carretera principal, justo antes de Ma'arret al-Nu'man, y se dirigió hacia el sur. Un grupo de pesados camiones pasaron estruendosamente en dirección a Alepo. Un solo coche, un Volvo gris bastante abollado, le adelantó en dirección a Hama, haciendo sonar brevemente el claxon al pasar a toda velocidad antes de ser tragado por la lluvia que le precedía. Una moto rugió a su lado, con una sola luz parpadeando en la penumbra, ronca y ciclópea, en ruta de ninguna parte hacia ninguna parte. David pisó el pedal del gas y aceleró; encendió los faros, que brillaron a través de la tormenta. Era una carretera peligrosa. Con aquella lluvia los coches podían patinar y chocar unos con otros sin control alguno. El agua torrencial arrastraba el fango de los parabrisas, pero no mejoraba sustancialmente la visibilidad. Pasó por Ma'arret al-Nu'man casi sin verlo. Las calles se hallaban desiertas. En un salón de té, unas luces amarillentas revelaron un grupo de ancianos tomando café y jugando al backgammon. Y después, de nuevo la carretera, una franja descolorida que se iba estrechando hasta perderse en la oscuridad del horizonte.

Pasó por el lado de Hama. David sabía que allí había habido una fuerte presencia militar desde otoño, tanto en la ciudad como en sus alrededores, después del golpe dirigido por Mas'ud al-Hashimi. Pocos años antes, Hama había sido el centro de reunión de los Ikhwan al-Muslimun, los fundamentalistas hermanos musulmanes. Armados por la OLP de Arafat, se habían alzado contra el régimen baas de Hafiz Asad. Asad envió a su hermano Rifat a la ciudad con las fuerzas controladas por los alawi. Algunos periodistas afirmaron que en la masacre que siguió murieron más de veinticinco mil personas. Parte de la ciudad fue destruida. Poco tiempo antes de su llegada a Siria aquel año, David había oído un creciente rumor sobre las tropas que lanzaban cianuro gaseoso con mangueras de goma en el interior de los edificios. Aquélla fue la segunda masacre de Hama en el plazo de un año.

En aquellos momentos, la ciudad era todavía un foco de problemas en potencia. La gente celebró con gran júbilo el derrocamiento de los baas por al-Hashimi y su partido nacionalista, pero hasta el momento nadie sabía muy bien qué pensar del nuevo líder. Se decía que era muy popular, y la política que había llevado hasta entonces era liberal. Incluso había sostenido conversaciones con Israel a fin de llegar a algún tipo de acuerdo, aunque nadie parecía dispuesto a negarlo ni a confirmarlo. Pero fuera cual fuese el tiempo que al-Hashim y su nuevo gobierno pudieran mantenerse en el poder, la situación seguía siendo tensa. Era más seguro no correr riesgos.

Volvió a coger la carretera diez millas después de Hama. Al poco adelantó a un convoy militar que se dirigía a la ciudad: una fila chirriante de tanques y camiones bajo la lluvia que parecía una siniestra procesión funeraria camino del cementerio. Tras ellos, una fila de coches procuraban rezagarse por temor a chocar a causa del mal tiempo. El comandante de uno de los tanques sacó la cabeza por una torreta y oteó el sombrío paisaje. Después se dejó caer de nuevo adentro como un caracol retrayéndose en su concha.

Pasó por Homs sin detenerse. El alumbrado de las calles ya estaba encendido. Estaba oscureciendo y la lluvia no daba señales de amainar. La carretera era allí un poco mejor, pero el tráfico era más denso y lo sería en el tramo que quedaba hasta Damasco. El jeep subió por la falda de las colinas del Antilíbano y continuó por el alto paso azotado por el viento que conducía a al-Nebk antes del descenso final, poco antes de Qutayba, en dirección a la capital. David torció a la derecha en al-Salihiyya para evitar pasar por Damasco, dirigiéndose hacia el Líbano durante unas cuantas millas, antes de retroceder, pasado Qatana, hasta la carretera de Quneitra.

Llegó a Quneitra al anochecer. No había ningún movimiento. La ciudad había sido arrasada y bombardeada por los israelíes en 1974, antes de devolverla a los sirios como parte del acuerdo de alto el fuego del año anterior. En la actualidad era una ciudad fantasmagórica, un monumento a la locura humana. Habían tardado toda una semana en destruirla. La población había sido evacuada y después las patrullas de demolición entraron en ella. En aquellos momentos no era sino una tierra yerma, sembrada de escombros de los edificios derruidos: una iglesia, una mezquita, un cementerio abandonado. A David le pareció un lugar más ancestral que cualquier otro donde hubiera estado excavando. Había oído comentarlo a menudo, sus amigos israelitas se referían a ello en voz baja, con embarazo.

En las afueras de la ciudad, David encontró una casa que conservaba parte del techo intacto. Las fuerzas del orden de la ONU tenían los cuarteles un poco más lejos, hacia el interior, pero él pretendía mantenerse fuera de su camino. Sacó comida y mantas del jeep y limpió un trozo del suelo en una esquina de una habitación vacía. La lluvia se filtraba a través de los agujeros del techo. En una ventana sin cristales, un trozo de lona hecho jirones se balanceaba de un lado a otro a merced del viento. David alumbró las paredes brevemente con la linterna. Todavía quedaban restos de un papel mohoso con algo que parecía un dibujo de rosas. Una fotografía rota se balanceaba en un clavo oxidado; era un retrato, pero la cara era indiscernible. David apagó la luz.

Estuvo allá estirado hasta después de medianoche, descansando, a la espera de la oscuridad total. La lluvia decayó hasta convertirse en un leve chispeo. De mala gana, David se levantó y volvió a salir a la oscuridad. Dando traspiés por los escombros, regresó al extremo sur de la ciudad. No tenía sentido continuar por la carretera. Había tres puestos de vigilancia, cada uno de ellos a doscientos metros del siguiente: el sirio, el de la ONU y el israelí. Jamás conseguiría llegar por aquel camino.

Un grueso alambre de espino arrollado y oxidado se extendía a cada lado, perdiéndose de vista en la distancia. No lejos de él, David encontró una lámina ancha de acero ondulado. La extendió sobre el alambre a modo de puente, aplastándola para pasar por encima. A su derecha veía las luces del puesto fronterizo sirio. Había también un solitario puesto de tirador medio cubierto por la arena, ocupado por un único centinela que se estremecía de frío.

Avanzó lentamente por el húmedo y fangoso suelo. Por todas partes flotaba un espantoso olor de descomposición. Se sentía como si estuviera nadando en un mar de fango. Una luz vigía se encendió repentinamente en el puesto sirio. Comenzó a girar en dirección a él, barriendo atrás y adelante como una guadaña, un cono de luz blanca y pura. David se tiró al suelo rogando para que pasara por encima de él. La luz le pasó muy cerca, y luego se alejó, pero después volvió hacia atrás, enfocándole y deteniéndose. Una voz rasgó la oscuridad, ampliada y distorsionada por un megáfono. Hablaba en árabe, incomprensible para él en aquella amplificada distorsión.

El megáfono ladró de nuevo, esta vez más alto. Frente a él, una luz se encendió en el puesto de la ONU. Por detrás del alambre espinoso oyó el sonido de un jeep que se aproximaba.

—Algham —dijo la voz, pero David no consiguió entenderla. Aquella palabra no tenía ningún sentido para él. En inglés gritó a la oscuridad:

—¡No comprendo! ¿Me oyen? ¡No comprendo!

Todo aquello era absurdo. El día anterior se hallaba sumergido en el pasado, y aquel día, en aquellos momentos, se encontraba en el peor de los presentes, muriéndose en un campo fangoso de la frontera siria. Se preguntó por qué no disparaban.

Un segundo megáfono rompió el silencio, esta vez desde el puesto de la ONU. Hablaban en inglés con acento irlandés.

—Quédese donde está. Se halla en un campo de minas. No se mueva. Ahora irán a sacarle. Si va armado, tire las armas lejos de usted.

El jeep se detuvo junto a la alambrada. Tras él una voz árabe gritaba instrucciones.

De repente, una segunda luz vigía se encendió como un relámpago del lado israelí. Se encontró durante unos segundos con la luz siria y retrocedió trazando una línea recta hacia el lado israelí de la frontera. Simultáneamente una ametralladora se elevó y se abrió, comenzando a disparar a lo largo de la línea que trazaba la luz. Primero explotó una mina, luego otra y luego una tercera.

David oyó varias voces a su espalda. Se oyó el disparo de un rifle seguido del estallido de una arma automática. Comenzó a avanzar lentamente hacia el lugar donde había explotado la primera mina. Sólo distaba unos pocos metros. Continuó avanzando con los ojos fijos en la luz vigía israelí que se mantenía firme al otro lado. Caminó en línea recta hacia ella, rogando porque las minas hubieran sido colocadas espaciadamente. Tras él, la ametralladora abrió fuego, disparando una y otra vez en la oscuridad. La luz vigía siria le había perdido. Daba vueltas a uno y otro lado tratando de localizarle. Y de repente, lo logró. Una voz gritó desde el puesto de la ONU, que se hallaba pocos pasos a su espalda:

—¡Corra, hombre, corra, por lo que más quiera!

Y echó a correr. Oyó cómo la ametralladora disparaba repetidamente. Desde el puesto del tirador, una segunda abrió fuego. Se encogió todo lo que pudo, procurando mantenerse dentro del camino trazado por los israelíes. De repente tropezó, cayendo sobre una masa de alambre; sufrió arañazos en la cara y en los brazos y se cortó en una docena de sitios. Oyó voces y miró hacia arriba. Frente a él había un soldado israelí con un rifle en la mano. Apuntaba a David, y no sonreía.

CAPÍTULO 6

Jerusalén era Jerusalén: una ciudad al borde de una especie de locura, la capital de un país no demasiado real, tanto en la mente como en los mapas. David fue conducido hasta allá en una furgoneta sin ventanas y confinado en una pequeña habitación gris con barrotes en las ventanas y un sólido candado en la puerta. Los solideos y los hebreos eran tranquilizadores, pero no así los modales de sus guardias. Le dejaron solo durante horas. A veces oía pasos por el pasillo, pero nunca se detenían ante su puerta. Otras veces se le ponía la carne de gallina al preguntarse qué código o regla habría infringido para que hasta su propia gente le hiciera callar de aquella manera. Facilitó toda suerte de explicaciones al comandante israelí en Quneitra, un hombre de unos cuarenta años, con rastros de brillantina en el pelo. En parte esperaba que el hombre le hubiera dado unos golpecitos en el hombro; en cierto modo, ¿no era un soldado que había escapado de las líneas enemigas, es decir, casi un héroe? Pero el israelí se limitó a mirarle fijamente a los ojos casi sin pestañear y a hacer preguntas durante las escasas horas que faltaban para el amanecer, hasta que salió el sol y les venció el cansancio.

En Jerusalén tardaron todo un día en convencer a quienquiera que fuese que supervisaba tales asuntos de que David era realmente quien afirmaba ser. Ningún conocido había ido a visitarle; había sido reclutado en América y entrenado en el Negev, pero en Jerusalén no era más que un nombre y una fotografía de una larga lista. Durante el segundo día, le llevaron algo de comer, le observaron y le dejaron dormir durante varias horas.

El ruido de una puerta al abrirse le sacó de sus sueños. David tuvo la sensación de que el hombre ya estaba allí antes de que él le viera. La habitación vacía parecía haber adquirido una especie de plenitud. El hombre vestía ropas civiles, pero se comportaba como un soldado profesional. Aparentaba unos cincuenta años, aunque, a diferencia de los soldados de su edad, que muestran en la cara o en el cuerpo señales de las emboscadas, escaramuzas y batallas sufridas, aquel hombre parecía tener más miedo de otras cosas que de las balas o los proyectiles. David había visto antes aquella mirada en los ojos de los hombres que le habían entrenado en el arte del espionaje. Todos ellos habían luchado alguna vez con armas de fuego, pero sus verdaderas batallas habían consistido en asuntos más tranquilos, infinitamente más destructivos del individuo, de esa esencia que normalmente el combate físico deja intacta.

—Buenos días, profesor Rosen —dijo el hombre. Su voz, igual que su cabello, era fina y gris—. Soy el coronel Scholem; estoy encargado de la división de contraespionaje de asuntos sirios. Mi trabajo es principalmente el antiterrorismo, pero me han pedido que estudie su caso. Leí los detalles de su declaración esta mañana, pero aún hay cosas que me gustaría comentar. ¿Puedo sentarme?

Junto a la cama había una endeble silla. David asintió y Scholem tomó asiento ladeando ligeramente el rostro hacia él.

—Lamento que le hayan tenido tanto tiempo en esta habitación —continuó Scholem—. Existían sospechas... una cierta irreflexión. Me temo que es usted culpable hasta que se demuestre lo contrario. Ahora explíqueme lo sucedido. No se preocupe, no estoy tratando de cazarle en alguna incongruencia; esto no es una investigación policial.

David se lo explicó todo, sin dejarse nada en el tintero. Scholem permanecía sentado, inmóvil, escuchando. Era un hombre de estatura media, con tristes ojos marrones y la piel lisa y bronceada. Sus finos dedos jugueteaban inconscientemente con la arruga de la pernera derecha de su pantalón, pero el resto de su cuerpo permaneció impertérrito mientras duró el monólogo de David. No hizo preguntas ni gesto alguno. Y, sin embargo, en el fondo de sus ojos David percibió una rápida inteligencia que calibraba la información que recibía. Cuando David terminó, Scholem sonrió; una sonrisa somera y fugaz, como la de un médico que simpatiza con tu caso pero que te trata como a cualquier otro paciente. Y entonces empezó el interrogatorio.

No era una investigación criminal propiamente dicha, pero Scholem sondeó en busca de los detalles de un modo que ningún policía lo hubiera hecho. No buscaba un asesino. Ya tenía dos: uno muerto y uno vivo. Y si se había cometido un crimen, éste había tenido lugar en Siria, un país con el cual Israel no tenía nada parecido a un tratado de extradición. Scholem estaba interesado en lo que el incidente podía significar para el servicio de información israelí; pero cuanto más indagaba, menos sentido parecía tener.

—¿Podría ser que trabajara para una red de traficantes de arte? —preguntó Scholem. Se refería al hombre que David había matado en las excavaciones. Finalmente, aquélla parecía la solución más aceptable.

David se encogió de hombros.

—Sí —respondió—, es posible.

Probablemente habría corrido la voz de que en Ebla se había realizado un gran descubrimiento. Los comerciantes de arte no se habrían interesado por unas lápidas de arcilla, pero si hubiesen creído que se trataba de materiales sin catalogar de alguna variedad más vendible, entonces tendría sentido enviar a alguien a fisgar por allá.

Finalmente Scholem se levantó. Bajo su piel surcada por las arrugas y sus ojos cansados, David intuyó una energía tranquila y profundamente mesurada. No era la energía de un hombre nervioso y ocupado que despilfarra tanta como emplea, sino la de alguien que sabe exactamente cuánta tiene que utilizar y la conserva hasta que está listo para actuar. David creyó adivinar que costaría bastante lograr encolerizar a Scholem, pero que una vez conseguido sería tajante y decidido.

—Creo que ya puede irse a casa, profesor. No tiene ningún sentido que le retengamos aquí indefinidamente. No sería de ninguna utilidad. Si le necesitamos, nos pondremos en contacto con usted. ¿Adónde tiene planeado ir? ¿De vuelta a Cambridge?

David asintió.

—Pero primero iré a Haifa unos cuantos días para ver a mis padres. Llevan viviendo allá cinco años y no los he visto hace tiempo. Tengo que ir a visitarlos y pasar algún tiempo con ellos ahora que estoy aquí. Ellos viven su vida y no nos vemos demasiado.

Scholem miró a David a través de la reducida estancia. Parecía cansado y no por falta de sueño o por agotamiento, sino por algo más profundo, algo interior. Cuando habló de nuevo, su voz sonó diferente, menos brusca, menos formal.

—¿Es usted judío practicante, profesor?

La pregunta sorprendió a David. Scholem ni siquiera llevaba puesto un *yarmulkah*, ni parecía del tipo de los que se preocupan. Un refugiado del holocausto, pensó David. Su hebreo era perfecto. Debían de haberle traído directamente de Europa cuando no era más que un niño. Probablemente sus padres y todos sus parientes estarían muertos. Él era sionista y no judío, al menos no en sentido religioso. ¿Qué podía importarle si David era practicante o no?

David sacudió la cabeza.

—No, por lo menos desde la universidad. Antes sí. Mi padre es un rabino ortodoxo, y yo me crié en un ambiente religioso. ¿Por qué me lo pregunta?

Scholem se encogió de hombros.

—Por ninguna razón en particular. A veces ayuda. Cuando uno mata a un hombre, o cuando uno mismo se ve en las puertas de la muerte. Para algunos significa comprender las cosas, aceptar la situación. —Calló y se hizo un corto silencio. Después miró a David de nuevo—. Y usted, ¿por qué lo hace?

—¿El qué? —David levantó las cejas asombrado.

—Espiar para nosotros; no es su trabajo. Usted es arqueólogo y tiene otras prioridades. De hecho, no nos gusta la gente como usted en este trabajo. Después tienen mala conciencia y llegan a despreciarnos. —Hizo una pausa y miró al suelo—. Llegan a despreciarse a ustedes mismos. —Levantó la vista—. No ha contestado a mi pregunta.

David no sabía qué decir. Se había planteado eso mismo cuando fue abordado por el MOSSAD durante su primer viaje a Israel, diez años antes. Y desde entonces se lo había seguido preguntando de vez en cuando. Jamás halló una respuesta, y la duda persistía, punzante como la cólera que se niega a abandonarnos.

—¿Qué puedo decir? ¿Cómo voy a explicárselo si ni yo mismo lo entiendo?

No, quizá no fuera cierto. Sí que lo entendía en un rincón de sí mismo; pero era un rincón tan privado que conocía demasiado bien como para explorar o cuestionar la mayoría de las veces. Miró a Scholem de nuevo.

—Me crié en una familia ortodoxa —dijo—. Éramos ortodoxos de después del holocausto, perdidos, confundidos, temerosos, sobre todo temerosos. Temerosos de las cosas que un día estaban allí y al día siguiente ya no estaban. Y ellos se habían dado cuenta, naturalmente. Mis padres tenían poco más de veinte años cuando les llevaron a Belsen. No sé qué les ocurrió allí, ya que nunca han hablado de ello. Desde luego sé lo que sucede normalmente en los campos de concentración, así que puedo adivinarlo. Crecí familiarizado con los números que llevaban tatuados en los brazos. Cuando tenía diez años me explicaron su significado. Siempre había creído que era una costumbre judía normal y corriente, como la filacteria o los círculos afeitados en la coronilla. La mayor parte de la gente que conocía también tenía números tatuados. Y yo mismo crecí oyendo los gritos de mi madre. Gritaba tan fuerte en mitad de la noche que despertaba a todo el mundo. Y a mí siempre me asustaba. —Se detuvo—. ¿Para qué le estoy contando todo esto? Ya lo sabe. Es parte de todos nosotros.

Scholem asintió.

—Sí, ya lo sé —dijo con voz queda—. Continúe.

Y David continuó.

—Éramos judíos practicantes. Cumplíamos el *shabbat* al pie de la letra. Los viernes por la noche mi padre me llevaba al *shul* y cuando volvíamos a casa, mi madre tenía la mesa preparada, el vino y las barras de *challah*. Entonces encendía las velas. Era su momento favorito de la semana. Decía: «Luz en la oscuridad», y eso la hacía enormemente feliz; tan feliz como no la vi jamás; en el *shabbat*. También observábamos el *kashrut* y las fiestas. Mi padre, mis hermanos y yo llevábamos el *pe'ot* en la cabeza. Ellos todavía lo llevan.

David se acarició distraídamente la sien. Hizo una pausa, pensativo. ¿Comprendía Scholem lo que estaba intentando decirle?

—Durante el primer año que estuve en Columbia dejé de afeitarme el círculo en la coronilla. Luché para ir allí; luché duro de verdad. Y mi padre luchó por mantenerme alejado. Entonces pensaba que él no comprendía, pero ahora sé que sí, y mejor que yo. Si hubiera estudiado derecho, medicina o ciencias, a lo mejor no habría estado tan mal. Tal vez todavía llevase la coronilla afeitada, la barba cortada y me cambiaría de ropa para mezclarme más fácilmente con los no judíos.

David hizo una nueva pausa.

—Yo solía llamarles *goyim* —dijo—. Cómo cambia la gente. Ahora sería incapaz de hacerlo. De cualquier forma, si hubiera estudiado algo así, todavía sería religioso. Tal vez ortodoxo no, pero bastante piadoso y observante de las reglas; me habría casado, tendría una familia y habría criado a mis hijos en la fe. Pero yo quería ser arqueólogo, y no de cualquier tipo: quería dedicarme a la arqueología bíblica. Fue un profesor de la escuela. Era ortodoxo, claro, y la escuela también, pero aquel hombre era inteligente y estaba enterado de lo que ocurría fuera de la *yeshiva*. Y no creía que la arqueología fuera una amenaza como hacía mi padre. Pensaba que podía hacer crecer la fe, confirmar la verdad del Torá y acercarnos más a nuestro pasado judío. Él mismo había estado varias veces en diferentes excavaciones con Yigael Yadin y había escrito uno o dos artículos sobre la materia para la prensa judía. Pero era un aficionado: nunca tuvo que resolver el tipo de problemas con que un académico tropieza, ni intuyó las posibilidades reales de todo aquello. Cuando llegué a Columbia yo tampoco me imaginaba lo serias que podían llegar a ser esas posibilidades.

»Cuando conseguí mi primer diploma, mi *pe'ot* no era lo único que había desaparecido. Había perdido la fe. En la universidad aprendí una nueva manera de pensar, y cuanto más la utilizaba, más confiaba en ella y menos podía usar viejas formas. Jamás pude conciliar ambos métodos. Algunos lo consiguen, pero yo no. Así pues, ¿qué era yo? Todavía era judío, eso era innegable, de nacimiento, de familia, aquellos números en el antebrazo de mi madre. Podía hacer las mismas cosas que hacen los judíos, pero no creía en ellas;

no podía recuperar las viejas ideas. En vacaciones seguía yendo al *shul* con mi padre, y pensaba que era hermoso, pero realmente había dejado de sentir algo. Aquello era parte de mí; pero no podía experimentar las emociones, no de la manera que solía hacerlo cuando era niño. En el Simchath Torá miraba al resto de los hombres cantando y bailando; algunos tenían los ojos llenos de lágrimas, pero yo no sentía nada, maldita sea. Ya no creía en Dios, ¿sabe?, y, por lo tanto, nada de aquello tenía sentido.

De nuevo hizo una breve pausa. Scholem seguía escuchándole.

—Las relaciones con mi padre se deterioraron —continuó—. Todavía son malas, pero al menos ahora nos hablamos. Hubo una temporada, desde mi tercer año en Columbia hasta que conseguí el doctorado en filosofía, en que no me dirigía la palabra, ni siquiera quería que pusiera los pies en casa. Decía que mis estudios eran algo de Sitra Achra, del otro lado, estrategias satánicas para destruir la fe. Se refería a mi fe. Ahora todo eso es agua pasada, pero él jamás habla de ello. ¿Cuál es mi condición ahora? No soy un judío creyente; no puedo pertenecer a una familia judía; pero no puedo dejar de ser un judío. Así que dirigí mis ojos a la eterna solución: Israel. Si ser judío no era una cuestión de fe ni de familia, tal vez había algo más sencillo que todo eso. Yo no creía en la religión, pero creía en la gente, en la sangre; ¿me explico? ¿Cree que es una excusa?

Scholem permaneció en silencio durante un rato, con los ojos fijos en David, aunque sin mirarle realmente. Sus pensamientos parecían estar en otra parte, aunque mantenía la vista firmemente clavada en David con una sombra de tristeza, como si no quedara nada.

—No es un caso anormal —dijo finalmente con voz suave y cansada—. ¿Cómo cree que comenzó el sionismo? Hay miles como usted. Sobre todo aquí, en Eretz Israel. Este lugar es su Dios, su religión.

Hizo un vago movimiento señalando el suelo, no un suelo concreto, sino la tierra. Aquélla también era la Tierra y bajo ella se hallaba Jerusalén.

—Déjeme decirle una cosa —dijo Scholem con un dejo de ira en la voz, que David no supo comprender—. Son los judíos no religiosos los que nos han traído aquí. Cuando ser judío era una cuestión de religión, un hombre podía escapar, podía hacerse cristiano o musulmán o ateo. Podía abandonarlo todo tras él. Pero cuando se convirtió en una cuestión de sangre, de algo que se llevaba en los genes, no había salida. Los nazis no hacían rellenar a la gente un cuestionario religioso antes de enviarlos a los campos, sino que preguntaban: «¿Quiénes eran tus padres? ¿Quiénes eran tus abuelos?» Los ateos fueron a parar a los campos con Hassidim y murieron junto a él. Cada vez que estalla una bomba en Jerusalén o en Tel-Aviv hay enormes probabilidades de que sea lanzada por un ateo y de que al menos matará a otro. ¿Resuelve su sangre algo?

David permaneció en silencio. No tenía nada que decir. Ya había oído todo aquello antes, lo comprendía y estaba de acuerdo. Por eso había escogido no vivir en Israel; no porque no amara el país, sino porque tenía miedo de dejar de creer en él si se convertía en parte integrante del mismo. Sólo tenía sentido para él a distancia, en el espejo de la diáspora.

Scholem se puso en pie. Alargó la mano y estrechó la de David fuertemente, como si quisiera abrazarle pero no pudiera.

—Siento haber hablado tan bruscamente —dijo—. Tiene derecho. Y a pesar de lo que le he dicho, le necesitamos, confiamos en su ayuda. —Hizo una pausa—. Dice que va a visitar a sus padres a Haifa, ¿verdad? Nos pondremos en contacto con usted allí si descubrimos algo o si volvemos a necesitarle. Hágame saber cuándo piensa marcharse a Cambridge.

David asintió y se levantó a su vez. Miró a Scholem mientras éste se dirigía hacia la puerta en silencio. El coronel parecía un hombre que siempre ha sido vencido en la vida pero que rehúsa admitirlo, que sigue luchando como si la vida tuviese un significado al fin y al cabo. Una vez en la puerta, se volvió.

—Mi padre también era rabino. Un Rassid, un hombre brillante. Para él estoy muerto. En el fondo de su corazón, me enterró hace veinte años; y desde entonces no le he vuelto a ver.

Eso fue todo lo que dijo. Abrió la puerta como si fuera pesada como el plomo. ¿Por qué habría venido Rosen? Se sintió inquieto, como si sintiese una premonición diabólica por acudir, un peligro para sí mismo. Y lo sentía cercano, inevitable. Se estremeció y miró a David que le observaba desde la sombría habitación. Cerró la puerta suavemente y dejó a David sumido en el silencio.

CAPÍTULO 7

Llegó a Haifa esa misma noche en un *sherut*. Compartió el gran taxi comunitario, un Mercedes negro de 1975, con otros cinco pasajeros, cuatro hombres y una mujer, que fumaron y discutieron unos con otros en un hebreo fluctuante durante las dos horas que duró el viaje. Instalado junto a una ventana en el asiento trasero, David contemplaba la oscuridad que se movía al hacer camino, kilómetro a kilómetro, una oscuridad sin fin. Se cruzaron con varios coches en dirección a Jerusalén, y dos veces encontraron un convoy militar, tan gris e insípido como el paisaje por el cual viajaban. Atravesaron Ramallah, Nablus y Jenin, separadas por escasos instantes de ruido, luz y multitudes, y, de nuevo, vuelta a la oscuridad.

Llegaron a Haifa sobre las ocho. Desde la oficina *sherut* de Aviv en Nordau, David cogió un taxi hasta la casa de sus padres en Central Carmel. Haifa había crecido con el tiempo; de pequeña villa de pescadores al pie del monte Carmelo a vasto puerto y centro industrial, que se había expandido por las laderas de la montaña. Para acceder a Central Carmel tenían que subir a la montaña. El taxi devoraba a toda velocidad las pronunciadas y ascendentes curvas que conducían a la planicie de la cumbre. Al llegar, David pidió al conductor que se detuviera. La vista desde aquel punto cortaba el aliento: un mar de luces blancas, amarillas, rojas y verdes a lo largo de la falda de la montaña y alrededor de la media luna que configuraba la bahía. A su izquierda, a medio camino de la pendiente, los edificios sagrados del centro Baha'i se erguían bañados por la luz, la dorada cúpula del templo dominando la ciudad. En mitad de la bahía, distinguió las luces parpadeantes de Acre, la ciudad de blancos muros de los cruzados. Entre ambas ciudades discurría el mar oscuro y silencioso. Sobre su superficie se deslizaba un barco recortado por las luces que resplandecían como el fuego de San Telmo. La última vez que estuvo allí ya había visto luces reflejadas en el agua: una noche de verano salpicada de luces de las estrellas, como si el cielo y la tierra rivalizaran; la luna llena se alzaba por detrás de la colina, desparramando su luz sobre el mármol italiano de los templos. Se preguntó si Rachel estaría aún en Haifa. ¿Habría subido allá alguna vez para contemplar la bahía? Con el corazón latiéndole fuertemente regresó al taxi.

Sus padres le esperaban. Durante la primera hora aproximadamente después de su llegada, casi parecía como si el tiempo se hubiese detenido. Exceptuando que ambos habían envejecido considerablemente desde su última visita, todo estaba como si nunca hubiera estado ausente. Aquello no era su viejo apartamento de Nueva York, pero lo habían arreglado de la manera más parecida posible. Reconoció todos los libros que se alineaban en las paredes, las filas de Talmud, Midrash, Mishnah y Haggadah, los comentarios de Rashi y Maimónides, la vieja copia del Shulchan Arukh del siglo XVII que era la más preciada posesión de su padre. No había cuadros, en cumplimiento de las reglas del Halakah que prohíben las imágenes, pero su padre había hecho una concesión mundana en forma de fotografía de su famoso profesor, Moses Epstein, discípulo de Hirsh. Un trozo de una de las paredes había sido dejado sin enyesar en señal de duelo por la destrucción del templo de Jerusalén, casi dos mil años antes: era idéntico al trozo de pared de su apartamento de Nueva York. Inmediatamente, David se dio cuenta de que comprendía a sus padres como nunca lo había hecho antes: su necesidad de seguridad, su ansia de estabilidad y su sentido del orden en un mundo que se había ido torciendo a lo largo de los años.

Su madre había preparado una abundante comida en honor a su llegada: sopa de *knaydl* con trozos de *matzo, knishes* rellenos de patata, cebolla e hígado, y *blintzes* con mermelada de cerezas negras. Después de tanto tiempo a base de pan y judías, a David le pareció fantástico y peligroso, una saciedad que le repugnaba a pesar de sus tentaciones. Su madre presidía la mesa como una sacerdotisa en el templo, sirviendo, volviendo a servir, cebándoles a él y a su padre como una ceremonia religiosa formal y seria. Su lengua se hallaba ocupada constantemente; charlaba por los codos; las palabras y las frases fluían en una ágil corriente que circulaba por la cálida habitación como para salvarla de la innombrable catástrofe del silencio. Su conversación se refería básicamente a la familia y a los amigos, a los hermanos, a las hermanas, a los tíos, a las tías, a los primos, a los ancianos y a las nuevas generaciones que hacían que todo tuviera sentido para ella.

David escuchaba su conversación sintiendo a la vez cariño y pena; había logrado cubrir sus heridas y su vulnerabilidad con una máscara de maternidad, con un intenso amor devorador que reclamaba a cambio un amor y una devoción que él era incapaz de dar. Igual que la comida que estaba sirviendo, su amor era demasiado abundante para él. Contempló su pequeño y amable rostro, el cabello gris recogido en un moño, el largo y amplio vestido floreado, las nerviosas manos que se movían sin descanso sin hallar jamás lo que buscaban. Pensó que se estaba haciendo mayor como si nunca se hubiera dado cuenta hasta entonces, aunque ella había ido envejeciendo durante toda su vida. Se dio cuenta de que no la conocía en absoluto, era una extraña para él, una vieja sirviendo *latkes*, una madre sin hijos. Comía sonriendo y respondía a sus preguntas, pero sus pensamientos se hallaban muy lejos. Pensaba en Ishme-Adad y en Immeriyya y en el árabe y en el hombre que había matado con un pico: no podía compartir con su madre ninguno de aquellos pensamientos.

Su padre no habló mucho y David tuvo la impresión de que el tiempo no había contribuido demasiado para acortar el abismo que los separaba. No le preguntó por su trabajo ni mostró ningún interés por las facetas más personales de su vida. El viejo se hallaba sentado en su silla como una marioneta sin cuerdas, moviendo los miembros como en un sueño. Su cara era cenicienta y arrugada, y tenía los ojos hundidos en las oquedades como si se escondieran del mundo. Algo en aquel hombre le recordaba a David el padre de su infancia, como los brotes que nacen en el corazón de un viejo roble. Pero David era incapaz de relacionarlos. No podía creer que aquel viejo fuera su padre, ni tampoco podía imaginarse al hombre joven sentado junto a él en la mesa. El viejo rabino habló de su nueva vida en Eretz Israel, de las visitas al Muro de las Lamentaciones, de sus clases en el Pirke Aboth en la *yeshiva* principal de Haifa. Todavía estudiaba el Talmud babilónico durante dos horas cada día, y después se enzarzaba en un *pilpul* o en un debate teológico con sus alumnos y el resto de los profesores y también se dedicaba a escribir un comentario sobre el *Yad Ha-Chazakah* de Maimónides. En su preocupación por su propio desarrollo intelectual,

David había olvidado que su padre era un hombre brillante. Las principales editoriales judías habían publicado sus libros, había realizado extensísimas lecturas, y sus opiniones eran consultadas por las autoridades rabínicas de más alto nivel.

Cuando su madre se retiró a la cocina después de la comida, David intentó reconducir la conversación por viejos caminos, aunque sabía que tal vez fuera una tontería hacerlo.

—¿Leíste el libro que te envié el año pasado? —preguntó refiriéndose a la *Historia de la narrativa patriarcal* de Thompson.

Su padre asintió:

—Unos cuantos capítulos —dijo—, pero deberías saber que yo no puedo leer un libro así. Esa cuestión de las fuentes, ese escepticismo, esos juegos de niños a los que juegan con el libro de Dios...

—Pero son estudiosos, padre. Hombres serios; no escriben para divertirse. Tienen razones para afirmar lo que dicen, igual que tú tienes las tuyas. El *pilpul* es como un juego, a veces, pero los argumentos sirven a una causa.

—El *pilpul* es un debate entre hombres piadosos. Tus libros no están escritos por rabinos; no forman parte de las tradiciones de la fe. Son obra de *goyim*.

—También hay *goyim* que son piadosos, padre. Y entre ellos hay estudiantes. No quiero que estés de acuerdo con lo que escriben, sólo quiero que veas que llegan a una serie de conclusiones a través del estudio y no a través de la falta de piedad o de designios diabólicos. Ellos aman la verdad exactamente igual que tú.

El rostro de su padre parecía triste, triste y desgastado por algo más que los años. Era un hombre pequeño y ahora encorvado, con la cabeza calva, en la cual unos mechones de fino cabello gris luchaban por sobrevivir. Llevaba unas gafas de montura gruesa, casi tanto para proteger sus ojos del mundo como para permitirle ver mejor. Sacudió la cabeza suavemente.

—Tú no amas la verdad, David. Tú te amas a ti mismo, amas tu libertad, amas el mundo. Ser judío no quiere decir nada de todo eso. He intentado enseñarte lo que quería decir y he fracasado, y espero que el Señor del Universo me perdone. No puedes hallar tu propia verdad destruyendo la verdad de otros. Tienes que encontrarla a través de la humildad, de la obediencia a las leyes y de las tradiciones que han sido establecidas. ¿Acaso crees que sabes más que los estudiosos del pasado? ¿Más que Maimónides? ¿Más que Rashi?

Ésa era la vieja discusión y acabaría como siempre. Entre ellos no había más que distancia, un vasto silencio que las palabras jamás podrían llenar. Cuando hablaban entre ellos, sus voces se alzaban de tono y sus discusiones trazaban más y más círculos que jamás se encontraban, jamás se tocaban. En la postura de su padre, David sólo veía obstinación y conservadurismo, y en la suya su padre sólo veía premeditación y anarquía.

Cuando la madre de David entró en la habitación, con un viejo delantal abrochado a la cintura y voz suplicante, el ambiente era más que tenso.

—¡Basta, basta, por favor! Aaron, me habías prometido dejar todos esos asuntos al margen y hablar sólo de otras cosas. David, eres un invitado aquí. Ésta ya no es tu casa, es de tu padre y mía. Si quieres discutir, éste no es el lugar. No es un seminario, es una casa judía. Si quieres quedarte, no vuelvas a mencionar tales cosas.

David alzó la vista y vio sus ojos bañados en lágrimas, verdaderas lágrimas nacidas de una infelicidad y de un dolor profundo que él, inmerso en la seguridad e inocencia de su apartado mundo, jamás había logrado comprender. Se levantó y atravesó la habitación hasta llegar junto a su madre. A su lado parecía pequeña, una pequeña viejecita que había sido su madre hacía muchos años. La abrazó apretándola fuertemente contra él, y entonces se dio cuenta de que aquélla era la primera vez que lo hacía desde que era un niño. De repente se sintió cansado, aburrido, desperdiciado, y recordó el momento, que en aquel entonces le pareció muy lejano, en que había dado media vuelta y había visto el pico sobresaliendo del cráneo del hombre que había intentado matarle en Tell Mardikh, en la fangosa frontera entre el pasado y el presente.

Quería dormir hasta tarde, pero su madre le despertó con un suave toque en la puerta. Entró en la habitación con la cara pálida y preocupada; sostenía un telegrama en las manos.

—Acaba de llegar esto, David. He creído que podía ser importante, así que te he despertado. A lo mejor prefieres seguir durmiendo.

—No, madre; está bien. Ya estoy despierto. De hecho, tengo cosas que hacer y prefiero levantarme pronto.

Ella no respondió y se dirigió a la puerta. A medio camino se giró y regresó a los pies de la cama.

—David —empezó con voz insegura—. Sobre lo que ocurrió anoche... siento haberte hablado tan severamente. Lo lamento si pareció que te estaba regañando. Ya sé que no eres un niño, pero a veces lo olvido.

—No importa, madre, no importa. Tenías razón al reprenderme. Ésta es vuestra casa, y no un lugar para discusiones tontas.

Ella sacudió la cabeza tristemente como si le doliera hacerlo.

—No, David, no son tontas. Son discusiones muy serias sobre asuntos muy serios. Una discusión tonta es inevitable, no tiene importancia; es algo que vale más olvidar. Pero estas peleas con tu padre... me duelen porque os quiero a los dos. No puedo tomar partido por ninguno. Lo único que hago es estar ahí mirando cómo os gritáis y os herís mutuamente, y me siento inútil. En una familia no debería suceder esto, David; tanto daño y tanto distanciamiento entre las personas. No sé quién tiene razón y quién no en estas cuestiones, pero cuando os oigo discutir de ese modo me parece como si ninguno de los dos la tuviera.

—Madre, yo...

—No, David, escúchame. Tengo que decir unas cuantas cosas, cosas que jamás he dicho antes. Tu padre te quiere, ¿sabes? Está orgulloso de ti, oh, sí, muy orgulloso. Y tú le haces daño, le causas dolor. No sólo por estas grandes cosas sobre las que discutís, sino por otras mucho menos importantes: entras en la casa sin tocar el *mezuzah*; no llevas sombrero ni fuera ni dentro, ni siquiera un *yarmulkah*; no rezas, no guardas el *shabbat* cuando deberías, y, probablemente, tampoco observas el *kashrut* cuando comes. David, vives como un *goy*, y tu padre cree que un día él tendrá que responder por todo esto ante el Señor del Universo.

—Pero él no es responsable de mis actos. Soy un adulto, tengo que encontrar mi propio camino. El Halakah es una senda, no una prisión.

Ella le miró a los ojos sosteniendo la mirada.

—Su amor por ti le hace responsable —dijo—. Y a mí también. Responsable de los dos. David, quiero que encuentres el modo de resolver esto con tu padre, de llegar a un acuerdo antes de que sea demasiado tarde. Él es viejo, David, y está enfermo. Intenta comprenderle.

David se alarmó. ¿Su padre estaba enfermo? Nadie le había dicho nada. ¿Cuánto tiempo llevaba enfermo?

Su madre asintió, al tiempo que se le ensombrecía la cara de nuevo, igual que la noche anterior.

—Se está muriendo, David. No había ninguna razón para que lo supieras, y, por favor, no digas nada. Nadie de la familia lo sabe. Tiene cáncer de hígado. Los médicos de Blumental le han dado un año de vida, tal vez menos. Él lo sabe y lo acepta. En el campo de concentración, un año era toda una vida. Sin embargo, aún quedan algunas cosas que le preocupan, y tú eres una, la más importante.

Se levantó.

—No lo retrases mucho, David. Él necesita hablar contigo.

No había más que decir. *Aroysgeverfoneh verter*. Palabras baldías. Tantas palabras baldías... Ella se sentía vacía de nuevo; vacía de palabras, de esperanzas, de sueños. Sólo le quedaba aquello, una vida de extraña en Eretz Israel. La puerta se abrió y la cerró al salir, pero el peso de sus emociones quedó flotando tras ella en la habitación.

David suspiró profundamente, luchando por aceptar lo que acababa de oír, que su padre se estaba muriendo, que pronto estaría muerto. A veces, su propia muerte parecía burlarse de él a distancia; pero durante los últimos días la había sentido tan cerca que incluso podía tocarla y olerla y, de alguna manera, eso hizo parecer más real la posibilidad de la muerte de su padre, más inminente. Absorto en sus pensamientos, abrió el sobre y extrajo el telegrama.

Antes de abandonar Jerusalén había dejado un télex para que lo enviaran al departamento de Arqueología en Cambridge explicando que se había visto obligado a abandonar las excavaciones en Siria y que planeaba regresar a Inglaterra en el plazo de una semana. Aquélla era la respuesta y el segundo golpe de la mañana.

NOTICIAS SOBRE PARTIDA RECIBIDAS. NOTIFICAREMOS A ROMA CAMBIO DE PLANES. NECESARIO ANTICIPAR REGRESO. LAMENTAMOS INFORMAR TRÁGICO INCIDENTE OCURRIDO EN CAMBRIDGE. MICHAEL GREATBATCH, PETER MICKLEJOHN, PAUL HAUSHOFER, JOHN GATES ASESINADOS POR PISTOLERO SEMANA PASADA. RAZONES DESCONOCIDAS. ASESINO NO CAPTURADO TODAVÍA. CELEBRACIÓN FUNERALES PRÓXIMO MES. SINCERAMENTE ROGAMOS REGRESE.

El telegrama estaba firmado por Richard Halstead, jefe del departamento.

David contuvo el aliento con todas sus fuerzas hasta que le dolió el pecho y la sangre le golpeó las sienes. Conocía a Michael Greatbatch desde hacía diez años, a Micklejohn y a Gates desde el principio del verano. A Haushofer le conocía y respetaba por su reputación. Y ahora todos estaban muertos. ¿Cómo era posible? Pensó en Cambridge, en los muros curtidos por el tiempo y en aquellas puertas tan bien afianzadas que constituían una garantía de eterna seguridad para los que se resguardaban en su interior. ¿Quién podía haber traspasado aquellos muros para disparar sobre hombres inocentes? E inmediatamente pensó en Tell Mardikh, los muros en ruinas, las verjas oxidadas y aquel hombre junto a él con un cuchillo. ¿Había sido una coincidencia o el destino lo que le había llevado a él y a otros cuatro hombres a enfrentarse con una muerte violenta en el espacio de unos pocos días? Tenía que ponerse en contacto con Jerusalén en seguida. Si había algún tipo de conexión entre los incidentes, había que investigarlo en seguida.

Mientras pensaba en Jerusalén, recordó algo que había sucedido hacía ocho o nueve años, no estaba seguro. Un profesor de la Universidad Hebrea, Yigael Bar-Adon, había resultado muerto de un disparo una noche en su oficina por un asesino desconocido. Había robado algunos papeles, todos ellos relacionados con la investigación del profesor, pero nadie sabía con seguridad lo que contenían y no pudo hallarse ninguna razón que explicara su desaparición. Bar-Adon era un hombre de unos cincuenta años, casado y con tres hijos, y había sido arqueólogo. Por aquel entonces se había especulado con la posible implicación secreta del profesor en un trabajo para el servicio de información. Sus excavaciones le habían llevado a menudo al Negev y al Sinaí, y había realizado diversas visitas al Jordán. Por una vez David no halló ningún motivo a priori para no admitir tal posibilidad. Pero no se le ocurría ninguna razón para creer que Greatbatch o cualquiera de los otros muertos en Cambridge había tenido implicaciones similares. Superficialmente, no se parecían en nada. Tendría que ir a Jerusalén y averiguarlo.

Su padre había ido a la sinagoga local para las oraciones de la mañana. Era uno de los que formaban un *minyan* regular, un quórum de diez hombres indispensables para el oficio. De allá se trasladaría directamente a la *yeshiva* donde daba clases y no volvería a casa hasta última hora de la tarde. Curiosamente, David se sentía un tanto dolido porque no le había pedido que le acompañara al *shul*. Tal vez podría sugerírselo él mismo cuando volviera de Jerusalén: ése podría ser el principio.

Después del desayuno explicó a su madre que había planeado regresar a Jerusalén durante unos días, pero que intentaría estar de vuelta a tiempo para el *shabbat* del viernes por la noche. Metió unas cuantas cosas en una bolsa y aguardó hasta las once. En Cambridge serían las nueve pasadas; con suerte, podría localizar a Halstead en su oficina. Consiguió línea directa con la centralita de la universidad, desde la cual le pusieron en contacto con el secretario del departamento. Instantes después percibió la voz de Halstead a través de la línea, levemente perezosa, una voz inglesa de tono grave que ocultaba grandes reservas de energía.

—Dígame; Halstead al aparato. ¿Quién es?

—¿Profesor Halstead? Soy David Rosen. Le llamo desde Haifa. Acabo de recibir su telegrama.

—¡Ah, sí, David! Recibió mi telegrama, ¿verdad? No está mal, lo envié ayer. Espero que estuviera claro.

—Sí —replicó David—. Muy claro. No sé muy bien qué decir... sobre los asesinatos, me refiero.

Se hizo una pausa en el otro extremo y Halstead habló de nuevo. Su voz había cambiado; sonó compungida y mate.

—Los asesinatos. Desde luego. Un mal asunto, muy malo.

—Si es posible, me gustaría conocer los detalles.

—Oh, sí, claro. Pero la verdad es que no hay mucho que contar. No sabemos demasiado.

Sin derrochar palabras, Halstead informó a David de lo sucedido: el descubrimiento de los cadáveres por la camarera de Greatbatch, la investigación policial que hasta entonces sólo había tropezado con un muro y la falta de pistas o posibles razones. Nadie había visto salir a ningún extraño o sospechoso del edificio Bodley. A la hora en que se suponía que habían tenido lugar los disparos mucha gente atajaba por el colegio de vuelta a casa. Todos los miembros del departamento habían sido interrogados, pero hasta el momento no habían sacado nada en claro, o al menos, la policía no lo había comentado.

—¿Se llevaron algo? —preguntó David—. Papeles, notas, o algo así.

Halstead hizo una nueva pausa. David se lo imaginó: alto, delgado, de cejas pobladas y una masa de pelo gris enredado que se cortaba una vez al año y se cepillaba dos veces por semana.

—¿Cómo lo ha adivinado? —preguntó Halstead—. Sí, creemos que han robado algunos papeles. Como le decía, era el examen de Gates, así que debía de haber montones de notas por la mesa y copias de la tesis. Cuando la camarera encontró los cuerpos dice que la mesa estaba limpia como una patena; ni papeles, ni carpetas, ni apuntes, nada. Excepto unos rastros de sangre que, por cierto, estropearon aquella estupenda mesa. Un directorio francés muy elegante; tendría que haberlo visto.

Se hizo un silencio y después volvió a oírse la voz, alterada una vez más.

—Lo siento, eso ha sido de mal gusto. Perdone. Todo este asunto ha sido un golpe terrible. Yo conocía a Greatbatch muy bien. Era un buen amigo, un viejo amigo. Es realmente descorazonador.

—Comprendo. No tiene por qué disculparse. ¿Qué hay del apartamento de Gates? ¿Lo forzaron o se llevaron algo?

—No, creo que no. La policía ya lo ha examinado, claro, pero no han dicho que se hubieran llevado nada. ¿Por qué lo pregunta?

—Bueno, si tenemos en cuenta que el motivo de los asesinatos pudo ser el robo de notas y apuntes, debemos pensar que el responsable iba detrás de algo del trabajo de Gates. En ese caso, también se habría llevado cosas de su apartamento. A menos, naturalmente, que ya hubiera encontrado lo que buscaba.

Halstead murmuró con asentimiento:

—Sí —dijo—. Sé lo que quiere decir. Ya creíamos que los papeles robados podrían ser una pista, pero la policía, con su gran sabiduría, la ha descartado como falsa. Los académicos pueden llegar a excitarse con su trabajo o con el de otros, pero no por ello llegan al extremo de matarse entre sí. Y unos papeles así no pueden tener interés para nadie más. Si Gates hubiese sido físico nuclear o estuviese investigando nuevas fuentes de energía o algo parecido, algo que tuviese aplicaciones económicas o militares, tendría sentido. La policía cree que fue obra de un lunático, de alguien que quería publicidad para su crimen. Hasta ahora no han facilitado informes a la prensa con la esperanza de que el asesino se vea obligado a mostrarse de nuevo, escribir a la televisión, a los periódicos o cosas así.

—O tal vez matar a alguien más.

Halstead respiró pesadamente.

—Sí, también corremos ese riesgo. Pero, en cualquier caso, no veo ningún motivo. Un motivo racional, quiero decir. A menos que...

Hubo otra pausa. La línea zumbó un par de veces y luego se detuvo. Halstead habló de nuevo.

—David, conoce Israel y conoce la región donde Gates estaba

investigando. ¿Hay algo con lo que pudiera haber tropezado accidentalmente, algo... vaya, delicado? ¿Algo que pudiera haber puesto nervioso al servicio de información?

Cabía la posibilidad. David sabía que el trabajo de Gates le había llevado al Sinaí y a lo largo del borde del estrecho de Tirán y del golfo de Aqaba. Aquélla era una región conflictiva y Gates era bastante ingenuo.

—Sí —respondió—, es posible. Pero no lo creo. Si lo desea puedo hacer algunas indagaciones. Hoy me marcho a Jerusalén, y tengo contactos que pueden ayudar. Extraoficialmente, desde luego.

—Comprendo.

La línea zumbó de nuevo y la voz de Halstead se oyó muy lejana. Sus palabras siguientes fueron apenas perceptibles.

—¿Podrá venir a los funerales?

—Confío en que sí.

—Bien, ya le haré saber la fecha cuando se haya fijado. En fin, vale más que colguemos. La línea se está poniendo imposible. Gracias por llamar.

—Gracias, profesor. Estaremos en contacto.

Halstead colgó. La línea hizo un clic y luego sólo se oyó el silencio. David colgó el auricular y recogió su bolsa. Si se daba prisa, estaría en Jerusalén un par de horas más tarde.

CAPÍTULO 8

Alquiló un coche y condujo a lo largo del flanco nordeste de la larga cadena montañosa del Carmelo. Al dejar Haifa a sus espaldas, el espeso humo blanquecino que emergía de la fábrica de cemento de Nesher ocultó la ciudad de su vista. El humo le empañaba el espejo retrovisor como una nube helada.

Llegó a Jerusalén justo antes de las dos. Habían transcurrido algunos años desde la última vez que vio la ciudad claramente a la luz del día, y sintió un escalofrío mezcla de excitación y aversión mientras caminaba por las calles de la vieja ciudad. No quería dirigirse directamente a la oficina de Scholem. En Jerusalén había algo más que el desnudo suelo de la reducida estancia pintada de gris.

Jerusalén era como cualquiera de las otras ciudades santas que había visitado o sobre las que había leído: la piedad a hombros con evidente intención mercantilista, y el culto realizado como un comercio. Por todas partes se vendía arena de Tierra Santa y agua de Tierra Santa, tierra y agua para las semillas y para la sed de una sustancia sobrenatural. Rosarios y crucifijos colgaban en racimos ecuménicos junto a tallits, tefillin y fotos de la mezquita Aqsa. Biblias y coranes, breviarios y Haggadahs se hallaban alineados en los viejos escaparates de la Vía Dolorosa y más allá. Trozos de la auténtica cruz, clavos de los pies y manos del dios muerto, pelos de la cola del Buraq, la bestia sobre la cual viajó el Profeta desde La Meca hasta Jerusalén, piedras del templo de Herodes... El cuerpo de la ciudad se había ido vendiendo como el de una prostituta y la gente aún acudía en busca de reliquias.

David sintió una presión sobre él, una presencia, una discordancia en el tiempo, siglos de fe y de rancia hipocresía amontonándose por todas partes. Caminó rodeado de masas de gente. Ancianos cuyos rostros eran como semáforos de la memoria se hallaban sentados ante puertas aún más viejas que ellos, recordando los tiempos de la dominación turca. ¿Arrepentimiento? ¿Indiferencia? Todo había cambiado y todo volvería a cambiar. Las calles serpenteantes y los bazares repletos de chucherías nunca carecían de movimiento de peatones. David era arrastrado igual que una embarcación en el mar.

Repentinamente, una ola de soledad le invadió, fría, amarga y pavorosa, un vértigo espiritual. Había vivido solo durante semanas en Tell Mardikh, inmerso en sus propios pensamientos, sus estados de ánimo, su propia presencia, pudiendo hablar solamente con el árabe y, aun así, poco. El árabe había muerto, dejándole solo en la colina con el hombre que había matado.

En aquel momento había sido arrojado abruptamente en mitad de una vasta ciudad ruidosa y concurrida, rodeado de rostros cansados y enfadados, de cuerpos que corrían, daban vueltas y caminaban. Y algo en su interior le dijo que no era más que una cara, un par de manos que le buscaban entre la multitud. Se tambaleó y se dejó caer contra una pared mientras una náusea recorría todo su cuerpo abandonándole después. Nadie se detuvo a mirar. Era casi invisible, minúsculo, un fragmento entre otros muchos fragmentos. Sintió un sabor agrio en la boca y empezó a dolerle la garganta. Permaneció allí durante unos momentos, cada uno de ellos independiente, separado de los demás momentos anteriores y de los momentos siguientes. Pasaron unos minutos y aún se hallaba solo en la concurrida calle. Finalmente, por etapas, el mareo cedió y se le despejó la cabeza, aunque aún le dolía la garganta y se sentía extrañamente débil. La tensión y la excitación habían podido más que él. Respiró profundamente, miró a su alrededor y echó a andar de nuevo. Necesitaba dormir y, al menos, todo un día de descanso. Y no iba a tener ninguna de las dos cosas.

Scholem le recibió en seguida. Parecía más sombrío y más cansado que el día anterior y la pequeña oficina era bastante fría. Junto al Magen David de la pared, David reparó en una fotografía de un hombre viejo que llevaba puesto el *hasid*. El cristal que cubría la fotografía reflejaba los rayos del sol del atardecer, suavizando los rasgos arrugados del hombre que estaba sentado.

—Shalom, profesor Rosen. ¿Tan pronto? Creí entender que se

marchaba a Haifa. Quizá es que Jerusalén aún posee algún atractivo. Pero, por favor, siéntese.

David tomó asiento sin responder. La silla era dura; el contacto del frío metal se le transmitió a la carne a través de los pantalones. Con voz tranquila comenzó a explicar lo que le había llevado de vuelta a Jerusalén. En cuanto empezó a hablar, su historia le pareció inverosímil. A buen seguro era casi desconocido por los académicos el hecho de los asesinatos sin razones políticas o religiosas obvias. Pero existían precedentes: había casos archivados de estudiantes suspendidos que descargaban su resentimiento con un revólver. Y sin duda alguna era también una coincidencia que los dos incidentes se limitaran a arqueólogos relacionados con el Oriente Medio. No obstante, la región era inestable, con otros problemas aparte del terrorismo y otros fanáticos: podría resultar perfectamente algo más que una simple coincidencia. Sin embargo, Scholem no dijo nada; no le acució ni le interrumpió hasta que David acabó su relato. Quizá nada lograra sorprenderle después de tantos años en aquel oficio. La cruz, los clavos y la corona de espinas no debían tener para él otro significado que el de madera, metal y vegetación seca. Finalmente, David terminó de hablar y aguardó la respuesta de Scholem.

Transcurrió un minuto en silencio. La cara de Scholem no mostraba señales de impaciencia ni de regocijo, sino que resultaba totalmente inexpresiva. Hacía tiempo que había adquirido la habilidad de no mostrar ningún sentimiento.

—¿Es eso todo?

David asintió. ¿Habría resultado tan insustancial, tan incongruente después de todo?

—Es interesante —dijo Scholem—. Pero ¿por qué acude a mí? Parece más bien un caso para la policía británica, ¿no?

—Pensé que usted sabría algo sobre Bar-Adon. Desde luego no fue asesinado a causa de envidias académicas. Ni de espionaje académico. Me juego la vida. Nosotros matamos a nuestros rivales con palabras, coronel Scholem. Su gente es la única que lo hace de verdad. Y ésa tuvo que ser la razón de la muerte de Bar-Adon, y tal vez también la de John Gates. La respuesta no se halla ni en Cambridge ni en el Sinaí ni en ningún otro sitio donde Gates estuviera el verano pasado. Está aquí, en Jerusalén, tal vez incluso dentro de esta oficina.

—No, profesor, no creo. Desde luego en esta oficina no. No conozco a Gates en absoluto y sólo conservo un vago recuerdo de la muerte de Bar-Adon. Le aseguro que no tuvo nada que ver con las actividades que llevamos a cabo aquí.

—¿Cómo puede estar tan seguro? Tal vez otro departamento, otro control...

Scholem calló apoyando la barbilla en las manos y acariciándose el vello de las mejillas con los dedos.

—Sí —dijo—, es posible. Pero entre estas paredes todo se comenta, los rumores vuelan, y yo no he oído nada. Jamás oí que se mencionara el nombre de Bar-Adon. Nosotros no realizamos ninguna investigación.

—Pero debe de haber un expediente. ¿No puede comprobarlo al menos?

A través de la mugrienta ventana que había detrás de Scholem los rayos del sol penetraban debilitados, como la luz de una linterna cuya pila está a punto de agotarse. David veía un trozo de cielo a través de la ventana; era de color púrpura pálido, perlado y traslúcido como el interior de una concha de *lichee*. Scholem meditaba palpando distraídamente con los dedos el abarrotado escritorio que tenía delante. Con un suspiro, juntó las manos y comenzó a limpiarse las uñas cuidadosamente, una detrás de otra.

—¿Por qué quiere saberlo? ¿Por qué es tan importante para usted?

David le miró, luego miró sus dedos y luego los papeles que había sobre la mesa.

—No sé —dijo—. Estoy preocupado y necesito respuestas. Tiene que haberlas.

Scholem suspiró de nuevo.

—De acuerdo —dijo finalmente—. Puede haber algo. Averiguaré lo que pueda, pero tal vez tarde un rato. ¿Puede esperar?

David asintió.

—Muy bien. Espere aquí. Le diré a alguien que le traiga un café y algo de comer. Y haré lo que pueda.

David deseaba preguntarle si no había otro sitio para esperar, pero le pareció inoportuno, así que no dijo nada. Scholem estuvo ausente un largo rato, y la habitación se fue haciendo más fría a medida que avanzaba la noche. Una chica le trajo café y *felafels* en pan de pita. Era joven y bonita, su sonrisa era reconfortante, pero no respondió a sus intentos de entablar conversación. Se dio cuenta de que allí no tenía ninguna categoría; no era más que un transeúnte, un informador; tal vez, incluso un sospechoso, pero nada más. Pasó una hora y Scholem no volvía. La silla era incómoda y él tenía los miembros entumecidos, pero continuó esperando sentado como si se habiera congelado en el sitio, suspendiendo toda actividad durante la ausencia de Scholem. Pasó otra media hora.

La puerta se abrió y Scholem entró solo. En la mano derecha traía varias carpetas de piel y en la izquierda una llave. Sonrió a David y caminó hacia su escritorio.

—Hace frío aquí —dijo—. Tendría que haber encendido la estufa.

Alargó la mano hacia un interruptor de la pared que tenía detrás y lo pulsó. Un zumbido sordo se extendió por la habitación, pero David no notaba ningún calor. Lo único que oía era el ruido monótono de la maquinaria.

—Tal y como pensaba —comenzó Scholem— tenemos un informe en el que se dice que mister Gates estuvo en el Sinaí, pero por lo que a los ficheros respecta, todo fue de lo más transparente. Que nosotros sepamos, jamás dio un paso en falso, al menos con nosotros y con los egipcios. Naturalmente, podemos intentar recabar más información de El Cairo. Si me entero de algo, ya se lo comunicaré. Pero, para ser franco, no creo que haya nada. Bar-Adon no era como usted, profesor. Le abordamos varias veces, desde luego, pero siempre rehusó cooperar. En este archivo hay cartas donde deja bien clara su posición. No se las enseñaré porque podrían molestarle. El Shin-Beth llevó a cabo una investigación sobre su muerte, pero no sacaron absolutamente nada en claro. Y le aseguro que los interrogatorios fueron exhaustivos, tanto los del Shin-Beth como los de la policía. No había pistas, no había sospechosos serios ni razones que tuvieran algún sentido. El archivo policial sobre su muerte todavía está abierto, pero no esperan cerrar el caso. Creo que está perdiendo el tiempo, profesor.

David se removió en la silla. La pierna izquierda se le había dormido y tenía la garganta seca.

—¿Puedo ver los archivos?

Scholem movió la cabeza un par de veces de lado a lado.

—No, lo siento. Necesitaría una autorización. Aunque si lo cree realmente necesario, si insiste, creo que podría conseguirle una. Pero le aseguro que pierde el tiempo. No hay nada. Si hubiera algo, cualquier cosa, aunque fuera de lo más trivial, ya se lo habría dicho. Usted personalmente no me importa, profesor; es una gota en el océano. Pero contactos como éstos sí que importan, incidentes como éstos sí que importan. Yo hago mi trabajo. Busco las conexiones, reúno las piezas dispersas hasta que se convierten en un todo coherente. Sus piezas no son más que eso: piezas, partes de diferentes rompecabezas. No hay un cuadro, un patrón, sino, sencillamente, semblanzas fortuitas. Váyase a casa, profesor. Vuelva a su biblioteca y a sus libros.

David le miró mientras sentía aflorar una desacostumbrada cólera.

—¿Y si vienen por mí otra vez? ¿Y si salgo de su despacho y caigo en manos de otro pistolero o de otro hombre con un cuchillo, qué hago? ¿Volver a empezar otra vez? ¿Matarle y dejar que los suyos se deshagan del cuerpo?

Se levantó. La sangre volvió a circular normalmente por su pierna produciéndole agujetas y una extraña sensación de frío que le quemaba.

Scholem le miró con tristeza, como un padre al que su hijo ha disgustado. David recordó que su padre ya estaría en casa. Le habría gustado estar en Haifa para darle la bienvenida.

Estrechó la mano de Scholem enérgicamente y fue hacia la puerta. Un guardia esperaba para acompañarle a la salida. En el pasillo hacía frío y en el exterior un viento helado soplaba por las calles. Echó a andar y se perdió en la oscuridad.

Cinco minutos más tarde telefoneó a Abraham Steinhard, profesor de la Universidad Hebrea, con el que David se había encontrado varias veces en conferencias. Steinhard había sido colega de Bar-Adon. David se sorprendió de que le recordara y suspiró aliviado cuando le dijo que podían verse esa misma noche.

—Mire —murmuró Steinhard como si estuviera intentando masticar el auricular—, no venga aquí porque está hecho un desastre. Nunca recibo a nadie en casa, ni siquiera a mis hijos. Yo tengo que comer y usted también, así que nos encontraremos en Fink's, comeremos, beberemos y hablaremos. Supongo que es eso lo que desea, hablar. Bueno, a las ocho en Fink's.

David llegó al pequeño restaurante de King George Road justo antes de las ocho, pero Steinhard ya le estaba esperando. Reconoció al viejo en seguida. Cabello plateado hasta los hombros, barba enredada y aún salpicada de pelos negros que se recortaba una vez al año en el Yom Kippur, y chaqueta y pantalones varias tallas más grandes de lo que le correspondía. Incluso en un restaurante repleto de excéntricos se mantenía al margen. Para sorpresa de David, Steinhard demostró que le recordaba saludándole con la mano, dando fuertes voces y haciéndole señas para que se acercara a su mesa. Antes de que se hubiera sentado, Steinhard se arrancó en su cuidadoso inglés, aunque con fuerte acento:

—Ya he pedido la comida, así que no tenemos que perder tiempo con el menú. A mi edad, el tiempo es algo precioso. Aparece usted como llovido del cielo, David Rosen. Una llamada telefónica: «*Shalom, ma shlom-kha,* soy David Rosen, estoy en Jerusalén.» Le hacía en Tell Mardikh.

«Será viejo, pero no ha perdido facultades», pensó David. Y preguntó:

—¿Cómo lo sabía?

—¡Bah! Ya lo creo que lo sabía. Todos hemos hablado del descubrimiento de aquel filón. Después supimos que le habían seguido la pista hasta Londres o hasta algún otro sitio y que le habían arrastrado hasta allí. Usted lo que necesita es un psiquiatra. ¡En invierno a un sitio así cuando podría hallarse en alguna cálida biblioteca leyendo encantadores textos antiguos o escribiendo artículos que nadie leerá jamás! ¿Usted qué es, Rosen, un masoquista?

—Fue en Cambridge. Yo estaba en Cambridge de vacaciones.

Steinhard hizo una mueca.

—¡Peor aún! —estalló—. Cambridge es un lugar hermoso, civilizado. Una vez pasé unas vacaciones allí, hace siete años. Fui a montar en batea y me caí al río. ¿Cómo se llama? ¡Ah, sí! El Cam. En verano tomaba té con crema en el Granchester cada domingo por la tarde y me enamoré de una pequeña bibliotecaria de la sala de manuscritos de la biblioteca. Ya conoce el sitio. Se sube en un ascensor, imagínese. A mi edad hacer esas cosas. Naturalmente, ella estaba casada. Siempre lo están.

—¿Quiénes, las bibliotecarias? —inquirió David preguntándose cuál sería el próximo rodeo que daría la conversación.

—No, hombre, claro que no. La mayoría son solteronas. Sin duda alguna. Me refiero a las bellas jovencitas; siempre hay maridos tras ellas. Hoy en día novios.

Sin previo aviso cambió de tema.

—¿Qué tomará para beber? ¿Adon Atik? Estupendo, ahora lo traen.

Se volvió hacia un camarero que pasaba. *Meltzar, hayayin, b'vakasha*. Y antes de que el camarero tuviera tiempo de responder, se giró de nuevo hacia David.

—Una lengua repulsiva —dijo—. Sólo los sabras la hablan correctamente. Nosotros, los viejos, lo único que conseguimos es ser el hazmerreír de todos.

Aquello sonó verdaderamente raro viniendo de una de las máximas autoridades en textos hebreos antiguos. Steinhard alzó una mano con la palma extendida para detener la pregunta de David.

—No —dijo—, no lo diga; ya lo oigo bastante. ¿Por qué le disgusta tanto a Abraham Steinhard el hebreo? ¡Bah! Naturalmente que me disgusta. Me criaron para que lo leyera, no para que pidiera el vino en hebreo.

Mientras hablaba, el camarero se aproximó furtivamente con la botella de vino, la abrió y la dejó sobre la mesa. Steinhard le tenía dicho hacía ya largo tiempo que hiciera caso omiso de las formalidades de escanciar un poco en las copas.

—No tengo buen paladar —afirmó—. Esto es vino israelí, y la vida es muy corta. *L'hayim*.

Detrás de la barra alguien conectó la radio. El programa musical fue interrumpido por un anuncio especial. Los comensales guardaron silencio sin que nadie tuviera que pedirlo. En Israel, escuchar los noticiarios y los boletines radiofónicos no es una cuestión fortuita: todo el mundo lo hace. La mitad de los hombres que había en el restaurante eran, independientemente de su graduación, soldados, tanto regulares como reservistas, y en caso de emergencia la radio sería la primera en dar el aviso. El locutor se aclaró la garganta y comenzó la lectura del boletín:

—Interrumpimos el concierto del Mann Auditorium para dar lectura a un boletín especial. El ministro de Asuntos Exteriores, Yitzhak Avi-Zohar, acaba de facilitar un comunicado oficial. El señor Mas'ud al-Hashimi, el nuevo presidente de Siria que ocupó su cargo el 14 de septiembre tras la deposición de Hafiz Asad, acaba de concluir una serie de conversaciones con representantes del gobierno israelí. Tales conversaciones han seguido a negociaciones secretas de la Embajada de Estados Unidos en Damasco y la intervención personal del presidente americano. El señor al-Hashimi ha expresado su buena voluntad y la de su gobierno para mantener conversaciones a gran escala con el primer ministro israelí y los miembros del Gabinete. Hacia las nueve de esta noche, Siria ha reconocido oficialmente la existencia del estado de Israel. Ambos países ya no se encuentran en estado de guerra fría y se darán los pasos posteriores para facilitar el camino de un acuerdo de paz durante la primavera.

»Todavía no podemos facilitarles ningún detalle sobre los términos exactos en que se ha formulado la propuesta de acuerdo, pero entendemos que los sirios no han realizado ningún tipo de demandas que pongan en peligro la seguridad de Israel o de sus fronteras. También entendemos que los términos del acuerdo provisional son totalmente razonables como para que sea probable su aceptación por este país.

»Volveremos con ustedes en cuanto tengamos más información disponible. Esperamos poder entrevistar a los altos funcionarios del gobierno y a los comentaristas políticos en nuestro estudio esta misma noche. El primer ministro aparecerá por la televisión israelí a las nueve y media, en el momento en que tendrá lugar su conversación con Absalom Agam sobre la propuesta de acuerdo. Mientras tanto, devolvemos la conexión al Mann Auditorium de Tel-Aviv para oír a la Filarmónica de Israel.

En el restaurante nadie hablaba. La música volvió a sonar y el jefe de camareros bajó el volumen otra vez. Como si aquélla fuera la señal, comentarios excitados estallaron en todas las mesas. Nadie podía creerlo. De todos los países, Siria. David miró a Abraham Steinhard. Éste alzaba su vaso por segunda vez.

—Creo que su brindis es más apropiado que nunca, Abraham —dijo—. *L'hayim*.

Al tiempo que sorbían los primeros tragos de sus copas, trajeron la sopa. Más sopa de pollo con tropezones: David suspiró profundamente y, mentalmente, pidió disculpas a su estómago.

Continuaron charlando durante la cena, la cual fue larga y agradable y salpicada de vasos de vino tinto seco. La conversación giró en torno a las excavaciones de los recientes descubrimientos en Tell Mardikh, de amigos mutuos y rivales. Por su parte, David no volvió a aludir al misterio de la repentina aparición de David en Jerusalén. David pensó que lo habría olvidado por completo. Finalmente trajeron el licor, pequeñas copas de calvados: en la cocina guardaban una botella para uso personal de Steinhard. Era el momento de preguntar sobre Bar-Adon. David se aclaró la garganta.

—Cuando estaba en Cambridge —comenzó— leí varios libros de Yigael Bar-Adon. Su artículo sobre los moabitas y otros sobre los amoritas, que fueron recopilados y publicados después de su muerte. Pensé que era un trabajo excelente, aunque algo incompleto. Es una tragedia que muriera antes de poder escribir más.

Steinhard, que se había puesto melancólico con tanto vino en el cuerpo y con el brandy que aún resbalaba por su garganta, asintió, completamente de acuerdo.

—Un buen hombre Bar-Adon, me gustaba. No era un loco; no soporto a los locos. Era un hombre competente, escribía bien, incluso en hebreo. Pero después su gente vino a Israel en el segundo *aliyah*. Es un largo camino de regreso.

—¿Sabe qué estaba investigando antes de morir? —prosiguió David—. ¿Qué contenían los papeles que fueron robados?

Steinhard miró astutamente a los ojos de David. El brandy le había puesto melancólico, pero no le había embotado la mente ni lo más mínimo.

—Ahora se aclara el motivo por el cual David Rosen aparece en Jerusalén fuera de temporada y se pone en contacto con su viejo amigo. Desea información. —Suspiró—. Ya he oído lo de Greatbatch y los demás, David. De todo se entera uno. Yo he llegado a las mismas conclusiones que usted, pero no me ha ayudado en absoluto. Todavía no encuentro ningún motivo.

—Yo creo que fueron los papeles —exclamó David.

Steinhard asintió enérgicamente.

—Sí, naturalmente, es obvio. Los policías son tontos. He oído decir que creen que los papeles son totalmente irrelevantes. Eso no fue obra de un lunático. Fue un trabajo limpio, eficiente, igual que la muerte de Yigael.

—¿Qué quiere decir?

—¿No lo sabe? No, tal vez no haya tenido oportunidad. A todos les dispararon en la cabeza con una bala de pequeño calibre; un único tiro, con silenciador.

Aquello hizo que todo pareciera más plausible, más cierto. David se impacientó. Tenía que saber algo sobre los papeles. ¿Qué sabía Steinhard?

—¿Sabe lo que contenían los papeles de Bar-Adon?

El viejo arrugó el entrecejo detectando la impaciencia en la voz de su interlocutor.

—Por favor —dijo—. Cálmese, relájese. Usted se ha visto sometido a una gran tensión, es evidente. ¿Por qué tiene tanto interés en los papeles de Yigael? ¿Por qué no decírselo a la policía y pedirles que investiguen?

—No puedo explicárselo, lo siento. Me gustaría, pero no es posible. Es mejor que no lo sepa.

Steinhard arrugó la frente de nuevo. Los jóvenes se deleitaban con los secretos. La vida aún era un misterio para ellos. Se irritó. En Israel había demasiados secretos. Susurros, susurros. Todo el mundo se inclinaba hacia tu oído cuando tenía que decirte algo. Era un vicio nacional.

—¿Ha oído lo que sucede realmente en el Líbano? ¿Conoce la verdad sobre los acuerdos de la orilla Oeste?

¿Cuál era el secreto de Rosen? ¿Por qué estaba tan asustado?

Se hizo un largo silencio. David se dio cuenta de que había presionado demasiado rápido y de que había dejado escapar su oportunidad aunque tal vez para bien. Después de todo, quizá fuese mejor explicarle la verdad a Steinhard. Finalmente, el viejo habló.

—La respuesta es que no lo sé. Nadie sabe qué contenían esos papeles. Yigael era un buen hombre, como decía, pero se guardaba las cosas para sí, exactamente igual que usted. Todo lo que sé es que eran documentos relacionados con su trabajo más reciente. Eso era todo lo que se podía sospechar o saber. Y ahora supongo que querrá saber qué clase de investigación era. Bueno, esto es todo lo que puedo decirle: estaba tratando de identificar los emplazamientos de diversos lugares mencionados en textos antiguos, pero que actualmente no están localizados. La mayoría se relacionan con lugares bíblicos sin identificar, como Masrekah, Enán y Gittaim. En mi opinión, lo mejor es escoger una colina, excavar y tratar de localizar algo que ayude a identificar el lugar. Pero él andaba detrás de algo, creo yo. Justo antes de morir, me contó que había realizado un descubrimiento importante relacionado con el emplazamiento de un lugar llamado Iram. No es bíblico; creo que se menciona en el Corán: *Iram dhat al-'imad*, Iram de las altas columnas. No me dijo lo que había encontrado; como decía, era bastante dado a los secretos. Pero me di cuenta de que ardía en deseos de contármelo. Creo que había dado con algo realmente importante, pero no puedo decirle el qué porque no lo sé. Y si eso tiene algo que ver con su muerte, me sorprenderá de veras.

—Yo he oído hablar de Iram —dijo David—. Ese nombre o algo muy parecido aparece en un texto eblaíta junto a otros del Corán: Shamutu y Ad, creo. ¿Estaba trabajando en algo más? ¿Había visitado algún sitio... digamos, delicado? ¿Áreas fronterizas?

—Naturalmente, él siempre andaba por esos sitios. Estuvo en el Negev y en el Sinaí unos pocos meses antes, y creo que también había hecho un pequeño viaje por la frontera jordana. No hay nada anormal en ello.

—No, nada. —Pero seguía siendo la explicación más razonable.

Steinhard pidió más calvados y el ambiente se distendió. Estuvieron charlando de otros asuntos; libros y música y la vida en el Goldener Medineh de América, un país que Steinhard amaba, dijo, sólo por una cosa: sus *bagels* y *lox*. Por el contrario, dijo, las variantes israelíes eran *khaloshes*, una comida repugnante que sólo podía satisfacer a los sabras. Había estado solo una vez en América y nada podría convencerle para que corriera el riesgo de nuevo. Había sido demasiado para su presión sanguínea. Pero ¡qué *bagels*!

Salieron del restaurante a media noche. David simuló haber reservado una habitación en el hotel King David. Steinhard resopló:

«¡Americanos ricos!», y se estrecharon la mano. Dijo que volvería a casa andando. Odiaba los coches. Los odiaba desde que uno atropelló a su conejo cuando él era un niño. David trató de imaginarse a Abraham Steinhard con un conejo, pero no pudo. Se despidió de él y paró un taxi. Dejándose caer exhausto, dijo al taxista que le llevara al King David.

CAPÍTULO 9

A la mañana siguiente, David se despertó tarde. La cama era cómoda, la habitación estaba caldeaba y su cabeza aún se resentía de los efectos del vino y del licor de la noche anterior. La dirección había sido considerada y el sueño le había ayudado. La náusea del día anterior ya se le había ido y se sentía más él mismo de nuevo, en posesión del control de las cosas. Se duchó rápidamente, se vistió y pidió el desayuno en la habitación. Mientras comía pidió a la centralita que le comunicaran con Cambridge. Eso añadiría una pequeña fortuna a la factura, pero le ahorraría un montón de tiempo.

Esta vez tardó un poco más en localizar a Halstead y cuando finalmente oyó su voz parecía cansado.

—Halstead al habla.

—Hola, profesor, soy David Rosen otra vez. Estoy en Jerusalén. Vine ayer a fin de hacer aquellas averiguaciones que le dije.

Se produjo un zumbido en la línea y la voz de Halstead subía y bajaba de tono mientras llegaba a David a través de la distancia.

—A eso se le llama ser rápido. ¿Ha descubierto algo? ¿O esto no es más que una charla social en hora punta?

—No es una charla social, señor, pero me temo que tampoco puedo facilitarle demasiada información. No creo que el servicio de información israelí tenga nada que ver con esto. Tal vez su gente pueda hacer algo husmeando por Egipto. Lo que sí descubrí es que antes de morir Yigael Bar-Adon había visitado las mismas áreas fronterizas que Gates. Tal vez tropezaron con la misma cosa, aunque no me imagino qué pudo ser. Desde luego una instalación militar no, porque están muy bien guardadas y nadie consigue acercarse a ellas.

—¿Cuál será entonces su próximo paso? Me da la sensación de que ha chocado contra un muro. Será mejor que lo dejemos en manos de la policía, ¿no cree?

—No, creo que puedo descubrir algo. Escuche, ¿podría enterarse de adónde fue Gates exactamente en su última excursión por los campos? ¿Estará eso en algún informe?

Se hizo una larga pausa, interrumpida únicamente por los zumbidos del hilo telefónico. Después la voz de Halstead sonó de nuevo.

—Me temo que no. Podría haber habido algo en la ficha de supervisión que Michael realizó sobre Gates, pero fue una de las cosas que se llevaron, ¿sabe? Sólo hay una posibilidad: que el comité que otorga los posgraduados tenga una nota. Ellos proporcionaron los fondos para el viaje y probablemente pedirían un informe.

—Estupendo. Hágamelo saber si descubre algo. O tal vez alguno de los amigos de Gates tendrá una vaga idea de los sitios adonde fue. La única cosa que puede ayudar son los detalles sobre la investigación de Gates. Y no me refiero a los tópicos generales. ¿Tiene usted idea de sobre qué estaba trabajando durante su último viaje?

Halstead hizo una nueva pausa y entonces habló.

—Exactamente, no. El último trimestre sólo hablé con él una o dos veces. Estaba extremadamente ocupado desde que regresó de su viaje a finales de mayo. Acabó la tesis antes de lo que esperábamos, ya sabe. Recuerdo a Michael comentando que trabajaba como un esclavo para ordenar el nuevo material y sacar las copias destinadas al tribunal de Estudios Graduados. Pero no recuerdo ningún comentario sobre la naturaleza del nuevo material.

Se produjo otra pausa y la lánguida voz se oyó de nuevo en la línea.

—Aunque... espere un momento. ¡Qué tonto soy! Me acabo de acordar de que hubo una fiesta al principio del trimestre para los nuevos estudiantes y Michael estuvo allí. Ahora recuerdo que me dijo que la tesis de Gates había pasado a manos de los examinadores y que tenía una absoluta confianza en que el joven lograría doctorarse. Me explicó algo sobre un capítulo que se refería a una ciudad árabe, no entendí muy bien el nombre, pero iba a asombrar al mundo. Dijo que era fenomenal, que haría la carrera del chico. No me explico cómo no lo he recordado antes. Ha sido un tic, de repente se me ha encendido la luz. Irash... el lugar se llamaba Irash. No, no era ése, estoy pensando en otro sitio que ahora se llama Jerash. ¡Ah, ahora me acuerdo! Iram. Michael lo llamó Iram de las Columnas. ¿Lo ha oído alguna vez?

David sentía latir fuertemente su corazón mientras respondía con voz tranquila:

—Sí, profesor, lo he oído.

—¿Cree que es de alguna ayuda?

—No creo. No tiene demasiado sentido.

—¿El qué? ¿Iram? No, para mí tampoco tiene sentido. No lo había oído jamás hasta que Michael me lo dijo. Intentaré recordar la conversación a ver si saco algo más en claro. De todas maneras, me parece que no hablamos de Gates demasiado rato.

David suspiró inaudiblemente, y pensó que no importaba demasiado. Fuera lo que fuese, Iram era la pista. El problema ahora era encontrar una conexión con sí mismo. ¿Sería aquella oscura referencia al lugar en el texto eblaíta que vio una vez? Había sido un nombre, nada más que un nombre entre otros muchos olvidados durante largo tiempo. Nadie había sabido nunca dónde estaba Iram y eso no era una razón para matar.

—Gracias, profesor Halstead. Ha sido una gran ayuda. Veré si puedo recabar algo más aquí en Jerusalén.

—Espero que no literalmente. Ya hay demasiados arqueólogos ahí y el lugar se está cayendo a trozos. Cuídese y hágame saber para cuándo podemos esperarle. Podemos cenar juntos en mi colegio alguna noche. Hay algunos pájaros viejos muy interesantes en la mesa alta, y después podemos tener una larga charla. Lejos de la mujer, es lo mejor. Se pasa la vida tremendamente preocupada por todo, y aún lo está. De cualquier modo, no le entretengo más. Aunque... un momento. ¿Recibió el paquete que le mandé?

—¿Paquete? —respondió David sorprendido—. No he recibido ningún paquete.

—¡Vaya! Pues ya debería haberle llegado. Lo mandé el lunes en un reparto especial. Bueno, claro, usted ha estado en Jerusalén, ¿verdad? Yo se lo envié a su dirección de Haifa y seguramente estará allí esperándole.

—¿Qué es? —preguntó David.

—¡Ah! Nada excitante. Bueno, de hecho, es un tanto chocante. En un principio, Gates se lo envió a usted, poco después de que usted partiera hacia Siria. Pero, de cualquier forma, parece que el empleado de la oficina de correos de Damasco no sabía leer o algo así, porque lo devolvieron al cabo de unos días con un sello de «domicilio desconocido». Bah, eso fue una tontería. Lo más seguro es que fuera demasiado trabajo llevárselo hasta allá fuera de temporada. Cuando lo devolvieron estaba un poco estropeado así que la secretaria lo envolvió de nuevo para enviárselo otra vez, pero le dije que sería mejor guardarlo hasta su regreso. Entonces recibí su telegrama con la dirección de Haifa y pensé que tal vez sería mejor que llegara a sus manos mientras usted estaba allá por si necesitaba echarle una ojeada a algo. Así que el lunes por la mañana lo mandé. Con un poco de suerte estará esperándole a su regreso.

—Pero ¿no sabe lo que había dentro?

—No del todo. La chica dijo que contenía unas cien páginas mecanografiadas. Me imagino que debían de ser un par de capítulos de su tesis.

David estaba callado.

—Sí —dijo—. Puede ser. Antes de irme me dijo que me enviaría algunos. Quería que le diera mi opinión sobre algunas cuestiones referentes a los textos eblaítas. Probablemente debió de darse por vencido al ver que yo no contestaba. Lo había olvidado por completo.

—Es curioso que no le mencionara la cuestión sobre Iram a usted.

—Supongo que sí. —Hizo una pausa—. Pensándolo bien, no.

Creo que Greatbatch fue un tanto indiscreto al comentarle a usted tal cosa. Gates era una tumba. Ahora me acuerdo: me hizo jurar que guardaría el secreto cuando le prometí echar una ojeada a los capítulos que había planeado enviarme, pero no dijo una palabra sobre lo que hallaría en ellos.

Y de pronto sintió como un golpe seco en la boca del estómago, tan fuerte que quedó aturdido, sin habla, sin poder oír ni una sola palabra de la respuesta de Halstead. No era posible... pero, si lo era, había un terrible peligro. Tenía que marcharse, tenía que ir a Haifa inmediatamente. No había ni un momento que perder.

—Profesor —dijo confiando en que su voz sonaría tranquila, aunque sabía que no era posible—. Acaba de suceder algo. Me temo que tendré que colgar inmediatamente, pero estaré en contacto con usted tan pronto como tenga algo que comunicarle. Si quiere localizarme, regreso a Haifa.

—Ah, muy bien. Entonces espero sus noticias. Gracias por telefonear.

La comunicación se cortó y de nuevo David oyó un sonido como de ramas golpeando los hilos telefónicos. Claro que las líneas internacionales van por debajo de tierra y no por encima. Colgó el auricular, y lo descolgó de nuevo en seguida para preguntar por recepción.

—¿Recepción?

—¿Puedo ayudarle?

—Soy el profesor Rosen, de la habitación quinientos veintinueve. Tengo que marcharme inmediatamente. Quiero tener la cuenta preparada dentro de cinco minutos. Y quiero alquilar un coche, un coche rápido. Es muy urgente. Quiero que me esté esperando cuando haya pagado la cuenta. Firmaré los papeles cuando baje.

Hizo la pequeña maleta, cogió la llave de la mesilla de noche y salió a toda prisa por el pasillo chocando con una camarera que pasaba con los brazos cargados de cosas. Un torrente de sábanas y toallas se diseminó por el suelo. Él murmuró una disculpa, dio media vuelta y se encaminó a toda velocidad hacia el ascensor.

Si tenía razón, y rogó porque no fuera así, el hombre de Tell Mardikh andaba tras el paquete de Gates. Gates podía haber dejado alguna nota en algún sitio indicando que había enviado parte de su tesis a David en Siria. Era posible que el teléfono de Halstead estuviese intervenido. Y si era así, podría ser, sólo podría ser, que alguien estuviera ya camino de Haifa para retirar el paquete del apartamento de sus padres.

En recepción fueron rápidos. Tardó más de cinco minutos pero menos de diez. Firmó los papeles del coche, pagó con la American Express y salió a toda prisa del hotel con la llave en la mano. El coche, un Volvo de 1986, le esperaba fuera. BAT, la empresa de alquiler de coches, estaba sólo a un minuto de distancia en Shelomzion Ha-Malka. Aceleró para salir del antepatio, giró bruscamente a la derecha y luego otra vez a la derecha. En pocos minutos corría a toda velocidad hacia el norte por la carretera Derekh Shekhem. Podía haberse dirigido hacia el oeste, camino de Petah Tikva para coger la autopista, pero aquélla era la carretera que mejor conocía y decidió seguir por ella.

Corrió bastantes riesgos por el camino. Las carreteras israelíes son peligrosas y David no tomó ninguna de las precauciones que hubiera tomado normalmente. A ratos la carretera parecía deslizarse bajo sus ruedas mientras se dirigía hacia Ramallah. A su izquierda, el campo se extendía hasta el mar y, a su derecha, unas colinas amarillentas descendían hacia la irregular llanura del valle del Jordán. Su mayor temor al pasar por los pequeños poblados árabes de la orilla Oeste era que podía atropellar a algún chiquillo. Ningún otro tipo de accidente significaría un problema, pero herir o matar a un niño podría ser fatal para el conductor del vehículo. Multitudes encolerizadas se aglomerarían a su alrededor y le golpearían hasta matarle. Cada vez que veía por delante algo similar a un habitáculo humano hacía sonar el claxon y mantenía el pie suspendido sobre el pedal del freno. Los neumáticos disparaban piedras hacia los lados con un constante repiqueteo mientras avanzaba por la carretera. Tuvo que detenerse tres veces a causa de registros militares, pero ninguno le retuvo más de unos cuantos minutos. Nablus se hallaba atestado de rostros hostiles cuando lo atravesó. Era la noche del jueves y las tiendas estaban cerrando para el inicio del sabbath musulmán. Oía fragmentos de música oriental que desaparecían tan pronto como llegaban. Mulas cargadas con pesadas cestas y extraviadas le entorpecían el paso, soldados israelíes con mirada tensa y observadora patrullaban por las calles con dificultad.

El último tramo de Jenin a Haifa a lo largo de la plana de Yisreel era el más rápido y fácil del viaje. Al paso por Megiddo se llenó de presagios. A su izquierda apareció el monte Carmelo interponiendo sus generosas laderas entre él y el mar que distaba unas pocas millas.

En su extremo nordeste, el Carmelo desemboca en un abrupto promontorio que sobresale por encima del Mediterráneo en forma de codo. Al entrar en Haifa por el sudeste, David ascendió rápidamente por las pobladas laderas de la montaña. A su alrededor, el vacío de los flancos exteriores del Carmelo daba paso a los suburbios de la ciudad, siempre en crecimiento: bloques de apartamentos, tiendas y colegios se extendían entre las rocas y los firmes árboles de la montaña. Aceleró a través del Kiryat Hatechnion, el moderno campus del Instituto Tecnológico, y bajó por Hankin hasta Moria Boulevard y Central Carmel. Sólo quedaban unos pocos minutos para llegar a la calle Vradim, donde vivían sus padres.

Mientras cogía la calle Lotus desde Tzafririm, se le bloqueó la vista durante unos instantes y casi no vio el Mercedes azul oscuro que se lanzaba a toda velocidad derecho hacia él. Parecieron varios minutos, pero de hecho fue cuestión de segundos: el chirrido de los frenos cuando ambos conductores asestaron un golpe seco con los pies en el suelo y giraron los volantes frenéticamente. El humo salía de los sobrecalentados neumáticos. Una ola de adrenalina estalló dentro de su cuerpo, vio la expresión de incredulidad en el rostro del otro conductor y en el del pasajero, un hombre de apariencia oriental, y después oyó el ruido sordo del coche al detenerse medio subido en la acera. Había sido cuestión de milímetros. Con el corazón latiendo a toda velocidad y sentado, encorvado sobre el volante, respiró despacio y profundamente tratando de calmarse. Pensó que debería salir del coche e ir a comprobar el estado del otro conductor, pero entonces oyó el sonido de un motor que se ponía en marcha. Era el Mercedes que daba la vuelta en la calzada, alejándose. Se colocó de nuevo al volante. Los conductores israelíes tal vez tuvieran la sangre fría para enfrentarse a tales situaciones cada día, pero él iba a necesitar un trasplante de nervios.

La explosión se produjo al cabo de menos de medio minuto. Fue ensordecedora. Un ruido grave y potente que hizo temblar el coche. Los pasajeros que se acercaban a comprobar si David estaba herido volvieron sobre sus pasos mirando a su alrededor, asustados. ¿Un ataque terrorista? ¿El inicio de una nueva ofensiva árabe? David levantó la vista. Frente a él, ligeramente hacia la izquierda, una columna de humo se alzaba por encima de los bajos tejados de las casas. El corazón le dio un vuelco y su mano se dirigió automáticamente a la llave de contacto. Con un ruido que desgarró el coche, puso el Volvo en marcha, apretó el gas y condujo el resto del camino hasta Vradim.

La calle estaba cubierta de escombros. La gente gritaba y chillaba, algunos de dolor, otros de pánico. El humo y las llamas eran furiosamente escupidos por los restos del apartamento de sus padres. La bomba había volado el tercer piso, el cuarto y el quinto se habían desplomado encima, y los dos de debajo habían cedido bajo el peso de los demás. Las vigas se alzaban al aire libre formando ángulos disparatados, delgados refuerzos de metal colgaban reventados a trozos. El apartamento de sus padres había destrozado la fachada del tercer piso. En el jardín un árbol había prendido y quemaba convulsivamente como una antorcha.

Detuvo el coche con un brusco frenazo, abrió la puerta y saltó fuera dando un traspié en la acera. Sin darse cuenta de que iba gritando sus nombres, corrió hacia el edificio en busca de su madre y de su padre. A su alrededor, otros hacían lo mismo en un desesperado esfuerzo por localizar y rescatar a los supervivientes, si es que había alguno. Las llamas les mantenían a distancia. Rojas llamaradas enfurecidas brotaban de grietas y de las ventanas rotas, luchando por salir al exterior. ¿Estarían sus padres en casa cuando explotó la bomba? Se giró hacia una vieja que estaba a su lado. Llevaba puesta una bata y su fino cabello gris ondeaba alrededor de su rostro en forma de serpentinas, como el de Medusa. Sus ojos revelaban terror y aversión y tenía la boca hundida y sin dientes. Sus labios fríos e inertes se movían como los de un predicador mascullando sin cesar alguna desolada letanía privada. David la agarró por un hombro gritándole al oído por encima del estrépito del fuego y de los espectadores.

—¡Los Rosen del tercer piso! ¿Los ha visto? Hannah y Aaron Rosen. Vivían encima de usted.

Le miró con ojos vacíos, pugnando por encontrar palabras, mientras las lágrimas corrían incesantemente por sus mejillas como la lluvia por el cristal de una ventana. Tenía la cara surcada por las arrugas de las penas de un oscuro pasado. Pero la angustia del presente entretejía sus arrugas como si fueran recientes en una red de dolor. Cuando habló lo hizo en una mezcla de hebreo, yiddish y alemán, mascullando palabras inarticuladas. Él sólo pudo entender unas pocas.

—*Mitzi* —gritó—, ¿ha visto a *Mitzi* en algún sitio? Estaba conmigo cuando... Ha empezado de nuevo... las bombas... toda esa oscuridad. No queda tiempo, no queda tiempo... ¿A qué espera? ¡Váyase! ¡Váyase mientras pueda!... Nosotros teníamos que habernos marchado hace cincuenta años... ¿Ve a *Mitzi*? Tiene que estar por aquí. No le harían daño a *Mitzi*... ¿Están todavía ahí ellos? ¿Se han ido ya? ¿Se han llevado a *Mitzi*?

David la agarró firmemente por los delgados y esqueléticos brazos, como palos, tan frágiles que le pareció que podría quebrárselos sin ni siquiera intentarlo. Trató de detener el chorreo incesante de sus ojos, en un intento de atraer su mirada el tiempo suficiente como para hacerla comprender.

—Los Rosen —repitió—. Vivían en el tercer piso. Él es rabino. Gente mayor. ¿Los conocía?

El pánico aún la dominaba, el pánico y los recuerdos. Los oscuros días pasados en Alemania se le habían enredado en la mente con la explosión de aquel día, como una vieja herida abierta por una nueva cuchillada. Por segunda vez en su vida lo había perdido todo: su casa, sus posesiones, su perro. Todo lo demás lo había perdido hacía mucho tiempo: marido, hijos, amigos. Luego no le había quedado nada. Y ahora no tenía nada en absoluto. Miró a David con ojos enloquecidos como si le viera por primera vez.

—Los Rosen están muertos —pronunció con voz débil—. Todo el mundo está muerto. Ellos no olvidan jamás. Ellos están aquí, hasta en Eretz Israel... No hay ningún sitio adonde ir, ningún sitio donde esconderse... Los oigo, lo sé.

—¿Qué es lo que oye? —preguntó David, apretándole el brazo y exigiendo cordura—. ¿De quién está hablando?

Sus ojos parecieron calmarse momentáneamente. Puso una mano huesuda sobre la de él, atrayéndolo hacia sí y acercando la cara hasta que pudo sentir su aliento.

—Había dos hombres —susurró—. Uno era amarillo, como un chino. El otro era del viejo continente. Vinieron en un coche azul. El amarillo entró en el edificio con una caja, una especie de maleta. Después salió corriendo, se metió en el coche y se fueron. Me di cuenta cuando los oí. Me di cuenta de que había peligro...

—¿Qué es lo que oyó? —insistió David. Tenía ganas de sacudirla a ver si conseguía oírle decir algo coherente.

Ella le miró de nuevo, pero ya la había perdido; sus ojos se habían vuelto salvajes de nuevo y su apretón se hizo más fuerte.

—¿Ha visto a *Mitzi*? —preguntó como una niña pequeña que ha perdido su muñeca favorita y no puede creer que la haya aplastado un camión. De repente le soltó y, dando media vuelta, se perdió en la multitud.

Su voz le llegaba desde el alboroto como una voz infernal.

—¡*Mitzi!* Estoy aquí. ¡*Mitzi*, no te asustes!

David estaba aterrorizado. ¿Tendría razón al decir que sus padres estaban muertos? A su alrededor todo era una locura: hombres y mujeres gritaban y aullaban en un caos de terror y desconcierto. En alguna parte dentro del edificio oyó una voz de mujer que pedía desesperadamente auxilio. Corrió hacia allí tratando de entrar en la casa. Si todavía había escaleras, tal vez pudiera llegar al tercer piso, incluso encontrar a sus padres si es que todavía estaban allá. Podían haber sobrevivido, podía ser la voz de su madre la que oía implorando ayuda. Tras él oía el sonido de las sirenas que se acercaban como jóvenes demonios que se apresuraban camino del infierno.

Entró precipitadamente por la puerta destrozada que conducía al pasillo central del edificio. Alguien gritó a sus espaldas pero no entendió lo que decía. Como si fuera sordo, siguió adelante. A través de una nube de humo divisó las escaleras retorcidas y obstruidas por los escombros. Haciendo esfuerzos por respirar, corrió hacia ellas y empezó a subirlas, tapándose la boca con un trozo de la camisa. Una ola de intenso calor le golpeó desde arriba; sobre su cabeza, llamaradas rojas y amarillas danzaban obscenamente en la oscuridad. Oyó un grito mezclado con el estruendo de piedras y vigas que se desplomaban. El humo se iba haciendo más denso e irrespirable a medida que ascendía, obligándole a andar sobre las rodillas, llenándole la garganta y los pulmones de gases repugnantes e irrespirables. Un espasmo de tos le desgarró el pecho. Se le empañaron los ojos y la cabeza empezó a darle vueltas. Era como un hombre ahogándose en aguas profundas. Se desplomó en medio de la humareda y el aire que le quedaba en el cuerpo le abandonó por acción del humo. Una voz gritó en la distancia, a años luz, remota y abstracta. La corriente de humo le arrastró sumergiéndole en la espesa y turbulenta vorágine, dejándole sin vista, tacto y oído en sus negras e inexpugnables profundidades.

CAPÍTULO 10

Era viernes por la tarde, unas dos horas antes de la puesta de sol. David Rosen estaba siendo interrogado por el inspector encargado de la investigación sobre la bomba en la Estación Central de Policía de Carmel, en la calle Elchanan. Se encontraba allí desde última hora de la mañana explicando por qué estaba en Haifa y por qué había vuelto de Jerusalén cuando lo hizo. Lo que explicó fue que había venido de Siria vía Chipre, tal y como demostraba su pasaporte del MOSSAD, al enterarse de la enfermedad de su padre, la cual el hospital confirmaría. Había ido a Jerusalén con poca antelación para ver al profesor Steinhard a causa de un asunto urgente relativo a su trabajo y había adelantado su regreso a Haifa al enterarse de la tragedia ocurrida en Cambridge. Para él era obvio que una pequeña y eficaz comprobación menguaría considerablemente su cuenta, y esperaba poder haber salido de Haifa y posiblemente también de Israel para entonces.

Había pasado la noche anterior en casa de unos amigos de sus padres, una gente llamada Kolek. No había dormido. El humo no había tenido tiempo de dañarle antes de ser rescatado, pero todavía tenía un punzante dolor de cabeza y se notaba el pecho rígido y dolorido. El doctor le había recomendado que al menos pasara un día en cama, pero eso le era imposible.

El comienzo de la mañana había sido angustioso. Durante la noche, después de extinguir el fuego, los servicios de rescate habían extraído varios cuerpos de los escombros, incluyendo dos de lo que quedaba del apartamento de sus padres. Los restos estaban demasiado carbonizados como para que cupiera alguna esperanza de identificación directa y no le pidieron que los mirara. No obstante, con los cuerpos habían encontrado algunos objetos que sí que pidieron que examinara: un anillo de boda dorado y un Magen David plateado en una pequeña cadena. A pesar de lo dañado que estaba, reconoció el anillo; era el de su madre. Lo reconoció por la pequeña línea serpenteante que discurría a lo largo del borde superior. Lo habían hecho en Jerusalén con el oro de los anillos que habían encontrado en el campo donde ella y su padre habían estado prisioneros. Era como un símbolo de renacimiento, de esperanza, de fe. Y ahora yacía ennegrecido y retorcido en una pequeña bandeja de hojalata como si hubiera retornado a su estado primitivo.

La estrella de David le causó un profundo dolor y le obligó a darse la vuelta. En todos los días y noches que seguirían, la imagen de aquel pequeño colgante medio fundido regresaría a su mente una y otra vez. Se lo había regalado a su padre por su cumpleaños cuando él tenía unos catorce años. Había ahorrado durante dos meses para reunir suficiente dinero. Aquélla fue la primera vez que su padre le hirió de verdad al negarse a llevar el colgante.

—Un judío no lleva *kemi'ot* —dijo su padre tratando la estrella como un talismán—. Son reliquias del paganismo. Mi hijo debería saberlo.

David había sufrido el dolor de aquel rechazo durante años y hasta entonces siempre creyó que su padre había tirado el amuleto. En aquel momento comprendió algo que jamás se le había alcanzado: que su padre, en su veneración por la ley y la alegría que ésta le había proporcionado, había anulado y desnaturalizado sus propios anhelos y sus más profundos sentimientos de amor.

David identificó el anillo y la estrella e hizo señas para que se los llevaran.

—Profesor Rosen —dijo el inspector sacando a David del sueño donde se hallaba sumido.

—Perdone —dijo David—, estaba pensando.

—Está bien, lo comprendo. —El nombre del inspector era Ilan Gaon. Tendría unos treinta años, con barba e inteligente. Había sido compasivo y amable, aunque David estaba convencido de que no se había creído demasiado su historia—. Sólo quería preguntarle si ha planeado quedarse en Haifa —dijo.

David sacudió la cabeza.

—Sí, naturalmente, para el funeral. Pero después tengo otros funerales a los que asistir en Inglaterra.

—¡Ah!

Hubo una pausa. Gaon entrelazó sus largos y delicados dedos y luego los desentrelazó. Dedos de músico, pensó David.

—Preferiría —continuó enfatizando el verbo— que hallara el modo de quedarse aquí un poco más, profesor. Al menos durante el curso de la investigación.

—Pero, ¿por qué? No puedo serles de más ayuda. Sabe que lo haría si pudiera, pero les he dicho todo lo que sé.

Gaon sacudió la cabeza.

—No, profesor, no creo que lo haya hecho. No sé por qué, pero voy a intentar averiguarlo. Ah, creo que la mayor parte de lo que me ha contado es verdad, pero no creo que sea toda la verdad. Usted sabe más de lo que dice y le aseguro... Bueno, no malgastemos el tiempo. Usted se encontró con el profesor Steinhard anteanoche después de una llamada telefónica realizada en Jerusalén. Esa noche llegó tarde al hotel King David, sin haber hecho reserva, y se marchó ayer por la mañana avisándolo con cinco minutos de antelación, alquiló un coche y condujo hasta Haifa a lo que me imagino que sería una velocidad que excedería el límite de noventa kilómetros por hora. La recepcionista con la que hablamos dice que usted estaba distraído y describió su necesidad de un coche como «urgente». Usted llegó aquí pocos minutos antes de que la bomba hiciera explosión. Estamos razonablemente seguros de que la bomba fue colocada en o cerca del apartamento de sus padres. Y usted espera que yo me crea que no sabe nada de lo que ocurre. Si alguien lo sabe, profesor, ése es usted.

David se sentía atormentado. Deseaba que los asesinos de sus padres fueran localizados y arrestados y, si era posible, por medio de ellos, los asesinos de Greatbatch y los otros. Pero tenía que actuar solo. Desde Tell Mardikh se había convertido en su lucha personal, tan personal como en la que se había hallado enzarzado en el fango helado de la excavación. Ahora, matando a su padre y a su madre, le habían asestado un golpe más directo que nunca. Dejaría que la policía llevara a cabo sus investigaciones, pero él tenía sus propios métodos y los usaría por su cuenta. Encontraría Iram o lo que John Gates hubiera descubierto sobre Iram y dejaría que eso le condujera hasta los asesinos. Eso era todo lo que podía ocurrírsele. Ya decidiría qué hacer después, una vez los hubiera encontrado. Era lo mismo que escribir un artículo o una monografía: uno se cuida de la investigación y de la estructura básica y normalmente la conclusión sale por sí sola.

Gaon continuó en tono bajo pero implacable. La compasión y la amabilidad seguían presentes, pero David detectó una dureza a la que no sería fácil resistirse.

—No quiero entretenerle más, profesor. Ya ha estado aquí bastante tiempo, y creo que le conviene tomarse algún tiempo para reflexionar sobre todo esto. Le aconsejo pensar muy, pero que muy cuidadosamente. Quédese en Haifa. Si tengo algún motivo para creer que no seguirá mi consejo tendré que enviarle una orden judicial. Por favor, no me obligue. Ya nos veremos.

Gaon se levantó empujando hacia atrás la pesada silla, que chirrió al ser arrastrada por el suelo, hiriendo los oídos de David como el sonido de una uña al rascar en una pizarra. Sintió un escalofrío y se levantó a su vez. El inspector le acompañó por todo el edificio hasta la entrada. Se dieron la mano con una solemnidad que David no había observado nunca antes en Sabra y dio la vuelta sobre sus talones.

David todavía tenía el coche, pero prefería caminar. Si conducía, ¿adónde iría? ¿Qué haría? Necesitaba tiempo para estar solo y pensar tal y como Gaon había dicho. Tenía que organizar sus enmarañados pensamientos y planear el próximo paso de la acción. El cielo era claro y aún quedaban una o dos horas de luz diurna. Echaría a andar dejando que las calles decidieran el camino. En aquel caso no era tan simple. Haifa no era una ciudad diseñada para paseantes pensativos; sus calles daban vueltas y revueltas ascendiendo a veces por las escarpadas faldas de la montaña, alternando pendientes pronunciadas y cuestas repentinas, que otorgaban a la ciudad su drama y carácter y que causaba a sus habitantes suficientes quebraderos de cabeza como para hacer las maravillosas vistas menos atractivas a sus ojos. Hay casi tantas escaleras como calles, pequeños atajos como los de Montmartre, que descienden cientos de pies en un solo tramo. La agonía de Haifa es que los mismos escalones que sirven para conducir hacia abajo tan rápidamente también sirven para devolverte arriba otra vez pero... muy despacio.

Desde Yafe Nof, David descendió gradualmente por la colina. A mitad de camino tropezó con la ornamentada verja de los jardines persas que se extienden junto a los sagrados edificios pertenecientes a la secta Baha'i. Los jardines estaban abiertos al público y David los había visitado cientos de veces.

Un sendero de roja grava polvorienta le llevó a través de las palmeras y los oscuros cipreses hasta el centro de los jardines. Entre bajos setos de tomillo, unas vasijas chinas repletas de flores se hallaban colocadas sobre altos pedestales de piedra; pavos reales y águilas de hierro miraban fijamente con ojos que no veían las sombras verdes. Pasó a través de una verja baja y descendió por otro sendero flanqueado por altos árboles que le daban sombra hasta llegar al templo de mármol que se hallaba en el centro de aquel paraíso en miniatura. El templo mismo, cementerio del profeta y mártir de la religión, era un extraño edificio. En su centro había una construcción de piedra de forma cuadrada con nueve habitaciones. Sobre ella, como un pastel de bodas helado, se alzaba una sobrestructura marmórea con barandillas, cubierta por una elegante cúpula de tejas laminadas en oro. La cúpula parecía vibrar bajo el fuerte sol de la tarde, enjoyada e incandescente, pero al tacto el mármol era frío como el hielo. Aquel día la puerta del templo estaba cerrada, así que lo rodeó por el lado norte, la parte del edificio que da a la montaña y mira por encima de la bahía hacia Acre. A sus pies, un tramo de empinadas escaleras flanqueado por altos cipreses descendía hasta el Boulevard Carmel y el mar. Allí todo era silencio; una paz verde y frágil llena de luz y alargadas sombras que se entrecruzaban. Hacia abajo, a lo lejos, el mar agitado se rompía en millones de piezas que luego se volvían a reunir remotas y atrayentes. Más allá, a su izquierda, el sol iniciaba su descenso hacia el Mediterráneo. La dorada cúpula parecía estar ardiendo. En el puerto las luces empezaron a parpadear, y en la bahía los rayos del sol descendente caían sobre las paredes de los blancos edificios pintándolas de rojo. Tell Mardikh, sus oscuras piedras, sus ruinas, sus profundos pozos parecían estar a un siglo o a un mundo de distancia. La explosión y los gritos se apartaron de él y fueron tragados por el vasto silencio. Cerró los ojos y respiró los vertiginosos perfumes del jardín. Cuando volvió a abrirlos, unas lágrimas como recuerdos no disipados le enturbiaban la visión. Eran las primeras que derramaba desde la muerte de sus padres.

Cuando se le aclararon los ojos, miró a través de la bahía hacia los blancos muros de Acre. A la luz del sol la pequeña ciudad estaba preciosa; parecía muy blanca, perfecta y misteriosa, un pequeño mundo escondido, más allá de la corta franja de agua azul. Recordó cómo era en la puesta de sol: como si estuviera en llamas. Una ciudad en llamas que ardía como un matorral sin consumirse. Pero en su interior había un laberinto de muros grises y callejuelas inmundas sumidas en un hedor ancestral. En invierno el sol era de un rojo apagado, como en aquel momento, tiñendo el mundo de cobre mientras caía por las laderas este del Carmelo y empezaba a enrojecer el mar. David permanecía en pie ensimismado en sus pensamientos bajo la arcada del templo hasta que se encendieron las lámparas amarillo perlado que colgaban a su alrededor y las luces de los jardines volvieron con un chispazo a la vida dibujando extrañas sombras entre los árboles y los arbustos. Los jardines eran hermosos pero había algo desagradable en ellos: eran demasiado formales, demasiado bien cuidados, demasiado orientales. Si crecía algo salvaje, había que cortarlo en seguida. El orden lo era todo. Mantenerlo todo limpio era un fin en sí mismo. ¿Era eso lo que alguien había estado intentando hacer en Cambridge y en Haifa? ¿Mantener algo limpio?

El cielo se iba volviendo púrpura. Las estrellas habían aparecido tan lentamente, tan vacilantes al principio, que su llegada había pasado inadvertida hasta que, en aquel momento, parecieron derramarse por el cielo. Bajó los primeros escalones y atravesó la pequeña verja que daba a la pendiente principal que descendía junto a las terrazas hasta el Boulevard Carmel. Se movía despacio, pisando con fuerza en la piedra, un paso cada vez. Tras él, el mausoleo pareció volver a la vida iluminado por puntos de luz como un fantasma blanco muy alto, cuya cúpula era invisible desde donde él se hallaba. Debajo, las luces verdes y blancas de Haifa brillaban como joyas. La larga y recta bahía se estrechaba como un collar hacia el otro lado de Acre.

Se detuvo a medio camino y se sintió de nuevo pequeño y solo, inseguro de lo que debía hacer o adónde debía dirigirse al llegar abajo. Como alertado por un sexto sentido, se dio la vuelta y miró hacia arriba en dirección al templo. La silueta de un hombre se recortaba contra el blanco muro del edificio, una sombra que le observaba. David sintió renacer el miedo en su interior y un sabor amargo en la boca. La figura no se movía. Simplemente permanecía allá mirándole con la cara oculta por la oscuridad. En aquel momento, David decidió lo que tenía que hacer. Dio la espalda al hombre y comenzó de nuevo a bajar los escalones, despacio, muy despacio. Si el extraño sabía lo que estaba haciendo, dispararía entonces. David no pensaba darle ninguna otra oportunidad.

CAPÍTULO 11

A la mañana siguiente bajaron los féretros a primera hora, desde la sinagoga hasta el cementerio que se hallaba en la parte baja de la montaña. Los ataúdes eran largos y rectangulares, cubiertos con la bandera israelí, azul y blanca, un tanto llamativa, y con el Magen David encima. David los siguió con la vista mientras los bajaban y atravesaban las verjas de hierro forjado entre los árboles. La larga procesión de hombres vestidos de negro y con *tallits* con los ataúdes a hombros. Sus hermanos Benjamin y Samuel se hallaban entre ellos, sus hermanos pequeños a los cuales había ayudado a criar y a quienes apenas conocía en aquel momento. Extraños con el peso del ataúd de su padre a hombros. Su hermana Sara, de grandes ojos, desgarbada y vestida de luto, estaba a su lado. Deseó rodearla con su brazo, abrazarla, darle apoyo, pero su cuerpo estaba totalmente rígido y sólo podía permanecer allá clavado y mirar mientras los hombres proseguían su camino hacia la fosa abierta. Cuando hubieron bajado los ataúdes a la tumba, el *hazzan* comenzó a salmodiar en hebreo el Tzidukh ha-Din en tono lastimero, las palabras subiendo y bajando como un vuelo de golondrinas subiendo y bajando en picado. Hombres y mujeres desconocidos para él se hallaban a su alrededor con rostros impasibles o salpicados de pena. La tumba era profunda y horrorosa como una herida en la tierra, como un vacío que ninguna cantidad de piedras y tierra podría llenar jamás.

Se preguntó por qué no sentía nada: ni pena, ni dolor, ni siquiera culpa. La ausencia de culpa le sorprendió y sobre todo le desalentó. Esperaba haberla sentido como algo que le corroía por dentro. Sin embargo, no sentía nada. Inconscientemente, pero con seguridad como si lo hubiera sabido, había provocado la muerte de sus padres. Un pequeño pensamiento, un poco de previsión por su parte, y aún estarían con vida. Su padre tenía derecho a un último año, durante el cual hubiera quedado en paz. Tal vez incluso con David. Entonces, ¿por qué no sentía nada? A su lado, Sara se hallaba profundamente consternada. Tal vez nunca se recuperara de aquel dolor. Benjamin se había desmoronado la noche anterior y Samuel había pasado varias horas rezando desde su llegada. Y él, David, parecía hallarse solo en aquel aturdimiento.

Llegó la hora de recitar el Kaddish. El hijo mayor dio un paso adelante y comenzó a leer la plegaria en voz alta y en arameo, aunque su voz, de hecho, no era más que un susurro.

Magnificado y santificado sea el Nombre del Señor...

Le pareció seguir las palabras hasta la tumba, una gran profundidad sin fin que descendía y descendía eternamente. El Kaddish era para él, para la muerte que llevaba en su interior, para el funeral que en aquel preciso momento tenía lugar en su corazón. Y siguió bajando más y más a la tumba.

Magnificado.

Era como si todo lo que había estado más vivo en él estuviera siendo enterrado allí. Su boca pronunciaba las palabras de la oración y todos los presentes las recitaban con él rogando a Dios, pero él parecía estar en otra parte separado de su cuerpo, ausente. La oración colgaba como un peso excesivo sobre su cabeza. Sus manos sostenían el libro de oraciones como si fuera de piedra. Las palabras de la letanía parecían dar vueltas y vueltas sin cambiar jamás.

Santificado.

De alguna manera, la breve oración tocó a su fin; de alguna manera, se inclinó, tomó un puñado de tierra y la arrojó a la tumba. Mientras se incorporaba, los ojos de David repararon en algo que se movía detrás de las tumbas, entre los árboles que bordeaban el cementerio. Era un hombre que observaba la escena a distancia, con el rostro oculto por las sombras. En el momento en que David le miró, el hombre se deslizó entre los árboles y desapareció. Volvió a mirar hacia la tumba mientras los ataúdes desaparecían bajo la tierra, dio media vuelta abruptamente y se alejó caminando. Sus hermanos y su hermana se miraron sin comprender mientras se alejaba a grandes zancadas por el sendero, quitándose el *tallit* de la cabeza y los hombros, solitario.

Varios días después del funeral le llegó una carta de Halstead. Con ella llegó una postal que había sido hallada pocos días antes entre los papeles de Michael Greatbatch. El matasellos era de Jerusalén, de la primavera anterior, y estaba firmada «John». Contenía un breve itinerario de diversos lugares del Sinaí, para visitar los cuales había obtenido permiso oficial.

Querido Mike:

Te agradará saber que tu carta dio resultado. No en vano he obtenido una licencia general y he arreglado visitas especiales a Pelusium, Ostracine, Rhinocolorum, El-Kuntilla, Ein Kadeirat, Serabit al-Khadim y Dahab. Estoy particularmente excitado ante la idea de ver las inscripciones protosinaíticas de Serabit, por no mencionar el templo de Hathor. También he recibido tus cartas de presentación para Santa Catalina y San Nilo en Wadi al-Ruhban. No sé cuánto tiempo me permitirán quedarme los monjes en cada sitio, pero espero que lo suficiente para echar una ojeada a uno de los manuscritos, donde puede que encuentre lo que estoy buscando. Te veré dentro de un par de meses. Ve a visitar Waffles por mí y dale recuerdos a Patrick.

Tuyo,

JOHN

Waffles era un conocido café de Cambridge dirigido por una pareja canadiense. David recordó sus barquillos de manzana condimentados, su crema de chantilly y al excéntrico propietario de pelo blanco, Patrick. Aquél era ya otro mundo; la realidad se hallaba ahora en algún lugar llamado Iram.

Telegrafió a Halstead inmediatamente pidiéndole que obtuviera un certificado oficial de aduana a sus contactos en El Cairo para que David pudiera visitar el Sinaí. La retirada israelí de la península se había llevado a cabo casi sin dificultades y el tráfico a través de la frontera no era especialmente problemático. Pero David conocía Oriente Medio y deseaba tener alguna garantía en caso de que alguien en El Cairo objetara algo a su viaje.

También pidió a Halstead que le enviara fotografías de Gates y una descripción general para completar su propio recuerdo de aquel hombre. Ya no cabía ninguna duda acerca del uso del teléfono: estaba convencido de que la línea de Halstead estaba intervenida y le había escrito para decírselo.

Tampoco creía que él estuviese libre de vigilancia. De vez en cuando, desde el día que fue a los jardines persas, había vislumbrado a un hombre o tal vez a diferentes hombres que le seguían de cerca. También estaba aquella misteriosa figura del funeral. David sabía que aguardaban su próximo movimiento para ver si les revelaba si sabía algo, para observar dónde iba y con quién se encontraba. No podía ir directamente al Sinaí dejando tras él pistas que les conducirían sin duda a lo que Gates hubiera encontrado allí. Sería mejor que pensaran que él no sabía nada y que había regresado a sus estudios, escarmentado y asustado, pero no más sabio. Se equivocarían si pensaban eso, y, por una vez, él les habría tomado la delantera.

La muerte de sus padres le había cambiado, transformándole finalmente en el asesino que había sido momentáneamente en Tell Mardikh. Toda la suavidad se había extinguido, toda la debilidad y los finos gestos de claustro y academia. Mientras miraba cómo enterraban a su padre y a su madre, él había descendido con ellos a la tumba. Se dio cuenta de que se hallaba solo frente a algo implacable y despiadado. Si pretendía sobrevivir, tendría que penetrar en el horror y dominarlo. Con ayuda de un amigo que se hallaba en el Haifa Technion había obtenido un revólver, un Sauer negro automático que llevaba con él a todas partes, siempre cargado.

Planeó su partida de Haifa con antelación y cuidado. La mañana del 12 de diciembre se dirigió en coche a la oficina local de las líneas aéreas El Al en Derekh Ha'atzma'ut, donde recogió un billete de ida de Tel-Aviv a Roma. Regresó al apartamento de los Kolek y desapareció en su interior. Quince minutos más tarde reapareció llevando dos maletas, se metió en el coche y partió. Sólo que no fue David quien salió, sino Danny Bernstein, el amigo que le había proporcionado el revólver. Bernstein tenía aproximadamente la misma altura, complexión y color de David y, desde lejos, con sus ropas podría parecer él. El billete hacia Roma estaba a nombre de Bernstein y en aquel momento lo llevaba en el bolsillo: se tomaría un pequeño descanso allí, hablaría con los colegas de David de la universidad y regresaría Haifa para el fin de semana. No tenía ni idea de lo que estaba ocurriendo, excepto que alguien había asesinado a los padres de David y que éste había tomado la decisión de hacer algo. Y eso era suficiente. Unos treinta segundos después de que Danny saliera, un segundo coche se puso en marcha en la acera y se deslizó suavemente tras él.

David se entretuvo lo justo para despedirse de los Kolek antes de salir por la escalera de incendios de la parte posterior del edificio. En el exterior, un jeep le aguardaba cargado con todo el equipo necesario que Danny había adquirido para el viaje de David al Sinaí. En poco menos de una hora entraba por la puerta de la Embajada egipcia en el hotel Hilton de Tel-Aviv. Halstead debía de tener contactos importantes en El Cairo, ya que le llevó menos de dos horas arreglar los visados y licencias que necesitaría para el viaje. En otras circunstancias hubiera tardado días.

A media tarde ya estaba en Jerusalén, llamando a la puerta del Patriarcado ortodoxo griego en la Vía Dolorosa, en el barrio oeste de la vieja ciudad. Los misteriosos poderes de Halstead se extendían incluso más allá de aquellos austeros muros. David fue acomodado entre caras sonrientes y copas de fino brandy. Varios hombres vestidos de negro y con altos sombreros circulares revoloteaban a su alrededor hablándole en un sincero tono de placer y camaradería. Las cartas griegas de presentación al padre Nikandros, archimandrita de Santa Catalina, y para el padre Andreas de San Nilo ya estaban listas. El patriarca de Jerusalén no tenía autoridad directa sobre Santa Catalina y sus dependencias, pero sus cartas servirían para que David fuera admitido en ambas casas, algo tan difícil de conseguir en aquellos tiempos de turismo masivo como en los del bandidaje sin restricciones.

Pasó la noche en el hotel Panorama, en la colina de Getsemaní, justo al exterior de los muros del lado este. Antes de retirarse contempló desde el balcón la vieja ciudad que se extendía a sus pies. En aquel momento estaba tranquila, ofreciendo sus ancestrales piedras a las abigarradas multitudes de peregrinos que llegarían en su ruta hacia Belén en el plazo de un par de semanas. Las luces resplandecían en el silencio. Veía el Golden Gate y el templo de la Roca emergiendo justo detrás, las agujas de las cúpulas de las iglesias y los esbeltos minaretes de las mezquitas eran sólo perceptibles en la inestable oscuridad. Aspiró profundamente el aire frío oliendo la ciudad, llenándose de aquel olor; fuertemente agarrado a la barandilla, se estremeció por un momento en el frío. A sus pies se extendían el Muro de las Lamentaciones, el muro oeste del templo de Herodes, el imán que había atraído a su padre a aquel lugar. Pronto iría a rezar allá, tan pronto como hubiera llevado a cabo la tarea que se había impuesto. Fuera lo que fuese lo que le depara-ra el Sinaí o cualquier otra parte, aquella noche se sentía libre y seguro de ojos curiosos.

No había visto al segundo hombre que le vio abandonar el apartamento de los Kolek por la parte trasera, ni el coche que se había incorporado al tráfico tras él cuando puso rumbo a la carretera de la costa camino de Tel-Aviv.

Segunda parte

> El mismo día llegaron al desierto del Sinaí.
>
> *Éxodo, 19, 1*

CAPÍTULO 12

El viaje desde Jerusalén tuvo un mal comienzo. Pocos días antes de salir de Haifa, David había pedido a Abraham Steinhard que le encontrara en la Universidad Hebrea un guía que hablara árabe, alguien que conociera bien el Sinaí y su gente. Una vez en Jerusalén se puso en contacto con el anciano erudito por teléfono. Después de murmullos y balbuceos y de deliberadas vaguedades, Steinhard le dijo que el guía le esperaría en el vestíbulo del hotel a las ocho a la mañana siguiente.

—¿Cómo le reconoceré? —preguntó David.

—No habrá ninguna necesidad. Le he proporcionado una descripción completa de usted, así que ya le reconocerá. Estése en el vestíbulo a las ocho. Los guías no esperan.

Siguiendo sus instrucciones, David bajó aquella mañana justo antes de las ocho. El vestíbulo estaba casi desierto y no vio al guía por ninguna parte. Encogiéndose de hombros se dio la vuelta hacia el mostrador para pedir un periódico. Notó un movimiento a sus espaldas y seguidamente una voz pronunció su nombre. Era una voz de mujer que hablaba un inglés suave.

Se dio la vuelta y se encontró cara a cara con una joven de baja estatura y cabello oscuro, de unos veinticinco años. Era menuda como un duende e increíblemente hermosa. El corazón le dio un brinco y sintió que le faltaba el aire. Conocía lo suficiente a Steinhard como para darse cuenta de que allí pasaba algo. Parecía, sin lugar a dudas, que aquélla era su guía. Se lo preguntó y ella respondió afirmativamente.

—Me llamo Leyla Rashid —dijo—. El profesor Steinhard me dijo que necesitaba un guía árabe para ir al Sinaí, pero no me dijo para qué. —Le repasó de arriba abajo con la mirada y sonrió. Por su forma de sonreír le costó creer que efectivamente se hubiera despertado aquella mañana—. No por razones turísticas, me parece —dijo en el mismo tono suave y seductor.

Él la miró escrutadoramente a su vez; cualquiera no lo haría. No podía creer lo que el viejo zorro de Steinhard le había hecho.

Le había pedido un guía experto que hablara árabe para que le condujera por los caminos más difíciles y peligrosos de la región, y el hombre le había enviado a una chiquilla vestida con ropas que parecían diseñadas para lucirlas en el faubourg St. Honoré, y que probablemente serían compradas allí.

—Lo siento —comenzó—, debe de haber algún error. Tengo intención de dirigirme por terrenos bastante duros; no me alojaré en hoteles y puede ser peligroso. Incluso puede que haya problemas. Necesito alguien que conozca la península a la perfección y no, con perdón, una alumna de Steinhard en período de vacaciones. Además, mi intención es visitar lugares donde una mujer no sería bien recibida, donde incluso podría hallarse en peligro. Lo siento, señorita... Rashid, pero mi viaje es muy importante y no tengo demasiado tiempo. Si fuera una cita para ir a cenar, créame que la llevaría a cualquier parte. Tal vez cuando regrese...

Ella le lanzó lo que sólo podría describirse como una mirada fulminante.

—No quiera protegerme, profesor Rosen —dijo. Su tono ya no era suave ni seductor—. No soy ninguna alumna, ni soy una aficionada. Hago esto para vivir. Le hago constar que tengo veintiséis años, soy antropóloga por la Universidad Hebrea y complemento el ínfimo sueldo que me pagan allá acompañando a gente como usted en sus viajes por el Sinaí. Soy palestina: mis padres poseían algunas tierras cerca de Haifa. Ellos se marcharon por mar en 1948 cuando la Brigada Carmeli de Haganah entró aquí. Llegaron a Port Said y en el plazo de una semana los trasladaron a al-Arish, al norte del Sinaí. Desde entonces siempre han vivido allá haciendo negocios con los mercaderes Sherafa y comerciando con los beduinos del sur. Desde que era pequeña he viajado con mi padre por todo el Sinaí; incluso fui a al-Tih en camello. Conozco a las tribus como si fueran mi familia: los Tarabin, los Muzeina, los Tuwara, los Aleigat, los Tiyaha; tengo amigos entre ellos. Con toda probabilidad correré mucho menos peligro que usted, profesor, se lo aseguro. No tendrá que cuidarme; más bien yo le cuidaré a usted.

Él sintió que le subían los colores.

—Lo siento, señorita Rashid. Yo... no lo había entendido. Usted... usted no parece palestina.

Supo que había metido la pata en el momento en que acabó de pronunciar aquellas palabras. De algún modo se alegró de que no estuvieran en el piso de arriba del hotel: había mucho trozo hasta abajo. El destello de sus ojos se convirtió en una mirada feroz. Cuando volvió a hablar, su voz sonó aún más dura.

—Entonces, ¿cómo cree usted que debería ser una mujer palestina, señor profesor americano? ¿Yaser Arafat disfrazado de mujer? ¿O una refugiada como las que ha visto en los campos, pobres pero orgullosas? Siento decepcionarle en sus preconcepciones. Como ve, nos lavamos la cara, nos maquillamos, vamos a la peluquería y nos gusta la ropa elegante. ¿Preferiría que me pusiera el traje de faena del ejército? ¿O que me cubriera el rostro con un velo? Si no me quiere como guía, me parece bien. No ofrezco mis servicios como un favor, y usted no tiene ninguna obligación de aceptar. Esto es un negocio, profesor Rosen. Lo toma o lo deja.

Se preguntó si ella sería tan susceptible con todo el mundo o si él habría sido especialmente torpe. ¿Qué podía hacer? Tenía que marcharse ese mismo día y necesitaba un guía. Tal vez pudiera dejarla con sus padres en al-Arish y encontrar a alguien más.

—De acuerdo —dijo—. Lo siento. Usted me sirve. Tengo que ir arriba a recoger mis maletas. Encontrará mi jeep en el aparcamiento de enfrente. Aquí está la llave.

Ella la cogió en silencio, se dio la vuelta sin pronunciar una palabra y salió.

Condujeron hacia el sur fuera de Jerusalén, tomando la carretera que pasa por Belén y Hebrón. La orilla Oeste se hallaba en tensión. Unos días antes había habido disturbios en Hebrón: dos estudiantes árabes habían sido muertos por soldados israelíes y el humor de la gente era más bien hostil. Condujeron en silencio, David al volante y la joven a su lado, impasible, con los ojos fijos en la carretera. Las grises y achaparradas viviendas de Hebrón quedaron atrás, atestadas de gente melancólica. Ya fuera de la ciudad, pasaron junto a varias filas de chabolas medio derruidas, un campo de refugiados construido durante la vieja administración jordana. La visión de aquellos tugurios en expansión no contribuyó demasiado a disminuir la tensión entre David y la chica. Apretó el pedal del gas y continuó conduciendo. A sus espaldas gritó un niño; un grito agudo y ansioso que se extinguió rápidamente y fue tragado por el rugido del motor del jeep.

La carretera continuaba hacia el sur, ya fuera de la orilla Oeste y en dirección a Beersheba y el Negev. Campos cultivados daban paso a arena sucia y a matorrales a medida que penetraban en el desierto. De cuando en cuando se cruzaban con alguna familia de beduinos amontonados bajo una fina tienda para resguardarse del viento, mientras no muy lejos un niño vigilaba los camellos y las negras cabras esqueléticas. Más hacia el sur llegaron a Nizana, el antiguo puesto fronterizo entre Palestina y Sinaí. Un alambre de espinos oxidado y arrollado se extendía a lo largo de la vieja frontera. Tanto el almacén de la aduana como la estación de policía se hallaban completamente vacíos, derrumbándose lentamente hacia atrás sobre la arena del desierto. Pequeños lagartos verdes y salamanquesas corrían adentro y fuera de las puertas vacías, deteniéndose brevemente a observar el jeep que pasaba a toda velocidad por su lado.

El puesto fronterizo egipcio se hallaba a pocas millas de Nizana. Aunque tenía todos los papeles en regla, David se sintió inquieto al ir a cruzar la frontera. Se preguntó si los sirios habrían proporcionado una descripción suya a los egipcios. No era probable, dada la situación actual entre ambos países, pero nunca se sabe. Los oficiales de aduanas del puesto eran ariscos y poco dispuestos a cooperar. Parecían aburridos y apáticos, iban mal afeitados y con los uniformes sin planchar, eran hombres a los cuales la vida ya había entregado al cumplir los quince años lo poco que tenía que ofrecerles. El encargado de aduanas, un oficial de mediana edad, de labios finos y casi blancos, con ojos rojos y de mirada fija, parecía del tipo de los que provocan problemas sólo para demostrar que realmente es el encargado. Estaba sentado tras una mesa de madera muy pesada bajo un ventilador que giraba muy lentamente y que hacía poco más que remover el aire caliente en perezosos círculos.

Leyla se ocupó de los papeles hablando con voz queda y en árabe con aquel hombre mientras dos ayudantes registraban el equipaje. En el puesto de guardia de al lado los soldados ganduleaban, analizándola con la mirada como granjeros en una subasta de ganado, con los rifles colgando del hombro y reprimiendo su libido, nerviosos ante la excesiva calma y la falta de incidentes en aquella tierra de nadie.

De repente, David oyó voces airadas y se dio cuenta de que Leyla estaba discutiendo con el hombre. Observó que sus papeles se hallaban desparramados sobre la mesa. Aparentemente eran el tema de conversación, pero le era imposible seguir aquel árabe tan rápido. Se temió que, como mínimo, tendría que enfrentarse con un asunto de dinero.

Casi tan rápido como había empezado, la discusión tocó a su fin. Los soldados miraban al infinito. David observó al hombre mientras recogía los papeles diseminados y se los devolvía a Leyla sin una palabra. Ella los recogió y caminó de vuelta al jeep.

—¿Qué pasaba? —preguntó.

Ella se encogió de hombros.

—Un pequeño contratiempo —murmuró—. Intentaba convencerme de que sus papeles no estaban en regla. Es nuevo aquí, recién llegado de Tanta. Pero le he parado los pies. Conmigo no lo intentará de nuevo. —Se metió en el jeep y cerró la puerta. David puso el motor en marcha.

—¿Y quién es Leyla Rashid para que ése esté dispuesto a escucharla? —preguntó.

Ella le miró, dudando sobre si contestar o no.

—Nadie —dijo—. Una palestina. Una mujer de veintiséis años, soltera. Por aquí eso quiere decir nadie.

—¿Y por qué un maldito oficial de aduanas sigue el consejo de un don nadie?

Ella volvió a encogerse de hombros. Su gesto le llamó la atención y la miró brevemente. Pelo corto, cuello largo y los rasgos tan finos que parecían haber sido esculpidos. Guardaba las distancias mediante esa reserva especial que las mujeres emancipadas aprenden a adoptar si tienen que seguir siendo emancipadas. Los hombres especulan sobre tales mujeres. Incluso ir al café solas es visto como algo provocativo: tomar una taza de café en las sombras es una prerrogativa masculina y la marca de una prostituta. David desvió la mirada.

—Yo no soy nadie —repitió ella—. Pero mi padre sí que es alguien. El hombre lo sabía y ha comprendido.

—Ha comprendido ¿qué? —David dio un golpe de volante para evitar un manojo de retama que había crecido en mitad de la carretera.

—Que mi padre tiene influencia en esta zona. Que era mejor para él no crearnos problemas.

—Pero, ¿quién es su padre? —preguntó David.

Ella se sacudió una mota de polvo de la manga.

—Un don nadie que llegó a ser alguien —dijo—. Se llama Ahmad Rashid. Es poeta. Seguramente habrá oído hablar de él.

David sacudió la cabeza.

—No —dijo—. Soy el judío de Nueva York, ¿recuerda? Allí no leemos demasiada poesía árabe.

—No se haga el listo —replicó ella—. Mi padre es un poeta conocido. Escribe sobre Palestina: sobre la tierra, la gente y sus sufrimientos. Aquí le llaman Sawt Filastin, «la voz de Palestina». La prensa árabe ha publicado sus poesías montones de veces: aquí en Egipto, en *Al-Ahram*, en los periódicos libaneses antes de la guerra civil, en Kuwait, en Irak. En todas partes menos en Palestina.

Dio otro golpe de volante, tanto para evitar la última puntualización como el montón de tierra suelta que había esparcida por la carretera.

—No me diga que el tipo que había ahí era amante de la poesía —dijo.

Ella sonrió por primera vez, pero entonces recordó la necesidad de mantener la reserva y retornó a su seria expresión. Durante un segundo, David captó un destello de otra persona bajo aquel exterior frío.

—No, pero ha oído hablar de mi padre. Los poetas dicen algo a los árabes. Mi padre fue el mayor de Al-Arish durante un tiempo. Tiene influencia. Conoce a todo el mundo importante en el Sinaí. Todavía es un hombre pobre, pero es respetado. Y, créame, eso es importante aquí. Si se llega a saber que un oficial de fronteras ha causado problemas a la hija de Ahmad Rashid pronto se encontraría pensando del Sinaí lo mismo que la gente del Sinaí piensa de los lugares de perdición de El Cairo.

David echó una ojeada a su alrededor, al áspero paisaje que les tragaba rápidamente.

—¿Y adónde podrían enviarle que fuera peor que esto? —preguntó.

Ella respondió sin mirarle.

—Hay lugares peores que éste, mucho peores —dijo—, y él lo sabe. Alégrese de no saberlo usted.

David no respondió. Se dirigió hacia el sudoeste con rumbo a al-Kuseima, su primera parada. Delante de ellos, en el ancho horizonte, unas montañas gigantescas se elevaban hacia el cielo. Eran de un color cafetoso, rico y dorado bajo el abrasador sol de la tarde. En Umm Katef la carretera se convertía en un camino accidentado, desigual y repleto de baches. A su izquierda, una ancha franja de pedernal negro cubría la arena, creando el espejismo de un lago oscuro y sin olas. La luz del sol caía sobre aquella superficie lisa y era tragada por ella. El desierto vasto, desolado y vacío dejaba sentir su eco alrededor de ellos.

Tomaron una curva del camino. Delante, David divisó las atrofiadas palmeras y acacias de un oasis. Habían llegado a al-Kuseima. Estaban en el Sinaí.

CAPÍTULO 13

De noche el desierto es brutal. En verano las noches son frías y en invierno hiela tanto que uno puede llegar a morir. Helado, oscuro e infinitamente vasto, el desierto resuena como una campana tensa y bien afinada, vibrando profundamente en su interior con música propia. La escarcha reluce sobre las olas de arena como diamantes hechos pedazos esparcidos por la mano de un gigante. Por encima, la amplia y silenciosa luna se halla suspendida, tan abajo que parece que se podría acariciar con los dedos. Las estrellas brillan como trozos de hielo roto, lejano e inaccesible, congeladas para toda la eternidad en su sitio. Durante todo el verano las montañas del sur del Sinaí son como un horno y en las noches de invierno implacablemente frías. En ellas no queda nada que pueda conservar el calor. El frío lo es todo.

Era su decimoquinta noche en la península. Yacían codo a codo en los sacos de dormir, enroscados como animalillos protegiéndose del frío. David se revolvía incómodo, insomne de nuevo, sintiendo un dolor en la cadera izquierda, que tenía aplastada contra el suelo de piedra. A su lado, ella murmuraba en sueños. Él sonrió y luego hizo una mueca de dolor cuando, al dar media vuelta en el suelo, se le clavó otra piedra que no había visto.

Leyla no había dejado de confundirle y sorprenderle desde el día en que la conoció. Había viajado por el desierto vestida con elegantes y modernas ropas y parecía poseer el don de repeler el polvo y la suciedad. Cada noche se desmaquillaba, se lavaba y tonificaba la cara, y cada mañana se lavaba el pelo y después se sentaba para maquillarse o hacer uso de sus productos cosméticos como si estuviera en el dormitorio de su casa.

—Hay suficiente agua —decía cada vez que él protestaba. Y siempre tenía razón.

Conocía el desierto tan bien como él las vasijas rotas y las lápidas de arcilla, íntimamente, como un niño conoce a su madre. Cuando él se perdía, ella señalaba con un dedo que presentaba una manicura perfecta y en cuestión de minutos volvían a reemprender el camino. Conocía a los beduinos como si fueran amigos y ellos parecían aceptarla: una mujer en un mundo de hombres rondando por el desierto sin velo en el rostro. Su dureza le sorprendía. Jamás parecía cansada ni desanimada. Podía dormir como un tronco sobre el suelo más incómodo y podía andar descalza sobre una aguda gravilla que a él, que llevaba botas, le haría tropezar. Y cada día, al final de la jornada, cuando él se sentía exhausto, sin afeitar y con los ojos enrojecidos, ella estaba tan fresca y bonita como cada mañana al partir. La fragilidad de su cuerpo le atraía cada día más, pero seguía guardando las distancias. No la conocía apenas. Ella hablaba tan raramente y hacía tan pocas preguntas que no invitaba a hacer ninguna. Ella sabía para qué había ido David al Sinaí pero no tenía ningún interés en hacerle hablar, y él por su parte preferiría callar las cosas tanto como fuera posible. Ambos comenzaron a gustar de la compañía del otro, pero ni buscaron ni fomentaron ninguna amistad más profunda ni ninguna clase de confidencias que compartir que les habrían acercado.

En catorce días, el Sinaí le había cambiado. Había tenido tiempo de reflexionar al aire libre y en los vacíos desiertos a través de los cuales habían viajado. El Sinaí es tierra de nadie, una árida zona de pruebas para hombres y bestias indistintamente, y el lugar de reposo de algún dios enfadado. David se lo había tomado en serio, cada centímetro de él, cada colina escarpada y cada barranco erosionado. En cierta manera, era su soledad, que nunca podría ser de Leyla, sin importar cuán compenetrada estuviera con su carne y sus huesos. Su gente había sido castigada allí durante cuarenta años por el airado dios que se cernía desde la cumbre de la montaña entre el humo y la niebla, y la sombra del errabundeo les había perseguido desde entonces. No era un lugar para acudir en busca de algo que no fuera dolor y culpa. Parecía como si el viejo dios de la montaña la hubiera construido expresamente con ese propósito.

Los primeros monjes cristianos lo habían descubierto hacía mucho tiempo. El simple atractivo del desierto los había sacado en tropel de las ciudades de Egipto y Siria para llevarlos a celdas aisladas y monasterios remotos o a altas columnas de piedra donde se sentarían bajo un sol de justicia, entre los nómadas, escuchando la voz de Dios. Ascetas de finos hábitos, ermitaños de ojos salvajes, grupos de anacoretas, estilitas, cenobitas y apotactitas habían ido en busca de algún tipo de tranquilidad, y a cambio habían llevado con ellos tormentos autoinfligidos que impedían descansar al alma y al cuerpo. Habían cegado sus ojos al sol y al esforzar tanto la vista; habían lacerado sus carnes con los espinos de las altas acacias; sus huesos habían retornado al desierto o yacían destrozados en los silenciosos osarios de Santa Catalina y San Nilo y en la actualidad tan sólo un puñado de sus descendientes continuaban en el Sinaí y en otras partes, viejos devotos con barbas descuidadas, novicios temerosos con el sabor del mundo aún fresco en sus labios y en sus bocas, aislados del exterior por algo más que muros, colinas y arena.

David y Leyla habían pasado dos días en el monasterio de Santa Catalina, al pie del Jabal Musa, que los monjes y peregrinos habían creído durante mucho tiempo que era el propio monte Sinaí. El padre Nikandros en persona les había dado la bienvenida, un hombre viejo y afable cuyos modales amables con los invitados ocultaban a un ordenancista que dirigía su monasterio con mano de hierro. Había conocido a Gates y había hablado con él varias veces durante la visita del joven estudiante la primavera anterior. Tuvo un gran disgusto al enterarse de su muerte, pero no sabía nada que pudiera arrojar alguna luz sobre el caso. David fue presentado al padre Spiros, el bibliotecario, quien recordaba perfectamente a Gates, y, lo que es más importante, recordaba claramente qué manuscritos había consultado.

Pasaron horas juntos encerrados en la antigua biblioteca, David y el viejo bibliotecario de barba entrecana y lentes gruesas y polvorientas. A su alrededor, en la galería principal donde se hallaban sentados, las paredes estaban cubiertas de iconos dorados, trípticos y paneles ricamente coloreados. Por todas partes, el rostro severo y barbudo de Cristo los contemplaba desde las sombras, con los evangelios en la mano izquierda y la derecha extendida hacia arriba para bendecir o condenar, no estaba muy claro. La Virgen y el Niño, mártires, santos y ángeles, se extendían en hileras sobre las estanterías, mientras el oro de sus ropas y los halos reflejaban la luz de la vacilante lámpara a la luz de la cual leían los estudiosos. Tras una alta cerca de alambre se hallaban almacenados miles de manuscritos, siglos de aprendizaje y de piadosas copias, aislados de los ojos del mundo, excepto de unos cuantos. No hay duda de por qué alguien se dirigiría a ese sitio con la esperanza de encontrar un texto inédito. Durante horas, David permaneció sentado junto al padre Spiros hojeando manuscritos en griego, latín, sirio y hebreo. Había pocas pistas, pocas referencias a los sitios que Gates había visitado. Enterrados en la poco frecuentada biblioteca, aquella tarea le pareció inútil a David después de todo, y los problemas insuperables. ¿Por qué se había enredado en aquella caza salvaje? ¿Qué le había hecho pensar que podría encontrar algo allá, aparte de polvo y vitela?

Pero durante el segundo día, cuando concluyeron el último códice y el padre Spiros le mostraba algunos de los tesoros de la biblioteca, el monje mencionó que Gates estaba particularmente ansioso de llegar a San Nilo. Spiros le había hablado de la existencia de un único manuscrito, una narración de viajes en árabe primitivo llamada *Al-tariq al-mubin min al-Sham ila'l-balad al-amin* («El camino libre de Damasco a La Meca»), escrito en el siglo XVIII por un tal Abu 'Abd Allah Muhammad ibn Sirin al-Halabi. Gates se había excitado enormemente al enterarse de la existencia de ese manuscrito. Había hallado referencias en varios sitios, pero no existían copias ni reseñas en ninguna parte. Brockelmann, la autoridad por excelencia, ni siquiera lo mencionaba.

Para entonces, David y Leyla estaban en la última etapa de su viaje. Habían visitado todos los lugares que Gates mencionaba en su postal; habían hablado con la gente con quien se había entrevistado y habían seguido sus movimientos a través de la península hasta aquel lugar. En la mañana del tercer día en Santa Catalina, habían acordado ir a caballo hasta San Nilo, que se hallaba a más de una jornada hacia el norte, en el Shi'b al-Ruhban, una ramificación larga y tortuosa del aún más largo Wadi Beirak. Escondido en lo más recóndito de las montañas, el monasterio era inaccesible excepto a pie, a caballo o en camello. El camino era estrecho, con paredes altas de granito, escarpadas, y un terreno traicionero sembrado de cantos rodados, cascotes y arena. La ida era difícil.

David jamás había montado antes a caballo y encontró el viaje muy cansado y doloroso. La silla le rozaba los muslos y notaba en la espalda un dolor intolerable. Tuvieron que detenerse varias veces para que bajara del caballo y descansara. Leyla no estaba segura del camino y su paso aminoró considerablemente. Pronto empezaron a retrasarse y hacia la caída de la tarde era ya un hecho que no llegarían al monasterio antes de que fuera noche cerrada. Mientras oscurecía, decidieron parar donde estaban y acampar para pasar la noche. Exhaustos y cubiertos de ropa se enroscaron en sus sacos en un esfuerzo por protegerse contra aquel frío mortal y penetrante. Junto a ellos, los caballos, envueltos en gruesas mantas, se estremecían sobre sus cuatro patas.

El desfiladero se hallaba sumido en la oscuridad. Los altos peñascos a ambos lados ocultaban la mayor parte del cielo a la vista. Tan sólo unas pocas estrellas que brillaban etéreamente en el limpio aire del desierto parpadeaban en la lejanía sobre sus cabezas. David se removió dándose la vuelta con la mente ocupada por pensamientos ansiosos y temores nocturnos. Le preocupaba sobre todo una cosa: si llovía podían darse por muertos, atrapados allá en medio de aquel barranco. Leyla le había explicado que en invierno un repentino chaparrón podía provocar una inundación en cuestión de horas. Tal vez ni siquiera notarían que llovía a alguna distancia. La única señal sería el sonido del agua rugiendo por el estrecho canal y cayendo sobre ellos con la velocidad y la fuerza de un tren expreso. Los beduinos se mantienen apartados de los barrancos y de los *ueds* en invierno. Leyla estaba nerviosa, aunque le había comentado poco a David sobre el tema. Atormentado por sus pensamientos, finalmente cayó en un sueño intranquilo y lleno de pesadillas.

Se despertaron antes de la salida del sol. El aire era frío y sabían que aunque el sol asomara por encima de los muros del estrecho barranco, les llegaría muy poco calor. Temblando e intentando calentarse un poco las manos con su propio aliento, se dispusieron a preparar el desayuno. La noche anterior, Leyla había encendido un fuego con maderas de acacia. Aún quedaban algunos rescoldos, y ella se las compuso para hacerlo arder de nuevo. Siguiendo la costumbre de los beduinos, hizo una masa, la aplastó en forma de lámina circular y la colocó sobre el fuego. En pocos minutos ya tenían pan. Con un poco de té negro dulce resultó un desayuno aceptable, aunque un tanto ascético. David comenzó a reponerse, a pesar de que su cuerpo se hallaba aún resentido de los trotes del día anterior.

Cuando acabaron de desayunar, una tenue luz gris comenzó a filtrarse en el *shi'b*, dibujando sobre las rocas sombras vagas e indefinidas y permitiendo divisar una vez más el desolado cañón. Era una luz pobre, débil y macilenta. El cielo de donde provenía se había vuelto gris y pesado, como un techo de pizarra suspendido sobre sus cabezas. Parecía oprimirlos, aunque no podría bajar de la altura de las paredes del barranco sobre las cuales se cernía como la tapa de una caja. No se percibía ningún movimiento. Un silencio tenso y enervante flotaba por todas partes. Las únicas criaturas vivientes eran serpientes, lagartos y escorpiones. Leyla había advertido a David sobre las serpientes la noche anterior. El pensamiento de las víboras no le ayudó en absoluto a dormir. Leyla alzó la vista hacia las torvas paredes del *shi'b* y se estremeció. Todo estaba demasiado tranquilo, como un valle de muertos.

—No me gusta esto —dijo—. Este desfiladero tiene un nombre feo. La gente lo evita por poco que puede. Es como una prisión con esas paredes. Me pone la carne de gallina. Sus monjes deben ser realmente gente curiosa para vivir aquí voluntariamente. Los Tuwara se mantienen bien alejados.

Sentía un cortés desdén hacia los monjes. En Santa Catalina había pasado todo el tiempo conversando con los numerosos beduinos Jabali que vivían en el monasterio sirviendo como trabajadores y artesanos. Con los monjes sólo había intercambiado unas pocas frases. A pesar de la antigüedad de su hermandad, para ella no eran más que intrusos en su desierto y ellos, por su parte, se sentían incómodos de tener a una mujer bajo el mismo techo. Santa Catalina no estaba en Athos, y una mujer podía entrar en el recinto del monasterio, aunque de todas formas a los monjes les disgustaba.

Dieron de comer a los caballos, empaquetaron el equipo y lo cargaron de nuevo en las alforjas. Ya era hora de ponerse en camino. Aunque no lo demostrara, David sabía que Leyla estaba preocupada por el tiempo. El cielo no se despejaba y la lluvia podía estar cayendo ya sobre las montañas. Cuanto antes llegaran al monasterio tanto mejor. Los caballos no quisieron moverse al principio. Eran malhumorados e irresponsables. Habían comido salicor durante la noche y estaban sedientos, pero el agua que había en los charcos del barranco era agua gorda y salobre y rehusaron beberla. Leyla les habló con voz queda intentando persuadirlos y acariciándoles el cuello, ofreciéndoles avena de la bolsa que los monjes les habían regalado. Pero sólo consintieron en moverse lentamente, más recalcitrantes que nunca.

Durante más de un kilómetro hicieron camino a través de los cantos rodados y de los escombros esparcidos del cañón. David tenía dolores por todo el cuerpo y los muslos en carne viva y muy sensibles. Decidió que prefería andar en vez de montar y con una mano conducía su caballo por la brida. El estrecho desfiladero dibujaba entonces una espiral de curvas cerradas y sin visibilidad, que acrecentaban la sensación de aprisionamiento y claustrofobia. Incluso el aire parecía enrarecido y ya respirado, como si llevara siglos allí metido. Tenían demasiado frío para hablar. David estaba irritable y explotaba fácilmente. Le dolía la cabeza y la venilla de la sien izquierda le latía fuertemente. Leyla tenía la sensación de haber perdido la destreza que demostró por los desiertos del norte y los centrales, completamente inútiles y sobrantes entre aquellas rocas antiguas y brutales.

Cuando dieron la vuelta a la última curva apareció ante sus ojos al final del desfiladero, a gran altura sobre la pared de un segundo y aún más estrecho desfiladero que discurría en ángulos rectos a lo largo del Shi'b al-Ruhban. En aquel punto, la pared del edificio estaba escalonada y rota y habían derribado un trozo para permitir la construcción del monasterio. Construido con piedras del propio barranco, se confundía sobre el fondo gris y se alzaba impresionante bajo la oscura luz. Construido en el siglo XVIII por un grupo de monjes de Santa Catalina que buscaban un mayor aislamiento para su vida de oración y penitencia, había permanecido indemne al tiempo, a las guerras y a las invasiones, como testimonio de fe y perdurabilidad. El edificio principal sobresalía por encima del despeñadero como un nido de águilas, precario aunque sólidamente apuntalado. A su alrededor se habían construido varias dependencias auxiliares en grandes grupos, comunicadas entre sí y a su vez con el edificio principal mediante estrechos senderos y escalones. Alzándose a más de cien pies de altura por encima del nivel del barranco, el monasterio era inmune a las inundaciones, a los asaltos de los bandoleros y a las ocasionales intrusiones de los viajeros. Era un santuario: un oscuro retiro casi sin ventanas que buscaba su propio camino por las sólidas rocas y daba la espalda al mundo exterior.

El acceso al monasterio se efectuaba mediante un primitivo ascensor de madera como el del Santa Catalina, del cual había sido copiado. Funcionaba manualmente, manipulado desde arriba. Cuando David y Leyla llegaron al cruce de ambos cañones vieron que el ascensor, no más grande que una caja de envases de cerveza, se hallaba colocado por encima de sus cabezas en una plataforma de apariencia bastante raquítica. No había señales de vida por ninguna parte, ni caras en las pequeñas ventanas que daban al Shi'b al-Ruhban, ni ningún movimiento por las escaleras o los senderos, ni sonidos de campanas o voces. A David le habían dicho que allí sólo vivían siete monjes contemplativos, entregados a una vida de silencioso retiro. No les haría demasiada gracia que los molestaran, incluso puede que rehusaran admitir a Leyla. Vacilante, llamó con voz fuerte. Pasó medio minuto y no obtuvo ninguna respuesta. Volvió a gritar, esta vez más fuerte, emitiendo unos ecos agudos en círculos que rebotaron en las paredes del cañón. El eco se fue apagando y todo volvió a estar en silencio.

En aquel momento, Leyla reparó en una delgada cuerda que colgaba de la manivela de la plataforma hasta el nivel del suelo. Dio un paso y la estiró fuertemente. A alguna distancia por encima de sus cabezas se oyó un sonido de agitar de cascabeles en respuesta a su tirón, languideciendo tan rápidamente como se había iniciado. Esperó un momento y volvió a estirar, esta vez dos y tres veces. Por encima de sus cabezas se cernía la masa del monasterio, mofándose del repiqueteo de las campanillas. Parecía inclinarse sobre ellos amenazador desde la distancia, con su oscura y enorme corpulencia. David gritó de nuevo espantando a los caballos, que se habían ido poniendo nerviosos en aquellos confines perdidos del valle. Se giró hacia Leyla encogiéndose de hombros, pero su voz expresaba más sinceramente su inquietud.

—No parece que les gusten demasiado las visitas. ¿Usted qué cree?

Ella lanzó una ojeada hacia la plataforma de encima y posó sus ojos en David.

—No me gusta —dijo—. Aquí pasa algo. Está demasiado tranquilo.

—¿No podría ser que hoy fuera una especie de día sagrado? —sugirió.

Leyla sacudió la cabeza.

—No. Nos lo habrían advertido en Santa Catalina. No, yo creo que pasa algo. A lo mejor están enfermos. Incluso una pequeñez como comida pasada puede tener graves consecuencias en un sitio como éste.

Agarró la cuerda y la estiró haciendo sonar la campana furiosamente. Uno de los caballos se revolvió inquieto, quejándose suavemente. Un cuervo que volaba a gran altura atravesó el cañón recortando una sombra negra contra el cielo gris. Nadie respondió a las llamadas. El monasterio permanecía en absoluto silencio.

—¿Y ahora qué hacemos? —preguntó Leyla. Estaba preocupada. El pensamiento del viaje de vuelta a través del *shi'b* con la amenaza de la lluvia era inquietante en extremo. David no quería dar la vuelta: algo le decía que el final de aquel viaje se hallaba en San Nilo y no se marcharía sin averiguar lo que había ido buscando. Alzó la mirada hacia el monasterio y después a los escarpados muros del barranco a ambos lados. Evidentemente no había ningún camino que los pudiera conducir hasta arriba. El granito era rugoso y había algunos salientes donde uno podía agarrarse, pero un ascenso así era, sin lugar a dudas, tarea para un escalador experimentado y bien equipado. En las alforjas tenían una soga y un gancho para un caso de emergencia, pero, desde donde se hallaban, el edificio estaba completamente fuera de su alcance.

—Tenemos que entrar en el monasterio —dijo David—. Tenemos que hallar un modo de subir hasta arriba y después ya bajaremos por la soga. Este desfiladero tiene que acabar en alguna parte y tiene que haber un camino que llegue hasta arriba. Sugiero que nos pongamos en marcha ahora mismo.

Leyla asintió. Estaba ansiosa por salir del cañón. La vista del monasterio y el impresionante silencio con que los había acogido no había hecho nada para aumentar su entusiasmo por el lugar.

—¿Puede montar todavía? —preguntó.

David hizo una mueca y asintió. El cuerpo aún le dolía, pero en aquel momento ansiaba apresurarse. Montó en su caballo y se acomodó en la silla con dificultad. Mientras se removía a lomos del animal, torpe y dificultosamente, Leyla se echó a reír. La risa rebotó en las paredes del cañón con un eco extraño y distorsionado y fue tragada por las rocas. Leyla se estremeció y montó en su caballo, tan asustada por el eco como por el silencio que lo había precedido.

CAPÍTULO 14

El estrecho paso acababa abruptamente, desembocando en el ancho valle de un río que discurría durante varios kilómetros entre altas y accidentadas colinas de granito rojo. El pequeño desfiladero se recortaba como una zanja entre dos de aquellas colinas. Todo lo que David y Leyla tenían que hacer era escalar la colina del cañón por la parte del monasterio. Iniciaron la ascensión por el rugoso y escarpado terreno bordeando la cumbre del despeñadero. Encontraron un lugar donde un barranco poco profundo ascendía suavemente por la falda de la montaña antes de que la pendiente se hiciera más empinada. Al principio les pareció fácil, pero a medida que avanzaban se hizo progresivamente más dura la ascensión.

Los caballos no pudieron pasar del punto donde el barranco daba paso a la colina propiamente dicha. Acostumbrados al desigual terreno del sur del Sinaí, sabían cuándo les habían derrotado. Doblados bajo el peso de las pesadas alforjas y nerviosos después del viaje a través del oscuro valle, se negaron a subir ni un paso más. Leyla se sentó en una roca junto a ellos y suspiró.

—No seguirán caminando, David. Y creo que sería peligroso obligarlos a intentarlo. Si uno de ellos se rompe una pata tendremos problemas. Uno de nosotros tendrá que quedarse aquí para vigilarlos y el otro tendrá que ir a echar una ojeada al monasterio. Yo estoy dispuesta a continuar si descansamos un rato.

David sacudió la cabeza.

—No. Puede tener problemas por el hecho de ser mujer. Si verdaderamente están enfermos, la visión de una joven bajando por una cuerda hasta su santuario puede provocarles una recaída. Si no están enfermos, también podrían echarla por el acantilado antes de que tenga una oportunidad de hablar. Iré yo solo. Intentaré volver hoy si puedo, pero si no es así, no se preocupe. Y si pasa algo, tal vez tenga que arreglar las cosas allá antes de poder regresar.

Empaquetó parte del equipo en una mochila: una cuerda, un martillo, un gancho, el revólver y un poco de comida. Interiormente se sentía ansioso. El silencioso monasterio le había inquietado profundamente. Algo anormal había ocurrido, estaba seguro.

—Cuídese, David —dijo Leyla mientras él partía. Por primera vez en su breve relación, ella se le dirigió con algo que parecía afecto en la voz. Se dio la vuelta para mirarla y observó que se hallaba sentada junto a los caballos, pequeña y femenina, incongruente entre aquellas afiladas rocas. Tenía la cara tensa y podía intuir el nerviosismo en sus ojos. Sonrió con una sonrisa cansada y forzada, dio media vuelta e inició la escalada.

Tardó poco más de quince minutos en llegar a la cima. Desde donde estaba podía ver a kilómetros de distancia en todas direcciones. Era el paisaje más fascinante que había contemplado jamás, como un campo de batalla de gigantes. Subía y bajaba alternando serradas colinas con explanadas, valles sin ríos, grises, rojos y pardos. Todo aquello parecía primitivo, tosco e inacabado, como si Dios no hubiera tenido tiempo de concluir su obra allí, tan cerca de su casa. Desde las pequeñas rocas hasta las inmensas colinas, cada centímetro se hallaba recubierto de la misma pátina de una edad vasta y arrugada. Siglos de sol y de lluvia habían erosionado la montaña, provocando fisuras profundas en la sólida roca, como si el cancro lo hubiera devorado todo, arruinando la carne dejando expuestos los oscuros y ancestrales huesos. David se sintió minúsculo e insignificante, la única criatura viviente en una inmensidad de piedra inerte, un vasto e inhumano cementerio en el cual nada podía vivir durante mucho tiempo.

Le llevó más de una hora alcanzar el lugar donde se hallaba emplazado el monasterio. Desde arriba se hacía difícil distinguir la configuración de aquel revoltijo de edificios de debajo. Visto desde el desfiladero, la organización básica del monasterio estaba razonablemente clara. Se hallaba construido en tres niveles, uno en cada cornisa de la pared, excavadas hacia atrás y modeladas verticalmente a fin de poder acomodar los altos edificios de fachada lisa. En el nivel inferior se hallaba la estructura principal de todo el complejo, un edificio sin rasgos característicos, de unos seis metros de altura y nueve de longitud. Ésa debía ser, pensó David, la sección residencial principal, la parte más antigua del monasterio construida en el siglo XVIII y extendida a lo largo de la ladera del precipicio. A su lado había otro edificio bajo y largo, probablemente el refectorio. Sobre ellos se erguía un edificio con tejado plano y pequeñas ventanas puntiaguadas: la biblioteca. En el tercer nivel se alzaban dos edificios más: la iglesia, una pequeña réplica de la basílica de Santa Catalina, del siglo VI, y una estructura abovedada de escasa altura, pintada de blanco y sin ventanas, el osario.

Desde donde se hallaba en aquel momento vio que se podía bajar a una pequeña área integrada que se encontraba entre el osario y la iglesia. Una vez allí podría utilizar las escaleras y los caminos que unían una parte del monasterio con otra. Por detrás, a su izquierda, había un pequeño olivar y varias plantaciones más que ya había observado en las proximidades de Santa Catalina. Obviamente lo habían cultivado los monjes, pero no tenía idea de cómo lo habrían logrado. Camino de los árboles, ató uno de los extremos de la soga alrededor del rugoso y robusto tronco del más cercano. Después caminó de vuelta hacia el barranco, clavó un largo clavo de metal en el suelo, a unos sesenta centímetros del borde, a la altura de la pequeña explanada de debajo, y enrolló la cuerda en él. Escalar rocas no era una de las actividades que había adquirido en la vida, y al echar una mirada al fondo del barranco que se abría a sus pies pensó, torciendo el gesto, que probablemente no era una de las habilidades que uno podía enseñarse a sí mismo. Con los ojos cerrados y las manos fuertemente apretadas a la soga comenzó a descender por el borde. El ligero saliente del barranco significaba que ya estaba suspendido en el vacío. Un paso en falso y caería sobre las rocas del cañón. Moviendo manos y pies por la serpenteante cuerda, avanzó dolorosamente hacia abajo. Al abrir los ojos se encontró dando vueltas, suave pero peligrosamente, y suspendido a un metro y medio hacia afuera y más de dos por encima del área sobre la que quería aterrizar. Era demasiado tarde para retroceder y alargar la cuerda. Temió que el coraje le abandonara si tenía que saltar al vacío por segunda vez. A fuerza de mover las piernas lentamente y después el resto del cuerpo empezó a balancearse en la dirección correcta. Pero a la vez que aumentaba la velocidad de sus balanceos también lo hacían los movimientos circulares de la cuerda. Esperando que el área pavimentada apareciera ante su vista, se dispuso a lanzarse. Pero empezó a marearse, mientras el suelo, los edificios y el saliente daban vueltas por debajo de él, entrando y saliendo de su campo visual. Se trataba de entonces o nunca: si no saltaba perdería el equilibrio y caería. Saltó yendo a aterrizar torpemente sobre las desgastadas baldosas que había delante de la iglesia.

Le dolía el tobillo izquierdo y se había lastimado el codo derecho. Lleno de contusiones y sin aliento, permaneció durante un rato en el lugar donde había caído, tratando de recuperar el aire y palpándose las diferentes partes del cuerpo. Satisfecho al comprobar que todo le funcionaba razonablemente bien, aunque le dolía más que nunca, dio una vuelta y, apoyándose sobre manos y rodillas, se puso en pie. Al erguirse vio la cuerda balanceándose burlonamente sobre su cabeza a unos metros fuera de su alcance. Por allí no podría volver, pensó. Cautelosamente, dio unos pasos por el borde del área empedrada y bajó la vista. El suelo del cañón parecía hallarse a gran distancia y curiosamente apremiante. Parecía llamarle instándole a perder pie y a caer en él. Aquél no era sitio para personas con vértigo, pensó. No era un pensamiento precisamente reconfortante, ya que él mismo se ponía nervioso siempre que sobrepasaba un tercer piso. Pero no tenía elección.

Con la voz un tanto temblorosa después de la caída, gritó:

—¿Hay alguien ahí? ¿Me oye alguien?

Las palabras cayeron como plomo perdiéndose en el valle. Nadie respondió. Una ligera brisa se levantó en el *shi'b*, apagándose de inmediato. Gritó de nuevo, esta vez en árabe, y un nuevo golpe de aire se llevó las palabras. Hacía frío. Miró el cielo presintiendo la lluvia en el aire y gritó por tercera vez en el silencio. Nada, excepto ecos vacíos y sin vida. Se aproximó a la puerta de la iglesia.

El liso portal de madera se abrió suavemente y pudo entrar directamente al nártex, un amplio vestíbulo que cumplía la función de estado intermedio entre el mundo exterior y el interior de la iglesia. Frente a él tenía varias puertas talladas intrincadamente y adornadas con incrustaciones. Por encima brillaba una pequeña lámpara de aceite, cuyo cobre bruñido se retorcía, y que expandía la suave luz amarillenta de la llama, dibujando sombras y contraluces en las puertas y líneas en constante movimiento. Palmeras y leones, sicómoros y pequeños y delicados ángeles se hallaban esculpidos en los paneles rectangulares de las puertas. Años de piadosa fricción de incontables manos las habían desgastado y suavizado, pero a la luz de la única lámpara daba la sensación de que su estado original no se había modificado. David contempló las puertas durante un largo rato, silencioso y dubitativo. ¿Estarían los monjes dentro rezando en silencio? ¿Les molestaría o enojaría su presencia sin haber sido invitado? Vaciló durante unos momentos y tomó el manubrio metálico de la puerta de la derecha y lo hizo girar. La puerta se abrió y pudo introducirse en la nave de la iglesia.

Riquezas sobre riquezas. Cristo en las paredes, Cristo en las columnas, Cristo crucificado sobre el altar, Cristo en el techo, el Pantocrátor. Luces suspendidas por todas partes tornaban brillante y embelesador todo lo que tocaban. Oro en exceso, plata en abundancia, un derroche de luz. Velos de incienso dibujando remolinos y curvas suspendidos como manchas de luces amarillas y rojas. Ante la iconostasis ardían velas en altos candelabros de reluciente cobre amarillo. Colgando en los extremos de largas y exquisitas cadenas había huevos de avestruz cincelados y ornamentados con filigranas de cobre y plata. Suelos enlosados y alfombrados, mármoles y ricos tapetes, mosaicos de geometría oriental moteados y veteados. Atravesando la nave, dorada y festoneada de colores, se hallaba la elevada iconostasis pintada y revestida de rojo, negro y oro, cubierta de iconos sagrados y apartados, protegiendo el altar de los ojos profanos del mundo. El paraíso transportado a la tierra. Bizancio en el desierto. Oscuras sombras y pálidas luces parpadeantes: la Tierra convertida en el Cielo.

El olor a incienso, denso y almizcleño, invadió la nariz de David por completo mientras lo contemplaba todo. Durante varios minutos permaneció deslumbrado por el esplendor de lo que veía, tan inesperado en aquel oscuro valle. Su presencia parecía una intrusión, un sacrilegio no deseado. Se le puso la carne de gallina al sentirse en aquel lugar sagrado; se sintió turbado, judío, ajeno. No se atrevió a gritar para anunciar su presencia, incluso procuró respirar más lenta y suavemente a fin de no atraer la atención sobre él. El corazón le latía fuertemente en el pecho y la sangre se le agolpaba en las sienes.

Lentamente sus ojos se acostumbraron a aquella extraña luz repleta de sombras. Ahora podía ver claramente la nave de la iglesia y se dio cuenta de que estaba vacía. Totalmente sumida en el silencio, era como un gran barco abandonado en alta mar, con el incienso ardiendo, las lámparas y las velas encendidas y los iconos en su sitio. Lo único que faltaba era el sonido de voces cantando el trisagio. Tal vez estaba a punto de comenzar algún oficio. David se sintió inquieto. Allá pasaba algo. Miró de nuevo la iconostasis, el gran tabique dorado que separaba la nave baja del santuario. La puerta central estaba parcialmente abierta y al pie de la misma, justo en el umbral, yacía una figura envuelta en un hábito, postrada en actitud de orar.

David caminó vacilante por la nave, con pasos suaves pero suficientemente perceptibles como para advertir al monje de su proximidad. La figura no se movió, así que David se acercó más sin saber qué hacer. Se hallaba a unos veinte pasos cuando observó algo que estaba totalmente fuera de lugar. Un riachuelo de sangre oscura fluía del umbral de la iconostasis atravesando el suelo de mármol, ensuciando su blancura y alterando la simetría del dibujo. Menos preocupado por el sacrilegio y más por el mundanal terror, David se aproximó a la encorvada figura con toda precaución. Tenía las piernas torcidas, los brazos doblados y la cabeza y los hombros atrapados con la puerta entreabierta. El riachuelo carmesí manaba de una gran herida a un lado de la cabeza, que ya había coagulado y se había secado. David incorporó ligeramente el cuerpo y lo hizo rodar sobre la espalda. Parte de la cara cayó a un lado, en el sitio donde la herida había rebanado el cráneo. Se dio la vuelta rápidamente sintiéndose enfermo. La violencia le acosaba de nuevo y se sintió perdido y asustado.

En aquel momento reparó en un tapete bordado a mano que reposaba sobre una mesa a su izquierda. Lo cogió y lo extendió sobre la mitad superior del cadáver, cubriendo así la sangrienta y destrozada cara. Apartando los restos a un lado con el pie, empujó la pequeña puerta de la iconostasis y entró en el santuario. Frente a él se hallaba el altar, esculpido y adornado delante de un brillante ábside recubierto de mosaicos. Justo delante del altar yacía un segundo monje, la sangre del cual cubría por completo el tapete del altar y parte de los escalones, donde había coagulado ya. David se acercó y pudo observar una gran herida que hendía el cuello entre el oído y el hombro.

Se inclinó y tocó el cadáver; era un hombre viejo con barba blanca y expresión agradable, un santo entregándose obscenamente por su herida abierta y fantasmagórica. Sus ojos le miraban fijamente, apagados, sobrecogidos por la intrusión de la muerte en un lugar como aquél, que al viejo le parecería inviolable, el centro del último santuario. Era difícil de juzgar, pero David creía que llevaba muerto varias horas. La carne estaba fría pero el rigor mortis todavía no se había apoderado de él. Sin embargo, recordó que era posible que el rigor mortis se retrasara incluso durante días con un tiempo frío. Y además, ¿no desaparecía al cabo de veinticuatro horas? Aquél no era el tipo de problemas que preocupan a los arqueólogos. Miró la sangre otra vez, parecía fresca. De mala gana pasó un dedo por encima. En algunos sitios aún estaba bastante húmeda.

Sobre el altar, una pequeña vela chisporroteó durante unos segundos y se apagó. David miró a su alrededor y se dio cuenta de que a varias les había sucedido lo mismo y de que la llama de otras muchas estaba bajando y pronto se extinguirían. En sus recipientes de ricas filigranas, las lámparas de aceite todavía proyectaban una cálida e ininterrumpida luz. Desde un panel sobre el altar el rostro de Cristo le observaba. Severo y ascético, sostenía el gesto de dolor, la expresión torturada y arrugada que únicamente puede hallarse en la tradición oriental. David no pudo soportar aquella mirada y se dio la vuelta, reparando en otro icono que colgaba de otra columna cercana al altar. Era extraño y desolado, y, en aquellas circunstancias, profundamente inquietante. En el centro de la pintura había un edificio blanco y abovedado repleto de huesos y de hombres amortajados: el osario. En el exterior, los ángeles arrastraban un montón de muertos. Algunos eran transportados hasta el cielo, transformándose al ascender en figuras luminosas; otros eran arrojados al infierno, vigilados por espantosos demonios y repleto de llamas. Los que ya habían caído al abismo se consumían en el fuego como antorchas vivientes. David permaneció durante un rato contemplando la lóbrega pintura. Después le dio la espalda y se dirigió hacia la iconostasis.

Al salir del santuario percibió un repiqueteo apagado. Al principio parecía venir de muy lejos, pero de repente aumentó de volumen y lo reconoció. Era la lluvia. Caía torrencialmente sobre el tejado de plomo de la iglesia haciendo pedazos el silencio; era como si el cielo arrojara millones de piedrecillas hacia abajo en desagravio por el sacrilegio.

No había capillas laterales ni sacristía, ni lugares secretos donde pudiera ocultarse un asesino. David no podía quedarse en la iglesia exponiéndose a que alguien le descubriera. Atravesó nuevamente la nave, de vuelta al nártex, estremeciéndose a cada paso mientras se alejaba de todos los horrores que había encontrado. Al abrir la puerta se encontró frente a un mundo rugiente y cegador de agua helada. La lluvia caía torrencialmente formando un ángulo, azotando las paredes de la iglesia y resbalando a oleadas por el suelo, formando cascadas por todas partes como si tuviera prisa por hacer en pocas horas el trabajo de años. En cuestión de segundos estaba calado hasta los huesos y congelado. Sólo podía ver a corta distancia delante de él. Como un espeso velo líquido, la lluvia le cubría por todas partes. Poco a poco, avanzó hacia las escaleras que descendían al siguiente nivel. El monasterio se había convertido en una trampa mortal en más de un sentido. Un solo paso en falso bajo la lluvia y se despeñaría en el fondo del barranco. Tal vez fuera más seguro quedarse en la iglesia, pero si había un maníaco suelto por el monasterio poco ganaría con quedarse. No podía escapar escalando de nuevo la pared del precipicio, así que sólo quedaba una salida y era hacia abajo.

Encontró los escalones más accidentalmente que a propósito. A lo largo del saliente la lluvia formaba una cascada que se precipitaba hacia abajo y caía a cántaros sobre los desgastados escalones en un diluvio constante. Bajo sus pies, las piedras eran suaves pero traicioneras, casi como si se movieran en un intento por escapar de él. Comenzó a descender dando un paso cada vez, moviéndose hacia los lados y con las manos en el escalón de encima. Un fuerte rugido llenaba por completo el valle. El cielo estaba totalmente tapado y una extraña oscuridad crepuscular se cernía sobre todas las cosas. De repente resbaló y cayó sobre las rodillas al borde del escalón. Durante un minuto permaneció allí, a pocos centímetros de donde pudo haber caído en el oscuro vacío. La lluvia le azotaba, congelándole los débiles dedos, que se agarraban fuertemente, y aguijoneándole en la cara. El chapoteo y borboteo del agua le llenaba los oídos al pasar junto a él a toda velocidad, como si tratara desesperadamente de arrancarle del lugar donde se hallaba. Finalmente sus pies volvieron a encontrar los escalones y reemprendió el descenso. Los cuarenta escalones le parecieron cuatrocientos. No sabría decir cuánto tiempo había estado bajando la escalera; quince o veinte minutos tal vez, pero le habían parecido horas.

Una vez en el saliente, caminó hacia adentro dirigiéndose hacia la baja puerta de madera de la biblioteca. Ésta se abrió hacia adentro en la oscuridad. No había ventanas ni lámparas ni velas encendidas y la luz que entraba por la puerta era débil e insuficiente. Flotaba un olor a cerrado y a libros. Y el silencio. Nada se movía ni respiraba ni brillaba. David contuvo la respiración y dio un paso hacia adentro. ¿Estaría el asesino allí oculto entre los viejos libros y los dorados iconos sumidos en la oscuridad? Manteniendo la puerta abierta para que entrara un poco de claridad, miró a su alrededor en busca de una luz. En un pequeño estante de madera a su derecha había una lámpara de aceite y junto a ella una caja de cerillas. Abandonó la puerta, encendió la lámpara y la sostuvo por encima de su cabeza. Al cerrarse la puerta a su espalda la lámpara llameó y luego se estabilizó, proyectando una luz de color amarillo mantecoso en la oscuridad. Manteniéndola en alto, David dio una vuelta en redondo inspeccionando a su alrededor. Por encima de su cabeza percibió de una manera confusa un techo alto atravesado por vigas. Sobre las vigas acechaban vagas sombras en movimiento, como pesadillas indecentes a la espera del momento de echársele encima y rodearle. Sintió un escalofrío y dio un paso atrás sosteniendo la lámpara delante de él con la mano anquilosada. A ambos lados distinguió las siluetas de las estanterías de la biblioteca. Acercando la luz a los estantes de su derecha vio que había seis, bajos y gruesos y de madera vieja, cubiertos de una espesa capa de polvo blanco. Los monjes de allí no eran estudiosos y raramente leían libros. Continuó por el pasillo central de la habitación iluminando las sombras a medida que avanzaba. El silencio parecía atenazarle como una garra. Se sintió vacío, como si no estuviera dentro de su cuerpo. La sangre le circulaba a toda velocidad por la cabeza, pero el sonido parecía venir de lejos. Tenía la ropa pegada al cuerpo, mojada y fría, y se estremeció. Al fondo de la biblioteca, en el suelo, delante de una pesada mesa de lectura, yacía el cuerpo de un tercer monje. Le habían aplastado la cabeza con un enorme volumen encuadernado en piel que se hallaba junto a él, que estaba manchado de sangre y tenía los cabellos blancos. Mientras David recorría el cuerpo con la lámpara examinando al hombre y el espacio circundante, el cadáver pareció moverse. Pero se trataba únicamente de un efecto de la luz. Como los demás, llevaba horas muerto. Algo diabólico andaba suelto por el monasterio y en aquel momento David supo lo que podía esperar encontrar en algún otro sitio.

Cerca del cuerpo, el contenido de una de las estanterías había sido desparramado por el suelo. Volúmenes encuadernados y hojas manuscritas sueltas yacían esparcidas por doquier. Durante un instante, David recordó el pozo donde excavaban en Ebla y el cuerpo del árabe sangrando en el fango. Se agachó y cogió uno de los volúmenes del suelo. Estaba escrito en árabe. Era un comentario del Corán de al-Tabari. Depositándolo en el estante más cercano, recogió otro. Esta vez se trataba de un texto cristiano, un evangelio para niños, y también estaba escrito en árabe. Al colocarlo en el mismo estante, David reparó en una pequeña inscripción en el estante. Estaba escrita en griego y decía simplemente TEXTOS ÁRABES. El estante de al lado contenía manuscritos coptos, y el siguiente trabajos en sirio. El estante vacío era el único que contenía manuscritos árabes.

Al cabo de una hora, David había llegado a la conclusión de que el manuscrito que buscaba, el *Tariq al-mubin* de al-Halabi, no estaba allí. ¿Habría estado alguna vez? Encontró un enorme volumen encuadernado en piel de becerro que contenía un catálogo de todos los libros de la biblioteca. Los títulos árabes estaban todos juntos y encontró el libro de al-Halabi entre ellos. No cabían muchas dudas. Sería una coincidencia demasiado grande. El que había matado a John Gates y se había llevado su tesis y el que había matado a sus padres y destruido los papeles de su apartamento había ido allí, había matado de nuevo y se había llevado la última pieza de la evidencia. Que fuera uno o una docena de hombres los que se hallaran involucrados, le importaba poco.

Cuando salió de la biblioteca la lluvia había amainado considerablemente, convirtiéndose en una débil y gris llovizna que rezumaba por el precipicio más que caer a cántaros. Una luz pálida y exhausta lo alumbraba todo. David miró el reloj. Eran más de las dos. Ya faltaba poco para la puesta del sol. Con gran precaución, inició el descenso por las escaleras hasta el siguiente nivel.

La cocina y el refectorio estaban desiertos. A través de las tres ventanas que se hallaban situadas cerca del tejado, retales de luz caían sobre las bajas mesas de madera. En una de las mesas había siete cubiertos dispuestos, aparentemente para la cena, pero ninguno de ellos había sido tocado. El refectorio estaba invadido por el mismo silencio que el resto del monasterio. Las piedras del Shi'b al-Ruhban habían vuelto a caer en el sopor después de siglos de perturbación de los hombres. David sólo había notado un silencio así una vez en su vida. En el norte de Siria había asistido al descubrimiento de una enorme tumba de piedra. El sonido de los picos se había ido apagando, uno tras otro, y la puerta de la tumba se abrió revelando un retorcido esqueleto humano rodeado de los despreciables vestigios de su existencia terrena: joyas de oro y de porcelana fina, frascos de kohl y de antimonio, un espejo de bronce pulido y pequeños abalorios de turquesas. Enrollada alrededor del cráneo de la mujer muerta había una guirnalda de hojas doradas finamente trabajadas, muy alegre y reluciente, aunque la carne de debajo se había descompuesto hacía ya largo tiempo. Todo el mundo permaneció silencioso en presencia de aquella muerte intolerable.

David cerró la puerta del refectorio y cruzó hacia el edificio principal. La puerta estaba entreabierta y tras ella había un charco de agua que se había formado a causa de la lluvia que se había infiltrado arrastrada por el viento. David todavía tenía la lámpara de aceite que había encontrado en la biblioteca. Volvió a encenderla y cruzó el charco. Levantándola sobre su cabeza, se encontró en una recepción de forma cuadrada de paredes toscas y desnudas junto a las cuales discurría un banco de madera. La habitación estaba vacía. Al fondo había una puerta que daba a un largo y oscuro pasillo, que, a pocos metros, volvía a convertirse en roca. A ambos lados del pasillo había unas cuantas alacenas que contenían comida y otras provisiones. Pero en ellas no había nadie.

El pasillo condujo a David al corazón del edificio, bifurcándose varias veces en la oscuridad. Era frío y opresivo, con un bajo techo de piedra, como una mina. En algunos puntos había goteras, ya que la lluvia había logrado filtrarse de algún modo por las fisuras de la roca hasta llegar a aquellas cavernas excavadas por el hombre. La luz de David parpadeó y la llama se encogió considerablemente en aquella atmósfera tan cargada, proyectando su sombra sobre el suelo y las paredes que dejaba atrás. Se desvió por un pasillo en el cual se hallaban las celdas donde dormían los monjes, la mayoría desiertas hacía tiempo. Mientras andaba, su inquietud crecía más y más. A su paso iba abriendo las puertas de las celdas, temeroso de lo que estaba seguro de encontrar, y, a la vez, nervioso por lo que podía estar siguiéndole los pasos. Viejos y carcomidos jergones, esterillas de junco enmohecidas, telas de araña, iconos abandonados cubiertos de polvo, candelabros oxidados, un breviario deformado por la humedad, una cuerda llena de nudos que haría las veces de rosario, sujeta por hebras blancas, sobre una mesita, un ambiente desierto y lúgubre.

El cuarto monje se hallaba en una celda al final del pasillo. Tenía las manos atadas y le habían colgado por el cuello de un gancho que había en el techo de la pequeña habitación. Cuando David tocó el cuerpo para bajarlo, se oyó el sonido de una campana discordante y remota en medio de aquella calma. El hombre había sido atado con la cuerda de la campana principal, la cual todavía estaba allá colgada, oculta tras el cadáver.

Los tres monjes restantes estaban juntos, en una reducida estancia gris situada detrás de las celdas, al pie de un largo y esbelto crucifijo que dominaba la pared más lejana. David los vio allá de pie, de cara a él, con los ojos abiertos de par en par, mirándole fijamente mientras se acercaba. Abrió la boca para decir algo y en aquel momento se dio cuenta de lo que les habían hecho. Con un grito de horror y repulsión, dio un traspié hacia atrás y se le cayó la lámpara, al tiempo que sentía una fuerte náusea. La lámpara estalló en llamas, iluminando con una luz aguda la espantosa escena que quedaría grabada para siempre en la mente de David. Se apoyó respirando hondo un par de veces mientras unas brillantes gotas de sudor resbalaban por su frente. Tras él las llamas de la lámpara crepitaron inútilmente contra la sólida roca y empezaron a extinguirse. Enderezándose aterrorizado bajo los efectos de aquella locura, salió de la habitación a trompicones hacia la oscuridad, trastabillando por las desgastadas baldosas. Jadeando, avanzaba a tientas por el pasillo junto a las vacías celdas. A sus espaldas, las llamas lanzaban un último resplandor antes de apagarse definitivamente. A su alrededor reinaba la oscuridad más completa, total e impenetrable. No había luz en ninguna parte. Confuso e inseguro, apretó el paso. Varias veces se dio de bruces contra una pared, viéndose obligado a dar la vuelta. No estaba seguro de cuánto tiempo había andado a ciegas por la oscuridad, pero finalmente se detuvo e intentó tranquilizarse. Una mano helada le atenazó el corazón al darse cuenta de que se había perdido. Sin luz, podría andar sin rumbo durante días, equivocándose de camino a cada paso y perdiéndose más y más en aquellas profundas catacumbas bajo tierra. No tenía ni idea de hasta dónde llegaban y lo que le daba más miedo era ir a parar de nuevo a la habitación donde estaban los tres monjes. A su alrededor, todo era oscuridad. El implacable y apremiante silencio le oprimía más que nunca y se sintió más solo y claustrofóbico que nunca, como alguien que ha sido enterrado vivo. Quería gritar, aullar, enviar ecos por los largos y oscuros pasillos, ceder a la locura que le consumía los nervios. Pero lo único que pudo hacer fue quedarse allá clavado escuchando. En aquellos instantes se sintió tan próximo a la demencia como jamás en su vida. Como en una pesadilla, oyó tras él el sonido inconfundible de una respiración baja y rítmica.

CAPÍTULO 15

David abrió los ojos en la oscuridad una vez más. Tenía un dolor de cabeza insoportable y unas extrañas lucecillas se agitaban y bailaban ante sus ojos. Se encontraba echado de espaldas en el tosco suelo de piedra. Algo pesado e inerte yacía atravesado sobre sus piernas y notaba un peculiar olor a humedad. ¿Habría tropezado por el pasillo golpeándose contra el suelo? Pero entonces recordó la respiración. Alguien debió de sorprenderle por la espalda y golpearle, aunque no recordaba ninguna lucha ni puñetazos. Se preguntó cuánto tiempo debía llevar allí. Sus ropas estaban todavía húmedas y pegadas al cuerpo, pero cuando se pasó la mano por encima la notó considerablemente más seca que antes. Le dolía la garganta y tenía la nariz tapada: sería terrible que el resfriado degenerara en algo más serio.

Incorporándose hasta quedar sentado, hizo una mueca de dolor mientras la sangre volvía a circular por su cerebro. Con precaución, se palpó la parte posterior de la cabeza en busca de alguna contusión. Notó los dedos pegajosos. El golpe le había producido una pequeña herida detrás de la oreja izquierda. Tanto la herida como la zona circundante le daba punzadas de dolor. Le dolía el cuerpo entero, algunas partes más que otras, pero todo en general. Se sentía mareado y desorientado, pero entonces recordó la oscuridad y su desesperación al encontrarse perdido sin una luz en aquel laberinto de habitaciones del monasterio.

En aquel momento, al hacer un movimiento, notó algo en el bolsillo trasero de los pantalones y un vago recuerdo volvió a su mente. Se metió la mano en el bolsillo y extrajo una caja de cerillas bastante arrugada. Entonces recordó que había guardado distraídamente la caja que había hallado en la biblioteca. Todavía quedaban algunas cerillas. Con ellas podría tal vez encontrar la salida del laberinto. Moviendo las piernas, apartó el peso que tenía encima. Algo desagradablemente blando y pesado rodó hasta el suelo. Se incorporó lentamente con un crujido de huesos y las piernas temblorosas e inseguras. Con una rascada que sonó excesivamente fuerte en medio de aquel silencio, encendió una cerilla.

Transcurrieron unos breves instantes de perplejidad antes de que el completo horror de lo que veía penetrara en la mente de David. Las sombras se retorcían ante sus ojos formando siluetas que se unían fundiéndose en sólidos fragmentos de una pesadilla. Sin lugar a dudas, después de todo, se había vuelto loco. Se hallaba en el osario, una estancia de techo bajo repleta desde el suelo hasta el techo con el contenido de un enorme y viejo cementerio. A sus pies yacía el cuerpo de uno de los monjes que había encontrado en la iglesia y justo detrás se hallaban alineados los cadáveres de las otras seis víctimas. A ambos lados, montones de cadáveres descompuestos y putrefactos se hallaban sentados o echados, en todas las posturas de la muerte.

La cerilla le quemó los dedos y se apagó; nuevamente se hizo la oscuridad, que ocultó piadosamente la escena que había presenciado momentos antes. David permaneció aturdido, incapaz de moverse, de respirar o de pensar. Su mente, sencillamente, se negaba a funcionar. Su conciencia había recibido tantos *shocks* que no podía registrar ninguno más, y menos después de aquella locura final. Pasó un rato y a cada minuto el horror crecía en su interior hasta hacerse incontenible. La oscuridad era peor que cualquier cosa que pudiera revelarle la luz. Se le puso la carne de gallina al imaginar que todos los cadáveres volvían a la vida y reptaban hacia él. Casi podía oír el crujir de huesos.

Encendió una segunda cerilla. Nada había cambiado: todos estaban en su sitio mirándole fijamente. La pequeña llama se balanceó, proyectando más sombras que luz, brillando a su alrededor sobre los huesos pelados, otorgando una extraña especie de vida de marionetas a las siniestras figuras. Echó una ojeada en torno suyo, temeroso de encontrar algo a su espalda. Antes de que la cerilla se apagara, divisó un corto tramo de escalera de piedra que conducía a una puerta. Atenazado por el miedo, sintió cómo el pánico crecía enfebrecido en su interior. Su respiración acudía a trompicones, espasmódicos pero poco profundos, acelerando alarmantemente su ritmo cardíaco. No podía ser real. Estaría soñando o se habría vuelto loco o tal vez yacía en alguna parte ardiendo de fiebre a causa del remojón sufrido bajo la lluvia. Se controló con dificultad, obligando a sus pulmones a respirar lenta y profundamente, expulsando el aire de forma gradual, regularizando el ritmo de su corazón y tratando de calmarse. A medida que se iba tranquilizando, cayó en la cuenta de la verdad. No era un sueño ni el delirio producido por una pesadilla. Se encontraba realmente en aquel lugar rodeado de los huesos de trece siglos. Alguien debía haberle transportado hasta ahí junto con los cuerpos de los siete monjes.

Y mientras la realidad de su situación penetraba en su mente, la sensación física de lo que le rodeaba creció en su interior: el frío y la atmósfera viciada y corrupta y la oscuridad. Sin embargo, el horror no disminuyó, sino que cobró una nueva dimensión. Su pesadilla del presente se disipó únicamente para ser sustituida por todas las pesadillas del pasado. Su temor infantil a la muerte y los cementerios; profanadores de tumbas y carne en descomposición acudieron de nuevo a su mente como si nunca la hubieran abandonado. La oscuridad se transformó en la oscuridad de su dormitorio infantil, en su casa, poblada de antiguos y terroríficos miedos. La razón le decía que no se hallaba en peligro, pero la imaginación le amenazó con todos los miedos que siempre había conocido.

Lentamente se dio la vuelta hasta quedar de cara a los escalones y entonces encendió otra cerilla. Duró poco pero le alumbró lo suficiente para distinguir la puerta al final de los escalones. Nuevamente sumido en la oscuridad, subió con gran cuidado la escalera y puso una mano en la puerta, pero ésta no cedió. Tanteando con ambas manos dio con un manubrio redondo de metal y lo hizo girar. Sin embargo, la puerta no se movió ni estirando ni empujando. Desesperado, la golpeó repetidamente con un hombro. Las viejas vigas temblaron ligeramente pero se hallaban bien apuntaladas. Estaba totalmente encerrado.

Permaneció durante lo que le parecieron años junto a la puerta con la mente paralizada, exhausto y helado de frío. Tenía que encontrar un modo de salir antes de venirse abajo a causa del frío y del hambre. Leyla podía llegar en uno o dos días, aunque tal vez ya había venido y se había vuelto a ir. No tenía ni idea de cuánto tiempo había estado tirado en el osario.

Le asaltó un pensamiento aislado, que se desvaneció de inmediato. Luchó por recuperarlo, pero se le había ido totalmente de la cabeza. Desconsolado, se sentó frente a la puerta cubriéndose la cara con las manos. Sólo le quedaba una cerilla en la caja, insuficiente para llevar a cabo un registro del osario en busca de otra salida. En aquel momento, el pensamiento regresó a su mente y persistió. En el pequeño soporte de piedra que había al pie de la escalera había visto unos cuantos cabos de velas de cera. Si podía encontrarlas y encenderlas le sería posible llevar a cabo un examen minucioso de su prisión.

Volvió a bajar los escalones hasta el centro del osario. En la oscuridad sería fácil equivocar las direcciones y las distancias. Podría pasar por alto el soporte y encontrarse perdido entre los huesos y la carne corrupta, en cuyo caso no podría despilfarrar la única cerilla que le quedaba en encontrar el camino de vuelta. Despacio y con suma cautela, tanteando con las manos la oscuridad que se hallaba frente a él, temeroso de lo que podría tocar, avanzó hacia lo que creía que era la dirección correcta hacia el soporte, pero allí no había nada sino el vacío. Tanteó con la mano a su espalda y hacia los lados a través de la negrura y después por delante de él mientras un agudo pinchazo de pánico crecía en su interior. Si había pasado de largo, estaba perdido. Arrastró los pies un pequeño trozo hacia delante golpeándose las espinillas contra algo. Se agachó y tocó el soporte, que era más bajo de lo que recordaba. Lo manoseó unos momentos, encontró una vela y la clavó verticalmente en la desigual superficie del soporte. Conteniendo el aliento, sacó la cerilla de la caja. Entre sus dedos parecía pequeña y frágil, algo que podría caerse fácilmente o romperse en dos. La frotó contra la caja girándola hacia abajo para que prendiera más fácilmente y con una mano temblorosa la acercó a la vela.

Pero no prendió. La mecha estaba encastada en la cera de debajo y por eso no prendía. La cerilla ya estaba medio consumida y empezaba a apagarse. A toda velocidad buscó a tientas una segunda vela, la cogió con la mano izquierda formando un ángulo y le acercó la llama, que empezaba a extinguirse. La cerilla se apagó con un chisporroteo dejando una débil y vulnerable llamita en la mecha. David no se atrevía a mover la mano ni a respirar. El menor movimiento, la mínima corriente de aire haría que se apagara. Débilmente la llama tembló, se movió hacia los lados, chisporroteó de nuevo y finalmente empezó a crecer haciéndose más larga y ancha a medida que la mecha iba ardiendo. Ladeando la cabeza, David dejó escapar un largo y escalofriante suspiro, y volvió a aspirar un poco de aire, mareado a causa de los nervios. Temblando todavía, encendió una segunda vela sobre el soporte como medida de seguridad en caso de que la primera se apagara accidentalmente.

A la luz de las dos velas pudo por fin distinguir claramente la configuración del edificio en el que se hallaba atrapado. La planta principal era circular, cubierta por una cúpula baja y repleta de sombras. Un estrecho pasillo central discurría desde las escaleras hasta la pared del fondo, acabando justo a la entrada de una especie de jaula repleta del suelo al techo de un enmarañado montón de cráneos de color de miel, algunos intactos y otros sin la mandíbula inferior. A cada lado del pasillo el suelo había sido excavado formando dos profundas zanjas, aunque David no sabría decir de qué profundidad. Ambas zanjas estaban llenas de una maraña de huesos humanos. Pudo distinguir espinillas y huesos del pecho, vértebras, mandíbulas, costillas, manos y pies enteros, algunos huesos aún unidos grotescamente por hilillos de carne seca y músculos. La carne, en aquellos puntos donde aún se hallaba adherida a los huesos, se había vuelto dura y quebradiza como un pergamino. Gruesas capas de polvo lo cubrían todo y por el montón de huesos colgaban telarañas viejísimas. Echados o sentados encima de las zanjas de huesos, había varios cuerpos en avanzada descomposición, aunque por otra parte intactos. David recordó en aquel momento lo que le habían explicado en Santa Catalina sobre la eliminación de los cadáveres. Cuando los monjes o los peregrinos morían, en un principio se les enterraba en el pequeño cementerio del monasterio. Sin embargo, después de unos años, sus restos eran exhumados ya que la tierra es escasa en el Sinaí y muchos hombres piadosos de varios países deseaban ser enterrados allí. Los cuerpos eran transportados desde el cementerio hasta el osario, donde continuarían su proceso de descomposición hasta que sus huesos se derrumbaran en un montón junto a los de cada generación previa. Los cráneos eran recogidos y almacenados por separado.

Algo parecido debía de suceder allí, pensó David, aunque por el estado de algunos de los restos sospechó que muchos eran llevados directamente al osario. De cada docena de cuerpos, al menos tres parecían llevar ahí algo más de un año. Tenían las cabezas caídas hacia atrás y las bocas abiertas de par en par como si gritaran en el silencio. Todavía tenían cabellos colgando de la cabeza y barba.

Delante de la jaula de los cráneos, varias figuras se hallaban sentadas vestidas con hábitos de monje. David se acercó y pudo comprobar que eran restos momificados, tal vez santos que estaban en aquella posición para vigilar al resto de los muertos. Uno de ellos sujetaba un báculo, otro un libro y entre los dedos arrugados de un tercero colgaba un rosario griego de lana negra anudada. Este último cadáver miraba a David de hito en hito desde debajo de una antigua capucha, con los ojos ocultos en las sombras, terribles y amenazadores. Sobre el pecho tenía escrita en griego la palabra *Nilo*.

Así que aquél, pensó David, era el santo del cual había recibido el nombre el monasterio. Después de mil seiscientos años sus huesos eran aún objeto de una devoción piadosa.

David recorrió sistemáticamente el lugar en busca de alguna señal de una salida alternativa, pero no había ninguna. El suelo era de sólida roca y las paredes no tenían puertas ni ventanas. Se sentó en el suelo y colocó la vela a su lado. Sintió que le invadía la desesperanza a oleadas, arrebatándole la escasa energía que le quedaba. Le embargó un profundo letargo que destruía su voluntad para pensar o actuar. Deseó soplar la vela y yacer en la oscuridad hasta el momento de unirse a los muertos. De alguna manera sentía que ya formaba parte de ellos. ¿Qué sentido tenía intentar algo que sabía que era imposible? Prácticamente estaba muerto. Era la última víctima de una inexorable tragedia, el significado de la cual aún no podía ni imaginar. ¿Por qué había elegido el asesino aquella muerte para él, la más indigna de las muertes, ante la mirada de los que ya estaban muertos? Echó una ojeada a los cuerpos retorcidos, carcomidos y descompuestos. Parecía una fiesta de bienvenida celebrada en beneficio suyo. Se inclinó para soplar la vela.

Algo se movió. Por el rabillo del ojo captó un breve movimiento; oyó un sonido de algo que se arrastraba, débil y apenas audible incluso en aquella quietud. Se incorporó de nuevo para quedar a la escucha. Oyó un chasquido seco a su izquierda. Lentamente giró la cabeza. Al principio no vio nada pero luego captó otro movimiento. Por una grieta negra que se abría entre una mandíbula y un esternón apareció una enorme araña ante sus ojos. Junto a Dios sabe cuántas más tenía su nido debajo del montón de huesos. La luz la había hecho salir a la superficie. Era enorme como una tarántula, pero pálida y con una sección anterior bulbosa y moteada. Las largas patas articuladas formaban un arco con el cuerpo y se movía como si estuviera unida por un eje a la desigual superficie de los huesos.

David sintió un escalofrío. Tenía terror a las arañas. Era una fobia que había tenido desde su niñez, algo que los años de trabajos arqueológicos no habían logrado curar. Era uno de los miedos que atormentaba sus peores pesadillas, algo que le causaba más pavor que el peligro físico o el dolor. Mientras la observaba correr en dirección a la vela oyó otro chasquido y divisó a un segundo monstruo que seguía los pasos del primero, mientras sus pálidas patas dejaban oír unos clics al chocar una contra otra. Mentalmente David se imaginó que el recinto se llenaba de arañas y se apoderó de él un terror ciego, peor que cualquier otro que hubiera conocido hasta aquel momento. Tenía que salir de allí: nada podría hacerle permanecer allá sentado en la oscuridad. Tenía que haber una salida.

Como si hubiera sido engendrada por el terror, la solución acudió a su mente. Era algo desesperado y probablemente no daría resultado, pero era su última oportunidad. En medio del pánico, recordó, no sabía cómo, el icono que había visto cerca del altar en la iglesia. Los cuerpos de los muertos que se consumían en las llamas del infierno como teas que ardían en manos de los diablos que los custodiaban. Miró los cadáveres que se hallaban delante de la jaula de los cráneos. Tal y como pensaba, varios de ellos mostraban señales de haber sido momificados. Aquello era, en sí mismo, inusual. David sabía que los primeros padres cristianos, incluyendo a san Antonio, el fundador del monacato, habían desaprobado enérgicamente la preservación artificial de los muertos. Pero también sabía que los cristianos coptos de Egipto habían continuado embalsamando a sus muertos según la antigua tradición. Las momias del período romano tardío eran especímenes pobres, meros ejercicios de vendaje más que otra cosa. Pero el proceso de embalsamamiento aún requería el uso de un gran número de sustancias que hacían a un cuerpo inflamable. Deshidratadas con nadrón, las momias debían de estar en parte rellenas de resinas o betún e impregnadas de ricos aceites. Arderían como antorchas e incluso en tiempos recientes los árabes las habían utilizado para mantenerse calientes durante el invierno.

Era repugnante, pero David no tenía elección. Confiando en que no aparecería nada debajo de las ropas y rogando porque los miembros permanecieran intactos alzó el cuerpo de Nilo. Era sorprendentemente ligero. Agarrándolo con una mano por los muslos y con otra por debajo del delgado cuello, David transportó al santo hasta los escalones. Nada más empezar a subirlos, la capucha cayó hacia atrás dejando al descubierto una coronilla calva con algunos mechones de pelo seco. Sin la capucha, Nilo parecía menos amenazador, un simple viejo patético y encogido en brazos de David. Lo llevó hasta lo alto de la escalera y lo depositó en el suelo junto a la puerta. El pequeño y apergaminado santo parecía mirar hacia arriba en dirección a él con sus ojos invidentes, mortalmente ofendido por el sacrilegio del trato recibido. David le dio unos golpecitos en la correosa cabeza calva.

—Lo siento, Nilo, amigo, pero no tengo elección. Se trata de ti o de mí.

Estiró la capucha para colocarla de nuevo sobre la blanquecina cabeza y volvió a bajar por las escaleras. Una a una, llevó a las otras momias, siete en total, colocándolas encima de Nilo. Por todas partes los huesos parecían cobrar vida mientras las arañas salían corriendo de debajo a causa de la desacostumbrada luz. Necesitaba algo más que pudiera arder. Los cuerpos de las zanjas de huesos no estaban momificados, pero se habían secado a fondo en sus calurosas tumbas de arena y arderían bien una vez hubieran prendido.

David estiró uno y lo arrastró hacia sí. Se quedó con un brazo en la mano y el resto del cuerpo se derrumbó sobre una montaña de miembros blanquecinos. Evitando pensar en el horror de lo que estaba haciendo, David cargó en sus brazos todo lo que podía servirle de leña y lo arrojó al montón que se hallaba junto a la puerta.

Volvió a la zanja y recogió las piernas de un segundo cadáver. Al estirar arrastró todo el cuerpo hacia él. Se acercó para levantarlo del suelo y al hacerlo notó algo suave y peludo que le corría por la mano izquierda. Era una enorme tarántula negra; David sabía que su mordedura era mortal. Le temblaban las piernas y un repentino escalofrío le puso la carne de gallina. Su primera reacción fue quitársela de encima de un manotazo, pero sabía que un movimiento imprudente podía provocar la mordedura. Horrorizado, observó cómo se arrastraba lentamente por su muñeca y después por el antebrazo. Alargando la mano derecha tanteó entre los huesos y agarró uno largo y delgado. La araña ya había alcanzado el codo y seguía avanzando. Alzando el hueso, David se lo colocó en el hombro izquierdo. Con un movimiento abrupto se barrió el brazo enviando a la araña por los aires.

Con un estremecimiento, se agachó para recoger el cuerpo y lo atrajo hacia sí manteniéndose atento a cualquier movimiento. Cuando hubo añadido el cadáver a la pila, regresó en busca de algunos objetos finales: varios brazos y piernas, trozos de ropas secas de las mortajas y las sábanas enrolladas que hacían las veces de cuerdas y también la silla de madera en la cual habían estado sentados los restos de Nilo.

Tomó una larga tibia de uno de los montones de huesos y la envolvió con trozos de trapos para hacer una antorcha. Le acercó la llama de una de las velas y vio que prendía instantáneamente. Con gran rapidez, pasó la antorcha por la parte inferior del montón de cadáveres. Prendieron en el acto. Altas llamaradas comenzaron a crepitar por los miembros retorcidos. Cuencas de ojos vacías le miraban fijamente, bocas cavernosas hacían muecas y parecían gruñir y las manos parecían dar zarpazos para intentar disipar el fuego. El montón se tambaleó como si los cuerpos intentaran escapar de las llamas. David dio un paso hacia atrás, asqueado. Pensó en sus padres, en el campo de los muertos, los cuerpos apilados dispuestos para el crematorio, las llamas de los hornos rojas y glotonas.

Un humo espeso y acre emergía de la pila de cadáveres y dibujaba espirales en la pequeña estancia. Sofocado y con los ojos llorosos, David retrocedió hasta la jaula de los cráneos. Tenía que elegir bien el momento. Si se apresuraba demasiado, la puerta podía no haber ardido lo suficiente como para romperse; pero si se demoraba, el humo que iba llenando el osario le habría derrotado con sus gases espesos y venenosos. Las llamas crepitaban y cantaban, alimentadas por carne seca y especias de los antiguos embalsamadores. Los miembros ardían, se doblaban y retorcían y después se derrumbaban sobre las cenizas. El humo había provocado una espesa nube a través de la cual David apenas podía ver. Agudizó la vista mientras el pecho le ardía y se le agitaba a causa de una espantosa tos. La cabeza empezó a darle vueltas repleta del sonido del crepitar del fuego y el rugido de las llamas magnificado. Cada nervio, cada fibra de su cuerpo le gritaba que corriera, que escapara mientras aún podía respirar.

Pero un rincón de su mente se resistía: tenía que aguantar. El humo lo invadía todo como una espesa y mortal manta. Cada vez que respiraba era un tormento: no duraría mucho más. Sentía agonizar su pecho y unas punzadas lacerantes le destrozaban la garganta. ¡Escapa, ahora!

Pero él resistió, luchando contra sí mismo, contra la necesidad apremiante de correr. Inclinándose hacia abajo, intentó succionar el escaso oxígeno que quedaba a ras del suelo, pero lo único que le entró en los pulmones fue humo. No había elección.

Tambaleándose y con las rodillas doblándosele a cada paso, avanzó por el pasillo en dirección a las llamas, difuminadas tras la espesa cortina de humo. Resbaló con el pie derecho y fue a parar entre los huesos de la zanja. Cayó rodando hacia la izquierda y después se levantó. Se encontró avanzando de nuevo por los escalones, uno tras otro, alzando los pies con dificultad como si fueran de plomo. Allí estaban las llamas: una gran pared de fuego frente a él. La puerta había prendido y ardía ferozmente.

Avanzó a trompicones por la pila de cuerpos achicharrados y se lanzó contra la puerta, la cual lanzó un gemido pero no cedió. Dio un paso atrás y se lanzó contra ella de nuevo. Oyó un ruido resquebrajadizo pero la puerta siguió firme. La cabeza le daba vueltas, no quedaba más aire. Con un último y desesperado esfuerzo, cayó hacia atrás contra la madera. Se oyó un ruido de algo que se quebraba y notó cómo se estrellaba contra las vigas que ardían cayendo sobre el suelo que había detrás. Un aire frío como el hielo penetró en sus pulmones. Se alejó rodando de las llamas, aspirando el aire y se detuvo. Un mareo le invadió y la negra inconsciencia le hizo perder los sentidos. Pero justo antes de perderlos estaba seguro de haber visto a alguien en pie junto a él observándole.

CAPÍTULO 16

Cuando David se despertó, el cielo púrpura del amanecer empezaba a volverse azul. Rodó por el suelo, tosió y sintió un dolor abrasador en el pecho que le hizo doblarse. Cuando el dolor cedió parcialmente, abrió los ojos de nuevo. La luz le hirió los ojos, pero no tanto como la primera vez que los había abierto. Sentía punzadas en la cabeza y el pecho le dolía como si tuviera una faja de metal abrochada alrededor y la apretaran más y más. Lentamente se sentó.

Se hallaba a varios metros de la puerta del osario. La madera ya había ardido totalmente y no había llamas en la entrada aunque unas pocas espirales de humo todavía salían del interior. Entonces se dio cuenta de que lo que había pensado que era la figura de un hombre en pie junto a él, mientras caía en la inconsciencia, era un icono de tamaño natural pintado a uno de los lados de la puerta. Un santo que vigilaba a los muertos del interior, como si fueran los Siete Durmientes de Éfeso. Se sentía mareado y exhausto. No tenía la más mínima idea de cuánto tiempo había pasado allí tirado. El recuerdo del tiempo que había pasado en el osario era como el recuerdo de un sueño.

Durante un rato permaneció disfrutando de la luz y respirando profundamente el aire puro. Se sentía más débil que nunca, desesperadamente hambriento y extremadamente sediento. Si no encontraba pronto algo para comer, se quedaría sin fuerzas para moverse. Se levantó y avanzó dando traspiés hacia la escalera. El descenso parecía más abrupto que nunca, pero, al menos, los escalones ya estaban secos. Si bajaba de espaldas tal vez pudiera conseguirlo.

A pesar de haberse detenido frecuentemente para descansar, gastó todas sus energías en el descenso. Una vez miró hacia arriba, vio el precipicio remontarse sobre su cabeza hacia el cielo y una ola de vértigo le sacudió. Finalmente llegó hasta abajo y echó a andar en dirección al refectorio. Nada podría arrastrarle de nuevo al oscuro laberinto del edificio principal. Se figuró que el asesino habría abandonado ya el monasterio, aunque no podía estar seguro; pero, de alguna manera, eso ya no importaba. Aunque el asesino se hallara dentro del refectorio, tenía que ir a buscar comida.

En la pequeña cocina había provisiones en abundancia. La comida era sencilla: pan, frutos secos y cereales, pero a David le parecieron deliciosos. Bebió largamente de una jarra de agua y luego se llenó la boca de pasas mientras se disponía a encender la vieja estufa. Pronto lo tuvo todo listo para poder hacerse unas gachas de avena, a las cuales añadió generosos puñados de pasas.

Cuando se hubo hinchado de comer y de beber se recostó en la silla, más cansado que soñoliento. La comida y la bebida le habían repuesto y le habían aclarado la mente. Tenía que marcharse. Allá ya no tenía nada que hacer. De hecho, no había nada que alguien pudiera hacer. Había agotado todas las alternativas. Se había quedado sin fuerzas y sin deseos de continuar adelante. Se iría del monasterio, buscaría a Leyla y regresaría a Santa Catalina y desde allí viajaría a Israel para recuperarse.

Dado que existía la posibilidad de que Leyla ya hubiera intentado encontrarle y hubiera fracasado, él no podía depender de localizarla a ella y a las alforjas. Así que llenó un saco con comida y agua y ató una cuerda al extremo. Todavía estaba cansado. Quería quedarse donde estaba durante el resto del día para recuperar tantas fuerzas como fuera posible antes de emprender el viaje, pero no tenía ningunas ganas de pasar la noche en el monasterio ni tampoco al aire libre. Sabía que no podía volver al final de precipicio por el camino que había venido, pero tal vez pudiera descender por la cuerda que sostenía el viejo ascensor. La plataforma se hallaba a unos pocos metros a su derecha. Desde donde estaba vio que el ascensor ya no se hallaba donde lo encontraron Leyla y él a su llegada. Pero al gatear hasta la plataforma y mirar hacia abajo a través del agujero central vio que la cuerda había sido cortada y que la caja de madera del ascensor no se veía por ninguna parte.

Tal vez podría colocar alguno de los muebles de la iglesia bajo la cuerda que había dejado colgando en la cima del precipicio. Volvió a subir por la escalera hasta el saliente más alto. En un instante, todos sus sueños se hicieron pedazos: la cuerda ya no estaba. El asesino debía de haber subido por allí y debió de llevársela. David contempló la falda del precipicio que se hallaba sobre él. Estaba ligeramente excavada hacia atrás, con un leve saliente y era casi totalmente lisa. Nadie podría escalar por allí sin un equipo. Tendría que intentar encontrar una cuerda para poder descender al precipicio. Bastante desalentado, volvió a bajar las escaleras hasta el nivel inferior.

Necesitó todo su coraje para volver a entrar en el edificio principal. Sabía que no había peligro, que el asesino ya se había marchado y que no encontraría más cadáveres. Pero regresar a la oscuridad con la única lámpara del refectorio exigía toda la fuerza espiritual que aún le quedaba. A cada paso acudían a su mente terribles recuerdos. Cada eco que su pulso acelerado provocaba, cada sombra inesperada le producían un sobresalto. En la tercera alacena encontró una larga cuerda enrollada, medio oculta entre unas viejas cajas de metal negro. La habitación era pequeña y olía a cerrado, y por su aspecto parecía que nadie había entrado allá durante mucho tiempo. Una gruesa capa de polvo y montones de telarañas lo cubrían todo con un espeso velo. Se estremeció recordando las arañas que había molestado en el osario. Pero tenía que sacar la cuerda. Con un único y estudiado movimiento, la estiró. Al hacerlo, una de las cajas que aprisionaba la cuerda cayó hacia un lado. Finalmente la cuerda salió levantando una nube de polvo. David se dispuso a marcharse, pero de repente vio algo.

Bajo la caja que se había movido había otra de idéntico tamaño y color. Sin embargo, a diferencia de la caja de encima, la tapa de ésta no tenía polvo. David pudo distinguir unas cuantas marcas y rótulos, algo que, aunque no estaba muy claro, le era extrañamente familiar. Dejó la cuerda en el suelo y, cogiendo la caja de encima por las asas, la levantó suavemente. No era muy pesada y no le costó demasiado depositarla en el suelo, junto a él.

Una enorme araña salió corriendo y se perdió en la oscuridad al romperle la tela. David sintió un escalofrío y retrocedió un paso, pero no abandonó la habitación. La tapa de la caja de abajo atraía toda su atención. Una estilizada águila de oro extendía sus alas a lo largo de la tapa. El águila tenía la cabeza girada sobre su hombro izquierdo, mostrando a David un único ojo redondo. Con las afiladas garras sostenía una corona circular y en el centro de la corona había dibujada una esvástica de plata bastante rayada y deslustrada, pero inconfundible. Bajo el águila, en clara letra gótica, se hallaban escritas las palabras *Expedition Ulrich von Meier: Papiere, Bücher, und Filme* (La expedición de Ulrich von Meier: papeles, libros y films).

Desconcertado y confuso como si hubiera encontrado un monstruo en medio de la naturaleza, David levantó la tapa. No estaba cerrada con llave pero se movió a regañadientes haciendo rechinar las oxidadas bisagras como si se hubiera enfadado al ser despertada de un largo sueño. Acercando la lámpara, miró el interior. Fuera lo que fuese lo que contuviera antaño, dentro de la caja no había ahora más que moho. Los libros y papeles se habían podrido hacía tiempo. Aquí y allá, extrañas hojas habían sobrevivido parcialmente, pero el grueso del contenido de la caja se había deteriorado hasta formar una masa ilegible. No obstante, David no pudo resistir la tentación de coger alguna cosa de aquella maraña, igual que había hecho con las lápidas del fango de Tell Mardikh. Examinó cuidadosamente el montón de papeles podridos. Libros y papeles se deshacían entre sus dedos. Sin embargo, cerca del fondo tocó algo duro y frío. Lo asió suavemente y estiró hacia afuera. Era una caja de metal plana sellada a lo largo de la tapa con una gruesa cinta adhesiva y con cera.

Le llevó varios minutos romper el precinto, el cual había permanecido firme y sin deterioro alguno. Levantó la tapa y descubrió un pequeño libro de unos quince por diez centímetros forrado de piel de color rojo, junto con una lata que contenía una película de 35 mm. En la portada del libro se hallaba impresa la palabra *Tagebuch* (Diario). Alzó la portada y miró la primera página. El papel era amarillento y quebradizo y la tinta se había medio borrado, pero la escritura aún se podía leer. El escrito era árabe, un *ruq'a* a mano, pero no tenía ningún sentido para David. Hojeó las amarillas y quebradizas páginas. Había unas cincuenta en total escritas por la misma mano cuidadosa. Cerró el libro con suavidad y lo volvió a colocar junto con la película en la pequeña caja, cerró la tapa y la depositó en el suelo.

Limpió el polvo de la tapa de la caja que había estado originalmente encima y apareció otra águila mugrienta y muy desgastada. Las palabras de debajo estaban demasiado borradas para poder leerlas. Al principio, la tapa no cedía y estaba tan pegada a la caja como si estuviera soldada. De repente, cedió con un chirrido. David contempló asombrado lo que había encima. Comida por las polillas, pero todavía cuidadosamente doblada, una túnica de oficial de las SS, perfectamente rematada y con los galones, descansaba bajo una gorra negra que llevaba prendida una insignia plateada con una calavera. David apartó la gorra a un lado y levantó el uniforme: la charretera del hombro tenía bordados tres filetes de plata trenzados. El propietario había sido un oficial de rango medio. Debajo se hallaba el resto del uniforme: pantalones negros, botas altas, una camisa marrón con botones negros de piel, una corbata negra y un cinturón negro Sam Brown. Más abajo, David encontró más ropas, ropas de civil, que debían de haber pertenecido a un explorador de los años treinta. Las etiquetas indicaban que habían sido confeccionadas por Richard Schultz del Kurfürstendamm en Berlín. Bajo las ropas había una fotografía enmarcada de una mujer joven, una pistola automática, una caja de balas y una cajita de música. David cogió la pequeña caja de música. Tenía la forma de una pequeña casa bávara de tejado inclinado, del cual sobresalía un pequeño mango. Hizo girar el mango y, de inmediato, la estancia se llenó con la extraña tonadilla de una canción del pasado, el viejo himno nazi, el *Horst Wessel Lied*. La melodía comenzó a desgranarse en el silencio arrancando ecos de los fríos muros de piedra. David se estremeció y dejó de manipular la manivela. El silencio se hizo abruptamente.

Cerró la tapa de la caja y se sentó encima. Era como si el espacio y el tiempo se hubieran deformado a su alrededor. En la oscuridad del monasterio, en el centro de ninguna parte, entre las piedras que no habían cambiado durante diez siglos, remotas, olvidadas, sin edad, yacían reliquias de un culto moderno a la muerte y al odio. No tenía sentido, ni las esvásticas ni la escritura árabe del diario ni tampoco el retrato de aquella joven de sonrisa primorosa ni la cancioncilla de la cajita con forma de casa. Las telas de araña y el polvo gradual y cegador habían ocultado un secreto más siniestro de lo que David jamás pudo imaginar. ¿Habría sido eso lo que había descubierto el joven John Gates? ¿Se habría enterado de algo que supuestamente no debería conocerse y habría sido amenazado por ello si lo revelaba en su investigación? David miró hacia las sombras que vacilaban y se retorcían envolviéndole. ¿Qué más quedaba por descubrir allá, en aquella habitación, en las otras habitaciones? Recogió cansinamente la lámpara y comenzó la búsqueda.

Dos horas más tarde llegó a la conclusión de que allí no había nada más, a menos que estuviera escondido en alguna otra parte del monasterio menos accesible. Y eso sólo podría determinarlo una exploración rigurosa. Había recorrido las principales alacenas una por una y las halló vacías o bien repletas de sacos de comida, vestimentas, iconos y diversos artículos indispensables para la vida monástica: velas y aceite, tijeras, cola de pescado para almidonar los altos y negros sombreros, escobas, cepillos, vino para las fiestas, un rollo de tosco trapo negro, cruces de madera, oro y plata y rosarios fuertemente anudados. Finalmente regresó a la habitación donde había encontrado las cajas. Tal vez podría volver en otra ocasión. Por el momento se llevaría la única cosa que ofrecía alguna esperanza de información: la caja que contenía el diario y el rollo de película. Se metió la pequeña caja en el saco, cogió el rollo de cuerda y salió.

La cuerda era muy larga y razonablemente flexible, aunque sus fibras se hallaban impregnadas con décadas de polvo. David dudaba que soportara su peso pero no tenía elección. No había ninguna otra cuerda ni tampoco ninguna otra manera de salir de allá, a menos que le salieran alas. El mecanismo del ascensor era extremadamente simple. Una gruesa columna vertical de seis pies de altura de la cual salían cuatro largos ramales dispuestos en ángulo recto, mediante los cuales dos o más hombres podían hacerla girar y levantar o bajar la caja de madera. Ya que la cuerda era el doble de larga de lo que necesitaba para llegar al fondo, David se limitó a arrollarla alrededor de la columna y ató firmemente uno de sus extremos a la muñeca. Soltando lentamente la cuerda con las manos podría deslizarse a lo largo de la falda del precipicio. Se enganchó el saco al cinturón, agarró la cuerda fuertemente y se balanceó hasta quedar suspendido en el vacío.

Era un ascenso fácil pero de pesadilla, ya que a cada momento notaba la tensión de la vieja cuerda. Sólo con que una pequeña sección estuviera podrida se desgarraría sin previo aviso y él se vería impotente para salvarse. Freud habría estado orgulloso de él, pensó. Había remplazado su irracional miedo a las alturas por un terror totalmente racional a caerse.

Una vez en el fondo, aliviado aunque tembloroso, permaneció un rato de pie debatiéndose entre recoger la cuerda y llevársela con él, por si acaso, o abandonarla. Finalmente se decidió en contra: le pesaría demasiado y un bulto tan grande le molestaría y, además, seguramente no llegaría a necesitarla. Por otra parte, si por alguna razón necesitaba volver al monasterio el acceso le sería mucho más fácil. Se preguntó dónde habría ido a parar el ascensor de madera y contempló las rocas aún brillantes y los pequeños charcos de agua que se habían formado en todos los agujeros y grietas; cayó en la cuenta, en aquel momento, de que debía de haber habido una inundación. Un sentimiento de inquietud le golpeó en la nuca. Esperaba que Leyla se hallara a salvo. Ella sabía cuidarse, pero no podía evitar sentirse ansioso. Sonrió y pensó de nuevo en Freud: la ansiedad que le invadía respondía probablemente a que un montón de la maldita libido se hallaba fuera de lugar. Leyla era muy bonita, pero también intocable.

Echó a andar por el desfiladero en la dirección que él y Leyla habían tomado hacía... ¿cuántos días? Imaginaba que no habría estado inconsciente mucho tiempo en el osario o después de escapar, tal vez dos días, pero no estaba seguro. Su mayor preocupación era que Leyla se hubiera ido. Desde luego no podía esperar que permaneciera en el fondo del cañón indefinidamente.

Pasó por su lado casi sin darse cuenta. A primera vista parecía un gran canto rodado sin más, aunque con una forma bastante extraña, pero después reparó en que era una de las alforjas que habían traído de Santa Catalina. Se hallaba tirada en el suelo apoyada contra un gran canto rodado muy pesado y anegado de agua. El corazón de David latió fuertemente. La inundación debía de haberlo arrastrado hasta allá, aunque con toda probabilidad no desde el otro extremo del desfiladero.

El caballo yacía justo después de la siguiente curva, ensartado en un saliente del precipicio. Sus labios dejaban los amarillos dientes al descubierto, dibujando una macabra mueca, y tenía las patas rígidas en una postura desgarbada y muy poco elegante. Una nube de insectos y bichos le picoteaban la carne y ya habían causado bastantes estragos. David se sintió verdaderamente espantado. Leyla debía de haber entrado en el desfiladero con los caballos, siendo sorprendida por la inundación. Miró frenéticamente a su alrededor corriendo arriba y abajo por el pequeño tramo del cañón. Pero no había ni rastro de Leyla.

Continuó caminando por el *shi'b* rastreando el suelo en busca de una señal de su presencia, confiando en que habría podido encontrar una roca alta o un saliente donde refugiarse. Pero no había nada. Finalmente fue a dar al ancho *ued* y se dirigió a la ladera donde la había dejado. Encontró los restos de un fuego, varios utensilios de cocina y su saco de dormir aún sin enrollar, pero ni rastro de ella. Entonces reparó en un pañuelo blanco donde se hallaban garabateadas con un carboncillo varias palabras. El mensaje era breve: *Caballos robados. Voy a investigar. Espéreme aquí*. Pero ¿cuándo habría escrito aquello? Por el estado en que se hallaban los restos del fuego estaba claro que había estado ausente durante algún tiempo.

Gritó su nombre a voces una y otra vez, pero sólo le respondió el eco rebotando contra las montañas y desvaneciéndose finalmente. Sumido en la desesperación, se sentó. De repente, sin saber por qué, rompió a llorar. No es que estuviera derramando lágrimas por Leyla en particular, ni por él, ni por nadie. Había habido demasiadas muertes. Simplemente lloraba de desesperación, de sentirse inútil y vacío. Quería vomitar, librarse de aquella sensación amarga que sentía en el estómago, pero no le salió nada. Cogió el saco de la comida, enrolló el saco de Leyla, se lo colgó a la espalda y regresó por el estrecho desfiladero.

CAPÍTULO 17

Divisó la caja del ascensor justo al dar la vuelta desde el desfiladero hasta el Shi'b al-Ruhban propiamente dicho. Era una caja de madera tosca de algo más de un metro de profundidad y uno y medio de ancho. Evidentemente había sido arrastrada por la inundación a más de doscientos metros del monasterio, donde se hallaba en aquel momento volcada hacia un lado, parcialmente oculta por varias ramas enormes contra las cuales había encallado. Encima de aquella construcción yacía algo, algo aterradoramente familiar. David corrió hacia allá con el corazón saliéndosele por la boca.

El cuerpo de Leyla yacía desgarbado sobre el entarimado con un brazo colgando a uno de los lados del ascensor. David saltó y se izó hasta colocarse a su lado. Tenía las ropas destrozadas y húmedas y la piel repleta de hematomas y lacerada en varios puntos. Se sintió acongojado y la furia se apoderó de él. Deseaba maldecir a Dios, arrancarle de donde se hallara contemplando todo aquello, un Dios asesino, pagado de sí mismo en su omnipotencia.

Se agachó y tocó la mejilla de Leyla. Estaba fría como una piedra. No sabría decir cuánto tiempo debía llevar allí, cuánto tiempo llevaría muerta. ¿Qué podía hacer con ella? No había donde enterrarla en medio de tantas hectáreas de roca sólida. No podía llevarla a cuestas hasta Santa Catalina ni subirla a San Nilo ni era Moisés para golpear la piedra con su báculo y hacer que ésta se abriera. Le tocó de nuevo la mejilla apartándole un mechón de cabello. Ella soltó un quejido.

Al principio no estaba seguro, de tan débil e inaudible, pero después lanzó otro, esta vez más fuerte. Le tomó la muñeca y trató de hallarle el pulso frenéticamente. Al principio no notó nada, pero al cabo de un rato lo percibió, débil e irregular.

Inmediatamente cayó en la cuenta de lo que debía haber ocurrido. Si ella se encontraba con el caballo en el desfiladero, la inundación la debía haber arrastrado hasta aquel punto. Antes de llegar hasta donde se hallaba el ascensor, la riada debió de perder la mayor parte de su fuerza y una parte de ella debía haber desembocado en el canal principal del Shi'b al-Ruhban. Leyla debió de agarrarse a la estructura de madera mientras era arrastrada y pudo mantenerse asida mientras duró la inundación.

Revolviendo en su saco, sacó una petaca de coñac, la destapó, la sostuvo junto a los labios de Leyla y dejó caer un fino hilillo del pálido líquido en su boca. Ella tosió y balbuceó y parpadeó brevemente. Le meció la cabeza con la mano izquierda. Parecía pequeña y frágil y a punto de morir. Tenía que tomar una rápida decisión. Podía hacer tres cosas: intentar transportar a Leyla de alguna manera hasta San Nilo, procurar acomodarla y partir en busca de ayuda; podía quedarse con ella en el monasterio y cuidarla hasta que se encontrara lo suficientemente fuerte como para hacer el viaje hasta Santa Catalina con él; o bien podía arriesgarse a llevarla con él tan pronto como recobrara el conocimiento, tal vez a la mañana siguiente. Había objeciones a cada una de las alternativas. Si abandonaba a Leyla en las condiciones en que se hallaba era altamente probable que muriera antes de que él consiguiera ayuda. Pero si se quedaba y se ponía enfermo él, y eso no era imposible, ambos se verían atrapados allá arriba y él no podría hacer otra cosa que mirar cómo la chica moría antes de morir él a su vez. Si se la llevaba con él no le permitiría avanzar de prisa y el viaje, relativamente corto, podría matarla.

Ella se quejó de nuevo, esta vez claramente. Dejó caer un poco más de coñac en su boca. Ella movió los labios y tosió nuevamente, sacudiendo la cabeza hacia atrás al hacerlo. Movió los párpados y abrió los ojos durante una fracción de segundo, cerrándolos inmediatamente. Estaba empezando a volver en sí. Abrió un termo lleno de agua y le salpicó suavemente la cara. Al principio no obtuvo respuesta, pero, gradualmente, trazos de color apenas perceptibles afloraron a su rostro. Abrió los ojos, desenfocados y empañados. Le acarició la frente y susurró su nombre.

—Leyla, ¿me oyes? —preguntó.

Ella tosió y los ojos se le llenaron de dolor. Eso estaba bien, pensó David. El dolor era conciencia, el dolor era conocimiento. Sólo los inconscientes y los muertos no pueden sentirlo.

—Oye —dijo—, intenta beber un poco más de esto.

Una vez más le acercó el coñac a los labios y le derramó otro poco en la boca. Esta vez lo sorbió sin ahogarse. Entonces sonrió. No era propiamente una sonrisa sino más bien una mueca, pero era un paso en la dirección correcta. Se removió un poco y la sonrisa se desvaneció. Un grito de dolor brotó de su garganta y abrió los ojos de par en par. Pasó más de un minuto antes de que el dolor cediera. Cuando por fin pareció calmarse, él derramó más coñac entre sus labios.

—¿Dónde te duele? —preguntó.

Pasó medio minuto antes de que la respuesta llegara con voz quebrada por el dolor, en tartamudeos.

—Mi... costado... Me parece... que tengo... algo... roto.

Con gran cuidado le desabrochó la gruesa chaqueta y se la arremangó hacia atrás. Le tocó el costado izquierdo, pero ella no respondió. Entonces le tocó el derecho. Hizo una mueca de dolor. Suavemente, temeroso de hacerle daño, aunque consciente de que, de hecho, se lo hacía, enrolló hasta arriba el jersey y la camisa. La piel de debajo era una masa de contusiones y por algunos sitios había sido gravemente desgarrada. Con la mayor suavidad posible, le tocó la zona alrededor de las costillas. La tenía amoratada y en carne viva, pero no vio ninguna señal de huesos rotos.

—No creo que te hayas roto nada —le dijo—. Pero tienes serias contusiones y puedes haberte quebrado una o dos costillas. —Volvió a abrochárselo todo. Le alzó la cabeza una vez más y le dio un poco más de coñac. Con una voz que era poco más que un débil susurro habló de nuevo.

—¿Es... usted... profesor Rosen?

—¿Quién demonios creías que podía ser? ¿Un San Bernardo?

Y, por Dios, llámame David. Hasta mis amigos me llaman así.
Ella sonrió.
—Desearía... —comenzó.
Él le puso un dedo en la boca.
—No desees. No te encuentras lo bastante bien como para desear. Simplemente quédate aquí echada hasta que podamos moverte.
—¿Podamos...?
Él suspiró.
—No, sólo yo. Te lo explicaré más tarde. Descansa un rato.
Cerró los ojos y se dejó caer sobre la tarima. No le gustaba nada su aspecto. Tenía la piel de un color macilento, gris, con manchas de un rojo apagado causadas por el coñac. Moverla de allí quedaba totalmente descartado y también abandonarla. Volvió a caer en la inconsciencia. David le sostuvo la mano durante un rato para que supiera que no estaba sola.
Se despertó una hora después de la puesta de sol temblando de frío. A pesar del dolor, David la ayudó a bajar de encima de la caja hasta el suelo. El enorme cajón serviría como refugio. Puso a Leyla en el saco de dormir y la colocó en el ascensor con medio cuerpo dentro y medio fuera. Había reunido varios trozos de madera arrastrados por la inundación y dispuso un enorme fuego justo delante de la caja. Ardía brillante sirviendo tanto de talismán contra la oscuridad que tanto había llegado a odiar como de fuente de calor y luz. No obstante, en aquellos momentos, incluso el fuego desencadenaba en David siniestras asociaciones de ideas que le era imposible sacudirse de encima.
Leyla apenas comió: un poco de pan y unos higos, pero lo vomitó todo dos minutos más tarde. Ni siquiera podía beber agua. Le había subido la temperatura, pero todavía tenía fuertes y frecuentes escalofríos. Sin saco de dormir, David estaba congelado a pesar del fuego. Se arrimó a él temiendo que la reserva de madera se agotara antes de acabar la noche. Durmió un poco hacia medianoche, pero fue despertado por la tos de Leyla, una tos fuerte y seca que los sorbos de agua no le calmaban en absoluto. Ella volvió a sumirse en un sueño o en una inconsciencia, no sabría precisarlo, varias veces durante la larga noche. De vez en cuando gritaba de dolor y una vez de terror, despertándose bañada en un sudor frío. Hizo lo que pudo para confortarla, pero no tenía nada con que tratar las heridas o el resto de los síntomas. Su única esperanza era encontrar algún medicamento en el monasterio al día siguiente.
El amanecer no trajo ningún alivio a Leyla. Al resplandor de la luz del sol, David vio que durante la noche le habían subido los colores. Tenía la cara y el cuello rojos con un tinte azulado y su temperatura era extremadamente elevada. A medida que entraba la mañana, su respiración se iba haciendo más y más ligera, menos profunda, interrumpida por repentinos ataques de tos seca. Empezó a expulsar esputos de un color rosa claro, con algunos puntos

de sangre. Dormía intermitentemente, pero cuando estaba despierta se quejaba de dolor, especialmente en el pecho, que, por cierto, no tenía amoratado. David le hablaba intentando distraerla pero no podía mantener su atención. No le explicó lo sucedido en el monasterio. Ella parecía haber olvidado el lugar y hallarse centrada en su dolor, en el momento presente. De vez en cuando le atraía fuertemente hacia ella, como si tuviera miedo. A menudo gritaba, bien de dolor, bien de miedo: sabía que se estaba muriendo.

David se sintió más inútil que nunca en su vida. El auxilio se hallaba tan sólo a un día de viaje, pero también podía haberse hallado a un mes. No podía dejarla. Estaba aterrorizada de quedarse sola. Cuando ella dormía, él se deslizaba para escudriñar los alrededores, pero en dos ocasiones al regresar la había encontrado en un estado de pánico, llantos y jadeos. Tardó dos viajes arriba y abajo de los dos cañones en encontrar suficiente madera para el fuego de la noche. Con enormes dificultades logró escalar de vuelta al monasterio atándose el extremo de la cuerda a la muñeca e izándose a la inversa con ayuda de la otra mano. Tardó algún tiempo en encontrar los exiguos artículos médicos que había en el monasterio, consistentes en vendas, algo que parecían cremas antisépticas y numerosos frascos de hierbas y de pequeñas pastillas blancas, cuyas etiquetas no tenían sentido para él. Cogió las cremas y las hierbas y las utilizó para aliviar los cortes y hematomas de Leyla, pero no encontró nada que darle para el pecho y los pulmones. Sabía que tenía neumonía, pero no podía hacer nada. Le cubrió las heridas y le pareció ridículo e insuficiente.

Por la tarde, los esputos se hicieron más profusos y de un color orín oscuro. Los alrededores de su boca estaban blancos y tenía el cuerpo ardiendo. Una vez despertó de un sueño agitado y al encontrarlo junto a ella estalló en lágrimas y le apretó fieramente.

—No lo soporto —dijo—. Me he... orinado... encima... y necesito... ir al lavabo... No quiero... que me veas... así... Ayúdame... por favor... ayúdame.

Él quiso ayudarla, limpiarla, pero ella no le dejó. Le hizo acompañarla a la parte posterior del refugio. Con unas cuantas piedras construyó un tosco lavabo para que pudiera utilizarlo. Una jarra de agua sustituía el papel. La dejó allá atrás, temiendo a causa de su debilidad, turbado por su ansia de dignidad. Pasados unos minutos, oyó un grito. Cuando hubo acabado, se había caído al intentar levantarse y estaba tirada en el suelo, sin aliento y lastimada. La recogió del suelo y la llevó hasta su estrecha y derruida cabaña.

La fiebre continuó subiendo. Permaneció sentado a su lado durante toda la noche, vigilándola hasta que se durmió y velando su sueño. Unas dos horas antes del amanecer se quedó dormido, un sueño profundo y remoto en el que todo era confuso. Soñó, pero al despertar fue incapaz de recordar lo que había soñado.

Al día siguiente fue peor. Se preguntó si moriría aquel día. Estaba muy caliente, como si un fuego ardiera en su interior. No se atrevió a apartarse de su lado ni un segundo. Ya no quedaba madera para el fuego, ni allá ni a una distancia razonable, y la noche sería larga y fría. Leyla se movió y removió durante todo el día, tosiendo y expulsando unos feos coágulos de esputo, dejándose caer hacia atrás exhausta. Una vez recobró la lucidez y le preguntó qué día era y cuánto tiempo llevaba así.

—No lo sé —dijo él.

—Pero... tienes que... saberlo —protestó ella—. ¿Cuánto... tiempo es... estuviste en... el monasterio?... ¿Por qué... no vienen... los monjes?... ¿Por qué... no nos ayudan?

¿Qué podía decirle? ¿Tenía sentido decirle una mentira? Pero ¿no le haría daño la verdad en aquel estado?

—Están muertos —le dijo—. Los encontré muertos. Alguien los mató. También intentó matarme a mí. Estuve un rato sin sentido y no sé qué día es hoy.

Al oír aquello ella permaneció en silencio durante largo rato. Entonces, justo cuando él creyó que se había dormido, le oyó decir con voz débil:

—Ojalá... ojalá... supiera... qué día... es hoy.

Después calló, embargada por una intensa agitación como si la necesidad de saber qué día era fuese lo más importante para ella. Parecía torturada, trastornada por algo más que el dolor. Su pulso era acelerado y el color macilento. David no sabía si lograría sobrevivir a la noche.

Hacia medianoche le sobrevino la fiebre. Atormentada por el dolor de su agitada respiración estaba empapada en un sudor denso y de agrio olor. Había perdido el conocimiento y deliraba. Se agitaba y temblaba, desvariando en árabe y gritando una y otra vez el nombre de un hombre: «*Mushin, Mushin, la tatrukni, la tatrukni* (No me dejes, no me dejes).» A su lado, David temblaba de frío. Su delirio no le dejaba descansar. Se preguntó cómo ella aguantaba tanto. Su pequeño cuerpo parecía estar a punto de romperse a causa de la fiebre y las constantes convulsiones. La estaba agotando por momentos, pero ella aún resistía.

Por la mañana todavía ardía de fiebre, pero estaba tan débil que apenas si se movía y él supo que no llegaría a la noche. Comió frugalmente y se durmió justo después de salir el sol. Cuando despertó, creyó que ya había muerto de tan quieta y calmada como se hallaba. Pero todavía respiraba y él deseó que muriera entonces. No podía soportar más tiempo la visión de su sufrimiento y sentía una terrible culpa por su muerte. Él la había arrastrado a una búsqueda que no tenía significado para ella. No tenía ninguna responsabilidad sobre las demás muertes, excepto, tal vez, la de sus padres, pero la de ella la llevaría siempre en su conciencia.

Al anochecer, un caballo relinchó en el valle. David levantó la cabeza. Parecía venir de las cercanías de San Nilo. Forzó la vista pero no vio nada. Oyó el relincho de nuevo, esta vez más claramente. David se levantó y comenzó a andar hacia él. Leyla le había hablado del caballo robado. ¿Habría vuelto el asesino por alguna razón? David estaba seguro de que era él quien se había llevado el caballo. Al aproximarse a la entrada del Shi'b al-Ruhban oyó el sonido de unos cascos de caballo que se movían lentamente y las voces de dos hombres. Se pegó contra la pared y esperó. Dos caballos aparecieron ante su vista, montados por dos hombres vestidos de negro: eran monjes. David corrió hacia ellos gritando. Reconoció a uno de los dos: el padre Gregorios de Santa Catalina, un monje viejo y amable, famoso por sus sermones y por la confitura que hacía. El otro era un hombre bajo, de unos cincuenta años, con una poblada barba negra y un rostro curtido, con un par de ojos sagaces que le observaban aproximarse. Era como si toda la tensión y el agotamiento de los días pasados se hubiera enrollado a su alrededor como un ovillo. Mientras se acercaba a los monjes el ovillo pareció estallar y expandirse dentro de sus venas y arterias. Llegó a la altura del caballo del padre Gregorios y agarró las riendas mirando directamente a la cara al viejo. Se le saltaron las lágrimas y, sin previo aviso, estalló en llanto, abrumado por la angustia contenida durante todo aquel tiempo. El viejo desmontó y le abrazó hasta que se apagó su llanto y fue capaz de hablar.

No tardó demasiado en explicar lo sucedido. Los monjes intercambiaron miradas de asombro e incredulidad, pero no parecieron asustarse por lo que David les dijo. Habían ido a San Nilo, dijeron, a celebrar la Navidad con sus compañeros, los otros monjes. Era una visita anual, los orígenes de la cual se perdían en el siglo X. Al principio, David se sintió confuso. Seguramente Leyla y él habrían llegado el 28 de diciembre. Entonces recordó que entre las iglesias que siguen el rito oriental, los rusos, los servios y algunos de los que se encuentran en el monte Athos, y los que se encuentran en Jerusalén y el Sinaí, todavía se regían por el viejo calendario juliano. Navidad era el séptimo día de enero. Aquel día, le dijeron, era el segundo.

El monje más joven había desmontado ya. Alargó la mano para coger su mochila y sacó una pequeña maleta de piel.

—Rápido —dijo—. ¿Dónde está la muchacha?

David le condujo por el pequeño desfiladero hasta el lugar donde se hallaba. Sin pronunciar una palabra el hombre se inclinó sobre ella y comenzó a examinarla. Por sus movimientos era obvio que era médico. Éste debe ser, pensó David, el padre Simeón, el monje-médico de Santa Catalina sobre el cual había oído hablar, pero al que no había llegado a conocer. Le observó mientras el hombre llevaba a cabo comprobaciones rutinarias; realizó una serie de preguntas muy concretas sobre el desarrollo de la enfermedad de Leyla. Satisfecho, el doctor se giró hacia su maleta y sacó un pequeño frasco de cristal con píldoras. David observó que la maleta estaba repleta de frascos parecidos: cien o tal vez más. Cuidadosamente, el padre Simeón sacó dos píldoras, tapó el frasco y las colocó en la boca de Leyla.

—¿Qué le está dando? —preguntó David—. ¿Un antibiótico?

—No —dijo el monje sacudiendo la cabeza—. Ése no es mi modo de actuar. Yo trato homeopáticamente. Esto es un potenciador de fósforo. Repetiré la dosis cada hora al principio; después, tal vez cada dos horas. Esto le bajará la fiebre, le calmará el pulso y la ayudará a dormir. Quiero trasladarla lo antes posible, quizá esta noche o mañana por la mañana. Pero, ante todo, me parece que usted también necesita atención.

Dio a su vez dos píldoras de azúcar a David, impregnadas con algo que el padre Simeón llamaba acónito. En menos de una hora se encontró mucho mejor y por fin pudo dormir. Cuando se despertó ya había oscurecido. El fuego se hallaba encendido. El padre Gregorios había ido lejos en busca de leña. Le llegó un olor de comida caliente, guisada y aromática. De repente, David se dio cuenta de que estaba extremadamente hambriento. Se incorporó frotándose los ojos. Los dos monjes se hallaban sentados junto al fuego. El padre Gregorios estaba cocinando mientras que el padre Simeón se hallaba postrado de rodillas junto a Leyla, orando. Le habían administrado el sacramento del *euchelaion*, ungiéndola con aceite. No era uno de los últimos sacramentos que se administraban a los moribundos, sino un elemento esencial en la oración para la recuperación de los enfermos. Cuando David le preguntó, más tarde, Simeón le explicó que no importaba que Leyla fuera musulmana. Había una mezquita en las proximidades de Santa Catalina; el templo de la Roca y la mezquita Aqsa estaban situados en el lugar del Templo de Jerusalén; él mismo había presenciado milagros en la tumba de Nabi Salih cerca de Watiya Pass. ¿Qué importaba la religión de una persona? Lo que era sagrado era la vida.

David habló quedamente con Gregorios. El viejo le sonrió. Parecía un sueño: el viejo monje junto al fuego, la carne asándose y un cálido silencio.

—Esto forma parte de nuestra comida de Navidad —dijo Gregorios en voz baja—. Cada año traemos carne para nuestros hermanos de San Nilo. Espero que te guste el cordero.

Se volvió hacia la carne que ardía en el improvisado fuego y permaneció sentado durante un rato contemplando las llamas. Después miró a David; ya no sonreía.

—Están todos muertos, dices, ¿no?

David asintió.

—¿Asesinados?

David asintió de nuevo.

—¿Dónde están ahora? ¿Podemos ir a verlos?

David le habló del osario. Vaciló al tener que explicar cómo había escapado. Ahora que todo aquello parecía más una pesadilla que la realidad, no se sintió demasiado bien por el uso que había dado a los cadáveres. Con cierta reticencia, explicó a Gregorios cómo había logrado quemar la puerta.

—¿Y qué hay de San Nilo? —preguntó el viejo—. ¿Lo quemaste también?

Avergonzado, David asintió. Para su sorpresa, Gregorios sonrió. David pudo detectar incluso cierto regocijo en sus amables y transparentes ojos.

—No te preocupes por eso —dijo el viejo monje—. De hecho, tenemos demasiados santos. Todos los osarios llenos de huesos y de carne seca... No hay ninguna necesidad. Lo mejor sería quemarlos todos.

La sonrisa se desvaneció.

—No —continuó—. Hiciste lo que debías. ¿Qué es el cuerpo de un santo comparado con una vida?

Miró hacia Leyla en las sombras.

—Dos vidas. Ella no estaría viva si no hubieras conseguido escapar y —sonriendo de nuevo a la vez que hacía un guiño travieso— si tú y ella os casarais, ¿cuántas más serían? Y nietos. El viejo Nilo estaría satisfecho. Él mismo tuvo un hijo.

David miró a Gregorios atónito.

—¿Un hijo? —exclamó—. Yo creía que era un ermitaño, que era célibe.

Gregorios asintió sonriendo.

—Y lo era, pero no al principio. De joven se casó con una dama de sangre noble en Constantinopla y tuvieron dos hijos, un niño y una niña. Más tarde se fueron a vivir a los monasterios de Egipto, su mujer con la niña y Nilo con su hijo, Theodulos. Después padre e hijo vinieron a vivir con los monjes del Sinaí. Pero Theodulos fue capturado por los árabes paganos y dispuesto para ser sacrificado a su diosa, Venus. Rezó y Dios le salvó de la muerte, tras lo cual fue vendido como esclavo en el mercado de Suka. Finalmente fue devuelto a su padre y vino a vivir a esta colonia en el Sinaí. Hasta los santos tienen hijos, David. ¿No tienen tus santos hijos e hijas? ¿No amaban a sus familias? Así pues, ¿qué es un viejo cadáver? Si encontramos las cenizas podremos guardarlas como reliquia. Los huesos achicharrados de un santo pueden resultar tan poderosos como su piel.

Simeón finalizó su oración y se reunió con ellos. Dijo que Leyla estaba haciendo grandes progresos y que podrían trasladarla al monasterio a la mañana siguiente si conseguían arreglar el ascensor. Examinó de nuevo a David, le dio unas cuantas píldoras más y le dijo que podía comer una vez éstas hubieran penetrado en su organismo, al cabo de unos quince minutos.

Después de la cena conversaron. No se mencionó nada sobre los asesinatos o sobre las experiencias de David en el monasterio. Por su parte, él guardó silencio sobre las cajas que había encontrado y la lata con el diario y la película que aún guardaba en su saco.

Durante los días siguientes, David aprendió mucho observando al padre Simeón tratar a Leyla. Para la tarde del segundo día ya se había recuperado considerablemente. Con ayuda de los caballos consiguieron volver a enganchar el ascensor e izar a Leyla hasta el monasterio, donde fue acomodada en la habitación de recepción del edificio principal. Simeón observaba cada uno de los síntomas, hablaba con ella suavemente una vez fue capaz de responder a sus preguntas, tomaba nota de su estado mental y anímico y consultaba un grueso volumen titulado *Materia médica* que guardaban en la biblioteca del monasterio. Parecía conectar con ella, empleando más sentimiento que objetividad, examinando cuidadosamente y ponderando incluso las indicaciones más pequeñas y extrañas. En un momento dado se giró hacia David como si hubiera escogido un remedio reciente.

—Ya ves —dijo—. Todavía estoy aprendiendo, pero se pondrá bien. Su constitución básica es extremadamente robusta y su fuerza vital es grande. Mis remedios no suprimirán los síntomas, sino que únicamente harán que su cuerpo recobre el equilibrio. Eso es la enfermedad: los esfuerzos del organismo por expulsar las influencias peligrosas. A veces no sabe cómo recuperar el equilibrio y entonces los remedios ayudan.

Al tercer día, Leyla se había repuesto lo suficiente como para poder hablar. David llegó a conocerla muy bien durante las horas y días que pasaron juntos en el monasterio. La mayor parte del tiempo hablaba él: trivialidades, detalles sobre sí mismo que hicieron que sus celosamente guardadas almas se fueran acercando más y más. Él le habló de sus padres, de su padre y del amuleto, de su Bar Mitzvah y de sus estudios, y de su fe perdida. Y ella le habló de su casa, que en realidad nunca fue una casa, del amor de su padre y de su capacidad de bromear, de sus simultáneas e irreconciliables hambres por el desierto y por la ciudad. Ninguno de los dos habló de lo ocurrido, pero ambos sabían que habían compartido una intimidad mayor que si hubieran dormido juntos.

—No debemos tener secretos el uno para el otro —dijo; pero guardó silencio sobre las cosas más crudas y ella siguió su ejemplo.

Los dos monjes pasaron el tiempo arreglando el osario, la biblioteca y la iglesia. La noche de Navidad llevaron los cuerpos de los siete monjes asesinados a la iglesia para celebrar el funeral. Tanto David como Leyla asistieron, aunque permaneciendo en pie al fondo; eran no creyentes observando desde detrás de la alta iconostasis, a través de la puerta «real» central, y escuchando los salmos y cánticos que se alzaban hacia el sombrío techo.

Lloro y me lamento cuando pienso en la muerte y cuando veo nuestra belleza, creada a imagen y semejanza de la de Dios yaciendo en la tumba, informe, desfigurada y sin gloria. ¿Qué misterio es éste, que es todo lo que poseemos? ¿Por qué somos entregados a la corrupción y estamos uncidos a la muerte?

Las voces de los monjes subían y bajaban en la fecunda penumbra, llenando la iglesia con una extraña y rica música. Las velas parpadeaban iluminando los iconos, haciendo que las caras de los santos y de los ángeles cobraran un curioso relieve.

Yazgo sin voz y sin aliento. Cuando me miréis, llorad por mí, pues ayer yo con vosotros hablaba y de repente me llegó la terrible hora de la muerte.

Tras sus voces, David oyó la voz del *hazzan* en el funeral de sus padres, cantando un fragmento del Libro de Job:

Pero el hombre, al morir, se acabó. Al expirar, ¿qué es de él? Se agotarán las aguas en el mar, secaráse un río y se consumirá; pero el hombre, una vez que se acuesta, no se levantará más. Cuanto duren los cielos no se despertará, no se despertará de su sueño.

Por encima de sus cabezas, la figura de Cristo con las heridas colgaba desmayadamente de la cruz. David miró los cuerpos que descansaban ante el altar. En aquellos momentos parecían hallarse en calma y en paz, con los brazos cruzados y los ojos al fin cerrados, y sin rastros de toda aquella obscenidad. Nubes de incienso flotaban a su alrededor cubriendo el dorado altar de un olor dulce. El padre Gregorios y el padre Simeón, que llevaban sus vestidos ceremoniales, le parecieron extraños a David, seres extraños celebrando los ritos de un credo ajeno. Cantaban en griego, una música oscura, trágica, las voces de dos hombres frente a una muerte innecesaria.

Kyrie eleison,
Dios tenga piedad.
Christe eleison,
Cristo tenga piedad.
Kyrie eleison,
Dios tenga piedad.

Los cuerpos estaban tan quietos que parecía que hasta aquel momento la muerte no había sido completa. Leyla permanecía de pie como una estatua, sin moverse, silenciosa, y con los pensamientos a muchos kilómetros de distancia. David le rodeó los hombros con el brazo, pero ella no pareció percatarse. Más allá de la iconostasis, las voces entonaban la letanía. Leyla se separó de él abruptamente, se dio la vuelta y se dirigió hacia la puerta. David la siguió hasta el nártex en la oscuridad. Ella luchó por contener sus emociones, que se reflejaban en su cara y ojos.

—Lo siento —dijo—. Cuando estaba enferma me pasé todo el tiempo pensando en el día de hoy, pensando que era hoy el día que iba a morir.

—¿Por qué? —preguntó él.

Ella le miró aunque él no era más que una sombra en la oscuridad.

—Hoy hace un año que murió Mushim.

Mushim. Era el nombre que ella había murmurado en sus delirios. Se hizo un lapso de silencio antes de que ella hablara de nuevo.

—Mi marido.

Finalmente David empezó a comprender, a ver bajo los velos con que ella se había envuelto.

—¿Cómo murió? —preguntó.

Ella vaciló, pero luego contestó en voz baja:

—Se mezcló en política en la Universidad de Bir Zeit. El año pasado hubo una manifestación cuando las tropas israelíes irrumpieron de nuevo en las proximidades del campus. Algunos empezaron a lanzar bombas de gasolina a un vehículo blindado y las tropas abrieron fuego. Mushim estaba entre la multitud intentando controlarlos. Una bala perdida le alcanzó en la espalda. —Hizo una pausa—. Primero me quitaron mi casa, después a mi marido, no me han dejado nada.

En el interior, los cánticos tocaron a su fin. David la abrazó, pero ella no estaba con él. No estaba en la iglesia.

Al día siguiente era Navidad. Los monjes encendieron lámparas y velas en la iglesia y celebraron el nacimiento de Cristo con canciones e incienso. David y Leyla permanecieron en la habitación de recepción y hablaron sobre el pasado. Cristo vino al mundo una vez más, Dios se hizo carne, la Palabra descendió encarnada. Los monjes cantaron y rezaron, salvados de la oscuridad, redimidos por un mundo de luz. Pero para David y Leyla no había habido ningún nacimiento, ninguna encarnación, ningún huésped angelical; tan sólo la monótona continuidad de la oscuridad inalterable. Para los judíos y los musulmanes no habría redención en el cuerpo y la sangre de un Dios que moría.

CAPÍTULO 18

Partieron al día siguiente. En menos de una semana Leyla se había restablecido casi totalmente. Incluso sus heridas y hematomas habían sanado a una notable velocidad y ya no le molestaban en absoluto. Podía cabalgar perfectamente, pero David prefería caminar junto a ella más que montar a caballo. El padre Gregorios cabalgaba a cierta distancia por delante, ensimismado en sus pensamientos. Los últimos días, David había observado que el viejo se había vuelto muy serio y que su usual extroversión había sido sustituida por la reflexión y la introspección. David pensaba que sabía más de lo que decía, que aquellas muertes tenían algún significado para él. Un día le vio apartarse de la alacena donde habían estado guardadas las cajas, con el rostro sombrío y preocupado.

El padre Simeón, por su parte, aunque obviamente afligido e inquieto por las muertes, no mostraba señales de saber nada más que el propio David o que Leyla. David tenía una idea de por qué debía ser así: Simeón era, relativamente, un recién llegado, mientras que Gregorios había vivido en la región desde su juventud, hacía un montón de años. Si la suposición de David era correcta, lo que acababa de ocurrir allá tenía sus raíces en sucesos que habían tenido lugar hacía cuarenta o cincuenta años.

De cuando en cuando, Leyla se adelantaba y cabalgaba junto a Gregorios entablando conversación con él y levantándole el ánimo con su presencia. Había llegado a sentir un fuerte afecto por el viejo y él por su parte le correspondía más como un hombre que ha visto mundo que como un monje que ha estado ausente de él durante largo tiempo. Durante esos ratos, David hablaba sinceramente con el padre Simeón y le abría candorosamente su corazón. Finalmente acabó explicándole a Simeón lo que le había llevado al Sinaí y a San Nilo y, por primera vez, habló sobre el hombre que había matado en Tell Mardikh. El monje le escuchó en silencio, asintiendo de vez en cuando, sin aconsejarle, reprenderle o juzgarle. ¿Qué había de condenable?, preguntó. David no era responsable de ninguna de las muertes y no debía culparse por ello, pero, de la misma manera, tenía el deber de no darse por vencido. Si podía encontrar a los asesinos por alguno de los medios de que disponía, debía hacerlo.

—La debilidad es fuerza —dijo Simeón—. Eso es algo que aquellos que están ávidos de poder nunca han comprendido. Un revólver no hace fuerte a un hombre, sino que más bien lo debilita ya que confía en él. Las armas nucleares no hacen poderosos a los países, sino que los minan financiera y moralmente. Mira mis remedios. Son extremadamente fuertes. Ya has visto que son realmente eficaces. Sin embargo, los preparo diluyendo la sustancia original, incluso miles de veces. Y, a pesar de todo, cuanto más diluidos están más fuertes se hacen, siempre y cuando los vaya agitando a cada paso. Cada vez que los agito aumenta la energía que contienen. Y ahí es donde reside tu propia fuerza. Ellos piensan que no tienes poder, así que no tomarán precauciones contra ti; piensan que estás muerto, así que no estarán buscando; también piensan que no sabes nada, pero de hecho ya has identificado el manuscrito perdido y... —Hizo una pausa—. Además tienes eso que guardas tan cuidadosamente en tu mochila.

David abrió la boca para hablar, pero el monje le ignoró y continuó:

—No te preocupes. No sé lo que has encontrado ni tengo ningún deseo de saberlo. Esta tarea te ha sido encomendada a ti y yo no tengo ningún papel en ella.

Se detuvo y miró a David. Sus ojos oscuros reflejaban la preocupación y tenía los labios fuertemente apretados.

—Es algo diabólico, David. Lo que sucedió en San Nilo es la peor de las blasfemias. Un enorme demonio anda suelto, lo presiento en mi interior, y Gregorios también. Él sabe algo, pero no me lo dirá. Está muy asustado. Sin embargo, ese demonio va a por ti, David. Te ha encontrado e intenta destruirte. Ya ha arrebatado las vidas de las personas que amabas y todavía está ahí, esperando para robar otras vidas, estoy seguro. Ahora es tu turno. Encuéntralo y haz todo lo que esté en tu mano para destruirlo.

Llegaron a Santa Catalina el segundo día, ya tarde, puesto que el viaje había sido lento y con descansos frecuentes. Leyla quería ir directamente a al-Arish, pero el padre Simeón la hizo quedarse una semana entera hasta que estuvo completamente bien como para realizar el largo viaje. Ella y David exploraban juntos el monasterio, o bien se sentaban juntos a conversar mientras los monjes se aplicaban en sus tareas a su alrededor.

En la mañana del último día, ella insistió en ir con David a escalar el Jabal Musa, la montaña que contemplaba desde lo alto el monasterio. Durante siglos, los peregrinos habían acudido allá en la creencia de que era el monte Sinaí, en el cual Moisés había recibido las tablas de la ley de manos de su dios. Partieron a primera hora de la mañana, antes del amanecer, con el propósito de ver salir el sol desde la cumbre de la montaña. El ascenso fue difícil y escarpado, rodeando la falda de la montaña por un estrecho sendero. Cuando llegaron a la cumbre, cansados y con los pies doloridos, su entusiasmo se había disipado y lo único que deseaban era echarse y descansar. Y entonces salió el sol.

Se alzó por el oeste proyectando su luz brillante sobre grandes extensiones de arena y piedras, elevándose elegantemente por el cielo. Ante sus ojos, la oscuridad dio paso a la vida de la luz solar y el mundo renació. El árido paisaje, que antes les pareció estéril y monocromo, cobró vida con los vívidos y cantarines colores. Morados, azules, rojos, verdes y amarillos: un completo arco iris se extendía sobre el mundo. Leyla sostenía la mano de David con la mirada perdida, maravillada, mientras el Sinaí despertaba ante su vista. A sus pies, montañas, colinas y valles se extendían a lo largo de muchos kilómetros en el horizonte. Hacia el norte, el gran desierto de la meseta de Tih se extendía como un mar dorado bañado por la luz del sol, la cual lo redimía de su desolación. Aquí y allá, grandes parches de sílex negro cubrían la arena transformándola en oscuros lagos sin olas que desaparecían cuando la luz del sol los tocaba.

Oyó que Leyla musitaba suavemente junto a él unas frases en árabe, incomprensibles.

Salabu minni 'l-bayta wa babahu
salabu minni 'l-haqla wa 'ushbahu.

Las palabras continuaron, con un sonido dulce, triste y delicado. Línea tras línea, suaves versos que se entrelazaban como un fino hilillo de perlas. Cuando finalmente calló, él se dio la vuelta y la miró. Las lágrimas resbalaban por sus mejillas.

—¿Es de tu padre? —preguntó.

Ella asintió.

—Es muy hermoso —dijo—. Pero no he comprendido ni una palabra.

Ella guardaba silencio enjugándose las lágrimas.

—No lo comprenderías —dijo finalmente—. Ni aunque hablaras un árabe perfecto.

—¿Por qué no?

Ella dudó.

—Porque eres judío —dijo—. Porque eres americano.

—No puedo evitarlo —dijo él—. Nací judío. No puedes culparme por eso.

—No te echo la culpa —dijo ella.

—Entonces déjame intentar comprenderlo.

Se hizo un silencio más largo y después, aunque no sin dudas, ella volvió a empezar otra vez en inglés.

Me han quitado mi casa y la puerta;
me han quitado mi campo y la hierba;
me han quitado mi tierra y su gente.
El río donde me bañaba
y el árbol bajo el cual me refugiaba,
la colina donde apacentaba las cabras
y las flores que había al pie,
el templo de Abu Ahmad
y la tumba de mi madre:
se lo han llevado todo
en nombre de un extraño dios.
Aquí, entre la arena y las rocas,
deslumbrada por el sol veraniego
y sintiendo el frío de las lluvias invernales,
erro como las tribus perdidas
en busca de su enfadado dios
y la promesa de otra tierra.

Se detuvo, pero su voz parecía resonar como un eco en sus oídos, como si las palabras resbalaran como piedras por las colinas y los valles que se abrían a sus pies.

—Era uno de sus primeros poemas —dijo—. Lo escribió al poco

de llegar al Sinaí. Y todavía está buscando a vuestro dios judío. ¡Hay tantas preguntas para las que quiere respuesta! Si alguna vez te encuentras con tu dios, dile que mi padre aún está esperando. Pronto hará cuarenta años. Hasta los hijos de Israel consiguieron su Tierra Prometida después de tanto tiempo.

David le apretó la mano, pero no dijo nada. ¿Qué podía decir, al fin y al cabo? Si alguna vez llegaba a conocer al dios responsable de todo aquello sería en ese lugar, en esa montaña. Pero mirara donde mirara, David sólo veía piedras y arenas desoladas.

Llegaron a al-Arish por la noche, viajando a través de la carretera costera oeste hasta Wadi Sudr, desviándose después hacia el nordeste hacia Bir Tamada y Bir Hasana. Durante el viaje, David comenzó a albergar la esperanza de que Leyla estaría de acuerdo en viajar con él hasta Jerusalén. No tenía ninguna razón para esperarlo, ya que entre ellos no había más que una amistad, pero, de todos modos, lo esperaba. Finalmente llegaron al cruce, donde la carretera se unía a la autopista costera que conducía, a través de la Franja de Gaza, a Eretz Israel. David detuvo el jeep y paró el motor.

—Aquí nos separamos —dijo.

Ella miraba hacia delante a través del parabrisas. Las calles eran familiares, los edificios numerados y registrados en lo más profundo de su subconsciente. Hectáreas de ladrillos fangosos salpicados de palmeras y sobre ellos el minarete de la mezquita principal. Podía oler el mar. Las gaviotas revoloteaban por encima del Mediterráneo.

—Tengo que continuar hoy mismo —dijo—. Creo que no puedo perder más tiempo. Tengo que ir a Jerusalén. Hay ciertas cosas que tengo que resolver allá.

—Lo sé —dijo ella. Se hizo una pausa. Los niños gritaban por la calle y un viejo en un burro pasó junto a ellos sin ni siquiera mirarlos—. No me pidas que vaya contigo. Tal vez más adelante, pero no ahora. No puedo pensar en Jerusalén por el momento.

—¿No tienes tú también cosas que hacer allá? —preguntó él insistiendo demasiado. Sabía que lo que tenía que hacer era poner el motor en marcha e irse. Una fresca brisa soplaba desde el mar e incluso notaba sabor de salitre en la lengua.

Ella continuó mirando a través del vidrio, calculando, calibrando.

—Parece tan lejano... —dijo—. No sé cómo explicarlo. Estoy viviendo dos vidas, con dos identidades: Leyla Rashid la académica y Leyla Rashid la guía. Tengo que decidirme. Todo aquello me parece irreal desde aquí. Éste es mi mundo, David. Aquí me crié y aquí pertenezco. Mi padre siempre quiere que vuelva, que regrese a Palestina. Después de que los israelíes ocuparan el Sinaí pude ir allá, estudiar, vivir como una de ellos, casarme. —Se hizo una larga pausa. El viento jugueteó con sus cabellos como las olas acariciando las algas sobre las rocas—. Pero no era Palestina —dijo—. No era mi casa.

Él la miró. Vista de perfil, su cara era distante, bidimensional.

—Palestina no es más que una ficción —continuó—, es lo que nos hace funcionar, como la promesa de un caramelo a un niño mimado. Nunca estuve allí ni nunca estaré. Ya no existe la Palestina que yo recuerdo, la Palestina de la que hablan mi padre y mis amigos. Todos esos poemas sobre Palestina, todos esos discursos, toda esa sangre. ¿Para qué? Para un país de ensueños, una tierra de Oz. Estoy cansada de eso, David. Allá en el cañón, cuando pensaba que me moría, veía las cosas mucho más claramente. Ahora necesito tiempo para pensar. Es demasiado pronto para ir a Jerusalén. Tal vez nunca, no lo sé.

Un megáfono que se hallaba instalado en el minarete se arrancó de pronto. Las palabras de la llamada a la oración salían a borbotones, planas, distorsionadas, confundiéndose tristemente con los gritos de las gaviotas.

Allahu akbar, allahu akbar.

—David. —Leyla se giró en su asiento.

Allahu akbar, allahu akbar.

—No puedo ir contigo. Por favor, compréndelo.

Ashadu an la ilaha illa 'llah.

Él no dijo nada.

—No saldría bien. —Ella miró por la ventanilla—. Nada sale bien.

Ashadu an la ilaha illa 'llah.

David alargó la mano para tocarla, pero ella se apartó.

Ashadu anna Muhammadan rasul Allah.

—Tengo que irme, David. —Cogió su bolsa del asiento trasero del jeep y abrió la puerta.

Ashadu anna Muhammadan rasul Allah.

La cinta era vieja y desgastada y las palabras no se entendían. David encendió el motor, que rugió ahogando la llamada del orador.

—Adiós, David —dijo—. Cuídate.

Él sonrió soltándola. El jeep comenzó a moverse lentamente cogiendo velocidad en cuanto giró por la Vía Maris.

Condujo dejando atrás palmeras y eucaliptos, bordeando el mar hasta que al-Arish se perdió en el horizonte. Varias millas antes de Sadot, la carretera descendía hasta las proximidades del océano. David detuvo el jeep y paró el motor. Había muy poco tráfico. Un gran silencio parecía cernirse sobre todas las cosas, roto únicamente por el sonido de las olas rompiendo en la playa de debajo. Abrió la puerta del jeep y salió recibiendo la brisa en la cara. Tras él, numerosos almendros bordeaban la carretera. Cruzó la orilla y descendió hasta un pequeño saliente que daba a la playa. La blanca arena se extendía a ambos lados. Bajó hasta el borde del agua mirando hacia el océano, observando cómo las olas lamían la playa formando interminables círculos.

Dio unos pasos dentro del agua. No le pareció nada claro pasar sin transición aparente de uno a otro, de elemento a elemento, como sucedía. Daban la sensación de fundirse, de que una devoraba a la otra en un constante ir y venir de mareas. Y sin embargo, las palabras eran tan distintas, como un cristal duro, «mar» y «costa», «agua» y «tierra». No había ningún terreno intermedio.

Se adentró en las olas dejando que éstas le mojaran las piernas, después la cintura y finalmente el pecho. Sus pies caminaban inseguros por la desigual superficie de piedrecillas, como si una corriente pudiera llegar en cualquier momento y arrancarle de aquel sitio. Se hundiría y sería arrastrado por las olas como tantos y tantos objetos. Finalmente iría a parar a la playa como un trozo de madera a la deriva, entre huesos y conchas y todos los restos rechazados por el mar.

Permaneció en aquella posición durante largo tiempo, dejando que las olas le bautizaran con su sal y su espuma, oteando en la distancia como si esperara que algo o alguien apareciera en el horizonte. Pero sólo había mar y viento. Finalmente se dio la vuelta y regresó a la playa.

Tercera parte

> Tus ciudades santas están hechas un desierto,
> Sión es un desierto;
> Jerusalén, un lugar desolado.
>
> *Isaías*, 64, 10

CAPÍTULO 19

Jerusalén se hallaba sumida en la desolación, desamparada entre festival y festival. Las luces del Chanukah se habían extinguido. La Navidad había tocado a su fin, tanto la oriental como la occidental. El Purim, con su alegría y borracheras, se hallaba aún a unos meses de distancia y la Pascua y el Pesach todavía más. Las calles se veían repletas de gente corriente. Las únicas procesiones eran las de las bodas y los funerales, que algunas veces llegaban a cruzarse. En el Muro de las Lamentaciones, hombres barbudos se balanceaban adelante y atrás en actitud de orar, día tras día, semana tras semana, dando la sensación de ser enanos en contraste con las grandes piedras, perdida ya toda proporción. Por encima de sus cabezas, los fieles musulmanes rendían su culto y platicaban en la Cúpula de la Roca y en la mezquita de Aqsa, el aborrecimiento de la desolación, los pies de los gentiles caminando sobre las piedras del templo caído, pisoteando el lugar más santo de los santos.

Dejando el monte del Templo a sus espaldas, David Rosen cruzó la Vía Dolorosa zambulléndose en el barrio musulmán de la ciudad vieja. Dejó las tiendas turísticas atrás y acortó por el *suq*, alejándose de las multitudes en dirección a las tranquilas y estrechas calles y los sórdidos callejones. Se perdió varias veces, pero siempre volvía sobre sus pasos retomando el camino correcto. Pasó junto a cafeterías donde varios hombres fumaban narguiles y jugaban al backgammon, moviendo las piezas negras y rojas sobre los tableros a velocidades asombrosas. Al pasar, le miraron con rostros indiferentes y con los pensamientos a gran distancia.

Aquella parte de la ciudad era peligrosa. Sórdidos hoteles y tienduchas baratas se alineaban en las calles. Varios hombres mariposeaban por el lugar calibrando a los transeúntes. Los niños no jugaban, sino que permanecían apiñados en pequeños grupos, serios, intentando controlar las amenazas de la calle. David se sintió conspicuo y vulnerable. No debía haber ido solo. En algún lugar, una grabadora berreó una música árabe con un *oud* de fondo, pequeños tambores que eran golpeados rápidamente. Era una canción de amor, *Ahdayt li warda*, cantada por una estridente voz de mujer con una pasión azucarada. Un jeep del ejército torció por una esquina y pasó por su lado lentamente. Al llegar a su altura, David sintió crecer la tensión en su interior y asimismo le invadió el resentimiento. En la parte trasera iban dos jóvenes soldados, cuyos rifles formaban un ángulo, dispuestos para la acción y con los rostros tensos. Uno de ellos le gritó en hebreo «¿Se ha perdido?», pero David le ignoró y continuó caminando. El jeep se perdió entre la multitud.

La casa databa del período otomano tardío. La fachada de granito blanco estaba bastante estropeada y necesitaba ser restaurada. Alguien había orinado contra el muro. Todavía podían distinguirse viejos eslóganes de la OLP medio borrados, bajo unos pósters hechos jirones que anunciaban conciertos de música árabe. Un perro flaco que deambulaba por allí olisqueó el muro atentamente durante unos instantes y se fue. David dudaba. La gente le miraba con ojos hostiles. Alargó la mano, cogió el pesado llamador de cobre y golpeó la puerta dos veces. La gruesa madera absorbió el sonido. Llamó de nuevo. Se oyó una voz, una voz de mujer hablando en un árabe gutural. La puerta se abrió con un chirrido, descubriendo parte de la cara de una mujer vieja, arrugada y cautelosa.

—*Shu fi?* ¿Qué pasa? —preguntó como si nadie llamara a la puerta a menos que ocurriera algo. Sin aguardar respuesta continuó—: Aquí no hay nadie. Está perdiendo el tiempo. Váyase.

Empezó a cerrar la puerta, pero David, que tenía la mano contra ella, se lo impidió.

—Quiero ver a Hassan —dijo.

—Aquí no hay ningún Hassan. Váyase. —Empujó la puerta con una fuerza sorprendente. Pero David plantó la mano allí y se lo impidió de nuevo. Echó una ojeada al número que se hallaba sobre la puerta, de color blanco y caracteres árabes, esmaltado en azul. Volvió a mirar a aquella bruja. Sus ojos pequeños y bordeados de rojo le miraban airadamente.

—¿Éste no es el número 10 de Shari' al-Najjarin? —preguntó, aunque acababa de verlo.

Ella asintió frunciendo el entrecejo. No podía negarlo.

—Me dijeron que encontraría a Hassan al-Yunani aquí. Tengo que hablar con él. Dígale que mi nombre es David Rosen, el profesor Rosen, y que necesito hablarle. Se trata de un asunto de dinero.

La vieja dio un respingo, pero siguió sin moverse.

—¿Dinero? —exclamó con un chillido—. No veo ningún dinero. Váyase.

Era su frase favorita y estaba dispuesta a soltarla tantas veces como pudiera antes de que las circunstancias la obligaran a darse por vencida. Empujó la puerta más fuertemente que antes y casi la cerró.

David extrajo del bolsillo un billete de quinientos siclos y lo blandió instantáneamente ante el rostro de la mujer. Una mano blanquecina apareció y el billete desapareció. El truco más viejo del mundo en una de las monedas también más viejas. La puerta se abrió y David entró.

Se encontraba en un vestíbulo de techo bajo y oscuro, al final del cual se alzaba otra pesada puerta adornada con clavos. La vieja cerró la puerta de la calle dejándolos sumidos en una oscuridad total, excepto por unos finos hilillos de luz que se filtraban por las grietas del viejo techo de madera que se hallaba sobre sus cabezas. Le llegaba su olor viejo y fétido. La pared de la izquierda estaba excavada a la altura de las caderas en forma de banco de piedra en el cual los visitantes esperaban tiempo atrás. Ahora estaba cubierto de trapos y botes rotos y viejas latas oxidadas de queroseno. En una asquerosa tela de araña cercana a la puerta, una vieja araña gorda aguardaba a que las moscas cayeran para satisfacer su hambre insaciable.

La mujer se dirigió cojeando hasta la puerta interior. Girando un manubrio oxidado, la abrió y entró delante de David a un patio de forma cuadrada. David la siguió, cerrando la puerta a sus espaldas. El patio se hallaba desierto: la vieja se había desvanecido. David echó una ojeada a su alrededor. En el centro del patio había una fuente antigua de azulejos rodeada de una barandilla de hierro forjado. La fuente estaba seca por completo. Por su aspecto, el agua no había circulado por ella desde hacía años, tal vez décadas. Los azulejos de colores que se hallaban alrededor de la base y la columna central estaban rotos y esquirlados. Algunos habían caído por completo. Eran pequeños azulejos turcos, cuyo brillo lustroso de turquesa, canela y azafrán se había ido apagando con el tiempo. La barandilla estaba torcida y oxidada. Las malas hierbas crecían por todas partes, raquíticas y cubiertas de polvo: hierbas muertas de hambre de un color amarillo cetrino. Alrededor del patio, baldosas rotas y azulejos descoloridos daban paso a las malas hierbas. Las paredes de la propia casa eran grises y ocasionalmente manchadas de liquen. El yeso que cubría las paredes se había caído por varios sitios, dejando al descubierto unos manchurrones de viejos y desgastados ladrillos. Los postigos de las ventanas estaban cerrados y nada se movía.

David no lograba entenderlo. El hombre que había ido a visitar era uno de los más ricos de Jerusalén. Hassan al-Yunani era un chipriota griego de nacimiento. Su verdadero nombre era Stavros Kyriakides. Había llegado a Jerusalén ilegalmente en 1946, cuando tenía veintitrés años: se decía que se había visto obligado a abandonar Famagusta a causa de una grave pelea familiar, en la cual había sido responsable de la muerte de un pariente.

Justo después de la fundación del Estado de Israel había dejado su pequeño apartamento de la calle David, al borde del barrio cristiano, para mudarse a una pequeña casa del lado musulmán de la Puerta de Damasco, próxima a la mezquita Mawlawiyya. Durante los años siguientes abandonó su primitiva identidad y tomó otra nueva.

En 1951 se había convertido al islamismo y cambió su nombre por el de Hassan, aunque en el barrio todavía era conocido como «al-Yunani (el griego)». Durante los años que siguieron, Hassan al-Yunani se había vuelto intocable. Conocía a todo el mundo y también conocía las debilidades de todo el mundo. Se decía que no había secreto en Jerusalén que no conociera. Tenía oídos y ojos en todas partes, escuchando, observando, tomando notas. A medida que pasó el tiempo nadie se hallaba a salvo de él, ni siquiera los hombres más poderosos de la ciudad. Tenía más enemigos que amigos, y sin embargo era el hombre más seguro de Israel por la sencilla razón de que era el más peligroso. Y si era peligroso también era útil. Comerciaba con información. No tenía escrúpulos ni lealtades. Por un precio razonable o por un favor conveniente le contaría a un hombre lo que necesitara saber o le proporcionaría cualquier cosa que quisiera: poder, dinero, una mujer, un hombre, una vida... un libro.

Se oyó un siseo y David se dio la vuelta. La vieja había vuelto y le observaba desde una puerta abierta.

—Le recibirá ahora —dijo—. Venga. —Su voz no era más cálida que antes ni su expresión más dulce.

David caminó con cuidado por los desgastados baldosines del patio. La mujer se apartó a un lado dándole paso ante la puerta. Se encontró en un corto pasillo bastante oscuro, iluminado por una única vela. La mujer cerró la puerta y después le adelantó cojeando por el estrecho pasillo hasta otra puerta que se hallaba a mano izquierda.

—Llegará pronto —dijo—. Espere aquí. —Inclinándose le abrió la puerta. Él entró y la puerta se cerró tras él.

Una luz grisácea penetraba por las ventanas, cubiertas de porquería, difusas y descoloridas. Todo en aquella habitación parecía derrubiado y borroso. Había polvo por todas partes: en las antiguas sillas de alto respaldo y en las mesas de tallas orientales, en las gruesas alfombras persas que cubrían el suelo, en las pesadas cortinas de terciopelo que colgaban deterioradas por el tiempo, en las paredes junto a las ventanas. Los rincones de la habitación se perdían en las sombras. En el techo, David vio telarañas que colgaban hacia abajo vencidas por el peso del polvo. Había un poderoso olor a moho, un olor desagradable que le irritó la garganta. Las paredes se hallaban repletas del suelo al techo de viejas fotografías enmarcadas, retratos de hombres, mujeres y niños, una galería de caras con expresiones formales y vacías y ojos tristes. Era como una colección de mariposas: rostros humanos clavados a la pared de al-Yunani para siempre. En una de las sillas había una enorme muñeca de porcelana, sentada, cubierta de polvo y con las ropas hechas jirones; en sus cabellos, que una vez fueron dorados, había una maraña de telas de araña. Sus ojos carentes de visión observaban todos los movimientos de David por la habitación, mientras éste iba examinando las fotografías. Se oyó un arañazo en la puerta y después un sonido de alguien que tanteaba. David se dio la vuelta.

El hombre que entró contradijo todas las suposiciones de David. Se había imaginado a al-Yunani como un hombre bajo y gordo, con los cabellos repletos de brillantina y peinados hacia atrás y unas manos suaves y carnosas incrustadas de jade y anillos de cristal, que vestiría un traje de seda y zapatos de piel, un padrino oriental de la vieja escuela. El verdadero al-Yunani era alguien totalmente opuesto. Era alto, delgado y curtido y unos cabellos blancos, grasientos y descuidados caían sobre sus hombros hundidos. Llevaba una bata raída de anchas y sucias solapas, abrochada con un cordón de seda. Pero David no reparó en nada de todo esto al principio. Toda su atención se hallaba centrada en el rostro del hombre, en sus ojos: el griego era ciego. Su ojo izquierdo estaba permanentemente cerrado, cubierto por una gruesa capa de tejido cicatrizado. No tenía ojo derecho y el hueco estaba relleno con una bola de algodón.

Al-Yunani le alargó una mano. David dio unos pasos para alcanzarla mirando hacia abajo, lejos de aquellos ojos sin vista. De nuevo dio unos pasos hacia atrás. El suelo parecía haber cobrado vida y era como una masa de pelos que se arrastraba. Al-Yunani se hallaba rodeado por un montón de gatos: gatos de todos los colores y tamaños. Como un sacerdote, el griego caminó hacia delante seguido por su congregación felina. David los miró preguntándose por qué estarían tan silenciosos, tan mortalmente callados. No era algo natural, y de alguna manera, era profundamente inquietante.

—Buenos días, profesor —dijo el ciego en inglés pero con fuerte acento—. *Ahlan wa sahlam, Marhaba*. Por favor, no se preocupe por los gatos. No le molestarán. Siéntese. Acomódese lo mejor que pueda.

David buscó una silla y quitándole de encima algunos harapos de aspecto sospechoso se sentó, sin poder ocultar su aversión, en el borde exterior del polvoriento asiento. Al-Yunani siguió su ejemplo, acomodándose en un sillón de sucio aspecto, como si le guiara un radar. Los gatos se le acercaron. Los más favorecidos se colocaron en su delgado regazo, otros se diseminaron por los brazos y el respaldo del sillón, y otros se enroscaron a sus pies. Y todavía permanecían en silencio, como si fueran mudos.

Al-Yunani habló de nuevo. Su voz era fina y granulada, monótona pero aguda, como un cuchillo oxidado que todavía es capaz de provocar sangre.

—Y bien, ¿qué es lo que quiere David Rosen de mí? —preguntó.

—Habla como si me conociera —dijo David.

El griego asintió.

—Sí, le conozco. Me llamó la atención recientemente. Tuvo algunos contratiempos con el MOSSAD al cruzar una frontera, una fatalidad. Y desde entonces ha estado en el Sinaí. ¿Se portó bien con usted el desierto?

David empezó a hablar, pero el ciego le interrumpió.

—No me refiero a las muertes. Las muertes de San Nilo no beneficiaban a nadie. Pero ¿encontró lo que fue a buscar en el Sinaí? ¿Le favorecieron las montañas?

—¿Cómo sabe tanto? ¿Cómo sabe lo de San Nilo?

—No me haga preguntas, profesor. Éste es mi territorio. ¿Se portó bien con usted el desierto?

David sacudió la cabeza.

—No —dijo—. No conseguí encontrar lo que buscaba, si es eso a lo que se refiere. Por eso he venido a verle.

Al-Yunani asintió. Había oído aquella frase tantas veces: «Por eso he venido a verle.» El doctor al cual acudían los pacientes cuando todos los tratamientos han fallado, el cirujano, el flebótomo. Se echó ligeramente hacia atrás.

—¿Por qué fue al desierto? El desierto no invita. Los hombres no van allá en busca de placer. Tendría sus razones.

—Eso es cosa mía.

—Lo único que estamos haciendo es un intercambio de palabras y yo no puedo trabajar así. Buenos días.

Hizo el gesto de levantarse y los gatos que descansaban en su regazo se agitaron. David alargó una mano hacia él, pero era demasiado corta y la dejó caer hacia el costado.

—No es mi intención ser reservado, señor Kyriakides. Tengo motivos para guardar silencio.

La cara de al-Yunani cambió de expresión.

—Mi nombre es Hassan. Recuerde eso. —Hizo una breve pausa—. ¿Para qué fue al desierto?

—Para hallar la solución a un acertijo.

—¿Y la encontró?

—No.

—Pues ¿qué es lo que encontró?

—Más preguntas.

—Y por eso ha acudido usted a mí.

David hizo una pausa y después asintió.

—Sí, por eso he venido a verle.

El ciego sonrió y se echó hacia atrás en el sillón. Su delgada mano izquierda acarició uno de los gatos que se hallaban en su regazo, una enorme bestia blanca de ojos verdes y poblado pelaje. Con la derecha jugaba distraídamente con el algodón que tapaba la cuenca de su ojo, tirando de él sin poder evitarlo, rasgando las fibras para formar con ellas pequeños mechones. David sintió un malestar temiendo que el algodón se soltará y dejara al descubierto el agujero vacío. Se preguntó qué le habría ocurrido a aquel hombre. Al-Yunani habló de nuevo con voz más dura que antes.

—Muy bien. Dispensemos sus razones por el momento. Ya volveremos a ellas si es necesario. ¿Cómo puedo responderle a las preguntas que encontró en el desierto?

—Simplemente encontrando algo para mí —dijo David—. Un libro. La respuesta a mi acertijo puede estar en el libro. Por eso fui a San Nilo, pero la copia que había habido ya no estaba. Cuando volví a Santa Catalina hablé con el padre Spiros, el bibliotecario, y me dijo que hace muchos años un joven monje había sacado una copia del libro en cuestión y la había llevado a Jerusalén. La copia estuvo varios años en el patriarcado griego de aquí, pero junto con otras varias desapareció alrededor de mil novecientos treinta. Spiros oyó rumores de que había ido a una biblioteca privada en Jerusalén. No sé dónde está esa biblioteca ni a quién pertenece. Spiros sólo supo decirme que estaba situada en algún punto del barrio musulmán y que se rumoreaba que muchos libros y manuscritos valiosos habían desaparecido en su interior en los años que precedieron a la segunda guerra mundial. Según Spiros, nadie ha podido entrar jamás en esa biblioteca ni consultar sus libros. Pero me dijo una cosa: durante los años que duró la guerra, el contenido de la biblioteca fue guardado en un sótano bajo la Cúpula de la Roca.

El griego alzó la cabeza como si mirara a David. Un hábito del pasado totalmente inútil. Juntó las manos bajo la barbilla.

—Conozco la biblioteca. Continúe.

—Eso es todo —dijo David—. Spiros no sabía nada más. Le expliqué todo esto a la guía que me llevó al Sinaí, Leyla Rashid. Ella me dijo que usted podría obtener el libro para mí. El original o la copia, da lo mismo.

—¿Qué contiene ese libro que sea tan valioso como para que esté dispuesto a arriesgar su reputación robándolo? Digo «robarlo» porque es la única manera de conseguir una copia.

David sacudió la cabeza. Los gatos le observaban. Sus pupilas negras se habían dilatado con la débil luz.

—No arriesgo mi reputación. Por eso he acudido a usted. Me dijeron que puede garantizar discreción.

—La discreción le costará más.

—Estoy dispuesto a pagar, a usted y a quien tenga que contratar.

Al principio, al-Yunani no dijo nada. Volvió a acariciar al gato con la mano.

—¿Sabe por qué mis gatos son tan silenciosos? —preguntó.

David los miró. Llenaban la habitación: sombras silenciosas, grises, negras y moteadas con ojos luminosos en la semioscuridad. ¿Los tendría al-Yunani porque veían en la oscuridad? David sacudió la cabeza como si el griego pudiera verle.

—Los he hecho operar —dijo el griego respondiendo a su propia pregunta—. Una pequeña operación en sus cuerdas vocales, menos dolorosa que la castración. Sus cuerpos me reconfortan. Son suaves y cálidos y no piden nada a cambio excepto comodidad. Pero sus maullidos me traían de cabeza, así que los hice callar. El silencio es fácil de conseguir, ¿me comprende?

—Sí —dijo David—. Le comprendo.

Miró las fotografías de las paredes. Tantas caras desconocidas al alcance de al-Yunani, como los fetiches de una magia compasiva: pelo, uñas y muñecas de cera. Los gatos y las fotografías, todos silenciosos, todos en poder de un hombre.

—¿Cómo se llama el libro? —preguntó al-Yunani.

—Es un libro árabe. *Al-Tariq al-mubin min al-Sham ila 'l-balad al-amin*. El autor era Abu 'Abd Allah Muhammad ibn Sirin al-Halabi.

Al-Yunani asintió.

—Lo recordaré. La ceguera agudiza la memoria.

Se hizo una pausa. El griego se levantó.

—¿Vio los huesos? —preguntó.

David le miró. Tenía la cara vuelta hacia él.

—Sí —contestó con voz queda—. Vi los huesos.

Al-Yunani asintió distraído, como si no le hubiera oído.

—Los huesos lo son todo —dijo—. A los monjes los llaman «los muertos vivientes». Por eso guardan los huesos tan cerca, al alcance de la mano: para que les recuerden su mortalidad. Yo hubiera sido monje cuando era joven. Tenía mucha vocación. No hay gran diferencia entre la santidad y... lo que yo hago. Una cosa es traicionar a la carne y la otra al espíritu.

Caminó hacia la puerta. David se levantó y le siguió como un acólito. Permanecieron en pie junto a la puerta. David se echó hacia atrás para alejarse del rostro sin vista del ciego. Al-Yunani se señaló los puntos donde había tenido los ojos.

—¿Me compadece porque no veo? —preguntó.

—Sí —dijo David—. Naturalmente.

—Pues se equivoca. Ésa no es razón para compadecer a un hombre. La vista no lo es todo. Hay cosas peores que la ceguera. —Guardó silencio un instante—. Lo peor —dijo con voz queda— es no poder derramar lágrimas.

Dio la vuelta y pasó por delante de David hacia la puerta.

—Vuelva dentro de dos días —dijo—. Ya tendré el libro para usted. Y traiga cinco mil dólares.

CAPÍTULO 20

David, desazonado, cerró el pequeño cuaderno de notas y apagó la lámpara de su escritorio. Desde que había vuelto a Jerusalén, ya hacía varios días, había luchado por descifrar el diario árabe hallado en San Nilo. Estaba viviendo de incógnito en una pequeña habitación que había alquilado en Me'a She'arim, cerca de la Puerta de Mandelbaum. En aquel lugar, en el centro de la ortodoxia judía, rodeado de sinagogas y *yeshivot*, de talmudistas de ojos nublados y rabinos entrecanos, desconectado del mundo exterior por un muro de silenciosos testimonios del pasado, se sentía razonablemente seguro. No había comunicado a ninguno de sus conocidos que se hallaba en la ciudad, para evitar una repetición de los sucesos de Haifa. Vivía solo; compraba alimentos permitidos por la religión judía en una pequeña tienda de la esquina y se los comía en la habitación él solo. La observación del *kashrut* le hizo sentirse en armonía con su entorno. Se estaba dejando barba y se había arreglado el pelo dejando una zona sin cortar en forma de *pe'ot* frente a sus oídos. Llevaba el *yarmulkah* cuando salía y a veces se olvidaba y también lo llevaba en casa.

Una y otra vez había vuelto sobre la primera frase del diario, pero todavía no le encontraba ningún sentido, aparte de la fecha que la encabezaba, la cual había podido descifrar: 30 de agosto de 1935. La palabra «agosto» estaba escrita en inglés «Āgust», en lugar de la forma más corriente «Aghustus». Pero no había pasado de ahí. Daba lo mismo la página del diario que mirara: no tenía ningún sentido. No sabía demasiado árabe, pero con la ayuda de un diccionario tendría que haber sido capaz de progresar algo. En Chicago había asistido durante dos años a un curso de árabe escrito y podía leer un texto claro, aunque lentamente. Volvió a mirar la primera línea. Que él supiera, era una tontería: *Hāwat zand wayr in bi-lastīn anjukumanna*. Naturalmente, así era como él había insertado las vocales que creía correctas, ya que el árabe carece de ellas. Pero igualmente podría decir: *Hāwit zind wīr an bi-lastīn injakmin*.

Y había varias posibilidades más. Pero todas tenían algo en común: que no tenían ningún sentido.

El escritorio se hallaba cubierto de libros de texto y diccionarios: Wehr, al-Fara'id, Wright, una colección completa de Lane que había encontrado muy barata en una pequeña librería del *suq*. También había comprado algunos diccionarios a persas y otomanos. Pero, por cada palabra que tenía sentido aisladamente, una docena de ellas parecía una especie de jerga burocrática.

Dejando a un lado el Wehr, cogió la pequeña y considerablemente estropeada copia de Brünnow y Fischer, una crestomatía árabe que había adquirido por unos pocos siclos en la misma tienda donde había encontrado el Lane. Había leído parte de los textos como práctica de lectura, utilizando el glosario de la parte posterior como suplemento de sus enormes diccionarios. El libro estaba abierto frente a él por la página que tenía el título árabe de la edición de 1966. *Tashīl al-Taḥsīl*, «La facilitación de la educación». Un juego de palabras inventado para el título árabe. Sus ojos se posaron unas líneas más abajo. Se detuvo y la leyó otra vez y después la línea del final. Se irguió en la silla mirando fijamente la página. La cubierta se levantó hacia arriba y se volvió a cerrar espontáneamente. ¿Por qué no se le había ocurrido antes?, se preguntó. Tal vez porque era tan obvio.

La página del título estaba en árabe excepto cinco palabras: al-Lībsīgiyya (perteneciente a Leipzig); ūghūst (agosto); fīshir (Fischer); insīklūbīdī (enciclopedia); y la bastante inconsistente Lībzīgh por Leipzig. De hecho, era la contradicción entre la transcripción de «perteneciente a Leipzig» y la de «Leipzig», una con s y la otra con z, lo que le había proporcionado la pista. No estaba leyendo una clave, sino una lengua extranjera en escritura árabe, con todas las incongruencias que esto implicaría. Y estaba seguro al ciento por ciento de que esa lengua era el alemán. Febrilmente abrió el diario otra vez. La mano le temblaba ligeramente mientras cogía el bolígrafo y empezaba a transcribir las letras que tenía ante su vista: *Heute sind wir in Palastina angekommen* («Hoy hemos llegado a Palestina»).

Se puso en pie incapaz de contenerse y dio varias vueltas por la habitación. Se dirigió al pequeño hornillo que había en una esquina, colocó la cafetera encima y lo encendió. Se sirvió un tazón generoso, le añadió azúcar y regresó a su escritorio. A medida que iba transcribiendo el texto en alemán, pudo leer el diario:

[Nota del editor: los extractos que siguen han sido preparados del texto manuscrito del diario alemán, el original del cual se halla normalmente en poder del Institut für Orientforschung de la Akademie der Wissenschaften, en Wiesbaden, quien, con toda amabilidad, me ha proporcionado una copia en un microfilm. Las lagunas están representadas por puntos en el texto presente y los comentarios editoriales se han añadido entre corchetes. D. E.]

30 de agosto de 1935

Hoy hemos llegado a Palestina. Nuestro buque, el Heraklion, *partió del Pireo hace dos días, a las cuatro de la tarde, y hemos llegado a Haifa esta mañana a primera hora. La travesía ha sido tranquila, normal en esta época del año, pero ¿qué hubiéramos dado por un poco de brisa? Hartmann no paró de decir que teníamos que haber esperado en Grecia a que el tiempo fuera un poco más frío, pero el gran hombre dijo que no, que era imposible esperar más. Está impaciente por llegar a su destino y no dejará que nadie se interponga en su camino. Haifa es una ciudad pequeña, a los pies del monte Carmelo, donde una vez Elías derrotó a los sacerdotes de Baal. Es bastante pintoresca, pero llena de judíos. La ciudad está bien trazada: calles rectas y un sentido de la ordenación pocas veces visto en Oriente. Influencia germánica, naturalmente. La colonia de los templarios ha dado grandes pasos para levantar un modelo y dar ejemplo, aunque aquí hay pocas señales de que los judíos y los árabes quieran seguirlo como se espera. El Tempel Gesellschaft [la Sociedad de los Templarios: una organización cristiana fundada por Christoph Hoffmann a mediados de 1800. Su principal objetivo era establecer colonias en Palestina a fin de preparar Tierra Santa para la segunda venida de Cristo] data de finales del siglo pasado, claro, y está muy bien establecida aquí.*

Esta noche dormiremos en una de las casas de los templarios. Pertenece a uno de sus líderes, Otto Schellenberg. Llegó a Haifa en los primeros tiempos y conoció a Christoph Hoffmann, el fundador de las colonias aquí y en Jaffa. Schellenberg es miembro del Partido, como casi todos los templarios de aquí: esta noche los conoceremos a todos. Durante la tarde, el hijo de Schellenberg nos enseñó el puerto y la ciudad. Se llama Rudi y dirige una enorme y sólida empresa de importación y exportación. Nos habló sobre sus problemas con los Haavara, una organización judía que posee el monopolio de las importaciones de mercancías alemanas en Palestina. Los colonos desean que tratemos de hacer algo a nuestro regreso y ya he tomado nota del asunto.

La ciudad está bastante tranquila. Hoy es viernes y los musulmanes han cerrado ya las tiendas. Los judíos salen más tarde por el Sabbath. Ojalá Anna estuviera aquí. Le encantaría todo esto. Tengo que escribirle. Le dije que lo haría a diario. He decidido escribir este diario en clave, utilizando escritura árabe, a fin de que sólo yo entre los de nuestra expedición pueda leerlo. Puede serme de cierta utilidad cuando compile mis informes. Y además, escribir así ejercita mi mente.

31 de agosto de 1935

Herr von Meier estuvo muy ocupado la noche pasada. Los miembros del Partido vinieron a casa de Schellenberg tal y como se había acordado. Había docenas, sobre todo hombres jóvenes. Los templarios son de los miembros más activos del Reich en Oriente Medio. Si estalla la guerra tal y como varios de nosotros pensamos que sucederá, rendirán un inmenso servicio. La Auslandorganization [organización nazi responsable de la fundación de ramas del Partido

Nacionalsocialista fuera de Alemania] es muy activa aquí. Schellenberg nos habló durante un rato sobre los templarios y de cómo llegaron a Palestina. Es un viejo imprevisible, muy espabilado para su edad (tiene más de setenta años) y extremadamente instruido. Sus padres procedían de Ludwigsberg, donde Hoffmann platicaba en una tertulia. Llegaron aquí en 1868 y estuvieron viviendo con un hombre llamado Hardegg mientras Hoffmann iba a fundar la colonia en Jaffa. Schellenberg dice que el Tempel Gesellschaft fue fundado a fin de preparar Palestina para el regreso de Cristo. Aparte de las colonias, algunos querían restaurar el templo en Jerusalén. Von Meier parecía estar extremadamente interesado en la idea. En la actualidad hay casi dos mil templarios, que se mantienen en contacto con la Patria, visitándola a veces desde 1933...

Hoy he recibido un telegrama de la madre de Anna. Anna está muy enferma. El doctor cree que puede perder el niño. Le he preguntado a Von Meier si podía regresar, pero me ha dicho que eso era totalmente impensable, que soy imprescindible para la misión. Sé que tiene razón, pero mi corazón desea estar junto a Anna. Ruego porque se reponga...

El siguiente fragmento estaba datado el 3 de septiembre de 1935:

Tenemos problemas con las licencias. Las autoridades británicas de aquí dicen que tenemos que ir a Jerusalén para conseguir más papeles. Hemos explicado que esto es, sencillamente, una expedición arqueológica, pero fingen no comprenderlo. Von Meier se ha marchado con Schellenberg y esperan estar de regreso dentro de un par de días. He telegrafiado al Auswärtiges Amt [el Ministerio de Asuntos Exteriores Alemán, cuyo Departamento Político VII se ocupa actualmente de los asuntos palestinos], por descontado, y con suerte podrán presionar al alto comisario. El Führer se pondrá furioso si hay algún retraso, pero no debe verse comprometido.

He estado desempolvando mi árabe con el cadí local. Es amigo de A. H., fueron al colegio juntos. Ha oído comentarios favorables del Führer sobre el Islam, que es más compatible con el espíritu militar alemán que con la cristiandad, etc. Naturalmente no le he dicho lo que el Führer dijo también, esto es, que si los alemanes se convirtieran al mahometanismo someterían a los árabes ya que son racialmente inferiores a nosotros. Ésa es la clase de información que es mejor guardarse para uno. Ni siquiera A. H. sabe nada de ella...

Todavía no hay noticias de Anna y estoy muy preocupado.

5 de septiembre de 1935. Jerusalén

Hemos tenido que venir todos a Jerusalén para arreglar los papeles. Hemos pasado el día en el Secretariado Británico del hotel

King David. Döhle, nuestro cónsul general, efectuó una visita personal; a pesar de todo, nos llevó horas acabar con el papeleo. Estoy agotado, pero Von Meier quiere que empecemos mañana...

Esta noche he telegrafiado a Berlín.

10 de septiembre de 1935

Es la primera oportunidad que tengo para escribir en muchos días. Abandonamos Jerusalén el día 6; viajamos al Sinaí en automóvil. Tuvimos que dejar los coches en Eilat, donde nos proporcionaron camellos para el resto del viaje. Siempre he odiado los camellos. Huelen mal, son viciosos y obstinados y montar en ellos te hace polvo los testículos. De todas maneras, no me gustaría viajar por el desierto sin uno. Bajamos por la costa hasta Ain al-Furtaga, donde pasamos la noche y después continuamos por un terreno montañoso hasta Wadi Ghazala. Los guías árabes dijeron que conocían el camino, pero nos perdimos y fue muy duro a veces. Los demás estaban peor que yo, claro, ya que la mayoría jamás habían montado en camello.

Creo que es mejor anotar algunos detalles sobre el resto de la expedición. Nuestro líder es el profesor Ulrich von Meier del Departamento de Arqueología de la Universidad de Munich. Esta expedición fue idea suya y es la máxima autoridad, aunque, rigurosamente hablando, está encargado únicamente de la vertiente arqueológica. Es un hombre alto y ancho de espaldas y parece muy fuerte. Tiene un rostro distinguido con unos ojos tristes y pesados, un poco como un perro de aguas. Me recuerda a Otto Gebühr en su papel de Federico el Grande. Debe de haber cumplido ya los cuarenta. Hartmann me dijo que Von Meier pertenece a una vieja familia de Hannover. Es un aristócrata. Aparentemente no es miembro del Partido, aunque se dice que es amigo íntimo del Führer. Sin embargo, es un bicho raro. Se guarda muchas cosas para sus adentros, aunque parece haber intimado bastante con Keitel y Lorenz.

Walther Keitel es un epigrafista de Saarbrücken, un hombrecillo arrugado como una pasa, de unos cuarenta años, que está obsesionado con la comida sana. Lleva varios saquitos de Heil Erd y Heil Tee [«Tierra Integral» y «Té Integral»: dos saludables productos alemanes de los años treinta] y monta un escándalo a causa del agua. Hasta ahora ha realizado todo su trabajo en una pequeña habitación de la Universidad de Leipzig y ésta es su primera expedición. Está especializado en inscripciones hebreas, lo cual me pareció sospechoso al principio, pero parece ser que es un protestante que estudió Teología en Tubinga durante algún tiempo y de aquí su interés por las lenguas bíblicas. Su trabajo es buscar señales de inscripciones protosinaíticas como las halladas en Serabit al-Khadim en 1904. Lleva años trabajando en las inscripciones de Serabit al-Khadim y está escribiendo una réplica al Althebraïsche Inschriften vom Sinai *de Grimme. Básicamente discrepa con la idea de que el lenguaje de las inscripciones sea hebreo [las tendencias modernas confirman la teoría de Keitel, aunque su trabajo sobre la materia no parece haber concluido. Véase J. Friedrich,* Entzifferung verschollner Schriften und Sprachen, *2.ª ed., Berlín, 1966, pp. 140 y ss.] la cual es, por supuesto, una de las teorías esenciales que perseguimos con esta expedición. Keitel ha sido amigo de Von Meier desde los tiempos de Tubinga. Se pasan un montón de tiempo hablando en privado. Hace un par de días fui a la tienda de Von Meier y me los encontré absortos en un viejo documento de algún tipo. Parecieron enfadarse mucho y Keitel intentó tapar el papel. Von Meier estaba furioso al principio, pero se controló rápidamente y evitó hacer una escena. No les quitaré (la vista de encima y, naturalmente, el incidente figurará en mi informe.*

Nuestro antropologista es el doctor Felix Hartmann, de Breslau. Me llevo bien con él. Es un hombre alto, de casi dos metros, repleto de energía e intelectualmente brillante, aunque no alardea de su inteligencia. No es uno de esos académicos presuntuosos, graeculi, *como [Walter Frank los llama Walter Frank era un importante historiador nazi, jefe del Instituto para la Investigación sobre la Cuestión Judía en Litzmannstadt;* graeculi *(pequeños griegos) era un término despectivo que reservaba para académicos profesionales], de esos que piensan que uno tiene que tener media docena de diplomas antes de poder expresar una opinión sobre cómo hervir un huevo. Hartmann pronunció un discurso durante la ceremonia de la quema de los libros en Breslau en 1933: yo estaba presente y fue a raíz de eso que deseé conocerle. Ha colaborado con el profesor Hirt del Instituto Anatómico de Estrasburgo, cuyo trabajo sobre las medidas de los cráneos judíos y otros* untermenschen *ha sido tan revelador. Recientemente ha inaugurado una sucursal en Breslau del Ahnenerbe del señor Himmler [el Ahnenerbe Forschungs- und Lehrgemeinschaft, la Sociedad para la Investigación y la Enseñanza del Patrimonio Antiguo, era una organización fundada por Heinrich Himmler]. Espero que realice descubrimientos fascinantes.*

El resto del grupo está constituido por Hans Fläschner, de Berlín y fotógrafo de la expedición; Hans Neumann, cuya tarea es realizar los informes, y Heinrich Lorenz, que no parece ejercer otra función que la de lamentarse. Lorenz es banquero; es miembro del Vorstand del Deutsche Bank y socio del banco privado de Delbruch junto con Shickler. Mi tío Hjalmar me habló de él. Dice que Lorenz es un hombre listo que ha hecho un montón de dinero a través del programa de rearme, pero piensa que es más astuto que inteligente y me inclino a estar de acuerdo. Él proclama ser miembro de los Amigos del Reichsführer SS de Kranefuss [un club formado por industriales ricos y financieros que deseaban mostrar su lealtad a Himmler y a las SS. Fritz Kranefuss era su secretario] y supongo que lo es, pero igualmente me parece una desgracia. Ha financiado la mayor parte de la expedición, así que Von Meier le ha dejado acompañarnos. Personalmente, le encuentro bastante estúpido. Es el típico burgués gordo, de maneras afectadas y engreído. Es rico, claro, pero no creo que eso sea ninguna razón para formar parte de una expedición científica. Y lo más extraño es que parece ser íntimo de Von Meier y Keitel, con los cuales no tiene verdaderamente nada en común. He pedido información sobre él al cuartel general, pero no espero que me llegue nunca. Estoy inquieto por estar tan aislado, especialmente después de las preocupantes noticias sobre Anna. Tal vez pueda convencer a uno de los guías para que haga de correo...

Por aquí los paisajes son imponentes. Ojalá Anna pudiera verlos. Montañas agrietadas y rotas con apariencia ancestral. Cuando hace calor parece como si todo el lugar fuera a ponerse al rojo vivo y a estallar. Ain al-Furtaga, donde pasamos la noche hace dos días, es muy hermoso: un gran oasis en medio de una enorme llanura, palmeras y agua. Un paraíso en toda regla. Los beduinos tienen allí pequeños jardines, que riegan trayendo el agua a través de pequeños canales desde un riachuelo. Tuvieron una discusión con nuestros guías, algo del derecho sobre el agua, pero Von Meier lo arregló, conmigo como intérprete. Ese hombre produce un efecto misterioso sobre la gente, casi hipnótico. Los beduinos querían que se quedara con ellos. Parecían creer que era una especie de profeta.

Con suerte, llegaremos a Santa Catalina mañana. Espero que sí. Me siento terriblemente solo y aislado.

11 de septiembre de 1935

Llegamos a Santa Catalina poco antes del anochecer. Los monjes se mostraron poco amistosos al principio, y no querían dejarnos pasar, pero Von Meier les enseñó las cartas de presentación, incluyendo la del patriarca de Constantinopla. Nos permitieron quedarnos tres noches, el período establecido para los invitados, pero Von Meier confía en llegar a un acuerdo para prolongar nuestra estancia, ya que, de otra manera, tendríamos que acampar en las colinas y a ninguno de nosotros nos agrada la idea. Lorenz pretendía ofrecer dinero a los monjes, pero Von Meier vetó su sugerencia y en mi opinión hizo bien. De cualquier modo, se le permitió, junto a Von Meier, visitar al archimandrita, que es más de lo que se nos permitió a nosotros incluyéndome a mí. ¿Cuál es exactamente la posición de Lorenz en esta expedición?

David cerró el diario y se echó hacia atrás en la silla frotándose los ojos. Se sentía confuso y perplejo. Nunca había oído nada sobre una expedición arqueológica alemana al sur del Sinaí en los años treinta. ¿Qué era lo que habían ido a buscar? ¿Y quién era ese profesor Ulrich von Meier? David jamás había oído hablar de él. ¿Quién era el autor del diario? Claramente era un arabista, pero más evi dente aún era que además se trataba de un nazi convicto. A David no le gustaba nada el cariz que iba tomando todo aquello.

Se levantó y paseó por la habitación. Era tarde y sabía que debería irse a la cama, pero también sabía que si lo hacía no podría conciliar el sueño. Había demasiadas preguntas de las cuales deseaba conocer la respuesta. Se sirvió otro tazón de café y volvió a sentarse en su escritorio.

CAPÍTULO 21

Al día siguiente por la tarde, David acudió a al-Yunani en busca del libro. El griego parecía frágil y ansioso. Se hallaba sentado en la oscuridad en aquella estancia repleta de gatos jugando nerviosamente con una cuerdecilla de cuentas.

—Me ha causado problemas conseguirle esto —dijo alargando el libro a David—. No puedo dejar que se lo quede. Por favor, haga una copia y devuélvamelo lo antes posible. Si puede, mañana mismo.

David lo cogió y lo examinó. Era un volumen encuadernado en piel de unas doscientas páginas cuidadosamente escritas en estilo naskhi y sin demasiadas vocales. El papel y la tinta eran modernos. En la solapa se encontraba el sello del patriarcado griego y debajo un sello árabe aún más pequeño. Que David supiera, el nombre que había en el segundo sello era Amin al-Husayni. ¿Sería el nombre del propietario de la biblioteca? El nombre le era familiar, como si lo hubiera oído antes en alguna parte, pero no supiera situarlo.

Le dio el dinero a al-Yunani, agradeciéndoselo.

—Haré una copia hoy mismo —dijo—. No se preocupe. Lo cuidaré y mañana volverá a estar en su poder.

El ciego le acompañó hasta la puerta de la calle. Cuando se disponía a marcharse, al-Yunani le puso una mano en el hombro.

—Vaya con mucho cuidado —dijo con voz tensa—. No se mezcle en esto. Satisfaga su curiosidad, encuentre una respuesta a su acertijo, pero no vaya más allá. No puede comprender el peligro que corre; no sabe lo complicado que es. Y manténgase al margen si quiere seguir vivo.

—¿Qué sabe usted? —preguntó David.

Al-Yunani apartó sus ojos ciegos de él.

—No puedo decírselo —dijo—. Ya me he arriesgado bastante consiguiéndole el libro. Ahora debe marcharse. Y tenga cuidado: mire siempre a su espalda.

Eso fue todo. Cerró la puerta y echó el pestillo. David oyó sus pasos que retrocedían por el patio cubierto de malezas.

Llevó el libro a un servicio de fotocopias en Kiryat Shmuel, cerca de la avenida Jabotinsky. Le enseñaron una máquina vieja, un modelo bastante lento; le llevó toda la tarde fotocopiar el texto completo. Eran las seis de la tarde cuando volvió a su habitación.

Metió el libro y la copia en un enorme sobre de manila y lo guardó en el cajón de su escritorio. Devolvería el libro a al-Yunani al día siguiente y emprendería la ingente tarea de examinar la copia en busca de la información que necesitaba. Para entonces creía saber ya de qué tipo de información se trataba, pero encontrarla todavía le llevaría algún tiempo y algo le hacía pensar que el tiempo era una cosa que le iba a faltar.

Durante toda la mañana había estado transcribiendo el diario y traduciéndolo al inglés. Sólo con que la mitad de lo que había leído fuera verdad, algo verdaderamente inquietante había tenido lugar en el Sinaí durante los últimos meses de 1935. Cogió la traducción del pequeño estante azul de encima del escritorio. Todavía no estaba acabado, pero quería volver a leer lo que había traducido antes de seguir adelante.

14 de septiembre de 1935

Ya llevamos cuatro días en Santa Catalina. El archimandrita nos ha permitido quedarnos a condición de que interfiramos lo menos posible en la vida diaria del monasterio. Como prueba de agradecimiento restauraremos un poco la biblioteca. Fläschner dice que tomará unas fotografías de los iconos más importantes.

Esta mañana tuvimos una reunión de trabajo. Von Meier expuso los dos objetivos principales de la expedición una vez más y nos encomendó tareas individuales. Éste es un lugar tan bueno como cualquier otro para anotar los objetivos tal y como ahora se hallan planteados.

Primero: descubrir evidencias que apoyen la teoría del profesor Von Meier acerca de que los llamados «hijos de Israel» que entraron en el Sinaí bajo el liderazgo de Moisés eran, de hecho, una banda de esclavos egipcios fugitivos y que los judíos de la actualidad son descendientes de aquellos esclavos. Si eso es verdad, argumenta Von Meier, los auténticos representantes de la línea de Abraham son los árabes, que descienden de su hijo menor, Ismael. Las teorías de Keitel sobre el carácter no hebreo de las inscripciones del Sinaí serán el punto de partida de esta investigación, que se centra inicialmente en Jabal Musa.

Segundo: llevar a cabo una investigación antropológica sobre las características raciales de los árabes jabaliyya de Santa Catalina y sus alrededores. Estos árabes, de los cuales ya hemos tenido ocasión de ver numerosos ejemplares, son más altos que el resto de los beduinos de la región y muchos tienen el cabello oscuro y los ojos azules. Se dice que son descendientes de un centenar de esclavos válacos enviados al Sinaí por el emperador Justiniano para servir a los monjes de Santa Catalina, función que todavía cum-

plen. Pero Hartmann es de la opinión de que, de hecho, son de origen germánico.

Estoy casi seguro de que Von Meier tiene otros objetivos adicionales y de que únicamente él y Keitel, y posiblemente Lorenz, los conocen. Una vez dispuesta nuestra rutina de trabajo, Von Meier nos dijo que él y Keitel irían a trabajar juntos al Jabal Musa. A mí me han asignado la tarea de conseguir, junto con Hartmann, la cooperación de los jabalis para nuestro estudio. Fläschner ya ha empezado a tomar fotografías en la biblioteca y Neumann estará ocupado durante uno o dos días escribiendo informes. El obeso Lorenz se pasa el tiempo haciendo lo que quiere, que generalmente suele ser hablar con los monjes. Por lo visto habla un griego fluido, y el hecho, lejos de tranquilizarme, en cierta forma me inquieta aún más.

20 de septiembre de 1935

Esta tarde he tenido una discusión con Von Meier. Sobre Lorenz, ¿qué otra cosa podía ser? Le pregunté a Von Meier cuál era exactamente la posición de Lorenz en la expedición. Le dije que tenía derecho a saberlo ya que debo informar al Auslandsnachrichtendienst [el servicio de información que cubre los países extranjeros, departamento VI del Departamento Central de Seguridad del Reich, dirigido por el Servicio de Seguridad de las SS] y al Reichsfuhrung SS [la Comandancia Suprema de las SS]. Fue extremadamente mal educado. Dijo que yo podía ser un Sturmbannführer de las SS en nuestro país, pero que allí no era más que un empleado como intérprete de árabe. Le dije que mi autoridad se hacía extensible fuera del Reich y que era responsable de la seguridad de la expedición y de sus miembros sometidos a las normas del Partido en todos los sentidos. Pero se rió de mí. En realidad, se rió de mí y me dijo que me fuera. Más tarde le vi con Keitel y Lorenz, los tres reunidos en una de las habitaciones de invitados hablando muy serios. Mañana enviaré un informe completo a través de uno de los jabalis, un joven llamado Ahmad que parece ser de confianza. Habrá que realizar una investigación y también una valoración.

27 de septiembre de 1935

No he escrito nada durante unos días. El día 21 un mensajero de Jerusalén me trajo un telegrama. Decía que Anna había muerto después de una serie de complicaciones. El niño también ha muerto. No puedo pensar ni actuar con claridad. Nada tiene sentido en medio de este calor, de esta condenada soledad, donde no hay más que moscas y escorpiones: los muertos vivientes, como esos monjes se llaman a sí mismos.

Mi primer pensamiento fue regresar a Berlín, pero no puedo ha-

cerlo. Aquí pasa algo. Von Meier y Keitel van a las montañas cada día. Lorenz sale del monasterio solo o con un guía árabe. Tendré que encontrar un modo de seguirles sin que me descubran. El monasterio me resulta claustrofóbico a pesar de los enormes espacios que nos rodean. Me siento atrapado, inútil. Y quiero a Anna. No puedo creer que no estará allá cuando vuelva, si es que vuelvo. He empezado a tener dudas al respecto...

28 de septiembre de 1935

El cuerpo de Ahmad fue encontrado esta mañana al fondo del Jabal Musa. Algunos jabalis lo encontraron cuando buscaban leña para cocinar. Dicen que su cuerpo debía de llevar allí una semana. Estaba aplastado de mala manera, con todos los huesos rotos. Creen que debió caerse desde arriba de la montaña, por el lado más alejado del monasterio, pero ¿para qué habría subido allá? Yo le envié a Jerusalén en la mañana del día 21 diciéndole que fuera directamente, con la promesa de que le entregaría varias libras egipcias a su regreso. No tenía ninguna razón para subir a la cumbre de la montaña, ni entonces ni en ningún otro momento. Pregunté a los hombres que le encontraron si no llevaba papeles encima. Dijeron que no, que no llevaba nada encima. Y eso hace que me reafirme en mi idea: fue empujado. Pero ¿cómo sabían que llevaba mi informe?

Más tarde ha habido otro descubrimiento. Keitel y Von Meier regresaron con una pequeña estela cubierta de tallas protosinaíticas. Habían ido a Wadi Beirak, de camino del templo de Hathor en Serabit al-Khadim. Keitel parece muy excitado y Von Meier impasible como siempre.

30 de septiembre de 1935

Nos disponemos a abandonar Santa Catalina. Hoy hemos recibido la orden de Von Meier y como un montón de títeres revoloteamos por todas partes haciendo los equipajes y preparándonos para partir. No lamento marcharme. Este lugar me deprime: tantas montañas cerniéndose sobre nosotros todo el tiempo. Me trae demasiados recuerdos sobre la muerte de Anna. Pero no me entusiasma el nombre del sitio donde vamos. Se trata de otro monasterio: el de San Nilo, en un pequeño desfiladero no lejos de aquí, el Shi'b al-Ruhban, el desfiladero de los Monjes...

2 de octubre de 1935

Llegamos ayer a San Nilo y ya casi empiezo a lamentar haber dejado Santa Catalina. Por comparación, ahora me parece luminoso, aireado y espacioso. Aquí nos encontramos encerrados entre las estrechas paredes de los cañones y no podemos salir ni entrar excepto con la ayuda de un primitivo ascensor que no puede cargar más de dos personas a la vez. El propio monasterio es un extraño lugar construido en tres niveles. A nosotros nos han asignado unos alojamientos en la «planta baja», que se halla a unos treinta metros por encima del suelo del cañón, en un laberinto tortuoso de celdas que da la vuelta profundizando en la pared del barranco. En el siguiente nivel hay una biblioteca y una iglesia con un osario.

Von Meier ha llegado a algún tipo de acuerdo con los monjes, no entiendo cómo. Hay nueve: seis hombres de unos treinta años, uno de mediana edad y dos más mayores, que son los guías religiosos del resto. Los más jóvenes son los más ardientes en su espiritualidad, con oscuras barbas, oscuros ojos, reclusos feroces y ascéticos que han dado definitivamente la espalda al mundo. Nuestra presencia aquí es sentida como una intrusión: lo noto cada vez que paso por al lado de alguno de ellos. ¿Qué clase de presión debe haber ejercido Von Meier para que nos dejen quedar?

3 de octubre de 1935

Le he hablado a Hartmann de mis sospechas. Él está de acuerdo en que aquí pasa algo, pero no sabe más que yo. Le he explicado lo de Ahmad para que se dé cuenta del peligro que corremos. Él tampoco entiende por qué hemos venido a San Nilo. Su propio trabajo entre los jabaliyya ha quedado inacabado y yo no tengo ninguna misión aquí, ya que los monjes hablan griego y no árabe, lo cual, irónicamente, hace a Lorenz más útil que yo.

Von Meier y Keitel partieron hoy en busca de más inscripciones, o, al menos, eso dijeron, y yo decidí aprovechar para registrar sus habitaciones. Primero fui a la de Von Meier y examiné todas sus pertenencias y papeles. No había nada de interés, al menos que yo viera. Pero, justo antes de salir, eché una ojeada debajo de la cama y encontré una pequeña maleta de piel. La saqué e intenté abrirla, pero estaba cerrada con llave y no quise arriesgarme rompiendo los cierres. La volví a dejar debajo con la esperanza de hacerme con la llave de alguna manera. Al salir de la habitación vi a alguien escurriéndose al fondo del pasillo. Estoy casi seguro de que era Lorenz.

Ahora llevo mi Luger a todas partes, incluso cuando no voy de uniforme.

5 de octubre de 1935

Nadie ha comentado nada sobre mi visita a la habitación de Von Meier, pero estoy seguro de que lo sabe. No le veo demasiado, pero cuando anda por aquí me mira de una manera como diciendo «ya sé lo que haces». Lorenz se pasa la mayor parte del tiempo en la biblioteca leyendo libros en griego. Parece estar buscando algo, pero cuando le pregunto me dice que está tomando muestras de la colección. ¿Cómo es que un banquero como Lorenz conoce tan bien el griego?

Este lugar me da escalofríos. El monasterio es lóbrego y siempre está oscuro, aunque el sol brille con toda su intensidad en el exterior. Tengo frío, un frío profundo que me penetra hasta los huesos. Me paso los días leyendo trabajos en árabe de la biblioteca o bien hablando con Hartmann. Ha estado de acuerdo conmigo en intentar seguir a Keitel y a Von Meier cuando salgan mañana. Ha descubierto que el monje encargado del ascensor se ha vuelto muy vago y que lo deja en el fondo esperando su regreso en lugar de volver a subirlo hasta la plataforma. Hartmann planea bajar por la cuerda una vez que el monje se haya ido.

6 de octubre de 1935

Hartmann ha muerto. Von Meier y Keitel le han traído a última hora de la tarde al monasterio. Dicen que le han encontrado tirado en el suelo del cañón, justo donde el desfiladero desemboca en un altiplano que se encuentra al oeste de aquí. Le habían quitado las ropas y le habían seccionado la garganta. Un trabajo de bandoleros. Pero los monjes dicen que ahora hay pocos bandidos en la región, y yo me inclino a creerlos.

Me he hecho un cerrojo para la puerta: dos piezas de madera para el marco y la puerta y un palo corto para colocarlo entre ambas. Se puede romper fácilmente, pero desanimaría a cualquiera que intentara entrar en la habitación por la noche. Miro la fotografía de Anna a menudo y la beso. Tal vez sea mejor que haya muerto. Yo no veo ninguna manera de salir de aquí con vida.

Alguien llamó a la puerta de David. Dio un respingo, alarmado. Nadie sabía que estaba allí. El resto de la casa estaba ocupado por estudiantes yeshiva y un rabino ya entrado en años y jamás le habían molestado antes. Se oyó un nuevo golpe en la puerta. Abrió el cajón de su escritorio, sacó el revólver y se levantó. Atravesó la habitación hasta la puerta, colocó el revólver encima del amplio y antiguo dintel y cogió el manubrio. Hubo un tercer golpe y entonces abrió la puerta.

Leyla Rashid le sonreía. Iba vestida de negro y llevaba una manta de viaje echada en un hombro. La miró, incapaz de creer que estuviera allí. Ella se mordió el labio inferior y exhaló un agudo y nervioso suspiro. Ninguno de los dos habló.

Desde el piso superior les llegó una voz: la del viejo rabino.

—¿Quién llama? ¿Pasa algo?

—No pasa nada —respondió David—. Es un amigo mío. No le oí llamar, estaba dormido.

El viejo murmuró algo y cerró la puerta.

—Bueno —dijo Leyla—. ¿Puedo entrar?

—Mejor que sí —dijo David todavía perplejo. Se hizo a un lado y ella entró.

—Así que es esto —dijo—. Tu escondrijo.

Lo recorrió con la mirada: la estrecha cama sin hacer, el pequeño fregadero repleto de botes, cacharros y sartenes, las paredes peladas y sin decoración, los viejos muebles que necesitaban una reparación, la alfombra raída cubriendo parcialmente el desgastado suelo de linóleo y el carcomido escritorio cubierto de libros y papeles.

—No me parece demasiado —dijo.

—Ni falta que hace —replicó él tanteando por el dintel para coger el revólver sin que ella se diera cuenta.

Ella se dio la vuelta y le vio.

—¿Quién te creías que era? —preguntó sonriendo—. ¿La Gestapo?

Él la miró.

—Tal vez aciertas más de lo que te crees. ¿Cómo encontraste este sitio?

—¿No me vas a decir que me siente? ¿Ofrecerme un café? ¿Es que no te alegras de verme?

Él la miró de nuevo. Sí, se alegraba; pero también estaba preocupado.

—¿Qué pasa, David? ¿No debía haber venido? —Se sentó en la silla más cercana. Una pata era más corta que las restantes y se tambaleó hacia un lado cuando se sentó.

Él guardó el revólver en el cajón antes de volverse hacia ella.

—Sí, me alegro de que estés aquí —dijo—. Me alegro mucho. Pero no deberías haber venido. Puedes estar en peligro.

—Eso ya lo sé —dijo. Su expresión se tornó seria.

Él se sentó a su lado.

—¿Cómo demonios me has encontrado? —preguntó otra vez—. Nadie sabe que estoy aquí, nadie.

Ella sonrió de nuevo, con una sonrisa misteriosa y exasperante que él ya había podido observar anteriormente varias veces.

—Una persona lo sabe —dijo—. Al-Yunani lo sabe. Fui a verle esta tarde para preguntarle si te había visto y él dijo que sí, que le habías pedido que te buscara una cosa y me imagino lo que es. De todas maneras hizo que te siguieran cuando te marchaste hoy de su casa. Y me dio tu dirección. Me dijo que te repita que estás en peligro, un grave peligro. Dijo que ciertas personas están complicadas en esto, aunque no deberían. No dijo quiénes eran, pero parecía preocupado... Y asustado. Quiere que le devuelvas el libro mañana, David, lo antes posible. Creo que lamenta habértelo proporcionado.

David se enojó al enterarse de lo que le parecía una traición de al-Yunani y una interferencia por parte de Leyla. Pero cuando abrió la boca para acusarla vio que le sonreía y las palabras no acudieron a su boca.

—No lo digas, David —dijo—. No tiene ningún sentido. Él necesitaba saber dónde estás, qué haces. No es que esté preocupado por ti, sino por él mismo. —Hizo una pausa—. Y yo también necesitaba saberlo. Lo siento si fui...

—Está bien —dijo él. Miró su bolsa de viaje—. ¿Has llegado hoy de al-Arish?

Ella asintió.

—¿Has comido?

Ella sacudió la cabeza.

—No puedo ofrecerte demasiado —dijo él.

—La primera vez que nos vimos —sonrió ella— dijiste que te encantaría llevarme a un restaurante. ¿Qué te parece si te invito yo ahora? —Miró acusadoramente la pequeña cocina y los cacharros abollados que había encima—. Me da la sensación de que no has comido realmente bien desde hace bastante.

Él sacudió la cabeza.

—Gracias, pero no puedo ir a un restaurante. No puedo arriesgarme a que me vean en Jerusalén.

Ella se encogió de hombros.

—De acuerdo. Comeremos aquí —dijo—. Enséñame cómo funciona esto.

Se levantó y caminó hacia la cocina. Él la encendió y ella se dispuso a preparar la comida.

Comieron en el único plato que había, cogiendo la carne y el hummus con trozos de pan de pita caliente. Había justo bastante para los dos. Hablaron poco mientras comían. David no le preguntó por qué había ido a Jerusalén y ella no lo dijo.

Cuando el plato y los cacharros estuvieron limpios, David se volvió hacia Leyla.

—¿Dónde vas a quedarte esta noche?

Ella le miró levantando las cejas. No quería que todo fuera así de rápido.

—En mi habitación de la universidad —respondió—. ¿Dónde creías?

—No creía nada. Ni tú tampoco. Aquí no puedes quedarte. Sea quien sea esa gente, sabe que estuviste conmigo en el Sinaí. No podemos arriesgarnos a que tengan a alguien vigilando tu habitación. Ya oíste a al-Yunani. Podría ser peligroso.

—Eso es lo que la gente no deja de decir. Tal vez algún día me digas qué es lo que pasa. Mientras tanto, si no hay inconveniente, me quedaré aquí. —Todo aquello era terrible. Ella había creído que podría quedarse allí, pero no así.

Él sacudió la cabeza.

—No —dijo—. Tampoco puedes hacer eso.

—¿Por qué no? Es seguro, ¿no? Por eso lo has elegido. ¿No es por eso que te has cortado el pelo de esa forma tan ridícula? No te preocupes por la cama. He dormido muchas veces en el suelo.

—Leyla —dijo él, suplicante—. Creo que no lo entiendes. Podrías quedarte en cualquier otro sitio sin dificultad, pero esto no es el campus universitario ni uno de tus sofisticados suburbios. Esto es Me'a She'arim y eso quiere decir problemas para alguien como tú. Las muchachas guapas no circulan por aquí sin ir acompañadas; no llevan maquillaje ni ropas bonitas y, por descontado, no pasan la noche en la habitación de un hombre extraño.

—Tú no eres un extraño —dijo—. Te conozco desde hace semanas. Hasta me has desnudado. Admito que en aquel momento estaba inconsciente, pero piensa que no tengo ni idea de hasta dónde podías haber llegado.

—No bromees, Leyla —replicó David. De alguna manera le había herido—. Esta gente se toma las cosas en serio. Son fundamentalistas, puritanos. Así están las cosas, Leyla. Judíos con agallas. Se preocupan por la Torá... y hacen la vida imposible a la gente que les ofende. Me sorprende que hayas llegado hasta aquí sin ningún percance.

—Me miraron de manera extraña por la calle, pero nada más. ¿Quién sabe que estoy aquí, David?

—Yo sé que estás aquí, el rabino de arriba probablemente lo sabe y no le gustan esta clase de cosas. Hay un grupo llamado Comité para la Defensa del Recato. ¿Pasaste por el mercado al venir?

Ella asintió.

—Entonces verías un enorme letrero atravesado en la calle. «Hijas de los judíos. La Torá os obliga a vestiros con recato. No toleramos que la gente pase por nuestras calles vistiendo sin recato.» Son este tipo de gente, Leyla.

—No voy vestida sin recato —protestó ella—. Y no soy judía. Eso por lo que a su cartel se refiere.

—No tiene nada que ver con que nos encontremos en Me'a She'arim o con que estemos en esta habitación. Aunque tuviera un apartamento no podrías quedarte. La gente hablaría, atraería la atención. La última cosa que queremos es llamar la atención.

Ella no dijo nada. Simplemente le miró.

—De acuerdo —dijo finalmente—. Me voy. Casi llegué a pensar que querías que viniera a Jerusalén. Obviamente me equivoqué.

Se levantó, recogió su bolsa y se la cargó al hombro. David la vio ir hacia la puerta y abrirla. Se levantó y fue hacia el rellano. Ella se dio la vuelta y le miró. Tenía las mejillas arreboladas y los ojos brillantes.

—Adiós de nuevo, David —dijo—. Tal vez vuelva a encontrarte alguna vez. Si necesitas una guía por el Sinaí tal vez me busques.

Se dio la vuelta para irse.

—Leyla. —Su voz era suave, poco más que un susurro—. Lo

siento. Estoy nervioso, estoy preocupado. Está bien. Quédate. —Se hizo una pausa—. Por favor, quédate.

Ella se detuvo y dio la vuelta lentamente.

—Con una condición —dijo.

—¿Cuál?

—Yo me quedo con la cama.

CAPÍTULO 22

A la mañana siguiente temprano, David partió hacia el barrio musulmán. Leyla se quedó en la habitación, con instrucciones estrictas de no aventurarse fuera. Igual que el día anterior, dejó su *yarmulkah* en casa y se caló el sombrero hasta las orejas. El sol brillaba, pero su mente se hallaba en otra parte, de regreso a las sombras del Shi'b al-Ruhban. Deseaba conocer el nombre del autor del diario que estaba leyendo. De alguna manera, eso le importaba. Sabía que la esposa de aquel hombre se llamaba Anna, que él mismo había sido un arabista y un Sturmbannführer de las SS, el equivalente a un mayor británico o americano, pero no sabía nada más. Mentalmente, David había compuesto un retrato de su cara: rubio, de ojos azules, apenas cumplidos los treinta y asustado. Pero eso no quería decir nada. La cara era un puro estereotipo, el ideal ario de Himmler, un ejemplar de la raza superior, no más real que el Ewige Jude de los pósters y películas de propaganda. David estaba seguro de que aquel hombre no había sido así. Él quería que fuera diferente. Pero por más que lo intentaba sólo podía imaginárselo alto y rubio, vestido de negro y con una chapa de una calavera en la gorra.

Llegó al Shari' al-Najjarin. Con la mano agarraba fuertemente el *Tariq al-mubin*, temeroso de que pudieran arrebatárselo. La calle estaba casi desierta. No había niños jugando en la cuneta ni mujeres asomadas a las ventanas. Únicamente un puñado de hombres jóvenes ganduleaban por allá como de costumbre. Oyó una ventana cerrarse por encima de su cabeza. Un viejo se acercaba cojeando ayudándose de un bastón de madera. Vestía un *tarbush* y un traje arrugado de color ceniciento y su rostro hacía juego con él. Se detuvo y miró a David.

David llamó a la pesada puerta de la casa de al-Yunani y esperó. Nadie apareció. Llamó de nuevo y entonces se percató de que la puerta estaba abierta. Suavemente la empujó y miró al patio desordenado. No había nadie dentro. Perplejo, se dirigió hacia el estrecho pasillo cerrando la puerta a su espalda. Caminó por el patio. La puerta interior del pasillo estaba abierta de par en par. Bajo sus pies, una baldosa cayó hacia un lado. Se encaminó a la puerta por la que había pasado dos veces anteriormente. ¿Dónde estaba la vieja?

Llamó de nuevo a la puerta interior sin recibir respuesta. En el piso de arriba chirrió un postigo, como si una suave brisa lo hiciera abrir y cerrar. La casa parecía desierta, poblada por fantasmas, muerta. David empujó la puerta y ésta se abrió. Dio un respingo cuando un gato blanco corrió a toda velocidad entre sus piernas en dirección al patio. Si hubiera aullado como todos los gatos, se habría sobresaltado menos. En el pasillo reinaba la oscuridad. A lo lejos había más gatos mirándole fijamente con expresión siniestra. Abrió la puerta de la habitación donde se había encontrado dos veces con al-Yunani. Una luz débil y mortecina se filtraba a través de las ventanas, pero, aparte de los muebles, la habitación estaba vacía.

Y también el resto de las habitaciones de la casa. David entró en todas, una por una, esperando encontrar en cualquier momento los cuerpos de al-Yunani y de su ama de llaves. Pero sólo encontró polvo y gatos. Los gatos le miraban silenciosamente. David se preguntó qué estaría pasando por sus mentes tras aquellos ojos brillantes y traslúcidos. Desde luego había instinto, pero también algo más: algo resuelto, algo poco amistoso. No les gustaba su presencia allí.

Cada habitación se hallaba congelada en algún punto del pasado de al-Yunani, en los días anteriores a la pérdida de la vista. Las cortinas, las alfombras y los muebles habían permanecido en suspenso en una especie de amnios de polvo y telarañas, prisioneros en una trampa de tiempo. David se sentía como si hubiera entrado en una tumba jamás abierta para encontrar que el cuerpo no estaba, sin dejar ningún rastro excepto los artefactos que habían sido enterrados con él. Pero en aquel momento era como si el tiempo hubiera entrado en la casa para llevarse todo lo que al-Yunani había retenido largamente.

Un cadáver hubiera sido preferible a aquel ambiguo vacío. ¿Se habría ido al-Yunani por su propio pie o habría sido secuestrado? David no tenía modo de enterarse, pero sabía una cosa: ahora, el griego sabía dónde vivía. Si alguien le hacía hablar, el escondrijo de David se convertiría en una trampa mortal. Era hora de irse.

Dejó el libro en la primera habitación. Ya no lo necesitaba y si al-Yunani regresaba tal vez lo querría.

Tardó un rato en encontrar un taxi. Durante el corto viaje de vuelta a Me'a She'arim se fue poniendo más y más nervioso. Leyla estaba sola en la habitación. Si alguien llegaba la encontraría allá. David no tenía que hacer grandes esfuerzos de imaginación para adivinar lo que le ocurriría. Ya había visto lo que hacía aquella gente. Le dijo al conductor que fuera más rápido, pero los minutos parecían eternos.

Ella todavía estaba allí, leyendo la traducción que él había hecho del diario del mayor de las SS, tranquila y callada, con la mente totalmente absorta en la tragedia que se desarrollaba en las páginas que tenía ante sí. No oyó entrar a David, ya que él había subido las escaleras silenciosamente y había abierto la puerta con sumo cuidado. Él permaneció un momento mirándola, observando su cabello caer por detrás de las orejas. La luz que entraba por la ventana abierta jugaba con sus mejillas y su cuello y dibujaba suaves sombras en ellos. Dio unos golpes suaves en la puerta y entró. Ella alzó la cabeza y sonrió, pero la sonrisa se desvaneció al ver la seriedad dibujada en su rostro.

—¿Qué pasa, David? —preguntó.

Él no respondió inmediatamente. En lugar de eso, se dirigió hacia su escritorio y abrió el cajón. Sacó el revólver y lo abrió y al comprobar que estaba cargado, lo volvió a cerrar. Metiéndoselo en el bolsillo, se volvió hacia Leyla.

—El griego ha desaparecido. Puede que haya sido secuestrado. Tenemos que irnos de aquí en seguida.

Leyla se hizo cargo de la situación al instante. No dijo nada. Simplemente asintió y comenzó a recoger sus cosas. David juntó todos los papeles y los guardó en una enorme maleta. No tenía gran cosa que recoger.

—¿David? —Leyla se hallaba tras él con la maleta en la mano. Tenía los ojos abiertos de par en par, ansiosos. Habló con voz espesa y con un deje de inquietud—. David. Creo que ya es hora de que me digas lo que pasa. Me acabo de dar cuenta de que apenas te conozco. Te conocí hace unas pocas semanas y desde entonces han estado sucediendo las cosas más raras. Yo vine aquí porque... porque quería tener una oportunidad para conocerte mejor. Creí que todos los problemas que tuvimos en el Sinaí se habían acabado, pero ahora veo que no tengo ni idea de quién eres ni de lo que haces aquí. Me gustaría confiar en ti, ayudarte... pero necesito saber lo que pasa.

Se dirigió hacia ella y le puso las manos sobre los hombros. La miró directamente a los ojos. Deseaba besarla, pero no era el lugar ni el momento.

—Te lo diré, Leyla. Te diré todo lo que sé, pero no ahora. Salgamos de aquí en seguida. Tengo que encontrar algún sitio seguro para ti, y después otro para mí.

Se oyeron unos pasos por las escaleras y ambos se quedaron helados. Los pasos eran lentos, cuidadosos. David contuvo la respiración con fuerza. Cogió el revólver del bolsillo y le quitó el seguro. Dándose la vuelta se encaminó a la puerta. Los pasos llegaron ante la puerta y se detuvieron. David alzó el revólver. Alguien llamó. David no dijo nada. Hizo señas a Leyla para que se apartara a un lado y ella se deslizó silenciosamente. Hubo un segundo golpe en la puerta. Después se oyó gritar una voz.

—Señor Levi, ¿está usted ahí?

Levi era el nombre que David había estado usando en Me'a

She'arim. La voz era la del viejo rabino del piso de encima. David dio un suspiro de alivio y le hizo señas a Leyla de que no pasaba nada. Guardó el revólver en el bolsillo y abrió la puerta.

El viejo rabino se hallaba en el rellano. Iba vestido de negro de pies a cabeza, con un único toque de color en su barba blanca.

—He oído voces —dijo—. Una voz de mujer. No esperaba oír a una mujer aquí. ¿Hay una mujer en su habitación, señor Levi?

David asintió.

—Desde luego, *rebbe*. Mi prima Miriam de Beit She'an. Llegó esta mañana con malas noticias. Tengo que irme en seguida.

—¿Ha estado aquí solo con ella? —preguntó el rabino con la voz severa que reservaba para sus estudiantes menos tratables.

—No ha venido aquí por razones frívolas —replicó David—. Trae malas noticas de nuestra familia. Estamos a punto de marcharnos. —Se dio la vuelta y miró a Leyla y después al rabino de nuevo—. Y ahora nos vamos, si nos lo permite.

Una vez fuera torcieron a la derecha y caminaron enérgicamente por la calle, pasando junto a las paradas del mercado y a través de multitudes que se daban empujones y les miraban con curiosidad al pasar. David se giró hacia Leyla mientras caminaban.

—Tú conoces Jerusalén mejor que yo, Leyla. ¿Adónde podemos ir desde aquí?

Ella no respondió y caminó en silencio durante más de una manzana, con una intensa expresión en el rostro, como si en su interior se librara una ardua batalla para tomar una decisión difícil. Cuando llegaron a Haneviim ella se detuvo y miró a David con una curiosa expresión en los ojos.

—Muy bien —dijo—. Voy a confiar en ti un poco más, pero después quiero explicaciones, ¿de acuerdo?

Él asintió.

—Y quiero que tú, a cambio, confíes en mí. ¿Crees que podrás hacerlo?

Él asintió de nuevo, aunque menos convencido.

—Pues entonces, vamos. Sé un sitio adonde podemos ir.

David empezó a buscar un taxi, pero Leyla sacudió la cabeza.

—Iremos a pie. No está lejos.

—¿Adónde vamos? —preguntó él.

—A Ain Tur —respondió ella—. ¿Has estado alguna vez?

—No —contestó él—, pero me suena. ¿Qué hay allí?

Ella no dijo nada, era mejor. Caminaron a lo largo del lado oeste del barrio antiguo y después se desviaron hacia el este, en dirección a Ain Tur, un pueblo árabe que en la actualidad formaba parte del gran Jerusalén. Las viviendas eran viejas casas rurales que habían adquirido hacía tiempo el tono de decaimiento urbano. Ain Tur estaba atestado de gente y era un lugar tenso y descuidado, una colmena de los permanentemente desposeídos. Nadie lucharía por Ain Tur; ningún ejército árabe cruzaría la frontera para reclamarlo. No era en absoluto el Haram al-Sharif, ni la ciudad dorada del revanchismo árabe. Ain Tur pasaría de unas manos a otras de los sucesivos conquistadores. Un día los otomanos, al día siguiente los británicos y al otro los jordanos, e incluso otro los israelíes. Pero eso no importaba en Ain Tur ni a sus habitantes. Ellos sencillamente vivían y luego iban a la tumba. Para ellos era una cuestión de suprema indiferencia que fuera tierra judía o tierra árabe donde reposaran finalmente.

Caminaron a través de estrechos callejones decadentes hasta el límite del distrito, donde las ruinosas casas daban paso a una tierra desolada. David miró a su alrededor, cayendo en la cuenta de la ironía de ir allá con Leyla. En árabe, Tur es el nombre del monte Sinaí.

Leyla se detuvo frente a una casa medio derruida. Parecía abandonada. El maderaje no había olido la pintura en más de una generación. Las ventanas estaban mugrientas y parcialmente cerradas. La puerta de madera colgaba rota y carcomida de unas bisagras oxidadas. David miró a Leyla asombrado, pero no dijo nada. Unos perros tiñosos les miraban sin interés desde un parterre de malas hierbas que había al lado.

Justo antes de llamar a la puerta, Leyla se volvió hacia David. Parecía preocupada, insegura.

—David —comenzó—. Antes de que entremos, tengo que preguntarte una cosa.

—Adelante.

—Después de esto, cuando todo acabe, este lío en el que te has metido... cuando acabe, tú no habrás visto esta casa, tú jamás habrás estado aquí. ¿Comprendes? ¿Me lo prometes? No podemos quedarnos aquí a menos que accedas a eso. Yo estoy corriendo un riesgo, David. Confío en ti, pero tienes que prometérmelo.

—Muy bien —contestó él—. No comprendo muy bien las razones, pero te lo prometo. Guardaré silencio. Puedes confiar en mí.

Ella le miró con una intensidad que jamás había visto en su rostro. Apretó los labios y se volvió hacia la puerta.

La llamada sonó a hueco en aquella calle silenciosa. David se preguntó si viviría alguien en un lugar como aquél. Se oyeron pasos en el interior. Después se oyó una voz que gritaba en árabe desde detrás de la puerta.

—¿Sí? ¿Quién es?

Leyla respondió en voz baja.

—Soy Leyla. Leyla Rashid. Abre la puerta, Tawfiq.

Se oyó un murmullo indiscernible y después la puerta se abrió con un chirrido. Oculto por las sombras, David distinguió un rostro y unos brillantes y firmes ojos que les escudriñaban a ambos. La puerta se abrió del todo. Tras ella había un joven árabe. Tendría unos veinticinco años, de altura media y complexión robusta. Una maraña de cabello sucio se desparramaba por sus hombros y una barba incipiente y dura cubría la mitad inferior de su rostro. La cara era desagradable y enojada: no había ni rastro de suavidad en sus ojos. Con la mano derecha sostenía un pesado revólver.

—¿Quién es éste? —preguntó a Leyla mirando a David recelosamente.

—Su nombre es David Rosen. Es amigo mío. Nosotros...

—¿Un judío? —La mano que sostenía el revólver se alzó levemente, lo justo.

—Te lo explicaré —dijo Leyla—. Escucha, Tawfiq. Necesitamos escondernos en alguna parte, en algún lugar seguro. David está de acuerdo. No corréis ningún peligro.

El hombre sacudió la cabeza violentamente. Su voz sonó colérica, colérica y nerviosa. Una mala combinación que inquietó a David: no se controlaba totalmente.

—Es imposible —dijo—. Ya lo sabes. Sabes que este sitio no es para usos ocasionales. No debes traer extraños aquí. Extraños judíos. Desde luego no sin permiso, no sin antes haberlo consultado con el Consejo.

—No teníamos tiempo —replicó Leyla. Estaba empezando a perder la paciencia. Empujó la puerta obligando a Tawfiq a echarse hacia atrás en las sombras del vestíbulo—. Apártate de mi camino, Tawfiq. Voy a hablar con Fatma.

Entró en la casa rozándole al pasar y gritando el nombre de Fatma. Tawfiq alzó el revólver con ambas manos colocándolo a su altura. Las manos le temblaban ligeramente.

De la oscuridad provino una educada, severa y clara voz de mujer.

—¿Quién hay ahí?

Leyla se lo dijo. La mujer llamó a Tawfiq.

—Baja el revólver, Tawfiq. Leyla no vendría aquí a menos que tuviera una razón. O así lo espero. Rápido, entra, Leyla. Y trae a tu amigo. Ya ha habido bastante alboroto.

Recogiendo las bolsas, David atravesó la puerta. Tawfiq la cerró dando un portazo. Se encontró en un oscuro pasillo al final del cual una puerta abierta revelaba una habitación débilmente iluminada. Una mujer se recortaba a la entrada. David caminó por el pasillo, seguido de cerca por Tawfiq y su revólver.

La habitación era conforme al resto de la casa. Las paredes estaban húmedas. Varios parches de moho adornaban las esquinas y el techo. La cal se había venido abajo en varios puntos, dejando al descubierto la fría piedra. En medio de la habitación, una desvencijada mesa de madera contenía platos y tazones baratos.

Cuando David se dio la vuelta vio a la mujer por primera vez. Contrastaba sorprendentemente con Leyla. Alta y bien formada, iba vestida con pantalones y con una camisa militar. Su rostro era duro y firme, casi como el de un hombre, aunque de tez suave. Con una mirada fría, valoró a David como si tuviera que fijar un precio para venderlo en una subasta. Él reparó en que también ella llevaba un revólver. Pero, a diferencia de Tawfiq, sus manos eran firmes: se controlaba a la perfección.

—Conoces nuestras reglas, Leyla —dijo—. Nadie puede venir aquí sin la autorización del Consejo, excepto en caso de emergencia.

—Esto es una emergencia, Fatma. Lo siento, pero no puedo explicarte fácilmente por qué.

—De todas maneras, creo que es mejor que lo intentes.

—Éste es David Rosen —dijo Leyla—. Un americano, no un israelí. Un amigo. Me salvó la vida hace varias semanas en el Sinaí y se lo debo. Ahora necesita mi ayuda. Su vida corre peligro y tiene que encontrar algún lugar para esconderse durante unos días. Dos días. Hasta que encontremos otro sitio seguro. Todo lo que pide, todo lo que yo pido es seguridad. Aquí, en esta casa.

La mujer miró a Leyla, fría, calculadora, sin rastro de emociones. Cuando habló, su voz era dura. La voz de alguien que enterró sus sentimientos hace tanto tiempo que jamás regresarán para molestarla, como recuerdos dolorosos.

—Eso no tiene nada que ver con nosotros, Leyla. Este hombre es judío, es un extraño. No tenías ningún derecho a traerle aquí, bajo ningún concepto. Tu comportamiento es imperdonable. ¿Te das cuenta de que podría hacer que le mataran? Tal y como están las cosas, tendrá que quedarse aquí hasta que consiga instrucciones del Consejo.

—No seas estúpida, Fatma —protestó Leyla—. Él no supone ninguna amenaza para nosotros. Es un arqueólogo americano. No tiene ningún interés político, pero su vida está en peligro y nosotros podemos ayudarle. A veces, uno tiene que confiar en la gente. Me ha prometido no revelar la existencia de esta casa.

Fatma continuaba impertérrita. Miró a David y después posó su vista en Leyla. Ésta sintió cómo la confianza la abandonaba, igual que la niebla en una cálida mañana. En vez de seguridad, había colocado a David, y a ella misma, en un peligro grave. Fatma habló con voz baja y dura:

—Nunca vuelvas a llamarme estúpida, Leyla. La estúpida eres tú. La primera regla que tienes que aprender es no confiar jamás en nadie, ni en un amigo, ni en un pariente, ni en un amante, y menos en un judío. Las promesas de los judíos no valen nada, menos que nada. Eso deberías saberlo, Leyla.

Leyla no dijo nada, pero su rostro traicionó sus sentimientos: cólera y daño, como si Fatma la hubiera abofeteado fuertemente en la cara.

Fatma se volvió hacia Tawfiq.

—Llévatelos arriba, Tawfiq. Ponlos en la habitación pequeña que está junto a la mía y quédate de guardia fuera.

El hosco Tawfiq no dijo nada. Ya le habían defendido.

Leyla y David le precedieron por las escaleras, unos escalones de piedra pegados a una de las paredes con una barandilla rota al otro lado. Al llegar arriba, vacilaron.

—A la derecha —murmuró Tawfiq—. Es la tercera puerta al final del pasillo.

La habitación era pequeña, de unos nueve metros cuadrados. Los muros estaban cubiertos de negros parches de humedad que debían llevar allá mucho tiempo. La única ventana era un trozo de vidrio reducido y mugriento situado a gran altura cerca del techo, fuera del alcance de la mano, y una escasa luz lograba filtrarse a través de él.

Tawfiq revisó la habitación brevemente y después les dijo que entraran. Cogió sus bolsas y las revolvió de arriba abajo y después empezó a cachearlos. Parecía no darse cuenta de que Leyla era una mujer: sus manos palparon todo su cuerpo cínicamente, sin ninguna tensión. Después de quitarle el revólver a David salió de la habitación sin una palabra, cerrando la puerta tras él. No había cerrojo, pero David y Leyla sabían que estaría fuera vigilando.

Se sentaron en el rugoso suelo y durante un rato ninguno de los dos dijo nada, ni siquiera se miraron. Finalmente, Leyla rompió el silencio.

—Lo siento, David. Lo siento de veras. Creía... He sido una ingenua, tanto como para creer que podría persuadir a Fatma para que te dejara quedar aquí. Tal vez el Consejo lo entienda. No todos son como ella.

David levantó la vista del suelo hasta sus ojos.

—¿Quiénes son? —preguntó. Su voz era apenas un susurro—. ¿La OLP?

Ella sacudió la cabeza.

—El FPLP —dijo—. El Frente Popular para la Liberación de Palestina.

Él volvió a mirar hacia el suelo, silencioso, pensativo. Finalmente habló sin levantar la vista, manteniendo los ojos fijos en el polvoriento suelo.

—¿Y tú eres miembro? —preguntó—. ¿Perteneces acaso a este grupo?

Ella asintió.

—O sea, que desde que llegaste a Jerusalén has estado trabajando para ellos. Una terrorista. ¿Es eso lo que eres, Leyla?

Ella le miró directamente pero no dijo nada.

—Contesta —dijo él casi gritando.

—Mírame, David —dijo ella.

Él levantó la vista. Había estado gritando en dirección al suelo.

—Sí —dijo—. Soy una terrorista si es así como lo quieres. Nunca he matado a nadie, nunca he puesto una bomba ni disparado, pero soy miembro del èFPLP y hago lo que puedo para conseguir sus objetivos.

—Entonces, ¿qué es exactamente lo que haces, Leyla? —Su voz

iba subiendo más y más de tono. La cólera y un sentimiento de traición habían comenzado a apoderarse de él.

—Por favor, David, intenta comprender. Yo les proporciono información. Los israelíes me aceptan. Soy «una buena árabe», alguien en quien pueden confiar, así que me cuentan cosas y yo paso la información al grupo. A veces actúo como mensajera, otras ayudo a la gente a cruzar la frontera al Sinaí y en ocasiones escribo artículos para nuestras publicaciones.

—¿Y qué diferencia hay? —dijo él con desprecio—. Tú no aprietas el gatillo, ni pones en marcha el cronómetro, pero eres tan responsable de los asesinatos cometidos por gente como Tawfiq. ¿O es que nunca lo has pensado?

—Sí lo he pensado —respondió bruscamente—. Lo pienso cada día. Y pienso en Gaza y en la orilla Oeste y en los soldados de Bir Zeit y en las masacres de Sabra y Chatilla.

—Eso no fue obra de los israelíes.

—Pero se quedaron al margen, David. Permitieron que ocurriera. Como tú bien dices, no importa quién aprieta el gatillo.

—Muy bien —dijo él—. El ejército enloqueció en el Líbano. Begin era un loco. Pero ¿qué derecho te da eso a matar civiles inocentes en Israel, mujeres y niños que nunca en su vida han hecho daño a un árabe?

—Begin era un terrorista. Pertenecía al Stern Gang. Mató a civiles británicos, puso bombas, pero eso no impidió que ganara el premio Nobel de la Paz.

—Eso sucedió hace muchos años, antes de que ninguno de nosotros hubiera nacido.

—¿Y qué demonios tiene eso que ver? Pasarán años antes de que tus hijos tengan tu edad.

—De acuerdo —admitió él—. Tal vez no eres una terrorista regular; quizá te limitas a hacer recados y a proporcionar información. Entonces, ¿en qué te convierte eso? En una espía, eso es todo. Una espía para una red de terroristas. Utilizas tu segura posición en la universidad para reunir información, traicionas la confianza de la gente. ¿Es eso un motivo de orgullo? ¿Es eso...?

La voz se le quebró. La había llamado espía. ¿Y él qué era? Había espiado para Israel. Había traicionado su propia confianza como arqueólogo. Posiblemente habría muerto gente como resultado de la información que él había suministrado. ¿Qué derecho tenía para condenar a Leyla?

—No estoy orgullosa de eso —dijo Leyla en voz baja—. Me repugna. Las mentiras, los subterfugios: nunca podría estar orgullosa de eso. Pero estoy orgullosa de mi gente, de la gente que lucha para que nos devuelvan nuestro país. Lo que yo hago puede ser despreciable, pero no me importa si eso ayuda a mi gente a recuperar su dignidad. No como refugiados, sino como seres humanos con un país propio. Seguro que puedes entender eso.

—¿Tu marido era miembro de este grupo?
Ella asintió.
—¿Y asesinó gente? ¿Puso bombas?
Ella asintió de nuevo.
—Y, pese a todo, tú le amabas.
Al principio, ella no respondió. Cuando lo hizo su voz era tensa.
—Sí —dijo—. Le amaba. No hizo ninguna de esas cosas para él mismo. Nunca tomó parte en operaciones contra civiles, sólo soldados. Se veía a sí mismo como un soldado. Pero como no tenemos un país somos llamados terroristas. Entiendo lo que hizo y por qué lo hizo. Lo hizo porque me amaba, porque amaba a nuestra gente, a nuestro país, pero no espero que lo comprendas.
—Te engañas a ti misma, Leyla. Palestina no vale todo este baño de sangre. Nada lo vale. Tú misma lo dijiste en el Sinaí. Dijiste que Palestina era una tierra de ensueño. ¿Qué ha pasado con todas aquellas dudas? ¿O es que era simplemente otro de tus subterfugios?
Ella cerró los ojos y luego volvió a abrirlos. Los tenía enrojecidos.
—Eran reales, todas. ¿Es que tú no tienes dudas, profesor? ¿Qué hay del judío secular que reclamabas ser? ¿Cómo es que llevas puesto un *yarmulkah*? ¿Cómo es que te estás dejando crecer la barba? Todo el mundo duda acerca de lo que cree. Yo me lo cuestioné todo después de que Mushin fue asesinado. Pero después de Mushin hubo otros, más arrestos, más redadas, más muertes. No todos los palestinos son terroristas, pero a veces nos tratáis como si lo fuéramos. ¿Cuántas personas de Sabra y Chatilla eran asesinos? Todavía recuerdo una película sobre los campos que vi por la televisión. Lloré más de lo que había llorado en toda mi vida, incluso más que cuando asesinaron a Mushin. Niños pequeños, bebés. ¿Cómo puede la gente hacer una cosa así? ¿No te sublevan cosas como ésa, David? ¿Es que no amas a nada ni a nadie? ¿O es que sólo te amas a ti mismo?
Él levantó la vista hacia su cara, hacia sus ojos, hacia las lágrimas que tenía en ellos. No podía decir nada, nada que no fuera a hacerle más daño. Todo lo que podía decirle era que la amaba. Y después de aquel día ¿cómo iba a hacerlo? Desvió la vista hacia la ventana que se hallaba en las alturas y a la débil luz que penetraba por ella.

CAPÍTULO 23

Por la tarde, un representante del Consejo local del FPLP llegó a la casa. Era un hombre de unos cuarenta años, delgado, calvo, con pinta de intelectual. Les llevaron a la habitación una lámpara de gas portátil y la colocaron en una esquina, desde la cual proyectaba una fría luz blanca. El recién llegado se presentó a sí mismo.

—Me llamo Qasim. La señorita Rashid ya me conoce. Represento al Consejo del FPLP de Jerusalén. Me han dicho que usted, profesor Rosen, necesita un refugio y Rashid le ha traído aquí creyendo que podía quedarse. ¿Por qué necesita refugio, profesor? ¿De quién se esconde?

Sentado en el suelo, David se sentía intimidado. Obviamente, todo dependía de la impresión que causara a aquel hombre. Se levantó.

—No sé exactamente de quién me escondo —dijo.

—Ya veo —dijo Qasim—. Creo que es mejor que me dé más detalles. Empiece por el principio. Explíqueme de qué huye.

Y David se lo explicó. ¿Qué otra cosa podía hacer? ¿Decirle a aquel hombre lo que había sucedido, ser retenido allá indefinidamente o incluso que le pegaran un tiro? Ya había prometido contárselo a Leyla, pero su discusión se había prolongado durante el resto de la tarde, apagándose y encendiéndose una y otra vez, acabando finalmente en un largo silencio. Era hora de explicárselo.

Cuando terminó, nadie habló. Leyla parecía asustada y Qasim se hallaba sumido en profundas cavilaciones. Finalmente desvió sus ojos hacia David. Eran ojos tranquilos y serios, y no los que David hubiera asociado con los de un terrorista. Estaba seguro de que Qasim era un pensador, un escritor y no un asesino. Sus armas serían los pensamientos y las palabras y no las bombas.

—Le creo —dijo Qasim—. Si estuviera mintiendo, mentiría mucho mejor que eso, cualquiera lo haría. Voy a creerle a pies juntillas, profesor. Quédese aquí hasta que pueda comprobar su historia. No será difícil. Si descubro algo raro, como que usted sea un espía, me temo que ya sabe lo que tendremos que hacer.

Dio media vuelta abruptamente y abandonó la habitación igual que había entrado. Le oyeron hablando fuera. Dos minutos más tarde, Tawfiq entró y les dijo con brusquedad que tenían que mudarse a otras habitaciones. Recogieron sus bolsas y le siguieron por el pasillo. Abrió dos puertas, una al lado de otra, a mano derecha del pasillo. Las palabras de Qasim habían tenido algún efecto, pero de ninguna manera habían suavizado los modales de Tawfiq hacia ellos. Todavía eran sus prisioneros y todavía sería el ejecutor de David si llegaban órdenes de matarle.

Cinco minutos después se oyó un golpe en la puerta de David y Leyla entró. Cerró la puerta a sus espaldas y permaneció en pie mirándole. Él estaba sentado en el único mueble de la habitación, una vieja cama de acero cubierta con dos mantas que habían conocido tiempos mejores.

—Lo siento, David —dijo.

—No hay nada que sentir —respondió él. Pero no sonrió: era demasiado esfuerzo.

—Sí, sí que lo hay. Te he metido en esto sin pensarlo. Tú tenías problemas, y ahora los tienes mucho peores. Intentabas escapar y ahora estás atrapado. No puedes ir a ninguna parte.

David se encogió de hombros.

—Tal vez sí, tal vez no. Esto no es una prisión, ya lo sabes; esto es èuna vieja casa con dos personas que nos vigilan. Pero tienen que descansar, tienen que dormir. Si esperamos uno o dos días, podemos escapar o... —Giró la cabeza y miró por la ventana—. O podemos probar la ventana. Podemos irnos ahora mismo si quieres.

Leyla sacudió la cabeza.

—No, David, no podemos.

—¿Qué quieres decir?

—Ve hacia la ventana.

Perplejo, se levantó y cruzó la habitación. Miró por la ventana hacia el parterre de malas hierbas que había crecido detrás de la casa. Había un hombre que no miraba hacia la casa, pero que claramente la vigilaba. Escapar por ahí no sería fácil.

—Sí, ya veo —dijo apartándose de la ventana—. Tal y como dices estoy atrapado. Pero no entiendo por qué quieren retenerte a ti también. Eres uno de ellos. Podrías salir de aquí tranquilamente.

Ella esbozó una extraña sonrisa al tiempo que las comisuras de sus labios se alzaban formando un suave ángulo.

—Para ser un hombre de tu edad, eres ingenuo, David. He traído a un hombre que puede ser un espía israelí a una de nuestras casas más seguras con una historia que sólo uno de ellos cree a medias. ¿Cómo crees que reaccionaría Fatma si voy y le digo: «Salgo a hacer unas compras.» Usaría su revólver, David. La mínima provocación, la mínima excusa. Ella quiere matarte. Eso ya no quiere decir nada para ella. Matar. Tal vez tengas razón después de todo. Tal vez todos estamos contaminados de alguna manera.

David sacudió la cabeza.

—Leyla —dijo. Las palabras acudían a su boca con dificultad—. Todos estamos contaminados y yo tanto como tú. No he sido sincero contigo. Bueno, no tan ingenuo, al menos. Soy un espía israelí. Trabajo para el MOSSAD en Siria desde hace años. No creo que este asunto tenga nada que ver con eso, pero cuando te condené esta tarde por ser una espía... no lo pensaba. Yo también he cumplido mi parte de traición. Lo siento. Tengo que disculparme. Lo lamento.

Ella permaneció en silencio durante un rato. Cuando por fin habló, su voz había cambiado. Era más suave y más triste.

—No importa, David. No creo que ninguna de estas cosas importe ya demasiado. Olvidémoslo todo.

Hizo una breve pausa y cambió de tema.

—Me gustaría que me hubieses dicho antes lo que ocurrió realmente. Ahora sí que tiene sentido. La muerte en el Sinaí, la desaparición de al-Yunani. Me gustaría ayudar. ¿Puedo hacer algo?

Él no dijo nada durante un rato y entonces cambió de expresión abruptamente.

—Sí —dijo—. Hay una cosa que puedes hacer. Puedes leer el *Tariq al-mubin* por mí. A mí me llevaría semanas, tal vez meses, y tú puedes leerlo en pocos días, tomar notas detalladas sobre todo lo que sea significativo y preparar un índice exhaustivo. La copia está en mi maleta. Voy a sacarla.

La habitación, el peligro que corrían, Fatma y su necesidad de matar, todo cayó en el olvido cuando David sacó las hojas fotocopiadas de su maleta y se las entregó. Leyla las hojeó comprobando la calidad de la copia. Había unas doscientas hojas, cada una con veinticinco líneas de escritura árabe perfectamente legible, obra de una mano moderna. El texto ofrecería escasa dificultad a la lectura, a menos que el estilo en sí fuera intrincado.

—Aquí tienes papel y lápiz —dijo David—. Ahora procura ser útil, señorita Rashid.

—¿Qué es lo que quieres que busque? —preguntó.

Él la miró y sus ojos reflejaron preocupación.

—Ojalá lo supiera —dijo—, pero no lo sé. Puede ser cualquier cosa. Tengo la corazonada, o tal vez sólo sea una vaga esperanza, de que mi diario alemán nos lo dirá. De otro modo tendremos que averiguarlo por nuestra cuenta. Y lo peor es que la respuesta puede ser tan superficial y evidente que de tan obvio tal vez no nos demos cuenta. Tómate todo el tiempo que necesites y pregunta si hay algo de lo que no estás segura.

—Y mientras yo hago este trabajo tan duro, profesor Rosen, ¿qué vas a hacer tú?

—No te preocupes. También voy a trabajar. Tengo que averiguar lo que ènuestro anónimo Sturmbannführer hizo después. Ya no queda mucho.

Se agachó y cogió el diario y su diccionario *Langenscheidt* de la maleta. Era hora de regresar al pasado.

8 de octubre de 1935

Los monjes trajeron a Hartmann ayer. Su cuerpo fue guardado en la iglesia toda la noche y esta mañana lo llevaron a la iglesia para el entierro. Tienen un pequeño cementerio al final del desfiladero, en el ancho ued *que hay después. Todos los monjes, excepto los dos más ancianos, vinieron con nosotros. Von Meier, Keitel y Lorenz también estaban, lo cual se me quedó atravesado en la garganta.*

Los griegos querían enterrar a Hartmann según sus propios ritos, pero yo me opuse enérgicamente. Dije que él no era creyente y que por lo tanto debía ser enterrado al estilo teutónico. Hubo una pequeña discusión, ya que algunos de nuestro propio equipo querían una ceremonia cristiana. Yo insistí apoyado por Flaschner y, curiosamente, por Lorenz. Finalmente, Von Meier accedió a que se celebraran los ritos de las SS después de las tonterías cristianas. Por supuesto, esto constará en mi informe con todo lo demás.

Dijeron que los restos de Hartmann serían transportados otra vez al monasterio dentro de unos años y que entonces serían colocados en el osario. Pero juro que algún día volveré a buscarlos para llevarlos a la madre patria y enterrarlos en suelo alemán. He visto el osario: es una zanja repleta de huesos y totalmente inapropiada para un miembro de la raza dominadora. Pero me pregunto si alguna vez llegaré a poner los pies de nuevo en suelo alemán. Todavía tengo el cerrojo en la puerta echado toda la noche y duermo muy poco.

9 de octubre de 1935

Finalmente se ha hecho la luz en la oscuridad. Todavía sé muy poco de lo que pasa, pero he descubierto algo. Ahora más que nunca me alegro de haber llevado este diario en clave. Mi único temor es Keitel: él sí podría leerlo aunque le llevara algún tiempo.

Ayer, después del funeral regresamos al monasterio. Yo me fui a mi habitación para escribir el diario y pensar sobre la situación. A las cinco, más o menos, salí al pasillo. Oí voces que salían de la habitación de Von Meier y me acerqué silenciosamente a la puerta. Keitel estaba hablando. Después calló y habló Lorenz. Finalmente Von Meier intervino. Estaban todos allí y sonaba como si estuvieran discutiendo. En aquel momento me di cuenta de que la habitación de Hartmann estaba justo al lado de la de Von Meier y de que estaba vacía. Sin dilación, me metí en la habitación y cerré la puerta. Aplastando la oreja contra la pared, pude entender la mayor parte de lo que se estaba hablando en la habitación de al lado. Estaban discutiendo, no había duda. La primera voz que oí fue la de Lorenz. Dijo:

—Te lo he dicho cientos de veces, Ulrich. No está ahí. He leído las historias griegas del lugar, he hablado largo y tendido con los monjes y no he descubierto nada en absoluto. En los libros no hay nada y los monjes aún saben menos. Sigo diciendo que deberíamos habernos quedado en Santa Catalina.

Keitel le interrumpió, bastante enojado.

—Santa Catalina era una pérdida de tiempo, y lo sabes. Exploramos toda el área y no había nada. La gente se ha movido arriba y abajo por esa región y nadie ha visto nada nunca. Y sabes muy bien que el texto tiene más sentido si lo leemos con referencia a esta zona. Ulrich y yo todavía no hemos visto ni la mitad de este lugar. Necesitamos más tiempo.

—¡Tiempo! —Ése era Lorenz de nuevo—. ¡Habéis tenido un montón de tiempo! ¿Cuánto más vais a necesitar? Estáis buscando una ciudad, por amor de Dios. Eso no debería ser tan díficil de encontrar.

Esta vez replicó Von Meier. La voz era más baja que la de Keitel y más calmada. Pero se podía entender bien lo que decía.

—Escucha, Heinrich. Walther tiene razón. En términos arqueológicos sólo hemos explorado la superficie de los alrededores, y las ciudades se pueden perder fácilmente. En Occidente nadie sospechó siquiera que Petra existiese hasta que Burckhardt tropezó con ella en 1812. Pero, una vez has visto Petra, te preguntas cómo demonios pudo perderse. De cualquier modo, ya ète he dicho que no creo que Iram sea una ciudad, no como te la imaginas. Probablemente era un sitio bastante pequeño, ni siquiera tan grande como Petra y tal vez parte de ella esté excavada en la roca y el resto formado por tiendas o a lo mejor estructuras de madera. Un lugar así podría permanecer escondido perfectamente en medio de este desierto. El texto está bien claro y no deja lugar a dudas: «La ciudad de Iram está en el desfiladero de los Monjes, el cual se halla en las proximidades de Jabal Musa, en el Sinaí. La he visto con mis propios ojos. El que desee verla, que vaya allá.»

David dejó de leer y respiró profundamente varias veces. Se dio cuenta de que las manos le temblaban ligeramente y depositó el libro a su lado. Después de tan larga búsqueda parecía casi increíble que finalmente hubiera hallado la confirmación de lo que perseguía. Iram, Iram de las Columnas. La ciudad sobre la cual Yigael Bar-Adon había descubierto algo justo antes de su muerte, a la cual John Gates había dedicado un capítulo de su tesis doctoral, que ahora se había extraviado. Un eslabón en la cadena.

Volvió a coger el diario y comenzó a leer de nuevo. Al otro lado de la cama, Leyla se hallaba enfrascada en el *Tariq al-mubin*. Detrás de la ventana, fuera de su vista, el vigilante del patio había comenzado a pasear arriba y abajo. El ruido siseante de un motor eléctrico les llegó desde el taller de al lado, tenso y trémulo.

Hubo algunos murmullos que no pude captar y Keitel habló de nuevo.

—Mira, Heinrich, él tiene razón, de veras. Pensábamos que el desfiladero de los Monjes podía ser una referencia al Wadi al-Dair en el cual se halla situado Santa Catalina, y tú estuviste de acuerdo. Pero cuando nos enteramos de la existencia de San Nilo nos dimos cuenta de que debíamos mirarlo como un nombre propio, Shi'b al-Ruhban. Y así todo tiene sentido. Descubrir este sitio fue una confirmación indirecta de que el texto es correcto. La encontraremos, ya verás. Y también lo que estamos buscando en ella. Tienes que tener paciencia en estos asuntos. Debemos proceder despacio para evitar que los demás se den cuenta de lo que realmente estamos buscando. Todo lo que necesitamos son quince días más.

Se hizo un breve silencio y después Lorenz habló de nuevo.

—Muy bien —dijo—. Quince días. Mientras tanto, ¿qué hay del Sturmbannführer Schacht? ¿No podemos librarnos de él?

Von Meier respondió:

—No —dijo—. Debemos dejarle en paz si es posible. No sabe nada, sólo sospecha. Podemos explicar la muerte de Hartmann, pero no otra. Crearía demasiadas sospechas. Schacht debe permanecer en la ignorancia. No le quites la vista de encima, Heinrich.

Después de eso, la reunión se disolvió. Von Meier se quedó en su habitación y yo pude salir de donde estaba y regresar a mi propia habitación sin que nadie se diera cuenta. Pronto sería hora de cenar y me fui hacia el refectorio como de costumbre, pero ya había decidido que tenía que apoderarme de la cartera de Von Meier y ver lo que había dentro...

Esta mañana tuve la oportunidad después de que él y Keitel partieron para explorar. Le dije a Lorenz que no me encontraba bien y que prefería quedarme en mi habitación a descansar. Cuando vi que no había moros en la costa, me fui a la habitación de Von Meier. Busqué por todas partes la cartera, pero no estaba. Entonces, justo cuando me disponía a marcharme, reparé en algo que había en la pared. Era un icono ordinario, muy parecido al que tengo en mi habitación, con la Virgen y el Niño, pero estaba torcido y uno de los ángulos sobresalía abultadamente de la pared, lisa por completo. Con gran curiosidad, lo descolgué.

Detrás, Von Meier (ya que supongo que él era el responsable) había excavado una pequeña cavidad no muy profunda en la cual había colocado un rollo aplastado de lo que parecía un papiro. Lo saqué y lo desenrollé con cuidado para examinarlo.

Era bastante pequeño, de unos treinta centímetros por veinte y francamente deteriorado. Los bordes estaban desgastados e incluso rotos en varios puntos y el papiro era frágil y quebradizo. El manejo de Von Meier, pensé para mis adentros, no había hecho demasiado para mejorarlo. La superficie de uno de los lados estaba cubierta por una extensa escritura árabe de antiguo estilo cúfico, realizada con tinta negra y con una pluma de junquillo. Fuera lo que fuese, sabía que tenía que leerlo, pero primero tenía que llevarlo a mi habitación para sacar una copia.

Naturalmente eso era más fácil de pensar que de hacer. Era un manuscrito muy primitivo y en malas condiciones, en lo que parecía un cúfico extremadamente temprano, tal vez del siglo VIII*. Dado que el cúfico es enormemente difícil de leer, incluso en su forma más desarrollada, no encontré fácil la tarea de transcribir la docena de líneas del texto. Todavía no estoy seguro de muchas palabras, pero lo he hecho lo mejor que he podido. Creo que ahora comprendo por qué Keitel se halla envuelto en todo esto. El cúfico es una escritura epigráfica utilizada originariamente para inscripciones en roca y, aunque él no es arabista, sospecho que sabe lo suficiente como para descifrar inscripciones cúficas.*

He devuelto el rollo a la habitación de Von Meier, colocándolo lo más parecido posible a su situación original. Esta noche intentaré traducirlo.

10 de octubre de 1935

En general, el papiro no es demasiado interesante. Aparentemente es parte de un extenso trabajo que trata de varias ciudades antiguas y gente mencionada en el Corán. Sólo es una sospecha, pero por el estilo y el contenido, creo que es una sección de un antiquísimo comentario del Corán, uno de los diversos comentarios de los cuales se conoce el nombre pero no se conservan copias. En pocas líneas el escritor menciona al-Hijr, dice que era la ciudad del Thamud y la identifica con Mada'in Salih, en el noroeste de la península arábiga. Eso se corresponde bastante bien con la teoría moderna. Dice que las «ciudades destruidas» son Sodoma y Gomorra, las cuales sitúa cerca del mar Muerto. Pero justo hacia el final, se encuentra el pasaje que oí citar a Von Meier ayer. Eso es todo lo que hay, aunque creo que el texto original debía de ser más extenso.

Puedo comprender por qué Von Meier está buscando Iram, una ciudad perdida es el sueño de todo arqueólogo. Pero ¿por qué tanto secreto? ¿Es que quiere estar seguro de conseguir todo el reconocimiento para él solo? Tal vez, pero ¿por qué llegar a extremos como matar a Ahmad y a Hartmann? ¿Y qué quiso decir Keitel cuando afirmó que encontrarían lo que estaban buscando en Iram? ¿Qué más hay que el papiro no menciona?

Tendré los oídos bien abiertos. A menos que pueda averiguar algo más, mi información es ya prácticamente inútil. De todas maneras hay algo que me preocupa, algo del texto. Está claro, y sin embargo, en el fondo de mi mente persiste la idea de que he cometido un error, de que he interpretado mal el árabe. Tendré que echar otra ojeada al original de Von Meier.

CAPÍTULO 24

11 de octubre de 1935

He descubierto el fallo que cometió Keitel y también yo. Ellos creen que están buscando una ciudad, pero de hecho se trata de un libro, aunque no lo saben. La ciudad está, seguro, en alguna parte, pero no aquí en el Sinaí.

Esta mañana volví a la habitación de Von Meier, cogí el papiro del hueco y me lo llevé a mi habitación. Lo leí despacio, repasando cada línea, prestando especial atención al trozo que hace referencia a Iram, a las líneas precedentes y a las siguientes.

Lo primero que descubrí fue que el trozo de Iram estaba incompleto. Después del comentario sobre al-Hijr y Thamud venía el verso del Corán donde se menciona Iram: «¿No habéis visto al Señor hablando con los de 'Ad en Iram de las Columnas, a semblanza de la cual ninguna otra tierra ha sido creada?» Esta frase iba seguida por la del comentarista: «Los 'Ad eran gentes no creyentes de los tiempos de Noé y vivían entre las arenosas dunas en Iram. El profeta Hud les fue enviado, pero ellos le volvieron la espalda, por lo que Dios les envió una tormenta y se ahogaron. Todos perecieron, excepto los piadosos, y se convirtieron en nada. Iram...» El texto se detenía en este punto y la línea siguiente estaba deteriorada.

El trozo que anoté antes, que empezaba «La ciudad de Iram está en el desfiladero de los Monjes», comenzaba al borde de la página inmediatamente después, pero faltaban algunas palabras del principio de la línea. Al releer los fragmentos de los comentarios previos me fijé en que en la mayoría de los casos el comentarista había localizado la ciudad o la gente a la que se refería, seguida de la referencia a un libro o a un tratado relacionado con él. Por tanto, después de la mención de al-Hijr había escrito: «El libro de al-Hijr se hallaba en poder de Ibn 'Abbas en Medina, pero su paradero actual es desconocido.» Así la palabra utilizada en este y otros casos para «libro» era el término estándar árabe *kitab*. Pero los escritores árabes, sobre todo en el primer período islámico, utilizaban una extensa variedad de términos alternativos de «libro» y al menos uno de ellos, *kurrasa*, figuraba en uno de los fragmentos. *Kurrasa* es una palabra muy rara, así que me sorprendió no encontrarla más veces. Sin embargo, me preguntaba por qué no había referencias a un «libro de Iram» y si la palabra «ciudad» no podía ser un error de un escriba en lugar de «libro». No parecía probable, aunque tampoco imposible en un texto que trataba de ciudades y libros, y entonces caí en la cuenta.

El cúfico es una forma primitiva de escritura. Las letras que se distinguen perfectamente en escritura manuscrita árabe, se escriben igual o de forma muy parecida en estilo cúfico. Las letras que deberían ir unidas están separadas, y viceversa. Miré con atención la palabra que había interpretado como «madina». Ahora que lo había pensado, parecía obvio que lo que había tomado por una *m* era, de hecho, una *s*, la *d* era una *h* aspirada y la *n* una *f*. Sin duda, Keitel no había caído en ello. Para un profano, «madina» era obviamente la palabra, aunque no se parece apenas a lo que yo veo ahora. Pero a mis ojos, una vez establecida la conexión, suprimiendo la necesidad psicológica de leer «ciudad», no había duda: la palabra es *sahifa*, una alternativa común para «libro», y el pasaje decía: «El libro de Iram está en el desfiladero de los Monjes, el cual se halla en las proximidades del Jabal Musa, en el Sinaí. Lo he vis-

to (o leído) con mis propios ojos; el que desee verlo (o leerlo), que vaya allá.»

David apartó el diario y miró a Leyla al otro lado de la habitación. Todavía estaba leyendo, inclinada sobre el libro sin moverse. El zumbido del motor eléctrico había cesado y la habitación se hallaba caldeada y en silencio.

—Leyla —dijo suavemente mientras le recorría un sentimiento de excitación.

Ella levantó la cabeza y volvió el rostro hacia él.

—¿Sí, David?

—¿Has tenido tiempo de enterarte de qué trata en general el libro? —Se preguntaba si ella detectaría la excitación en su voz.

Ella le miró con extrañeza.

—Sí —dijo—. ¿Quieres que te lo explique?

Él asintió.

—Bueno —dijo—. Está bastante claro. Básicamente se trata de una narración de al-Halabi sobre un peregrinaje de Damasco a La Meca. Lo extraño, y lo es realmente si lo piensas, es que la mayor parte del libro, al menos la mitad hasta donde yo he leído, trata de un único lugar que visitó durante su viaje.

—Iram —dijo David con voz apenas audible para ella a través de la habitación. Ella le miró sin parpadear.

—Sí —dijo—. Iram. ¿Cómo lo sabes?

Mientras Leyla comenzaba a trabajar en la traducción de la extensa sección sobre Iram del *Tariq al-mubin*, David retornó al diario de Schacht, ansioso de saber lo que ocurrió tras el descubrimiento de que el libro de Iram se hallaba casi con toda seguridad en la biblioteca de San Nilo.

El mayor de las SS devolvió el rollo de pergamino a la habitación de Von Meier por segunda vez sin ser visto. Durante los días siguientes pasó todo el tiempo en la biblioteca revisando sistemáticamente todos los libros árabes. Naturalmente no encontró ninguno titulado *Sahifa Iram* o *Kitab Iram* y decidió leer todos los títulos de todos los volúmenes de la biblioteca, varios cientos en total. Finalmente lo encontró: un libro de aspecto poco prometedor que ya había visto anteriormente y que había descartado. El *Tariq al-mubin* de al-Halabi. Al principio le sorprendió. Lo había ignorado a causa de la fecha en el colofón: 10 *Ramadan 574* (19 de febrero de 1179), la cual obviamente era una fecha demasiado tardía para referirse a lo que aparentemente debía contener el temprano papiro. Pero un examen más cuidadoso le reveló que el volumen del siglo XII era de hecho una copia realizada del manuscrito original en la biblioteca monástica, que estaba al borde de deshacerse después de siglos de negligencia, lombrices y humedad.

Pero Lorenz había empezado a sospechar. Schacht había sido incapaz de ocultar su curiosidad a los ojos del otro, que todavía estaba investigando los textos griegos en el otro extremo de la biblioteca. Pocos días después de su descubrimiento del *Tariq almubin*, los acontecimientos dieron un giro inusual y desagradable.

17 de octubre de 1935

Esta mañana Von Meier me dijo que esperábamos visitantes importantes de Jerusalén. Estuvo muy misterioso y dijo que no podía decirme nada más hasta que llegaran. No entiendo cómo es que no sabe que ningún mensajero regular ha salido o ha entrado en el monasterio durante semanas. ¿Tienen Von Meier y Keitel contactos en el exterior a través de los cuales pasan mensajes durante sus expediciones a las colinas?

Los visitantes llegaron por la noche, ante mi asombro, ya que inmediatamente reconocí a A. H. y a uno de los miembros de su séquito al cual había conocido hacía algunos años. Los monjes se hallaban comprensiblemente descontentos por la presencia de dignatarios musulmanes entre ellos, pero A. H. les aseguró que su visita era puramente de cortesía hacia sus amigos alemanes. Sonrió y habló largamente de su amor por «el Santo Jesús, el Hijo de María». Y comentó algo sobre la pequeña mezquita en medio de Santa Catalina, la cual había visitado brevemente. Jamás había visto a un hombre sonar más insincero. No creo que los monjes creyeran una sola palabra. Estuvieron inquietos todo el día y circulaban con caras más largas que de costumbre.

A. H. me recordaba de mi primera visita a Jerusalén, cuando asistí al Congreso Musulmán de 1931 en calidad extraoficial y efectué nuestra primera representación para él. Me enteré de que después de aquello se había marchado en seguida a Irán, Afganistán y la India, a fin de reunirse con otros miembros de su fe en las regiones no árabes. Hablé con él durante un momento, pero aparte de expresarme su admiración por el Führer y el Reich y de reiterar sus sentimientos más primarios sobre la escoria judía de Europa y de Palestina, no dijo nada nuevo. Ciertamente no había ido a San Nilo a hablar conmigo: una hora después de su llegada se encerró en la habitación del archimandrita con Von Meier, Keitel y Lorenz; incluso su propio secretario y el séquito fueron excluidos. Me era imposible imaginar cómo se comunicaban entre ellos ya que no había ningún intérprete.

Estaba seguro de que A. H. era nuestro hombre, pero ahora que conozco su intimidad con Von Meier y sus amigos estoy lleno de dudas. Desde luego este asunto es mucho más grave de lo que pensé. La búsqueda de una ciudad perdida y de algo sin especificar en ella (tal vez tesoros) es, aunque misteriosa, totalmente inofensiva. Pero los contactos entre bastidores con extranjeros (y además im-

portantes) es otro tema, y alguien debería informar de todo al Cuartel General. Sólo Dios sabe cómo me las arreglaré para informar a Alemania.

Antes de dar la vuelta a la página, David calibró el significado de las iniciales A. H., las cuales ya habían aparecido una vez anteriormente, hacia el principio del diario. Schacht había utilizado los nombres completos de los individuos que se mencionaban en las páginas del diario, pero desde su primera aparición se había referido a A. H. únicamente por sus iniciales. Dado que el diario ya estaba escrito en una especie de código, parecía superfluo codificar también el nombre, a menos que... Cuando lo pensó, le resultó perfectamente obvio. A. H. era un árabe: eso estaba claro a partir del contexto. Si Schacht hubiera escrito su nombre en escritura árabe, habría sido perfectamente legible. Eso contrarió a David, el cual intuyó que, de alguna manera, era importante conocer quién era A. H. Pero Schacht habría tenido sus razones y el diario no prometía proporcionar más que evidencias circunstanciales de la identidad de aquel hombre.

18 de octubre de 1935

A. H. y su séquito se quedaron a pasar la noche en el monasterio y se marcharon esta mañana temprano, después de que Flaschner nos alineara a todos para sacar una fotografía como recuerdo de la visita. Los monjes rehusaron en un principio ser fotografiados, pero los árabes parecieron estar contentos y conformes. Von Meier pareció disgustado por todo el asunto, pero no dijo nada.

Ha ocurrido algo serio. Fui a la biblioteca antes de que los árabes se marcharan. Von Meier y Keitel no aparecían por ninguna parte, aunque yo sabía que no se habían marchado en una de sus expediciones usuales. Lorenz tampoco estaba en la biblioteca como de costumbre. Parecía haber una extraña atmósfera en el monasterio, una especie de tensión.

El libro no estaba en su sitio. Lo busqué frenéticamente por los estantes, pensando que a lo mejor lo había dejado en otro sitio, pero no aparecía. Miré arriba y abajo, detrás de los libros, en las polvorientas esquinas, en todas partes. Hablé con el bibliotecario, un hombre de mediana edad llamado Gregorios. Habla poco árabe, pero me las arreglé para hacerle comprender lo que quería. Se mostró muy reservado. Sacudió la cabeza varias veces para decir que no me comprendía, pero yo sabía que sí, y que sabía dónde estaba el libro. Después de un rato me di por vencido. Ya no tenía que seguir preguntando, pues sabía dónde había ido a parar.

19 de octubre de 1935

El horror de la noche pasada no me abandona. Apenas puedo evitar que me tiemble la mano mientras escribo, pero tengo que registrarlo todo tal y como ocurrió, todo lo que vi, aunque, sin lugar a dudas, mi mente no podrá olvidar esa espantosa escena.

Tengo que empezar por el principio. Después de descubrir la pérdida del libro, intenté encontrar a Von Meier y a los otros dos a fin de tener una charla con ellos. Pretendía exigir, en calidad de representante oficial Schutzstaffel de la expedición, qué era lo que estaba sucediendo, por qué mantenían la búsqueda de Iram en secreto del resto del grupo. Pero no los encontraba por parte alguna. Los busqué por doquier, pero no pude encontrarlos, ni nadie los había visto tampoco. El monje encargado del montacargas dijo que no se habían ido ni con los visitantes ni después de ellos. Fui al refectorio, a la biblioteca, a la iglesia, pero no aparecían por ninguna parte. Era como si se hubieran desvanecido en el aire. Sin embargo, ahora creo que sé dónde debían estar.

Aquella tarde estaba en mi habitación cuando vi que una puerta se abría y se cerraba en el pasillo. A toda velocidad salí y me metí en la habitación de al lado de la de Von Meier. Estaban allá, hablando en voz baja, un murmullo donde las palabras eran imposibles de distinguir. ¿Sospechaban que alguien les estaba escuchando?

Finalmente, se hizo tarde. Decidí posponer mi pretendida confrontación hasta la mañana siguiente y volví silenciosamente a mi habitación. Estaba cansado, cansado y preocupado. El sentimiento de aislamiento que sentía era mayor que nunca y me sentí amenazado. Estuve un rato tendido en la oscuridad, una hora o tal vez dos. Después debí de quedarme dormido, aunque no pudo ser por mucho tiempo. Me despertó el ruido de alguien intentando abrir la puerta. Ésta se movió, pero el mecanismo la mantuvo cerrada y al final quien quiera que fuese se dio por vencido y se fue. Ya estaba despierto del todo, así que abandoné la cama, crucé la habitación hacia la puerta y abrí el cerrojo. Cuando miré fuera pude ver la figura de un hombre escurriéndose al final del pasillo. No había más que una pequeña lámpara colgada en la pared. Cuando volví a mirar ya se había ido tragado por las sombras. No se oía nada. Era por la mañana temprano y todavía estaba oscuro y silencioso. Eran las horas en que todo el mundo dormía, incluso los monjes. Rápidamente me saqué la Luger del bolsillo, cerré la puerta y seguí a la silenciosa figura por el pasillo hasta el exterior.

Fuera estaba oscuro, tan oscuro como boca de lobo o al menos ésa fue mi primera impresión. Cuando mis ojos se acostumbraron, vi las estrellas por encima de mi cabeza, en la franja de cielo que era visible entre las paredes del cañón. Parecían anormalmente grandes y brillantes, como bolas en un árbol de Navidad. Nunca me ha-

bía aventurado fuera tan tarde como aquel día y nunca había visto las estrellas tan gigantescas y tan cercanas.

En aquel momento vi una luz en algún punto por encima de mí, en la parte de arriba del acantilado. La miré durante un rato, pero permanecía inmóvil. Decidí subir por la escalera. Al hacerlo, la luz desapareció de mi vista, pero yo sabía que estaba en alguna parte en la cima. Mi mayor temor era que quien quiera que estuviese allá arriba decidiera repentinamente bajar y nos encontráramos cara a cara por la escalera. Ojalá hubiera pasado eso en vez de lo que realmente ocurrió.

La luz reapareció cuando llegué a lo alto de la escalera. Tardé unos momentos en orientarme en la oscuridad y entonces vi que la luz salía de la puerta abierta del osario que se hallaba junto a la iglesia. Me había mantenido alejado de aquel lugar durante toda mi estancia. Ejercía una horrorosa fascinación sobre mí, pero algo, digamos superstición, me hizo guardar las distancias. Su morbosidad me molestaba y acobardaba a la vez. Cuando vi que la luz venía de allí, quise dar media vuelta y volver por donde había venido.

Pero en vez de eso, procuré reunir coraje y subí al nivel superior. Estaba bien seguro de que no se me veía desde el osario, de que mi figura no se recortaba contra el cielo. No obstante, me agaché y comencé a avanzar hacia el edificio por el caminillo de la iglesia, llegando hasta él oblicuamente desde las sombras más oscuras.

Al llegar a la esquina del osario, detuve mis pasos y contuve la respiración. Vi dos figuras sentadas justo al lado de la puerta, iluminadas por las estrellas y por la débil luz que salía de dentro. Me aplasté contra la pared y las observé en silencio durante un rato largo, intentando distinguir quiénes eran. Una de las figuras hablaba en voz baja y en seguida comprendí que se trataba de Von Meier, aunque a aquella distancia era imposible entender lo que decía. El otro hombre no decía nada; permanecía sentado, inmóvil, escuchando a Von Meier. Sus figuras eran confusas vistas con aquella luz sepulcral, y había algo en el compañero de Von Meier que me inquietaba en extremo. No sabría decir si era por su manera intimidada de inclinarse hacia Von Meier o bien la rigidez con que se hallaba sentado. Le miré con gran atención.

Pasaron varios minutos. Dado que ninguno de los dos se movía ni miraba en dirección a mí, me fui confiando y avancé paso a paso hacia ellos a fin de tratar de oír lo que hablaban. Al acercarme, escuchaba la voz de Von Meier con bastante claridad, aunque todavía no distinguía las palabras. No hablaba en alemán; fuera la lengua que fuese, estaba seguro que jamás la había oído antes. En aquel momento, Von Meier calló y el otro hombre comenzó a hablar en el mismo incomprensible lenguaje en voz un poco más alta. Me acerqué un poco más.

De repente, la luz se hizo en mi mente: había oído aquella lengua a menudo. Al darme cuenta, un escalofrío me recorrió la espina dorsal. Von Meier y su compañero estaban hablando en latín, en el latín vulgar del imperio romano tardío y de la Iglesia medieval. Mientras hablaban, me recordó el latín que yo había oído en misa cuando era joven, pero éste era más entrecortado, se comían algunas palabras. No resultaba extraño que Von Meier, un experto en el imperio tardío, hablara latín: sin duda era un ejercicio que habría realizado muy a menudo en el colegio, y tal vez con sus estudiantes de la universidad. Pero ¿quién de nosotros, los que estábamos en el monasterio, monjes o visitantes, podía hablar con tal fluidez una lengua que llevaba tantos años muerta?

Mientras la pregunta se abría paso en mi mente, pareció responderse por sí misma, ya que, con un escalofrío de palpable horror, me di cuenta de que el compañero de Von Meier no era ninguno de nosotros, sino un cadáver que había sacado del osario. Hartmann me había hablado de los cuerpos tan bien preservados de los santos que se guardaban en el extremo superior del edificio, y ahora que lo veía de cerca, no había duda de que lo que había allá sentado conversando con Von Meier era una de aquellas grotescas reliquias. El terror casi me hizo perder el sentido, y habría sido así de no darme cuenta en aquel preciso momento de que el que hablaba no era el cadáver sino Von Meier, proyectando su voz en un tono más elevado como un ventrílocuo haría con su muñeco. Y, sin embargo, pese a que darme cuenta de aquello calmó mis temores de algo sobrenatural, más allá de mi comprensión racional, no contribuyó demasiado a disminuir el sentimiento de horror ante el espectáculo que presenciaba. En todo caso, saber que Von Meier estaba sentado en medio del frío y la oscuridad, bañado por la luz de las estrellas, hablando con un cadáver y respondiéndose a sí mismo, aumentó mi inquietud diez veces más. Pero lo peor aún no había pasado.

Comencé a retroceder alejándome del osario con la intención de volver abajo y pasarme el resto de la noche encerrado en mi habitación con la luz encendida. Al empezar a moverme, mi pie tropezó con algo, probablemente una piedra, y se oyó un pequeño ruido de algo que rodaba. Von Meier levantó la cabeza sobresaltado y me percaté con horror de que había la luz suficiente como para que me viera. Pareció molesto durante unos instantes y creí que estaba a punto de levantarse o hablar, pero no hizo ninguna de las dos cosas. En lugar de eso, se quedó donde estaba, con una mano en el antebrazo del cadáver, levantándolo hacia arriba y mirándome fijamente con los ojos abiertos de par en par. Eso fue todo lo que hizo. Me miraba, sin decir nada, sin hacer ningún gesto, sólo me miraba como si estuviera a gran altura sobre mí. Durante un minuto, tal vez dos, me mantuvo paralizado con su implacable mirada hasta que por fin mis nervios reaccionaron y me lancé a toda velocidad por la escalera, resbalando, tropezando y arañándome varias veces mientras volaba hacia el nivel inferior.

Me pasé el resto de la noche en un estado de terror insomne, seguro de que Von Meier y sus amigos me irían a buscar. Estuve sentado en la cama con la Luger cargada apuntando a la puerta, pero no apareció nadie ni se oyó ningún ruido hasta que los monjes se levantaron al alba y se dirigieron a la iglesia para las oraciones.

Ahora ya es media mañana, y no he salido de mi habitación desde que regresé. Mi mente da vueltas y vueltas a los acontecimientos de ayer por la noche: la luz de la lámpara vacilante sobre el rostro impávido de Von Meier, el correoso cadáver sentado junto con él, la conversación en latín que casi me destroza los nervios, el olor del osario. He decidido ir a ver al monje Gregorios de la biblioteca para confiarme a él: su árabe escrito es bueno y espero poder exponerle la situación. Seguramente los monjes tomarán medidas contra Von Meier y su chusma ahora que ha profanado el cuerpo de uno de sus santos.

19 de octubre de 1935 (noche)

Pensé que lo peor ya había pasado, pero no era así. Después de lo que escribí esta mañana fui a buscar a Gregorios a la biblioteca y estuve hablando con él durante mucho rato, escribiendo a veces para hacerme comprender del todo. Dijo que me comprendía muy bien, ya que él y sus compañeros monjes habían visto o sospechado muchas cosas referentes a Von Meier y las actividades de las cuales le hablé. Pero habían sido incapaces de hacer nada, ya que Von Meier parecía ejercer algún tipo de influencia sobre el archimandrita, a quien había conocido hacía muchos años en Tesalónica. Creo que había más cosas aparte de las que Gregorios me dijo, pero dejando a un lado los detalles, está claro que Von Meier tiene influencia aquí y que los monjes no se atreven a hacer nada contra él.

Gregorios se sintió ultrajado y creo que también asustado por el acto sacrílego de Von Meier en el osario. El uso del latín junto con mi vaga descripción del cuerpo le hicieron pensar que se trataba de los restos de San Colum, un monje irlandés muerto en el curso de un peregrinaje al Sinaí en el siglo VIII *y enterrado allí desde entonces. Pero, igual que yo, Gregorios no acertaba a imaginar el propósito de la pretendida conversación de Von Meier, a menos que se tratara, como sospechaba, de algún tipo de ritual satánico mediante el cual confiaba en hacer revivir el espíritu del muerto.*

Regresé de mi conversación con Gregorios con la moral baja. En cuanto abrí la puerta de mi habitación supe que pasaba algo raro. Encendí la lámpara de aceite y manipulé la mecha hasta que la llama creció. Echado en mi cama, pero no encima sino dentro, estaba el cuerpo con el cual Von Meier había estado hablando la noche anterior. Lo reconocí por su figura encorvada, la posición retorcida del cuello y los hombros. Parecía lanzarme una mirada de sabiduría, una mirada de soslayo de manera maliciosa, con sus rasgos contrahechos y arrugados, y durante un instante horrible e irracional pensé que se disponía a hablarme.

Creo que debí de chillar o gritar, ya que noté un movimiento a mis espaldas al abrirse la puerta y alguien entró en la habitación. Era Von Meier. Miró el cuerpo que había en la cama y luego a mí. Al principio no dijo nada, simplemente dejaba vagar su mirada de mí al cuerpo y de nuevo a mí.

—Esto no es más que un aviso, Herr Schacht —dijo por fin—. Si continúa interfiriendo en mi trabajo, le tendré como compañero permanente en el lugar donde reposa.

Había perdido los nervios, pero al oírle hablarme en aquellos términos recuperé la calma. Recordé que era un oficial de las SS, que era su superior político y que él, igual que yo mismo, tenía que responder en último término ante el Führer.

—Y exactamente, ¿cuál es su trabajo, Herr Von Meier? —pregunté.

Me miró durante un minuto sin responder, con una expresión desdeñosa en los ojos. Cuando por fin habló lo hizo en un tono sarcástico, que seguramente debía dedicar a sus alumnos menos dotados.

—Aunque se lo explicara, Herr Sturmbannführer, no lo entendería. Ni usted, ni su precioso Heinrich, ni siquiera su ridículo Führer. —Hizo una pausa, miró al cuerpo tendido sobre la cama y continuó—: Espero que duerma bien. Estando acompañado, no le será difícil. Éste resultará un compañero de cama mucho mejor que su querida Anna. Ella es carne caliente, pero él es un santo. Su carne es santa y huele bien. Fue embalsamado con aceite y especias. Acuéstese a su lado, abrácelo con fuerza, sienta su piel desnuda y piense en Anna muerta esperándole en un frío cementerio alemán.

Entonces le golpeé. Le pegué con fuerza en la cara, en el pecho y en el estómago, golpes secos que le hicieron caer antes de que pudiera defenderse. Y casi tan rápido como empecé, me detuve. Le vi en el suelo, humillado a mis pies, y sentí que una ola de aversión y repugnancia me recorría de arriba abajo. Pasando por encima de él, abrí la puerta y salí a toda prisa al pasillo y después al exterior a respirar el aire fresco de la noche que comenzaba. Me quedé sentado allá fuera durante largo rato, mirando las estrellas que asomaban en la franja de cielo púrpura sobre mi cabeza. Al final, volví a mi habitación y Von Meier ya no estaba. Y el cadáver de la cama tampoco. Me pregunté si no lo habría soñado todo. Pero los nudillos me dolían de haberle golpeado.

Esta noche no perderé de vista la puerta. No me atrevo a dormir.

Pero debió de quedarse dormido, pensó David, ya que era lo último que había escrito de su puño y letra. En la página siguiente había una breve inscripción en griego firmada por el monje Gregorios. El griego de David era limitado, pero pudo leer el fragmento sin gran dificultad.

Encontré este libro entre los papeles y pertenencias del alemán Schacht, al día siguiente de encontrarle en el osario. Le habían clavado al suelo mediante unos clavos fijados a lo largo de los brazos, piernas e ingles, y se hallaba cubierto de enormes arañas. Murió dos días más tarde en medio de un gran sufrimiento y un terror mortal, aunque traté de reconfortarle con todas mis fuerzas. He guardado estas cosas en dos cajas y las dejaré en una alacena hasta que la persona adecuada venga a por ellas. Los otros alemanes se han ido. Querían llevarse el libro que Schacht encontró en la biblioteca, pero no les dejé. Al final, sacaron fotos de cada página y se las llevaron. Que Dios nos proteja de ellos y sus maquinaciones. Que Cristo tenga piedad de nuestras faltas y perdone nuestros vicios.

GREGORIOS

David contemplaba la página sin verla. Sus pensamientos volaron inmediatamente junto a Ishme-Adad y su lenta agonía en la antigua Ebla. Habían transcurrido siglos desde entonces y muy poco había cambiado, tan sólo las víctimas y los torturadores. Y si el Sturmbannführer Schacht hubiese vivido, ¿habría pasado sobre los padres de David con una fusta de montar, habría golpeado el cráneo de su abuela con la culata de su revólver? Y el abuelo de David, el viejo partisano de Jabotinsky, ¿no habría clavado los clavos más profundamente si lo hubiera sabido?

Estaba oscuro y era tarde y David se sentía extremadamente cansado. Cerró el libro lentamente, como si las páginas fueran enormes y pesadas. Se dio la vuelta en la silla y vio a Leyla en la cama, con los papeles sobre los que había estado trabajando esparcidos a su lado. Se había quedado profundamente dormida. David apagó la luz y se echó en el suelo.

CAPÍTULO 25

Aquella noche David tuvo una pesadilla, un sueño terrible en el cual era devuelto al osario en el Shi'b al-Ruhban. Y sin embargo no era el osario sino el pozo de Tell Mardikh, que había aumentado de tamaño y se hallaba atestado de cadáveres: los cuerpos del árabe y del hombre que había matado allá, ambos en el mismo agujero, sus padres, John Gates, Michael Greatbatch, Leyla, pálida y consumida, los siete monjes muertos, con la sangre brotando sin cesar de sus heridas, una figura de Cristo, crucificado en el suelo, ataviado con una gorra en la que se veía una calavera, y unas botas, mientras enormes arañas se arrastraban por sus heridas, y todos los cadáveres del osario: Nilo y Colum y los huesos de cientos más. Le miraban sentados mientras hablaban, farfullando incomprensiblemente en latín, griego y eblaíta. Quería correr, pero su padre le tenía agarrado por una muñeca y no le dejaba. Las tiras de piel del *tefillin* le ataban por la muñeca al brazo de su padre. Éste iba vestido con un chal azul y blanco de predicador echado sobre la cabeza y murmuraba en yiddish y en hebreo líneas del Targum, versos del Talmud y del Midrash, todas revueltas y sin sentido. Su madre se hallaba detrás de él, hablando en yiddish: «Tú no le comprendes, David, pero él a ti sí.» Repetía esas palabras una y otra vez, como una autómata: «Tú no entiendes, tú no entiendes», hasta que él quiso gritar para hacerla callar. En aquel momento miró a lo lejos y vio que ya no estaban en el osario, ni en el pozo, sino en una gran ciudad, como un cementerio, con largas calles cavernosas flanqueadas por altos y oscuros edificios. Las calles parecían cañones, como el desfiladero del Shi'b al-Ruhban, y silenciosas figuras entraban y salían por unas enormes puertas, pobladas de sombras. Finalmente David echó a correr, pero daba lo mismo la dirección que tomara: no encontraba la salida. Se había perdido en un laberinto interminable, rodeado de figuras vestidas de gris de pálidos hombres y mujeres. Preguntaba el camino de salida, pero ellos se limitaban a mirarle con rostro vacío e inexpresivo y decían: «Esto es Iram, esto es Iram.»

Se despertó bañado en sudor y gritando incoherencias. Pasaron varios minutos antes de que la desorientación y el miedo se apaciguaran; entonces vio a Leyla ante él con una expresión de preocupación en el rostro.

—Te he oído gritar en sueños —dijo.

—Estaba soñando —respondió él—. Tenía una pesadilla. —Tenía la cabeza embotada, un gusto amargo en la boca y la lengua saburrosa. Habían cenado un cordero grasiento y pan rancio y en aquellos momentos el sistema digestivo de David empezaba a resentirse.

—¿Qué hora es? —preguntó.

Ella miró su reloj de pulsera.

—Son casi las cuatro. —Hizo una pausa—. ¿Te encuentras bien, David?

Él asintió.

—Sí, ya se me está pasando. Eran sólo imágenes, nada concreto. He soñado que estabas muerta, como cuando te encontré en el cañón y creía que te habías ahogado.

Leyla le miró, pensativa. En la habitación reinaba la oscuridad. La única luz llegaba desde el pasillo, una luz amarillenta que se convertía en oscuridad al entrar en la habitación. La casa se hallaba en silencio, aunque Leyla pensaba que Fatma debía de estar despierta en alguna parte, escuchando.

Se levantó alejándose de David entre las sombras, en dirección a la luz. Ahora que se había tranquilizado, podía sentir su presencia en la habitación. El olor de su sudor, todavía mezclado con el miedo, la llenó. Hizo un movimiento hacia la puerta.

—Por favor —dijo él—. No te vayas, Leyla. Quédate conmigo.

Ella se dio la vuelta y le miró. Se hallaba medio oculto en las sombras, pero pudo distinguir su cara, la palidez de su piel.

—¿Quieres que duerma contigo, David? ¿Es eso? —Su voz era suave y ligeramente triste. Tenía las mejillas arreboladas—. Si quieres me quedo.

Él sacudió la cabeza, casi imperceptiblemente en la oscuridad.

—No —dijo—. Esta noche, no. Quédate conmigo. Háblame.

Ella cerró la puerta y se dirigió hacia la cama. Reinaba una oscuridad total. David se removió bajo las mantas y ella se sentó al borde de la cama, de cara a él. Él sacó una mano buscando la de ella y la apretó con fuerza. Durante un largo rato permanecieron así sin pronunciar palabra, mientras el mundo que les rodeaba se hallaba sumido en la oscuridad y el silencio y su único contacto era el roce de las manos.

El día siguiente lo dedicaron íntegramente a la traducción del *Tariq al-mubin*, Leyla garabateando su versión inglesa y David corrigiéndola y pasándola a limpio. El texto era claro y sencillo, sin misterios ni subterfugios, una narración directa de un viaje a un lugar oculto y perdido. Al-Halabi había estado en Iram. En el mes de Shawwal del año 75, que correspondía a febrero del 695, había partido de Damasco con la caravana hajj, con la pretensión de viajar directamente hacia el sur en dirección a La Meca para el peregrinaje anual dos meses más tarde. La caravana había emprendido la ruta bordeando el flanco oeste del gran desierto del Nafud, con la intención de pasar por Tayma' antes de descender a Khaybar y después a Medina, después de lo cual tomarían la carretera de la costa hasta Jidda y por fin La Meca.

Un ataque de los beduinos justo al sur del Wadi Sirhan había separado a al-Halabi y a varios de sus compañeros de peregrinaje del resto de la caravana. Se perdieron y penetraron en un ramal del Nafud, donde fueron encontrados por otra tribu de beduinos más pacíficos que los condujeron por el desierto en un intento de rebasar a los merodeadores que habían atacado la caravana. Durante una tormenta de arena, al-Halabi se encontró irremediablemente separado de sus compañeros. Continuó el viaje solo, internándose más y más en el Nafud en la errónea creencia de que se dirigía hacia el este. Con el camello en las últimas y apenas sin agua, fue a parar a Iram.

Allí encontró una gente extraña que habitaba entre el esplendor decadente de lo que alguna vez fue una gran ciudad. Hablaban una lengua que guardaba cierto parecido con el árabe, pero le era difícil entenderlos y, a su vez, hacerse comprender. Y entonces recordó que los beduinos le habían hablado en voz baja de cierto sector del desierto en el cual no pondrían los pies aun a riesgo de sus vidas.

Al-Halabi descubrió pronto que los habitantes de Iram eran gentes primitivas sin cultura ni tradiciones. Las ricas aunque harapientas ropas que vestían las habían hurtado de los restos momificados de los muertos que se hallaban en las enormes catacumbas construidas bajo la ciudad. No tenían ningún conocimiento de sus propios antepasados, ni de las leyendas de Iram o sus orígenes, ni religión, ni leyes, ni aparentemente ningún sistema político. Pasó tres meses entre ellos, durante los cuales aprendió lo bastante de su lengua como para realizar las preguntas que se agolpaban en su mente, aunque no recibió respuestas satisfactorias a ninguna de ellas.

Finalmente se hartó del lugar y sus habitantes, a los cuales había tratado de convertir al Islam aunque sin ningún éxito. No vaciló al identificar la ciudad como Iram y a sus habitantes como los descendientes de los de 'Ad, los cuales habían rechazado al profeta Hud hasta que Dios decidió enviarles un castigo. Al concluir el tercer mes de su estancia, al-Halabi se ofendió cuando una mujer se le ofreció, riéndose de la noción de matrimonio. Partió hacia el desierto a pesar de las advertencias de las gentes de la ciudad de que aquél no tenía fin, y fue encontrado allí, perdido y delirante, varios días más tarde. Nadie escuchó su historia sobre Iram, atribuyéndola al sol del desierto. Pero cuando le dijeron que entonces era el mes de Safar (principios de junio) supo que su historia tenía que ser cierta, ya que no había otro modo de explicar cómo había sobrevivido tres meses solo en el desierto.

CAPÍTULO 26

Aquella noche, hacia las nueve, Leyla recibió una visita, un joven de unos veinticinco años, de ojos oscuros y melancólicos. Se llamaba Suhayl y lanzó a David una mirada como si quisiera verle muerto. Sus ojos mostraban una expresión atormentada, como si hubiera interiorizado todas las sombras que le habían rodeado durante su vida y viviera en una penumbra permanente. Pidió hablar a solas con Leyla en su habitación. Media hora más tarde se fue, tan silencioso y taciturno como había venido.

Cuando Leyla entró en la habitación de David después de la marcha de Suhayl, parecía cansada y pensativa. El optimismo que la acompañaba anteriormente había desaparecido. Era como si el humor de Suhayl fuera contagioso, como si las sombras que llenaban su interior se hubieran apoderado también de Leyla.

—¿Qué pasa? —preguntó David en cuanto entró.

Ella no respondió. Cruzó la habitación hasta la cama y se sentó.

—¿Malas noticias?

Ella asintió.

—Bueno —dijo él—, explícamelo.

Ella aspiró profundamente y dejó escapar el aire despacio.

—Suhayl es un viejo amigo. También es un pariente distante, un primo en tercer grado. Ha venido a verme porque está preocupado por mí. No forma parte del Consejo, pero tiene contactos en él. A primera hora de la noche se ha enterado de que el Consejo votará probablemente a favor de nuestra ejecución. Han descubierto tus conexiones con el servicio de inteligencia israelí. Suhayl dice que todavía no han tomado una decisión final, pero que esta noche tienen otra reunión. Cuando acabe, con toda probabilidad enviarán directamente un pelotón de ejecución aquí, hacia medianoche, tal vez más tarde. Nos quedan dos o tres horas. Fatma y Tawfiq han rebicibido órdenes de vigilarnos con atención. La guardia exterior ha sido doblada. Suhayl quiere sacarme de aquí, pero no quiere saber nada de ti. Por lo que a él se refiere, te mereces todo lo que te ocurra. Yo soy inocente, así que me puede sacar antes de que todo acabe. Tú eres judío y encima un espía, o sea que cuanto antes te metan una bala en el cerebro, mejor. He intentado convencerle de que tú eres tan inocente como yo, de que hay otros asuntos en juego, pero no se lo traga.

David no dijo nada. Se dirigió hacia la cama y comenzó a reunir los papeles esparcidos sobre ella: la fotocopia del *Tariq al-mubin*, el diario de Schacht y las traducciones que Leyla y él habían preparado. Las guardó en la gran bolsa donde las había traído y la depositó en el suelo.

—Leyla —dijo—. Pase lo que pase, estos papeles tienen que estar en un lugar seguro, por si no salimos de esto con vida. Mándale un mensaje a Suhayl diciéndole que estás de acuerdo con sus condiciones y asegúrate de que te saca de aquí. En cuanto estés fuera, deshazte de Suhayl y lleva los papeles al coronel Scholem, del MOSSAD, a las oficinas de Haneviim. Dile que vas de mi parte, dale los papeles y toda la información. Deja el asunto en sus manos. No sé si podrá hacer algo, pero tenemos que confiar en alguien, alguien que tal vez saque algo en claro.

Leyla sacudió la cabeza.

—Yo no me voy sin ti, David. No me lo pidas. Por amor de Dios, estoy enamorada de ti. ¿Es que no te has dado cuenta?

Él la miró durante largo rato. Ella no podía ni imaginar lo que estaba pensando. No había querido decírselo así; aquél no era el momento ni el lugar apropiados. Pero ¿cuál sería el momento apropiado si tal vez estarían muertos en cuestión de horas?

Por fin, él habló, con una voz que no mostraba ninguna emoción, ya que toda emoción se había suprimido deliberadamente.

—Por favor, Leyla, no discutas. No hay tiempo. Llévate estos papeles a tu habitación, escóndelos y vuelve aquí. Cuando llegue el momento, te los llevarás. Si de verdad significo algo para ti, haz esto por mí. Yo me reuniré contigo si puedo, pero si no tendrás que intentarlo tú sola. Somos los únicos que sabemos la historia, los únicos que podemos sacar algo en claro.

Se inclinó, cogió la maleta por el asa y se la alargó. Ella la cogió con una indiferencia total, sin importarle lo que era o por qué lo hacía. Sin pronunciar una palabra, salió de la habitación.

Al cabo de cinco minutos aún no había vuelto y David salió en su busca. Estaba en su habitación sentada en la cama, con la bolsa fuertemente agarrada en su regazo, mientras las lágrimas corrían silenciosamente por sus mejillas. Él permaneció en la puerta, mirándola. ¿Qué podía hacer para consolarla? Ella sabía tan bien como él, mejor que él, las pocas posibilidades que tenían.

En aquel momento se oyeron unos pasos por el pasillo. David se dio la vuelta y vio a Fatma que se acercaba seguida de Qasim. La mujer parecía tensa y nerviosa y llevaba un revólver en la mano.

—Venga conmigo, profesor Rosen —dijo deteniéndose junto a él. Su voz sonó áspera, como si hubiera estado bebiendo, pensó David. Tras la fachada de sofisticación terrorista, había una especie de ordinariez en torno a ella. ¿O simplemente era una mujer infeliz tratando de ocultar un sentimiento de fracaso personal bajo un uniforme, y una apariencia de dureza? David se revolvía interiormente. Deseaba golpearla, romper la barrera que había construido a su alrededor. Algo en sus modales, su voz, su cara le inquietaba más allá de la tolerancia.

—¿Y qué será de Leyla? —preguntó—. ¿Adónde la llevaréis? Queremos estar juntos—. Pedirlo parecía el modo más seguro de que no lo consiguieran.

Fatma sacudió la cabeza. Qasim, que estaba detrás, no dijo nada.

—Ella se queda aquí de momento —dijo Fatma—. Mis órdenes sólo le conciernen a usted. El Consejo quiere verle. Qasim le llevará.

David miró a Qasim, pero no hubo respuesta. Ninguna señal de reconocimiento del fino pero tangible vínculo que David imaginaba que se había formado entre ambos. Por un momento, David se sintió como un actor de alguna obra retorcida jamás escrita. Todo el mundo parecía tener un papel: mujer terrorista, intelectual terrorista, víctima, traidor, y cada uno parecía representarlo hasta el final. Casi esperaba ver al público detrás de las luces del lóbrego pasillo.

—Profesor.

Era la voz de Qasim, fría, sin el calor del odio de Fatma.

—¿Dónde están los papeles que me enseñó ayer? ¿Aquellos sobre los que hablamos? El Consejo desea verlos.

David pensó a toda prisa, como un boxeador medio *groggy* pero que aún se mueve. Por el rabillo del ojo vio que Leyla se las había arreglado para empujar la maleta debajo de la cama, fuera del alcance de la vista. Inmediatamente decidió lo que diría. Si había alguna esperanza de que el Consejo de Qasim cambiara de idea a su favor a raíz de lo que contenían los papeles, en ese caso debía enseñárselos. Pero si Suhayl tenía razón y la decisión de ejecutarlos ya había sido tomada, la única esperanza residía en que Leyla consiguiera salir de allí con los papeles.

—Lo siento —dijo—. Se los di al primo de Leyla, Suhayl, cuando vino esta noche. Si hubiera sabido que el Consejo quería verlos me los habría quedado. Le pedí a Suhayl que los llevara a un lugar seguro hasta que Leyla y yo salgamos de aquí. Usted los ha visto. ¿No puede explicar al Consejo lo que yo le dije?

Qasim se mordió los labios. David comprendió que había perdido todo interés, que ya no le importaba en absoluto. El Consejo había tomado una decisión y eso era suficiente para Qasim.

—He visto los papeles —dijo Qasim— pero no los he leído. Podemos pedírselos a Suhayl si ofrecen algún interés. Venga conmigo.

David miró a la habitación de Leyla. Estaba sentada en la cama, rígida, con el rostro impasible. Quería decirle adiós, pero a ella le habría sonado a admisión de alguna cosa, ni siquiera estaba seguro. La miró por última vez, dio media vuelta y siguió a Qasim. Tras él oyó la puerta de la habitación cerrarse cuando Fatma entró en ella. Por todo el pasillo y las escaleras, con los músculos tensos, aguardó esperando oír un disparo en la habitación, pero no sonó ninguno y salió de la casa sin saber qué estaría pasando allí dentro.

En el exterior, un segundo hombre se unió a Qasim, un hombre con rostro de piedra, una criatura enormemente robusta, un pequeño gigante que parecía andar con paso ligero como si fuera incapaz de parar por temor a morir de inmovilidad, como un tiburón que tiene que nadar sin cesar, incluso para dormir. Qasim abrió la puerta trasera de un pequeño e indescriptible coche. David se metió dentro, seguido por el lúgubre hombre-tiburón. Finalmente entró Qasim, colocándose al volante. David esperaba que le vendaran los ojos, pero nadie lo hizo. Iban a permitirle que viera adónde se dirigían. Eso le indicó que Suhayl estaba en lo cierto, que no se esperaba que se marchara de nuevo hasta haber llegado a su destino.

El viaje no duró mucho. Pasaron junto a la estación de trenes hacia Rehavya, donde se detuvieron frente a una casa en la calle Ibn Gevirol, no lejos, pensó David, de la agencia judía King George. En el interior, David fue conducido directamente a una habitación de la planta baja, en la parte trasera del edificio. La habitación estaba vacía, pero había una docena de sillas alineadas contra la pared. Las paredes eran blancas y desnudas: ni siquiera una fotografía colgada. Era una habitación estéril, una habitación para una causa, no para unas personas.

—Creí que tenía que verme el Consejo —dijo David, alarmado a pesar de que sabía cómo funcionaban aquellas cosas. Había una manera para asuntos tales como una ejecución; había que observar unos procedimientos. Tenía miedo de morir sin las formalidades. Así sería más fácil.

—No será necesario, profesor —respondió Qasim—. Hemos hablado largo y tendido sobre su caso. Hice lo que pude, se lo aseguro, pero usted sabe muy bien qué secretos posee. No podemos permitir que viva. Puede decirnos algo valioso antes de morir. Tal vez usted sepa algo que nosotros desconocemos. Marzuq, aquí, tratará de averiguarlo.

Señaló al gigante en continuo movimiento que se hallaba junto a él.

Justo cuando Qasim acabó de hablar, la puerta se abrió. David levantó la cabeza y miró hacia la puerta. Un hombre gordo acababa de entrar y le miraba.

Qasim se echó hacia atrás para dejar paso al gordo, pero éste le ignoró y no se movió de donde estaba, en el umbral. Cerró la puerta a sus espaldas. La habitación pareció encogerse como si el hombre, igual que Alicia, se hubiera tragado una parte y el sentido de la proporción hubiera desaparecido.

El hombre gordo no dijo nada a ninguno de los presentes. Simplemente señaló a Marzuq levantando una mano, que estiró hacia atrás parte de una manga de sus enormes ropas. Marzuq buscó algo en el bolsillo interior de su chaqueta gris y sacó un revólver, un pesado revólver negro con la culata biselada, que David no pudo reconocer. David se sintió enfermo. Una fuerte náusea le recorrió el estómago y un escalofrío le puso la carne de gallina, como si cada pelo de su cuerpo se hubiera puesto de punta en aquel instante. Repentinamente, sintió que tenía la vejiga repleta y débil; tenía miedo de orinarse encima, de morir como un niño pequeño incapaz de contener la orina. Aquello no podía estar sucediendo, eso era todo lo que podía pensar, que nada era real. De pronto, como una iluminación, comprendió por qué tantos personajes en la historia habían avanzado tranquilamente hacia el patíbulo: ninguno habría creído que todo aquello pudiera estar sucediendo realmente, ya que era algo demasiado ingente para que la mente pudiera asumirlo.

Marzuq levantó el revólver. David vio que Qasim abría la boca para protestar, pero sintió un zumbido en los oídos y no pudo oír lo que decía. Todo parecía estar ocurriendo a cámara lenta. Quería echar a correr, pero ¿adónde podía ir? Sólo había aquella habitación y entre él y la puerta se interponía aquel gordo. Le pareció que sus piernas eran de plomo.

Marzuq apuntó a Qasim y disparó dos veces seguidas con gran rapidez, dos tiros en mitad de la cabeza, disparos limpios que enviaron pequeños fragmentos del cerebro de Qasim a cada esquina de la habitación. David reparó en que un poco de sangre y de materia gris se le había enganchado en el reverso de la mano y se las quitó instintivamente. Al hacerlo, Qasim seguía en pie muy quieto, como si la bala le hubiera dejado helado, después se tambaleó y por fin se desplomó en el suelo desgarbadamente. Inmediatamente, un charco de sangre roja y brillante empezó a formarse junto a su nuca. Sus ojos parpadearon como las alas de una polilla que está a punto de perecer. Hizo un movimiento súbito, casi erótico, como un hombre alcanzando el clímax, un espasmo y nada más. Al concluir el espasmo se quedó quieto.

David esperó a que Marzuq se volviera y le apuntara con el revólver, pero no lo hizo. Guardó el revólver en el bolsillo. No había sido nada, un instante de trabajo, un esfuerzo mínimo. Se enderezó y aguardó una nueva señal. «Qué extraño —pensó David— que la muerte de un hombre no sea para otro más que un movimiento casual de los dedos, un incidente tan trivial como cortarse una uña.»

—Ahora déjanos —dijo el gordo a Marzuq—. Y llévatelo.

El hombre-tiburón, sumiso, ansioso de complacer, levantó el delgado cuerpo de Qasim con una facilidad fruto de la práctica. Abrió la puerta y, con el cuerpo cargado bajo el brazo, salió de la habitación. Sólo le faltaba una joroba en la espalda y una campana para tañerla, pensó David.

El gordo miraba a David de frente. Era un hombre menudo que se había convertido en algo masivo, con pequeños pies y manos, y una cabeza con forma de bala colocada en un torso grotesco de tremendas dimensiones. Parecía impedirse crecer a sí mismo; sus extremidades eran víctimas de su centralizada enormidad, como si el gran pecho, estómago y nalgas fueran tragándolas con su enorme e insaciable obesidad. Iba vestido con un voluminoso *'aba* marrón, de fina lana de camello. Colgaba a su alrededor como una tienda dejando ver por debajo una *farwa* de invierno brillantemente bordada.

Era de tez cetrina, de un color mantecoso, pero su rostro estaba surcado por las arrugas. David calculó que debía de tener al menos sesenta años, tal vez unos cuantos más. Permaneció en la entrada de la habitación durante un rato, observando a David con unos ojos diminutos y de gruesos párpados, escrutadores. A diferencia del tiburón, David pensó que una aguda inteligencia se ocultaba tras aquellos ojos. Como si el terror de hacía unos minutos hubiera sido pura ficción, David sintió un pánico verdadero. Una amenaza mayor y mucho más escalofriante que la que acababa de experimentar parecía emanar del gordo: mientras el hombre avanzaba hacia él, sabía que su vida corría un grave peligro y que no había posibilidad alguna de escape.

El gordo se metió la mano en un bolsillo y sacó un pañuelo blanco de gran tamaño.

—Tenga, profesor —dijo—. Tiene un poco de sangre en la mejilla. Límpiesela con esto.

La voz parecía emerger de algún punto de las profundidades de su estómago; era un voz hueca e intestinal, cargada de amenaza. Al hablar, sus rojos y carnosos labios parecían sorber y mordisquear las palabras, masticándolas y rumiándolas antes de escupirlas. Le alargó el pañuelo. David lo cogió con la mano entumecida y se limpió la cara con gesto mecánico. El pañuelo era de cambray de la mejor calidad, pero la sangre no era más que sangre.

—Siéntese, por favor —dijo el hombre obeso.

David tomó asiento en la primera silla que encontró. Se preguntaba quién sería aquel hombre y qué querría de él. ¿Qué estaba pasando allí?

El gordo cruzó la habitación y se dejó caer lenta y silenciosamente en un silón de piel que evidentemente había sido construido para él y colocado allí para su uso personal.

—Bueno, profesor —dijo finalmente removiendo su masa en una perpetua búsqueda de un centro de gravedad siempre en movimiento—. Sé que usted posee una copía de un libro titulado *Tariq al-mubin*. Si no me equivoco, alguien lo obtuvo para usted de la biblioteca que perteneció a un amigo mío. Él está muerto, pero tiene muchos amigos que se disgustarían al enterarse de que ha saqueado su propiedad.

Las pequeñas manos desaparecieron bajo las mangas del amplio traje. Únicamente la diminuta cabeza era visible, la cabeza de un viejo que parecía colgar en una enorme pila de ropa sucia. Sus labios se abrían y cerraban sin tener ninguna relación aparente con las cavernosas y a menudo confusas palabras que emergían de las profundidades.

—¿Dónde está ahora ese libro, profesor? ¿Qué ha hecho con él?

—Ya se lo dije a Qasim, el hombre que acaba de matar —respondió David—. Se lo entregué a un hombre llamado Suhayl junto con el resto de mis papeles.

La cabeza del hombre se movió torpemente a ambos lados.

—No, profesor, no se lo dio —dijo—. Ya hemos hablado con Suhayl. Le interceptamos cuando volvía de la casa de Ain Tur y no llevaba ningún papel. Los tiene la chica, ¿no es así?

David no respondió. No tenía ningún sentido seguir mintiendo.

—En fin, no importa —dijo el gordo—. Alguien ha ido a la casa a buscarlos y pronto los traerán aquí junto con la chica.

—Entonces, ¿para qué toda esta comedia? —protestó David—. Si creen saber dónde están los papeles, ¿para qué se molesta en preguntármelo? ¿Por qué no me matan como acaban de hacer con Qasim y acabamos de una vez?

El gordo le miró con malicia.

—Vamos, profesor Rosen. ¿Me toma usted por tonto? Quiero saber a quién más le ha hablado de esto. A al-Yunani ya lo sé: nos hemos encargado de él. ¿Quién más lo sabe?

—¿Por qué iba a decírselo? Soy hombre muerto de todas maneras. No tengo ningún incentivo para ayudarle o sacarle del apuro en que se haya metido.

—Naturalmente que sí, señor Rosen. La esperanza es lo último que se pierde... Tal vez siga con vida después de todo. Tal vez la chica también. Si coopera conmigo y me dice lo que quiero saber, quizá logrará convencerme de que ya no representa ningún peligro para mí o para mis amigos.

—No le creo —dijo David—. Si consigue los papeles ya no me necesitará, ni tampoco a Leyla. De todas maneras, ¿quién es usted? ¿Por qué es tan importante el libro para usted?

El gordo miró de reojo a David con sus ojos duros y desprovistos de toda emoción mientras se removía en la silla para redistribuir de nuevo su peso.

—Yo estuve allí, profesor —murmuró—. Entonces era joven, un miembro del grupo que fue al Sinaí para visitar a Von Meier y a su expedición. Me enteré de lo del libro más tarde, naturalmente. En sí mismo no tiene ningún interés: lo que importa es la información que contiene. E incluso tal información carece ya de interés para nosotros, excepto por el hecho de que debe permanecer en secreto. Fuimos un tanto descuidados: no debimos dejar la copia original en el monasterio. Ése fue el fallo de Von Meier. Creyó que eso ayudaría a evitar que se hicieran preguntas molestas. Pero después de años de silencio, el contenido del *Tariq al-mubin* ha llegado a oídos de demasiada gente, gente que no tiene ningún derecho a conocer tales cosas. El joven inglés se enteró de su existencia y llegó a copiar algunos fragmentos; su tutor fue informado y más tarde los examinadores. Afortunadamente, uno de los dos examinadores mencionó el asunto a un amigo que era uno de nuestros más asiduos colaboradores. Entonces resultó que le había enviado a usted una copia del capítulo donde figuraba el contenido del libro. Cuando fracasamos en nuestro intento de matarle, nos enteramos de que el capítulo había ido a parar a Haifa. La muerte de sus padres fue lamentable... pero necesaria. Y usted persistió en el tema, se fue al Sinaí, averiguó el nombre del libro, regresó aquí y localizó la copia. Debo felicitarle por su perseverancia, pero ahora todo acabó. Tiene que haber silencio. Están sucediendo grandes cosas y usted nos ha puesto en peligro. Esto tiene que terminar.

David se puso en pie al tiempo que la cólera superaba su miedo.

—¿Por qué era necesaria la muerte de mis padres? Ellos no sabían nada. Aunque el capítulo estaba en su apartamento, seguían sin saber una palabra. El hombre que los asesinó ni siquiera sabía si el paquete había sido repartido.

El hombre sacudió la cabeza.

—Le aseguro que sí.

—¿Y qué hay de los monjes? ¿Qué clase de amenaza suponían para ustedes? Ellos tampoco sabían nada. Ninguno de ellos había leído el libro, estoy seguro.

El hombre se encogió de hombros.

David sintió que la ira crecía en su interior, pero se esfumó al instante. Se sintió inútil, sus emociones eran redundantes ante la amenazadora presencia de aquel hombre y su desprecio por la vida.

—Al menos dígame una cosa —dijo David—. El FPLP no existía en 1935. Entonces, ¿qué clase de interés tiene un grupo como el suyo en unos documentos arqueológicos descubiertos hace cincuenta años?

Mientras hablaba, David adivinó parte de la verdad. El hombre le miraba fijamente, con la pequeña y redonda cabeza calva sin moverse, y los prominentes ojos sobresaliendo de la carne envejecida, donde se hallaban colocados como pasas en un pudín.

—¿El FPLP? —dijo el gordo—. Ellos no tienen nada que ver con esto. Por la mañana, el Consejo entero estará muerto. Los que realmente están interesados en este asunto los verá en otro sitio. Quieren verle, profesor. Quieren hablar con usted y aprovechar su talento como arqueólogo. Me temo que nos espera un largo y pesado viaje. Entonces verá lo que tanto ha deseado ver, profesor. Y será mucho más notable de lo que ha imaginado. Es usted un privilegiado; verá cosas que pocos hombres han visto. Cosas que ni tan sólo puede imaginar.

»Una vez que los papeles que ha robado estén en mi poder, haré los preparativos para nuestra partida. Mientras tanto, tengo otros asuntos que atender. Marzuq se quedará con usted mientras yo me ocupo de los demás. Le aconsejo que descanse, profesor. Ninguno de los dos descansará demasiado durante las próximas semanas. Por supuesto no viajaremos en avión ni en jeep. Tal cosa atraería demasiado la atención hacia el lugar donde vamos. Espero que haya montado en camello alguna vez: si no, me temo que le esperan grandes incomodidades.

El gordo se levantó sonriendo.

—Marzuq —llamó—. *Udkhul wa khallik hawn.*

La puerta se abrió dando paso a Marzuq. El gordo se dirigió hacia él, le dio instrucciones en voz baja y dio media vuelta para irse. En aquel momento llegó otro hombre. Era más joven, y David se percató de que no era árabe, sino que se parecía al que había matado en Tell Mardikh. Parecía agitado.

—Perdóneme, señor, pero vengo de la casa de Ain Tur.

El gordo le miró.

—¿Y bien? —dijo—. ¿Encontraste los papeles? ¿Dónde están?

El joven se agitó, inquieto.

—No estaban allí, señor. La... la chica que nos ordenó traer... ya no estaba. Creo que se llevó los papeles. Buscamos por todas partes.

La temperatura de la habitación pareció decaer bruscamente. El aura de amenaza que rodeaba al gordo se hizo más intensa, casi tangible. Cuando habló, su voz sonó glacial, de un modo que no había sonado anteriormente.

—¿Cómo ha podido ocurrir? ¿Cómo escapó?

—El hombre, Suhayl, señor. Por lo visto volvió a la casa y dijo que tenía órdenes del Consejo de llevarse a la chica. La mujer, Fatma, le creyó. Se la llevó veinte minutos antes de que llegáramos.

—Ya veo. —El gordo hizo una pausa. David notó que le invadía una intensa angustia—. ¿Qué habéis hecho con Fatma y su subordinado?

—Nos hemos encargado de ellos, señor.

—Perfecto. Quiero que encontréis a Suhayl y a la chica. Pero sobre todo, quiero esos papeles. ¿Me has entendido?

—Sí, señor.

—No escatiméis nada: tenéis que encontrarlos, y rápido. Haced lo que haga falta. Tenéis mi completa autorización para todo lo que sea necesario.

—Sí, señor. Gracias, señor.

—Bueno —dijo el gordo con voz cortante—. ¿Qué esperas? No hay tiempo que perder.

El joven dio media vuelta abruptamente y se fue. Transcurrió un largo silencio, tras el cual el gordo giró en redondo y miró a David desde la puerta.

—Supongo que me dirá que no sabe adónde ha ido.

David asintió.

—Es la verdad. Le dije que escapara, pero ella tenía que decidir adónde. Si llego a saber algún sitio seguro, ¿cree usted que habría dejado que me llevara junto al FPLP?

El gordo pareció pensar sobre aquello.

—Muy bien —dijo—. La encontraremos. Tenemos recursos. No puedo retrasar nuestra partida. Nos iremos tan pronto como todo esté listo. Recuerde lo que le he dicho sobre descansar. Lo lamentará si no lo hace ahora que puede.

Se giró y salió dejando a David con Marzuq.

CAPÍTULO 27

Se estaba formando una tormenta. Unos nubarrones negros se iban extendiendo casi al tocar de los tejados y la atmósfera era cargada, bochornosa y opresiva. Un olor a orquídeas marchitas llenaba el aire con un perfume denso y empalagoso. La luz era azul, bordeada de púrpura, oscura e irreal. Leyla tiró otro cigarrillo a medias a sus pies. Cayó junto a una docena más, malgastados, aún consumiéndose. Tenía la piel fría y húmeda y notaba un hormigueo por la carne, sensible a la electricidad del aire. Deseaba levantarse y marchar, caminar para siempre, alejarse de aquella calle, fuera de Jerusalén, bajo la tormenta. Su cara estaba pálida y tensa, y tenía unas feas y oscuras rayas bajo los ojos. Tenía los labios descoloridos, apenas si le circulaba la sangre: resultaban muy poco atractivos. Llevaba dos noches sin dormir bien y el cansancio le empezaba a hacer mella; el aire frío y húmedo parecía absorber todas sus energías como si fuera una esponja. Encendió otro cigarrillo, un Winston que había comprado aquella mañana a un vendedor ambulante. La mano le tembló ligeramente al acercar una cerilla a la punta del cigarrillo. Lo encendió y aspiró el humo golosamente. La cerilla cayó de entre sus dedos y chisporroteó brevemente en el suelo.

La calle era un valle de caliza de color rojizo, apartamentos y bloques de oficinas, grises, puertas anónimas para que los transeúntes nocturnos flirtearan en ellos o para apuñalar a un extraño. El barrio era triste, desolado y poco excitante. Allí vivían hombres y mujeres ancianos y gente con escasas expectativas aparte de envejecer. Hacía tiempo, el barrio había albergado intelectuales y artistas, refugiados de miles de pogroms del cuerpo y de la mente. Ahora era su propio pogrom, su propio ghetto, su concha, su caparazón en medio de Jerusalén. Cuando empezara a llover, las cunetas se llenarían de agua sucia. Leyla chupó el cigarrillo tratando desesperadamente de conseguir un poco de calor.

Le llegaba la música de un viejo transistor puesto a todo volumen. La irritó. No tenía ritmo, ni orden, ni significado que ella distinguiera. El vigor de la música parecía burlarse de ella y la hacía sentir desgraciada. Notó que también ella carecía de todo vigor, de toda energía, y que simplemente se dejaba ir con desgana. Se había pasado el día anterior junto a la casa del FPLP del Ibn Gevirol. Nadie había entrado ni salido del edificio. Por la noche había ido de nuevo en busca de Suhayl, pero no aparecía por ninguna parte. No había nadie más a quien conociera o se atreviera a visitar. Era como si se los hubiera tragado la tierra en un abrir y cerrar de ojos. Sus tiendas estaban cerradas y sus lugares en las cafeterías desiertos. Pequeños escalofríos le recorrían la espalda. ¿La habría traicionado David después de todo? Se sentía nerviosa y tenía frío. ¿No vendría? Estaba empezando a oscurecer: la luz palidecía por momentos. La tormenta estaba a punto de estallar.

La puerta de enfrente se abrió dando paso a un hombre. Al principio no estaba segura de que fuera él, pero en aquel momento se agachó para atarse el cordón del zapato y pudo verle la cara. Con gran tensión, centró toda su atención en él. Aplastó el cigarrillo con los dedos sin pensar, igual que un lagarto aplasta una mariposa. El hombre se irguió y echó a andar. Ella contempló cómo se alejaba por la calle, una figura gris en la temprana oscuridad, y, arrojando el cigarrillo al suelo, cruzó la calle y comenzó a seguirle a una distancia de cuarenta pasos. A corta distancia tras ella, la puerta de un coche aparcado se abrió y se cerró sin ruido.

El hombre bajó por Shivte Israel y durante un corto tramo se dirigió hacia el sur, después dio la vuelta en Hmalka encaminándose hacia la plaza de Sión. Llevaba una larga gabardina gris abrochada a la cintura, bajo la cual podían verse unos pantalones grises y unos enormes zapatos marrones. La gabardina se movía dentro y fuera de su campo visual, siempre por delante de ella, mientras el hombre avanzaba por entre la multitud de *ussishkim*. La gente se apresuraba, deseosa de llegar a cubierto para evitar la tormenta que se avecinaba. Se oyó un trueno en la lejanía. El cielo tenía un aspecto terrible. Ella mantenía el paso del hombre, andando entre el gentío. No muy lejos de ella, los pies de otro hombre la seguían al mismo paso.

El hombre se detuvo súbitamente para dar limosna a un mendigo en la esquina de Keren Hakayemet. Una gota de lluvia cayó sobre la palma extendida èdel mendigo, fría y pesada como una moneda de plata. El mendigo era ciego, y le importaba poco que fuera lluvia o plata. Un puñado de monedas de agorot siguió a la gota de lluvia. El mendigo masculló algo. Leyla se detuvo a mirar un escaparate. Su propio reflejo le devolvió la mirada, con ojos vacíos y oscuros. Sintió que unas gotas húmedas le caían en la cabeza. Media manzana más allá, un hombre se detuvo a contemplar un escaparate de artículos deportivos.

El otro se apartó del mendigo, su mendigo nocturno, y reemprendió la marcha. En la mano derecha llevaba un pequeño maletín negro de piel desgastada. A su alrededor, el asfalto se mojó de pronto al tiempo que las nubes comenzaban a descargar. Buscó el cuello de la gabardina, levantándolo alrededor del suyo y aceleró su paso. Leyla le seguía de cerca, temerosa de perderle con aquella lluvia. La gente empezó a correr en todas direcciones, al interior de las casas, bajo la calle, en busca de refugio.

Él se detuvo junto a la puerta de un estanco abierto. Leyla miró a su alrededor. No había donde meterse. Tenía miedo de perderle de vista. Se deslizó a su lado, calada hasta los huesos, con el cabello pegado a la cabeza y las ropas empapadas. Tres personas más se habían refugiado en la puerta, dos hombres y una mujer de mediana edad. Se quejaron unos a otros de la lluvia, llenando la pequeña estrada de una cháchara apagada. Leyla miraba al frente, temerosa de que él la reconociera de haberla visto a la puerta de su oficina. Él miraba hacia la lluvia sin prestarle atención. Ésta continuaba cayendo, ahora ya ininterrumpidamente, mientras un fuerte torrente de agua fluía a sus pies. Por la calle, los coches circulaban bajo el chaparrón con chirridos de neumáticos y los faros inútilmente encendidos tras la cortina de agua. Un perro trataba de refugiarse junto a un stand de *felafel* vacío.

Leyla revolvió en su bolsillo sacando el paquete de cigarrillos. Estaba vacío. Lo arrugó con los dedos y lo lanzó bajo la tormenta. La lluvia lo arrastró sin piedad en dirección a una cloaca. El hombre que estaba a su lado volvió la cabeza para mirarla. Se metió la mano en el bolsillo de la gabardina y extrajo un paquete de Nelsons sin abrir. Con la otra mano y con gran destreza, quitó el celofán y abrió el paquete. Lo alargó hacia ella.

—Tenga —dijo.

Ella desvió la mirada de su cara y fijó sus ojos en el paquete. Sacó un cigarrillo, murmuró «gracias» y miró hacia la calle bañada por el agua. Él sacó otro cigarrillo del paquete y se lo colocó en la boca. Del mismo bolsillo extrajo un pequeño encendedor Gauloise. Lo encendió a la primera y una llama considerable se alzó entre sus dedos. Cuidadosamente, le ofreció fuego. Un golpe de aire hizo vacilar la llama, que osciló hacia ambos lados. Ella no podía mirarle a los ojos. Con una mano sujetó el cigarrillo entre sus labios y lo dirigió a la llama. Lo mantuvo firmemente hasta que el cigarrillo estuvo encendido. Después lo dirigió a su propio cigarrillo, encendiéndolo a su vez. Ella giró de nuevo la cara. En la calle, la lluvia parecía amainar.

Leyla miró fijamente a través de la oscuridad, pensativa. Había sido fácil escapar. Suhayl había vuelto por propia iniciativa poco después de que se llevaran a David. Fatma no le creyó al principio, pero él fanfarroneó lo suficiente para convencerla. Él se puso a su altura en el más puro estilo revolucionario y la amenazó con que sufriría las consecuencias de interponerse en su camino. Ella y Tawfiq dejaron que Suhayl se la llevara. La condujo a su apartamento. Escapar fue más fácil de lo que jamás se atrevió a sospechar. Esa misma noche, más tarde, él intentó hacerle el amor. Utilizando el ultraje y la vergüenza como excusa, ella salió del apartamento llevándose los papeles. Caminó un rato antes de encontrar un taxi para ir a casa de Abraham Steinhardt. El viejo profesor la acogió amablemente y estuvieron charlando hasta bastante tarde, explicándole lo que David y ella habían descubierto. Los papeles se hallaban en poder de Steinhardt; los estaba leyendo, intentando encontrar una nueva pista, algo que Leyla y David hubieran pasado por alto. Entregó la película a un amigo de la universidad, alguien de toda confianza que se encargaría de revelarla a pesar de su edad y de su estado.

Steinhardt quiso que Leyla se quedara a descansar, pero ella no podía. Tenía que encontrar a David o enterarse de lo que le había sucedido. Y todo lo que había descubierto hasta el momento era que pasaba algo, y algo grave. èLa gente se había escondido o alguien se los había llevado. Podía ser pura coincidencia, o bien podría ser que hubiera habido presiones del servicio de seguridad israelí, o tal vez las conexiones de David con el MOSSAD habían espantado a la gente. Puede que David los hubiera traicionado: el pensamiento volvía a su mente una y otra vez. Pero ninguna de aquellas explicaciones le parecía adecuada, y menos la última. Su instinto le decía que debía buscar por otro lado.

Y por eso estaba siguiendo a Scholem. En un principio se resistió a seguir las instrucciones de David de llevar los papeles al coronel: conocía bien a Scholem por su reputación y pensó que más que creer su historia se limitaría a arrestarla. Pero después de largas reflexiones, se dio cuenta de que, pese a toda la información que Abraham Steinhardt pudiera descubrir en los papeles que David había encontrado, no tenía medios para hacer nada. En cambio, Scholem los tenía: tenía que convencerle para que la ayudara.

Se decidió en contra de presentarse en su despacho. Una dependencia del MOSSAD era uno de los últimos lugares donde pondría los pies voluntariamente. Sería más seguro y también más efectivo hablar con él en su casa. Dejó de pensar un momento para chupar con fruición el cigarrillo. El humo pareció llenarla, penetrando por todos sus poros como finas agujas en busca de su alma. Bajo el húmedo olor de la lluvia todavía podía sentir el olor de orquídeas marchitas. Recordó las flores del funeral de Mushin. ¿Era eso todo?, se preguntó. ¿Estaba corriendo hacia Scholem, otro enemigo? ¿Era su carrera hacia Scholem otro paradigma de la desagradable gramática de la autotraición que había estado aprendiendo? Si era necesario, le entregaría su cuerpo para obtener su ayuda y encontrar a David. ¿Qué otra cosa podía darle? ¿A quién más?

Finalmente, la lluvia cedió. Las últimas gotas caían ansiosas de unirse a la riada. La gente se removió en los soportales de las casas y algunos se aventuraron a la calle. Dejaría que Scholem la precediera. Ahora que la había visto, sería más difícil. Las calles estaban menos concurridas y estaba demasiado oscuro como para alejarse demasiado de él. Pero había sombras y ella era menuda. Se deslizó por la acera. El cielo estaba aún cubierto de negros nubarrones. El cielo se iluminó fuertemente durante un segundo. Al cabo de un minuto, se oyó otro trueno, esta vez más cerca, pesado y amenazador.

Le divisó en la distancia al pasar junto a un farol encendido. El cigarrillo entre sus dedos aún estaba encendido. Lo chupó una vez y luego lo arrojó a la corriente de agua fangosa que discurría camino de la cloaca. Tras ella se movía una sombra.

Ella tenía miedo de que él decidiera coger un autobús o un taxi, pero él continuó caminando derecho por Ben Yehuda. Después dio la vuelta abruptamente por una bocacalle y desapareció de su vista. El pánico se apoderó de ella y apretó el paso hasta la esquina, temerosa de que se hubiera metido en algún edificio o que hubiera vuelto a torcer. Al dar la vuelta a la esquina, el resplandor de una luz que se encendía lo iluminó todo dando un aspecto espectral y misterioso a todas las cosas. Entonces le vio, justo al abrir la puerta de un viejo bloque de apartamentos. Al minuto siguiente ya no estaba, como si hubiera desaparecido por arte de magia, en medio de luces y espejos. Leyla parpadeó y aguardó el próximo trueno.

Éste llegó al poco, retumbando con un estruendo grave y prolongado que pareció hacer temblar el cielo, como el rugido interrogativo de una enorme bestia. A veces cesaba, creciendo de volumen después, trazando amplios círculos alrededor de las nubes. Leyla cruzó la calle en dirección a la puerta de Scholem. El trueno ahogó el sonido de los pasos ligeros del hombre que la seguía.

La puerta de la calle estaba abierta y el nombre de Scholem aparecía en uno de los buzones oxidados al pie de la escalera. Ella esperaba que viviera en un lugar mejor que aquél. Subió los escalones cansadamente. Vivía arriba, ocho pisos por encima de donde ella se hallaba. Sus pisadas resonaban suavemente, cayendo sobre los escalones como esperanzas perdidas. Su puerta era como todas las puertas que había visto: vieja, estropeada y poco acogedora. La golpeó tres veces, ni fuerte ni flojo. Hubo un sonido de pasos, se oyó descorrer el cerrojo y la puerta se abrió.

Tenía un revólver en la mano, un Colt automático, pequeño, metálico y mortal.

—Pase, señorita Rashid —dijo—. La estaba esperando. Debe de estar empapada. Acaba de caer una buena.

Leyla miró el revólver y después a Scholem. No tenía elección. Entró dentro.

—Me ha reconocido —dijo mientras él cerraba la puerta.

Él sacudió la cabeza.

—No. Su rostro me era familiar, eso es todo. Cuando entré en casa sonó el teléfono. Era uno de nuestros hombres de seguridad; la ha seguido desde Haneviim. Es una práctica habitual. La vio merodeando por la oficina. Está abajo, pero no le diré que suba. Por cierto, ¿va usted armada?

Ella sacudió la cabeza una vez.

—¿Cómo sabía él mi nombre? —preguntó.

—No lo sabía. Cuando usted llamó, yo acababa de encontrar su fotografía. Guardo muchos archivos aquí. La suya no es muy grande, pero es buena. Siéntese —dijo Scholem. Era más viejo de lo que parecía en la fotografía que había visto tres años antes. Sus ojos eran suaves y amables, pero tristes, y una fina película parecía enturbiarlos.

Se sentaron juntos, Scholem con el revólver y Leyla temblando a causa de la lluvia. En el exterior, el trueno todavía retumbaba sobre los tejados. Él acababa de encender el fuego, un pequeño calentador eléctrico de dos barras que se había puesto de un rojo apagado. Con una mano lo levantó por el asa y lo acercó hacia ellos. Leyla deseaba echarse al lado y olvidarlo todo en su calor.

—¿Por qué me estaba siguiendo? —preguntó Scholem. Su tono era neutro, ni enojado ni solícito. Había realizado preguntas como aquélla miles de veces. Ésta era simplemente otra pregunta más. Se sintió aburrido. Haría que se la llevaran pronto.

—Quería hablar con usted —dijo Leyla—. Necesito su ayuda.

Alzó las cejas ligeramente.

—¿Y por qué no vino a mi despacho?

—Si tiene mi fotografía en un archivo, ya sabe por qué.

Él asintió. Lo sabía.

—Entonces, ¿qué hay? —inquirió.

—No le entiendo.

—¿Ayuda para qué? ¿Tiene algún problema? ¿Con sus amigos del FPLP?

Leyla se mordió los labios.

—Sí, pero no se trata de eso. Necesito que me ayude a encontrar a una persona, alguien que puede ser importante para usted.

Él la interrumpió.

—Para mí personalmente, ¿o para los que trabajo?

—No lo sé. A lo mejor para ninguno de los dos. Pero alguien tiene que ayudarme.

—¿De quién se trata? ¿De David Rosen?

—¿Cómo lo sabe?

Él sonrió, satisfecho de su rapidez.

—Sabemos que fue al Sinaí con usted. Después de eso le perdimos la pista y también perdimos interés. Supuse que habría vuelto a sus ocupaciones arqueológicas.

—¿No sabía que había regresado a Jerusalén?

Scholem sacudió la cabeza.

—No, no lo sabía. Ya le he dicho que perdimos el interés. No vino a verme; creo que me evitó. Tiene problemas. Ya los tuvo en Siria, después asesinaron a sus padres y él creía que ambos hechos estaban relacionados. Pero a mí no me interesaba. ¿Dice que ha desaparecido?

—Está con el FPLP. Aquí, en Jerusalén, en alguna parte. Van a ejecutarle.

El rostro de Scholem se nubló. El trueno continuaba como música de fondo.

—¿Esto ha sido obra suya?

Ella bajó la cabeza, sacudiéndola. La habitación parecía opresiva y olía a rancio. Sus ropas y cabellos desprendían vapor. El calor parecía estar cerca, pero no lo suficiente. Quería acercarse más a él, consumirse dentro. Un escalofrío le recorrió el brazo derecho hasta la punta de los dedos.

—Sí, pero no deliberadamente. Necesitábamos ir a algún sitio, escondernos.

Scholem alzó una mano. La luz del fuego se posó sobre ella, haciéndola parecer más roja.

—Me parece que es mejor que me lo explique todo —dijo—. Empiece por el Sinaí. ¿Qué ocurrió?

Leyla le explicó lo sucedido en el Sinaí, las muertes de San Nilo, los papeles que David había encontrado allí y en Jerusalén. También le habló de la casa de Ain Tur y los acontecimientos de dos días antes.

Cuando terminó de hablar, él simplemente la miró, sin saber qué decir. Aquello quedaba fuera de su distrito, fuera de los horrores usuales de su profesión saturada de horrores. Una antigua ciudad, piedras, un desierto: dejaba esas cosas para otros. Su oficio eran las bombas, los revólveres y los silenciosos asesinatos de manos bien entrenadas en callejuelas posteriores y lavabos desiertos. Pero allá había habido revólveres, una bomba y asesinatos silenciosos.

—¿Por qué ha venido aquí? —preguntó él ocultando su incertidumbre—. ¿No se da cuenta de que podía haberla arrestado, interrogado y entregado a la justicia... o matarla yo mismo si así lo hubiera querido?

Ella asintió en silencio.

—¿Y aun así ha acudido a mí?

—Sí. —Apenas pudo oír su respuesta de tan suave que fue.

La miró durante un largo rato.

—Debe quererle mucho —dijo finalmente. Era raro en él percibir tales cosas. Pero sabía que tenía razón.

—¿Me va a ayudar? —suplicó ella.

Se levantó de la silla y fue hacia la ventana. La lluvia había empezado a caer otra vez, como si hubiera estallado un dique en la cima de las montañas, un chorro de agua contra su ventana. Miraba cómo caía a chorros: parecía que nunca fuera a cesar.

—Ha habido una ejecución —dijo con voz remota y la mirada perdida en el exterior—. Una ejecución múltiple. Unos escolares encontraron los cuerpos esta mañana, cuando jugaban en el monte Scopus. Siete hombres. Alguien los llevó allí, los puso en fila y les pegó un tiro en la cabeza uno detrás de otro. Había una zanja bastante profunda: los cuerpos cayeron dentro. Ya han sido identificados. Tengo una lista.

Leyla creyó que le sería imposible formular la siguiente pregunta. Su voz salió en un hililllo y su corazón latía desaforadamente.

—¿Era... era David uno de ellos?

Scholem no se separó de la ventana. Miraba las luces de fuera tintineando bajo la lluvia tras el cristal. Sacudió la cabeza.

—No. Todos eran palestinos, sospechosos del FPLP. Puede que algunos fueran miembros del Consejo. Quizá usted lo sepa.

—Tal vez —dijo ella. Se sentía mareada de alivio. Pero, mientras respiraba profundamente, se dio cuenta de que ahí no acababa todo. Había otros edificios en Jerusalén y no había escasez de balas. Ni de verdugos.

—¿Cuáles son sus nombres? —preguntó.

Scholem se apartó de la ventana y se dirigió a su escritorio. Su maletín estaba encima, exactamente donde lo había dejado al llegar a casa. Lo abrió y sacó un puñado de cuartillas. Las hojeó en silencio; sacando una, se la entregó a Leyla.

—Esto lo han preparado esta misma tarde —dijo.

La hoja estaba cuidadosamente mecanografiada en hebreo. Al principio, Leyla encontró difícil de descifrar los nombres árabes en su forma transcrita, pero uno a uno fue entendiéndolos como si se alzaran del barro de la zanja hasta la luz. Siete nombres. Siete caras. No había conocido muy bien a ninguno de ellos, pero los había visto a veces y los había admirado. Sus nombres formaban parte de su propio pasado. Leyó la lista otra vez.

—¿Esto es todo? —preguntó.

—Por ahora —asintió Scholem—. ¿Conoce a alguno?

—Sí. Son todos los miembros del Consejo. Alguien se le ha adelantado y le ha hecho el trabajo. Debería estarle agradecido. Tal vez la comunicación entre sus departamentos no es tan buena como usted cree.

Él negó con la cabeza.

—Esto no fue obra nuestra, se lo aseguro. No digo que no seamos capaces de algo así. ¿Por qué iba a mentirle? Si fuera necesario, lo haríamos. Ésa es la naturaleza de mi profesión: la necesidad lo compra todo, èincluso los escrúpulos de los judíos. Pero esto no era necesario en absoluto. Nosotros observamos, interrogamos, sobornamos, pero preferimos muertes aisladas. Son más efectivas que un martirio colectivo. No ha sido obra nuestra.

Leyla le miró con los ojos nublados. No importaba que le creyera o no, ni que él estuviera diciendo la verdad o no. En todo aquello no había ninguna verdad final salvo tal vez la muerte. En todo lo demás la gente construía su propia verdad: había una verdad judía y una verdad palestina, la verdad de Scholem y la de Leyla. Y el resto eran mentiras.

—No está completa —murmuró ella.

Él levantó las cejas.

—La lista —explicó ella—. Quien quiera que cometió los asesinatos no terminó el trabajo. Aquí no hay más que siete nombres. Todos miembros del Consejo, los siete. Pero en el Consejo había ocho. Falta un nombre.

La expresión de Scholem se hizo intensa.

—¿Quién es el octavo hombre? —inquirió.

Leyla le devolvió la mirada.

—No lo sé —respondió—. He oído hablar de él, sé que es muy importante, pero jamás he sabido su nombre ni le he visto. Todo lo que sé es que es un hombre mayor. Y que es gordo, extremadamente gordo.

Los nudillos de Scholem se pusieron blancos al apretar el brazo de la silla donde se hallaba sentado. No dijo nada, simplemente miró a Leyla con el cuerpo entero en tensión. Sin una palabra, se dio la vuelta en el escritorio y cogió el teléfono. Marcó un número corto y casi inmediatamente empezó a hablar.

—Aquí Scholem. Póngame con Kahan de la sección D.

Hubo un silencio y habló de nuevo.

—¿Arieh? *Shalom*. Soy Chaim. ¿Ha habido más informes sobre lo de Scopus de esta mañana? Sí, me espero.

Hubo una pausa y el auricular sonó de nuevo.

—¿Nada? ¿Estás seguro? Ya veo. —Calló otra vez—. Escucha, Arieh. Da la alerta sobre al-Shami. Puede que esté muerto o puede que esté vivo y en activo en Jerusalén.

Scholem calló un momento para oír lo que decía el otro hombre. Al escuchar, su cara cambió totalmente de expresión.

Palideció y los ojos le brillaron a causa del esfuerzo de concentración.

—¿Cómo? —dijo—. ¿Estás seguro? ¿Cuándo? ¿Está ahí aún? No, sigue.

Escuchó de nuevo, esta vez durante más de un minuto, y mientras lo hacía daba señales de creciente excitación. Cuando por fin el otro acabó de hablar, él lo hizo de nuevo.

—Que vuelvan a traer a Hasan Bey para interrogarlo. Sí, esta noche, ahora mismo. Y que no se marche Ahmad. No le digas nada. Ordena a las patrullas que estén alerta. Voy para allá en seguida. Espérame. *Shalom*.

Colgó el auricular y se volvió hacia Leyla. Estaba sumamente excitado.

—El hombre que me ha dicho que faltaba, el octavo hombre, se llama 'Abd al-Jabbar al-Shami. Es uno de los hombres más buscados en Israel. Un hombre que no ha matado en su vida, que nadie sepa, pero que es responsable de más muertes de las que usted pueda imaginar. Para su tamaño es enormemente escurridizo. Le conocí hace diez años.

Hizo una pausa como si se dispusiera a continuar. En sus ojos flotaba una mirada que revelaba un oscuro e indeseable recuerdo que había tratado de expulsar de su mente sin lograrlo. Parpadeó y volvió a hablar.

—No sabemos gran cosa sobre él y lo que sabemos nos dice muy poco. He vivido durante años viendo su fotografía, soñando con echarle el guante. Y ahora tal vez tenga una oportunidad.

Su voz cambió de tono mientras continuaba hablando. Hablar parecía tranquilizarle, apaciguar la intensa excitación que se había apoderado de él.

—Esta mañana uno de nuestros informadores comunicó haber visto a al-Shami en el barrio Shaykh Jarrah. Le vio ayer, hacia el mediodía. Al-Shami iba acompañado de un rufián llamado Marzuq, un presidiario que se gana la vida cortando cuellos pero que jamás ha sido acusado de asesinato. Estaban comprando provisiones para un largo viaje. Nuestro informador les siguió hasta una tienda que pertenece a un tal Hasan Bey. Conocemos bien a Hasan. Tomó el título de «Bey» de su padre, el cual era un oficial otomano en la época anterior al Mandato. Hasan heredó algo más que el título de su padre. Se sirve de una red de contactos a través de la antigua región palestina. Compra y vende a todo el mundo, al menos eso dicen. La compraría a usted, señorita Rashid... y sacaría muy buen precio, me imagino. Probablemente, en camellos.

Se volvió y miró a Leyla. Sus ojos brillaron con picardía y una media sonrisa afloró en sus labios. Durante un instante había vuelto a ser joven, pero en seguida el peso de su triste mediana edad volvió a pesarle en las espaldas. Continuó.

—Los camellos son un asunto serio para Hasan Bey. Trata con ellos hasta el sur de Najd y Qatar. Los 'Aniza, los 'Utayba, los Shammar, todos tienen negocios con él. Tiene un almacén en Ma'an en Jordania. Allí guarda los mejores machos y las gentes de las tribus le llevan sus hembras de camello para fecundarlas. No es costumbre pagar, pero él siempre tiene un precio. A los beduinos les disgusta, pero tiene los mejores camellos: Sharariyya, Hutaymiyya, 'Umaniyya, todos de las mejores razas. Lo sé todo sobre el asunto: una vez intenté que trabajara para mí. Hasta que descubrí que trabajaba para él mismo. Tendría que haberlo sabido. Pero entonces era más joven.

Leyla le interrumpió:

—¿Qué tiene que ver todo esto de los camellos con lo que hemos estado hablando?

Scholem se encogió de hombros.

—No estoy seguro. Excepto que al-Shami acordó comprar cinco camellos a Hasan Bey. Tres camellos de montar, *dhaluls*, y dos machos fuertes con alforjas misama para transportar comida y un equipo. No sé quién es el tercer jinete, pero nuestro hombre oyó que al-Shami pedía un camello para alguien que jamás había montado en uno.

Leyla reprimió un escalofrío de excitación. Miró a Scholem desde el otro extremo de la habitación. Él le devolvió la mirada.

—No tenga demasiadas esperanzas. Podría ser cualquiera.

—¿Adónde van? ¿No lo dijeron?

—No, no dijeron nada a Hasan. Todo cuanto sé es que irían a recoger los camellos a Ma'an hoy o mañana. Y también recogerán el grueso de su equipo allí, en el almacén de Hasan. Hay una cosa. Nuestro hombre oyó que al-Shami daba una instrucción particular a Hasan. Le oyó decir *Bi-lā wasma.* ¿Lo entiende?

—Sí —asintió ella—. «Sin marcas.» Quiere camellos sin marcas. ¿Y para qué?

—No estoy seguro. Tal vez planea marcarlos él mismo más adelante. Depende de su destino. Quiere viajar de incógnito y las marcas tribales podrían ser molestas.

—¿No puede detenerlos?

—Lo dudo. A estas alturas ya deben estar en Ma'an. Hay docenas de caminos para cruzar la frontera jordana, incluso para un hombre tan gordo como al-Shami. Le he pedido a mi ayudante que alerte a nuestras patrullas fronterizas, pero no creo que encuentren a nadie. Pasará en jeep o en un camión, es probable que abiertamente. Podría enviar a alguien tras ellos, pero para eso necesitaría una autorización. Y mis superiores querrán razones de peso. Tendría que convencerles de que vale la pena correr el riesgo para atrapar a un hombre como al-Shami en territorio árabe.

»Rosen no significa nada para ellos. Simplemente es una víctima, eso es todo. Tenemos montones de víctimas y podemos añadir un nuevo nombre a la lista. Ni siquiera sabemos seguro que esté con al-Shami. Por el momento no es más que una conjetura atrevida.

Se hizo otro silencio. Scholem se volvió hacia la ventana, observando cómo la lluvia formaba arroyuelos en el cristal. En el exterior, las cloacas sonaban como si estuvieran saturadas de agua. ¿Cuántas noches se había pasado junto a aquella ventana, mirando al infinito, intentando no pensar y perderse en la oscuridad?

Leyla rompió el silencio con voz baja y apagada.

—En tal caso iré yo. Puedo montar en camello tan bien como un beduino. Puedo rastrear el desierto: no muy bien, pero pasablemente. Aunque me lleve un año, los encontraré. No tiene nada que ver con usted, ni con Israel. Si alguien me encuentra, soy palestina. Estaré haciéndolo por propio interés. No hace falta que se preocupe, no le pondré en apuro. Puede añadir mi nombre a la lista de víctimas. ¿O tiene otra para los palestinos?

Scholem pasó un dedo por el cristal. Cuando lo levantó estaba húmedo. La habitación estaba caldeada. Tenía ganas de acostarse con la chica.

—¿Y qué hará si los encuentra? —preguntó.

—Tengo un revólver —respondió ella—. Y sé cómo usarlo.

¿Cuánto tiempo hacía que no se acostaba con una mujer? ¿Cuatro años? Tal vez cinco. No tocar y no ser tocado. Tenía los dedos húmedos y fríos. Cada invierno era igual.

—¿Cómo va a seguirles la pista por el Nafud? Usted cree que han ido allí, ¿no es eso? Aquél no es un desierto ordinario. Es todo arena, kilómetros de arena, el peor de los desiertos. No lo conseguirá usted sola.

—Alquilaré un guía —dijo ella—. Un *Shammar rafiq*. Él me llevará.

—¿Sola? ¿Una mujer?

Leyla no dijo nada.

Él quería a al-Shami. Era casi como desear a una mujer lo que sentía por cazarle. Durante años había codiciado tocar a aquel hombre, sentirlo entre sus manos, impotente, finalmente atrapado.

Miró las luces de la calle. Al-Shami estaría allá fuera, viajando, alejándose de él, tal vez para siempre. Ahora, si lo deseaba, podía ir por él, encontrarlo y traerlo. Sólo le hacía falta el deseo, la decisión. Se dio la vuelta.

—No puede usted ir sola —dijo—. Alguien tendrá que acompañarla. —Hizo una pausa sopesando sus palabras siguientes, inseguro—. Yo iré. Me lo debo. Quiero cazar a al-Shami, pero si espero que mis superiores autoricen la persecución, le perderé. Puede que ya esté en Ma'an, como le he dicho. Mañana ya estará camino del Nafud, si su sospecha es correcta. Si quiero atraparle, tenemos que partir mañana mismo. He pedido que traigan a Hasan Bey para interrogarle. Él nos proporcionará camellos y provisiones. Yo hablaré con los de fronteras. Podemos entrar en Jordania sin dificultad. También arreglaré lo de los guías. Partiremos mañana por la noche.

Leyla miró fijamente a Scholem, sin saber qué decir ni cómo decirlo. Súbitamente, se sintió asustada. Era como si hubiera sido tragada contra su voluntad por un torbellino de acción no deseada. No le quedaba elección. Se sentía como si estuviera al borde de un precipicio y Scholem viniera por detrás empujándola. ¿Había tiempo para echarse atrás, para alejarse del borde?

—¿Cómo va a ir usted? —preguntó—. Usted entre todo el mundo. ¿Y si le cogen? ¿Y si le reconocen?

—Ya he sido un árabe saudí antes —dijo—, montones de veces. Durante mis misiones. Puedo pasar por árabe. Cuando era joven, me pasé años en el Negev viviendo con las tribus. No se preocupe por mí. Me dedico a estas cosas. Y lo hago bien.

Ella le miró recortado contra la ventana, un hombre demacrado, consumido por un fuego interno.

—¿Qué piensa hacer? —preguntó ella—. Si encuentra a al-Shami.

Él no dijo nada. Ya lo había decidido. Al-Shami lo era todo para él ahora. Se giró hacia la ventana. En el exterior, la lluvia había cesado casi por completo. La mujer le había inquietado al abrir algo en su interior que había estado cerrado durante demasiado tiempo. La tormenta ya estaba pasando, pero todavía tenía los nervios de punta. Vio a Leyla reflejada en el cristal, con la tez roja a causa de la luz del fuego, y la vista fija en él. Una enorme gota de agua cayó sobre la ventana y descendió por el vidrio a toda velocidad, partiendo su imagen por la mitad.

CAPÍTULO 28

Leyla subió los cinco pisos hasta el apartamento de Abraham Steinhardt, acarreando su propio peso como si se hubiera vuelto vieja y pesada, o como si la lluvia hubiera penetrado por sus poros dejándola gris y empapada. La tormenta ya había pasado, pero el aire no era mucho más fresco. El mismo olor a rancio y a cerrado la rodeaba, los mismos desagradables olores le irritaban la garganta y le daban náuseas.

Llamó a la puerta tres veces, despacio, como habían acordado. Él no acudió en seguida y ella pensó que había pasado algo. Entonces oyó pasos, los pasos cuidadosos de un hombre que todavía no era demasiado mayor, pero que había dejado de ser joven. Llevaba zapatillas, las mismas viejas zapatillas con agujeros en las puntas que llevaba puestas seis años atrás, cuando ella le conoció. Los pasos se detuvieron. Hubo unos ruidos de descorrer cerrojos y girar llaves. Se había colocado los cerrojos el día anterior, junto con una mirilla por la que podía ver a cualquiera que llamase a su puerta.

Abrió la puerta y se hizo a un lado para dejarla entrar. Una vez dentro, volvió a echar todos los cerrojos y las llaves antes de volverse hacia ella.

—Pareces cansada —dijo.

—Y lo estoy. Cansada y dolorida.

—Necesitas dormir. —Hizo una pausa—. ¿Has comido?

Sacudió la cabeza.

—No. No puedo comer. No tengo apetito. No me lo diga.

Steinhardt arrugó la frente, pero no dijo nada. Conocía demasiado bien a Leyla como para intentar forzarla a hacer algo contra su voluntad.

—Pasa adentro —dijo—. Tengo algo que enseñarte.

Él esperaba despertar su interés, pero permaneció apática e impasible.

Cuando se sentó en su estudio, él se dirigió al escritorio y sacó un pequeño paquete de un cajón. Alrededor de ellos, montañas de libros se alzaban hacia el techo en columnas polvorientas, con sombras altas y casi amenazadoras. Leyla estaba completamente harta de libros; libros, papeles y manuscritos. Deseaba huir, dejar atrás todo aquello.

—¿Me da un cigarrillo? —pidió.

Steinhardt buscó en el bolsillo de su traje, una prenda manchada y bastante estropeada, procedente de Japón, y sacó un paquete de Europas, conocidos por los israelíes como «los cigarrillos de los no fumadores». Ella lo miró despreciativamente, pero de cualquier modo, alargó una mano.

—Supongo que vale más esto que nada —dijo.

—Sí —dijo Steinhardt—. Hay un montón de cosas que son mejores que nada. —Se puso en pie y se dirigió a una mesita donde había varias copas y una enorme botella de calvados. Sirvió dos copas generosas y le ofreció una a Leyla.

—Si no piensas comer —dijo—, por lo menos bebe. —Tomó asiento. Cogiendo el paquete, se lo pasó a ella.

—Toma —dijo—. Échale un vistazo a esto.

Ella abrió el paquete. Contenía un montón de fotos en blanco y negro, de tamaño de instantánea, pero más claras de lo que nadie se habría atrevido a esperar.

—Mi amigo de la universidad me ha dicho que la película estaba notablemente bien conservada teniendo en cuenta la edad y el estado bajo las cuales me has explicado que estaban guardadas. El hombre tenía mucha curiosidad, pero no hizo ninguna pregunta. Tendrá la boca cerrada.

Leyla examinó las fotografías una por una. Tenía poco interés. ¿Qué podían revelar? No eran más que fotografías, imágenes de hacía cincuenta años, vagas instantáneas grises de hechos y personas oscuros.

Allí aparecían los monjes, hombres pequeños y nerviosos, poco acostumbrados a ser fotografiados, temerosos de ofender si rehusaban. El archimandrita parecía triste y solemne, un hombre de barba gris que llevaba una cadena con un enorme crucifijo alrededor del cuello. En aquel momento reconoció el rostro de un hombre bastante joven, probablemente cumplidos los cuarenta. La cara le era familiar, la de alguien que ella conocía. Entonces recordó quién era: Gregorios, el bibliotecario que más tarde se trasladó a vivir a Santa Catalina, el viejo monje que la atendió en su enfermedad.

La siguiente fotografía estaba formada por un pequeño grupo de europeos. Por las descripciones en el diario de Schacht, supo quiénes eran. Allí estaba Von Meier, pequeño pero con la complexión de un futbolista americano, con el rostro triste de un perro de aguas, y ojos fríos. A su derecha estaba Keitel, pequeño y arrugado, como una seta deshidratada que ha crecido más de lo debido y se halla dotada con alguna especie de vida. El hombre que estaba a la izquierda de Von Meier debía de ser Lorenz: era gordo, sonreía estúpidamente y vestía un traje de aspecto bastante caro de manufactura bávara. El hombre que se hallaba junto a él era fácilmente identificable. Era el Sturmbannführer Schacht, enfundado en su elegante uniforme negro de las SS, con las botas lustrosas, la gorra bien colocada sobre la cabeza y una expresión impenetrable. Leyla se preguntó qué estaría pensando mientras posaba para aquella fotografía sabiendo que su vida corría peligro.

Había variaciones del mismo grupo, con la gente en diferente posición y posturas ligeramente alteradas. Una única toma tenía la entrada de la iglesia como escenario. Las fotos habían sido tomadas en la pequeña plaza del exterior de la basílica. En otra foto se veía al mismo grupo de europeos con una docena de árabes. Eran árabes de ciudad, casi con toda seguridad palestinos. Algunos llevaban *tarbushes* y ropas al estilo europeo, otros el traje tradicional de gran calidad. Aparte de eso, no sabía nada más de ellos. Removió sin orden ni concierto el resto de las fotografías, variaciones sobre el primer tema. La última era un primer plano de cuatro hombres: Von Meier, Keitel, Lorenz y un árabe. Leyla reconoció al árabe como el hombre del centro en todas las fotografías del grupo más numeroso. Era un hombre menudo, que llevaba las vestiduras de un líder religioso, de negro, con un gran *tarbush* alrededor del cual llevaba atado un turbante blanco de forma ligeramente cónica. Su rostro era delgado y barbudo, sonreía afectadamente y tenía una expresión astuta, especialmente en sus ojillos medio cerrados.

Algo en la cara de aquel árabe inquietó profundamente a Leyla. Depositó las fotos en su regazo y miró aquélla fijamente, con expresión de concentración. Steinhardt la miraba, dándose cuenta del cambio repentino de su expresión y su postura. Ella levantó la fotografía para verla más de cerca y después volvió a mirar las del grupo más numeroso donde aparecía. El corazón le dio un vuelco. Miró de nuevo el primer plano. Y sintió que un escalofrío le recorría todo el cuerpo. Estaba segura de haber visto aquella cara antes. Sí, no había duda. Le reconocía, pero no podía recordar quién era.

Se imaginó que debía ser A. H. y algo se removió en su cerebro. ¿A. H.? Estaba casi segura de conocer su nombre.

—¿Pasa algo, Leyla? —preguntó Steinhardt.

Ella levantó la vista. Se había olvidado de él por completo, y de dónde estaba y de lo que hacía. De repente, todo le volvió a la cabeza, como los síntomas de una enfermedad que se resisitía a abandonarla. David, Scholem, las columnas de Iram.

—No —dijo—, no pasa nada. Pero mire... —Alargó la fotografía del primer plano a Steinhardt, señalando al árabe—. Le conozco —dijo—. He visto su cara varias veces, estoy segura. Pero no consigo recordar su nombre. Es alguien conocido, ¿tal vez alguien cuyo rostro aparece en los libros de historia?

Steinhard miró atentamente la foto. Algo dentro de su cerebro pareció empezar a funcionar, pero la cara seguía sin decirle nada.

—Sí —dijo—. Puede que sí. Enseñaré la foto a algunas personas en la universidad. Tal vez alguien le reconozca. Hay una posibilidad. Pero, de todos modos, no veo de qué nos puede servir.

—Creo —dijo Leyla lentamente— que debe de ser A. H. Está en el centro de todas las fotografías donde aparece el grupo más numeroso. David pensaba que las iniciales debían de corresponder a un nombre árabe y algo me dice que tenía razón. ¿Cree que es importante?

Steinhardt guardó silencio. Arrugó con fuerza la frente. Se sentía viejo. Hiciera lo que hiciera, la vida era un infierno. Dando un suspiro, se levantó y se dirigió a su escritorio. Cogió un trozo de papel y tomó asiento de nuevo de cara a Leyla.

—Hay algo más que quería decirte —empezó. Su voz sonó apagada. Todavía no estaba seguro—. No sabía si decírtelo o no; podría ser pura coincidencia. Pero ahora... ahora creo saber quién es A. H. —Calló un momento. Sus dedos jugueteaban nerviosamente con el papel que tenía sobre el regazo—. Dime —indagó—, ¿te dijo David de dónde procedía la copia del *Tariq al-mubin* que al-Yunani le proporcionó?

Ella le miró perpleja.

—No —dijo—. De una biblioteca en alguna parte de Jerusalén, eso es todo.

Steinhardt asintió.

—Ya veo. Sí, procedía de una biblioteca de Jerusalén. Esa biblioteca pertenecía a Hajj Amin al-Husayni. ¿Sabes a quién me refiero? Era una biblioteca privada que quedó en Jerusalén después de su expulsión de Palestina en... no lo recuerdo exactamente.

—Mil novecientos treinta y siete —musitó Leyla.

—Sí —repitió Steinhardt—. Mil novecientos treinta y siete.

—¿Cómo lo sabe? —preguntó Leyla.

Steinhardt levantó la hoja de papel. Era una fotocopia de la página del *Tariq al-mubin* que llevaba el sello del propietario, con el nombre de Amin al-Husayni.

—Esto se había mezclado con los otros papeles de David. Lo encontré esta mañana mientras los hojeaba. Había oído hablar de esa biblioteca anteriormente, y pensé que éste debió de ser uno de los muchos libros del patriarcado griego que desaparecieron en su interior.

Leyla guardaba silencio.

—A. H. —susurró con un hilillo de voz.

Frente a ella, Steinhardt asintió en silencio. Les llegaba el ruido del tránsito de la calle.

—¿Te das cuenta de lo que esto significa? —preguntó Steinhardt.

Ella asintió, muda. Veía las luces de la calle. Blancas y amarillas, parecían perderse en el infinito.

—¿Qué piensas hacer? —preguntó él—. ¿Debería habérmelo callado? ¿Hubiera sido justo por mi parte?

Ella colocó las manos en el marco de la ventana y se apoyó, abriéndola hacia la oscuridad de la noche. Daría cualquier cosa por un poco de aire fresco.

—Sí —dijo ella contemplando la oscuridad—. Hubiera sido injusto. ¿Cómo no iba a decírmelo?

Era justo, si es que algo en la vida lo era. *Maktub*, decían sus amigos beduinos. «Está escrito.» Era el destino, el divino *qadar*, algo intolerable que debía soportarse. David, el libro, las muertes en el Sinaí, las columnas de Iram, y ahora al-Husayni. Salía del pasado para perseguirla.

Ella se enderezó y cerró la ventana. Abraham Steinhardt cruzó la habitación y le pasó un brazo alrededor de los hombros, atrayéndola hacia sí. Ella apoyó la cabeza sobre su hombro, agradeciendo la fina y mullida calidad de la tela.

—Gracias por decírmelo —dijo—. Me ha ayudado a decidirme. Esta noche he acordado partir hacia el desierto en busca de David y de Iram. Cuando vine no estaba totalmente decidida a ir. Y ahora esto. Ahora le recuerdo, las fotografías que solía ver. No hay duda de que es él. He tomado una decisión: me marcho.

Él la miró a los ojos.

—¿Por la fotografía? —preguntó suavemente.

Leyla asintió.

—Sí —respondió—. Por la fotografía.

Cuarta parte

... en tierra desierta.

Deuteronomio, 32, 10

CAPÍTULO 29

Una niebla helada lo cubría todo, como si el mundo hubiera sido barrido. No había ningún movimiento, ningún sonido. La niebla no tenía principio ni fin: nada salía ni entraba en ella; era como una enorme tumba blanca donde todas las cosas y todos los sonidos habían sido enterrados. El suelo estaba helado y cubierto de escarcha, como si se hubiera vuelto de piedra para siempre. No había cielo ni sol.

De las profundidades de la impenetrable niebla surgió un repiqueteo que hendió el aire trémulo y helado. De nuevo se hizo el silencio. El sonido se repitió, el repiqueteo de la campanilla de un camello. Fue seguido de la cabeza y el cuello del propio camello, y la enorme bestia asomó grotescamente de una enorme nube de niebla, una sombra gris con otra sombra a lomos. Camello y jinete entraron silenciosamente en otra nube de niebla helada y fueron tragados por ella. Le siguió un segundo camello, y después un tercero y un cuarto, hasta que hubieron pasado siete animales, cinco de ellos con jinete y dos transportando el equipaje.

La niebla había aparecido durante la noche, una hora antes del amanecer. Ya era media mañana y no daba señales de que fuera a desaparecer. El frío era glacial y penetrante. La niebla formaba una gruesa capa de escarcha sobre las ropas de los jinetes y las mantas de los camellos. La humedad se pegaba a la carne penetrando hasta los huesos.

Se oyó un grito agudo al tiempo que el jinete que encabezaba la comitiva detenía su camello y miraba cuidadosamente al suelo. Uno tras otro, los demás siguieron su ejemplo, sombras oscuras en un mundo de sombras. Sin una palabra, saltó de su camello al suelo. Era un hombre alto, de casi dos metros, con ojos agudos y observadores como los de un halcón. Llevaba ropas claras, una fina *dishdasha* de algodón y una vieja y desgastada *aba*, pero parecía insensible al frío. Llevaba un *ghutra* enrollado a la cabeza, de color rojo y blanco, sujeto en su sitio con unas finas cintas. Tenso por la concentración, se agachó y empezó a inspeccionar el suelo helado. Con gran cuidado, bajó la cara hasta el suelo y se retiró el *ghu-*

tra de delante de la boca, aspirando profundamente el aire. Tocó la tierra con los dedos, recogió un pequeño terrón y lo sostuvo entre sus dedos, dándole vueltas y calentándolo. Pasó un minuto, después lo rompió, lo miró con gran atención y finalmente lo arrojó a un lado. Levantó la vista hacia el segundo jinete que se hallaba tras él, oculto en la niebla.

—Cinco camellos —dijo—. Tres *dhalul* con jinete, dos *fahal* con paquetes. Batiniyya de Omán, no eran bestias locales. Jamás había visto estos animales.

Una voz amortiguada llegó del segundo jinete.

—¿Hace cuánto?

—No estoy seguro. El suelo está muy duro. Pero los excrementos son recientes. Hace cinco días. El camello había bebido hacía seis y había sido apacentado en Ma'an.

—¿Y los jinetes?

Hubo un silencio. El guía se agachó.

—Éste —dijo señalando un grupo de huellas— era un hombre muy pesado, extremadamente gordo. Tiene el camello más fuerte. Este otro era de complexión media, de setenta u ochenta kilos.

Se irguió.

—¿Y el tercer hombre?

El hombre que se hallaba en el suelo miró intensamente al que había hablado.

—El tercer hombre jamás había montado en camello. Se mueve en la silla y le duele la espalda. Será un viaje largo para él.

—¿Eso es todo?

El guía sonrió y los dientes le brillaron entre la niebla.

—Uno de los camellos es negro —dijo—. Llevan arroz iraquí y harina de Amman. La *dhalul* más joven está preñada: de unos tres meses. Podré decirle más cosas cuando demos con su campamento.

Leyla no preguntó cómo lo sabía y ni por un momento pensó que se equivocara. El hombre había pasado su vida en el desierto y había sido educado entre aquellas señales igual que cualquier graduado universitario se educa entre libros. Un pelo le revelaría de qué color era el camello, un grano de arroz el origen de su cargamento, la huella de la pezuña de un camello su estado de salud y si esperaba crías o no.

Estirando la cabeza de su camello hacia abajo mediante una soga atada a su jáquima, el árabe se sirvió de su largo cuello para volver a montar. Se dio la vuelta, arrodillándose precariamente en la gruesa piel de carnero que había encima de la silla. Con un silbido, puso su camello en movimiento. Fue tragado por la niebla y el silencio reinó nuevamente mientras la caravana avanzaba penosamente durante toda la mañana.

La niebla se aclaró poco antes del mediodía. Un sol caprichoso reveló un mundo de arena amarilla y seca y piedras negras, llano e inmenso, una gran desolación que se extendía hasta donde alcanzaba la vista. Se hallaban en medio de las tierras altas sembradas de pedernal de la mitad meridional del Badiat al-Sham, el gran desierto sirio que separa las fértiles tierras del litoral mediterráneo oriental de las tierras ribereñas del Tigris y el Éufrates. El verdadero desierto, las arenas del Gran Nafud todavía estaban lejos, a cuatrocientos cincuenta kilómetros por las colinas de al-Tubayq. Desde donde estaban hasta el borde de la arena, el viaje sería duro: y el Nafud que les aguardaba, muchísimo peor.

Habían salido de Ma'an el día anterior, dirigiéndose hacia el sur en la noche, antes del amanecer, cinco jinetes anónimos, cuatro hombres y una mujer vestida de hombre. Si alguien preguntaba por ellos en Ma'an le dirían que se dirigían hacia al-'Aqaba, transportando mercancías para comerciar con los turistas allí y en la frontera israelí de Eilat. Cerca de Naqb Ashtar habían torcido hacia el este en dirección al desierto. Finalmente, aquel día habían dado con el rastro de al-Shami y su pequeña caravana. El camino hacia el Nafud les aguardaba.

La comitiva la formaban Leyla, Scholem y tres *rafiqs* árabes, guías conocidos por las tribus que hallarían en su camino y que garantizarían su seguridad durante el viaje. El guía principal era el hombre alto que iba delante; se llamaba 'Ali, un Huwaytat cuyas tiendas se hallaban acampadas en el Wadi Rumm más al sur. Scholem le había conocido dos años antes, mientras viajaba con los Huwaytat, y se había emocionado al encontrarle en Ma'an. Scholem confiaba en él y conocía sus habilidades. Tenía unos cuarenta años, y era uno de los más expertos rastreadores de la región, así que podría llevarles al borde del Nafud directamente sin apenas llamar la atención.

Siguiendo el consejo de 'Ali, había contratado también a Suwailim y a Zubayr, dos amigos suyos que habían acudido a Ma'an para encontrar trabajo durante el invierno. Suwailim pertenecía a los Bani Atiya, cuyos campamentos se encontraban al oeste de su ruta proyectada. La gente de Zubayr, los Shararat, erraban por el nordeste de la región. 'Ali quería sacarlos de Ma'an, lejos de la desolación del trabajo en la vieja estación o en el imperio de Hasan Bey. Había visto docenas de beduinos jóvenes en los últimos años, que vagaban como fantasmas de la ciudad al desierto, siendo atraídos cada vez más por la ciudad. Allá eran utilizados por hombres como Hasan Bey, masticados durante un tiempo y después escupidos a la arena del desierto del que procedían. Incluso ahora que viajaban a través del relativamente suave terreno al sur de Ma'an, 'Ali seguía preocupado. Los veía moverse entre la niebla: la vida en la ciudad había comenzado a apoderarse de la dureza del desierto.

'Ali y sus dos compañeros llevarían a Leyla y a Scholem tan sólo hasta la arena. No conocían sus razones para ir allí, excepto que seguían a otros tres jinetes que también se dirigían al mismo sitio.

Les pagaban lo suficientemente bien como para no hacer preguntas, y entre el frío y el riesgo a causa de las patrullas saudíes ya tenían bastantes preocupaciones. Los tres *rafiqs* se volverían al llegar al Nafud, después de conseguir algún guía Shammar para que llevara a Leyla y Scholem por el desierto.

Se detuvieron para comer algo hacia las dos de la tarde. Suwailim y Zubayr querían encender un fuego para calentarse, pero 'Ali no lo permitió. Necesitarían la madera que llevaban o recogerían para las noches cuando la temperatura descendiera aún más y les faltaran una o dos horas para morir congelados. Comieron dátiles, *khalasi* de Hofuf, dulces y pesados. No había tanta escasez de agua como para que no pudieran lavarse. Entre allí y el Nafud había pozos y numerosos charcos entre las rocas repletos de agua de las lluvias de los últimos meses.

Cuando se pusieron de nuevo en marcha, las nubes se habían disuelto y el sol brillaba con fuerza. Los ánimos se levantaron inmediatamente. Suwailim y Zubayr avanzaban delante, por detrás de 'Ali; Leyla y Scholem se mantenían detrás, hablando en voz baja. Hablaban en árabe más que en hebreo para seguir el juego de que Scholem era árabe del Sinaí, igual que Leyla. Si llegaba a saberse que era judío, podía ser fatal para él. Tal vez a sus tres *rafiqs* no les importaría, pero si ellos lo sabían y eran indiscretos, a otros sí que podía importarles, hasta el extremo de matar por ello. Cada vez que se detenían a orar, Scholem se daba la vuelta como los demás en dirección a La Meca: conocía las palabras y los gestos del *salat* tan bien como cualquier *badu*. Aquél era el único rato en que Leyla se apartaba de ellos: no la dejaban quedarse mientras rezaban. El resto del tiempo viajaba como hijo de Scholem, sin barba, pero delgado y taciturno, con los pequeños pechos ocultos bajo la envoltura de su *dishdasha* y la pesada *farwa* de piel de carnero que llevaba para protegerse del frío.

—¿Por qué tiene tantos deseos de coger a al-Shami? —preguntó a Scholem—. ¿Por qué a él más que a cualquier otro?

Él caminó durante un rato junto a ella sin responder. Leyla no estaba impaciente. En el desierto, el tiempo se alteraba de maneras muy sutiles. Avanzaban a paso lento, a no más de cinco kilómetros por hora. Pero la lentitud de la marcha aliviaba la monotonía. Tenían tiempo para pensar, para hablar con calma, para observar las pequeñas cosas que les salían al paso: plantas, piedras, animales, pájaros.

—Al-Shami es especial —replicó él finalmente—. No es un asesino ordinario. La mayoría de los hombres matan porque tienen que hacerlo: alguien se lo ordena, o el honor lo exige, o se sienten amenazados. Después hay otros que matan porque son codiciosos o lujuriosos: quieren dinero o una mujer, y si el único modo de conseguirlo es matando, lo hacen. Después hay otros que matan por una causa: su país o su fe o simplemente una idea política; eso usted podrá comprenderlo. Pero no creo que al-Shami se incluya en ninguna de esas categorías. Creo que él tiene una razón mucho más profunda: creo que matar y la necesidad de seguir haciéndolo forman ya parte de él y que si no lo hiciera moriría. Lo raro es que es un sádico que odia infligir sufrimiento. Lo hace porque tiene que hacerlo, y además lo hace bien, se lo aseguro. Pero necesita liberar a sus víctimas de su sufrimiento. Y ya que el mejor alivio que conoce es la muerte, los mata. Tiene terror a matar con sus propias manos, eso he oído; pero puede sentarse a contemplar cómo le cortan el cuello a un hombre sin que a él se le mueva un solo pelo. Es capaz de sentarse a comer mientras mira cómo sus amigos le sacan los ojos a un hombre. Es un monstruo, Leyla. Si lo encontramos, no hay que darle ni la más mínima oportunidad. Al menor intento de escapar, hay que matarle.

Continuaron cabalgando como antes, en el vasto silencio roto únicamente por los pasos de sus camellos y las voces de sus guías un poco más adelante.

—¿Cómo sabe todo eso de él? —preguntó Leyla al cabo de un rato.

Scholem no la miró al responder. Miró hacia adelante, por encima del cuello de su camello, al vacío del desierto.

—Estuve con él mucho tiempo —dijo—. Cinco días. —Respiró profundamente el aire del desierto. Era frío; el sol no lo había calentado—. No parece tanto tiempo —continuó—, pero cinco días en manos de al-Shami pueden parecer toda una vida. Quería que yo le diera una información. La pidió de malas maneras y la quería rápido. —Hizo una pausa de nuevo para respirar fuertemente—. Yo se la hubiera dado. Al segundo día, creo que le hubiera dicho cualquier cosa, le habría dado cualquier cosa. No me avergüenza admitirlo. Pero no tenía nada que decirle, no tenía la información que él quería. Creí que todo aquello no tendría fin, el dolor, la desesperanza. Jamás en mi vida deseé tanto la muerte, no sabía que fuera posible desearla con tal intensidad. Al quinto día hicieron una redada. Uno de mis amigos me había seguido la pista. —Calló un momento y continuó—: Mi amigo murió en la redada, de un balazo en el ojo izquierdo. Hice que me llevaran a su funeral, pero era inútil, no tenía sentido.

Scholem no volvió a hablar hasta la puesta de sol, cuando acamparon para pasar la noche.

Plantaron la tienda a la vista de las colinas Tubayq, por donde cruzarían la frontera hasta Arabia Saudí. Durante la noche llovió fuertemente, un chaparrón que la pequeña tienda consiguió soportar a duras penas. Después de medianoche ya no les quedaba leña para mantener el fuego encendido. Permanecieron echados temblando bajo las mantas en el penetrante frío, escuchando cómo la lluvia caía torrencialmente. Leyla durmió a ratos, despertándose varias veces durante la noche para mirar hacia la penumbra antes de darse la vuelta y tratar de vencer al frío lo suficiente como para poder dormir de nuevo.

Se levantaron antes del amanecer y prepararon un pequeño fuego para calentarse. En el exterior, la lluvia no cesaba de caer del cielo plomizo. El desierto era como una enorme masa de barro gris que se extendía hasta el horizonte. Los camellos encontrarían el camino difícil hasta llegar a las colinas.

Partieron después del desayuno y caminaron junto a sus camellos para guiarlos. La lluvia se les calaba en la ropa y el barro se les adhería a la suela de los zapatos, haciendo que cada paso supusiera un enorme esfuerzo. Frente a ellos, las colinas Tubayq se hallaban rodeadas de una espesa niebla. Llegaron a ellas justo después de mediodía.

Aquella noche, la temperatura descendió a seis grados bajo cero. No encontraron ningún lugar para plantar la tienda, así que se vieron obligados a apiñarse junto a los camellos para resguardarse. Hacia medianoche comenzó a soplar un viento frío por la gorja donde se hallaban; aullaba por entre las fisuras de las rocas que les rodeaban, dando vueltas y vueltas en su ruta por las colinas.

—Esto no es más que un viento suave —dijo 'Ali—. Cuando lleguen al Nafud se encontrarán con verdaderos vendavales, vientos del desierto que son capaces de destruirlos. Ahora descansen. Guarden sus energías. El Nafud pondrá a prueba su resistencia.

El viento se aplacó por la mañana, pero una fina niebla se formó en la cumbre de las colinas ocultando el sol. Continuaron avanzando, helados, húmedos e infortunados. 'Ali había perdido el rastro de su presa el día anterior no lejos de las colinas. Podían tardar días en encontrarlo de nuevo, si es que lo lograban.

A primera hora de la tarde, 'Ali caminó junto a Scholem y Leyla. De vez en cuando durante la última hora había estado cabalgando en la retaguardia, perdiéndose de vista o deteniéndose para trepar por un saliente o explorar un desfiladero lateral. En aquel momento, mientras montaba junto a ellos, vieron que arrugaba la frente de manera desacostumbrada.

—Alguien nos sigue —dijo—. Un jinete. Badu. Camina muy silenciosamente y ha amordazado a su camello; pero esta mañana oí algo y retrocedí para ver qué era. Nos está siguiendo. Creo que nos sigue desde Ma'an. Alguien le ha dicho algo de nosotros.

—¿Cómo lo sabes? —preguntó Scholem.

—Tiene barro en la ropa y en las patas de su camello. Parte de él se le debió quedar enganchado en el desierto antes de las colinas. Pero más arriba hay rastros de fango rojizo y eso sólo puede venir de los alrededores de Ma'an.

—No vimos a nadie en aquel momento.

—Nos seguía de lejos, estoy seguro.

—¿A cuánto está ahora?

—No muy lejos.
Leyla intervino.
—¿Qué podemos hacer? ¿Esperarle y preguntarle por qué nos sigue?
'Ali sacudió la cabeza.
—Va armado. Podría asustarse y disparar sobre nosotros. No parece el tipo de hombre que fallaría.
—Entonces, ¿qué?
—Podemos buscar un sitio adecuado más adelante y tenderle una emboscada. Será más seguro cogerle por sorpresa.
Scholem asintió.
—Adelante, 'Ali —dijo—. Busca un sitio. Nos reuniremos contigo y le esperaremos.
'Ali se alejó del desfiladero, llevándose a Suwailim y a Zubayr con él. Scholem y Leyla continuaron, guiando a los camellos que transportaban los equipajes. De vez en cuando, Leyla echaba un vistazo a su alrededor, esperando ver a su perseguidor tras ellos, pero no veía nada excepto rocas y bancos de niebla bajos.
'Ali les esperaba un kilómetro y medio más allá. Había encontrado un lugar donde un ancho desfiladero lateral les permitía esconder los camellos mientras ellos podían trepar hasta un saliente a nueve metros del suelo. Suwailim se quedó con los camellos. Les ataron cuerdas de trapo alrededor de la boca para evitar que hicieran ruido.
Scholem y Leyla treparon hasta el saliente mientras 'Ali aguardaba a la entrada del desfiladero lateral con Zubayr. Todos llevaban revólveres y estaban dispuestos a usarlos a la primera señal de peligro. Mientras esperaban, reinaba un intenso silencio. El desfiladero no tenía ninguna otra salida: tenía que pasar junto a ellos, y cuando lo hiciera caerían sobre él, 'Ali y Zubayr por delante y Leyla y Scholem por detrás.
Los minutos pasaban sin ningún entusiasmo. Nadie hablaba. El estrecho desfiladero estaba inundado de la tensión de la espera. Pasó media hora y seguía sin aparecer. ¿Tan lejos estaba? Continuaron esperando, incómodamente quietos en aquel frío. Pero pasada una hora se dieron cuenta de que algo debía de pasar. 'Ali hizo señas a Scholem. Descendieron hasta el pie del desfiladero, donde 'Ali y Zubayr aguardaban.
—Debe de saber que le hemos visto —dijo 'Ali—. Sea quien sea, sabe lo que se trae entre manos. Ahora será más peligroso, estará en guardia, tomará precauciones. Sabe que le estaremos esperando. Pero no tiene prisa. Por el momento, esperará.
'Ali volvió la vista hacia el desfiladero.
—Ahora no vendrá —dijo—. Ya hemos perdido bastante tiempo. Vámonos.
Caminaron hasta el desfiladero lateral donde habían dejado a Zubayr con los camellos. Los animales estaban sentados muy si-

lenciosos, amordazados, tal y como los habían dejado. Pero Suwailim no estaba por ningún sitio. Gritaron su nombre, pero no obtuvieron respuesta. Entonces Leyla reparó en que uno de los camellos estaba dándole a algo con el hocico. Fue a ver qué era y al verlo sintió que el estómago se le subía a la boca. Era una mano humana, en medio de un charco de sangre. Un rastro de sangre se alejaba por el desfiladero. Lo siguieron hasta descubrir que era algo más que un rastro de sangre: encontraron la otra mano de Suwailim, después un pie, después su pene, luego el otro pie y ambas orejas, antes de encontrar lo que quedaba de él, justo después de una curva del desfiladero. Todavía estaba vivo, pero horriblemente mutilado. Murió al poco de encontrarle, sin poder hablar e ignorante de lo que estaba sucediendo.

CAPÍTULO 30

David se hallaba tendido en el frío y estéril suelo, con todos los miembros de su cuerpo doloridos, deseando morir y renacer con otro cuerpo, en aquel preciso momento, en el acto, soñando consigo mismo en otra carne. Pero el sueño se desvaneció como siempre y sintió cómo la desesperación regresaba para lamer sus heridas como una perra en celo. Se estaba helando. Llevaba días helándose desde que partieron de Ma'an en dirección al desierto. Al-Shami y Marzuq, el hombre-tiburón, vestían confortablemente durante el día y tenían ropas de abrigo por la noche, pero David no tenía más que las finas ropas que llevaba puestas cuando le sacaron de la casa del FPLP. Ellos comían bien, al-Shami llenaba su enorme estómago con manjares suculentos y Marzuq cocinaba para él sobre un fuego de madera *ghada*; pero a David no le daban más que pan, y aun así insuficiente. En el plato de al-Shami no quedaban desperdicios, aunque David los habría rebañado si se los hubieran ofrecido.

Cada día era igual que el anterior. La agobiante monotonía se apoderaba de David estultificando su cerebro de la misma manera que el hambre y el frío debilitaban su cuerpo. Trató de escapar dos veces, pero Marzuq salía tras él y lo llevaba de vuelta. Sorprendentemente, avanzaron bastante rápido. Al-Shami montaba muy bien en camello, para su peso, y aguantaba todo un día de marcha mucho mejor que David, cuyos músculos se hallaban aporreados y magullados por el constante movimiento.

En varias ocasiones, al-Shami montaba junto a David, entablando conversación. Declaró que Marzuq era un imbécil y dijo que no soportaba hablar con él. Interrogó a David sobre temas arqueológicos, desplegando un sorprendente conocimiento —para un profano— de la historia antigua del Próximo Oriente. Su interés se centraba en un área en particular: el destino de las sucesivas ciudades de Jerusalén. A pesar de que David trató repetidamente de explicar que la arqueología palestina no era su fuerte, al-Shami insistió en llevar el tópico de la conversación a Jerusalén. ¿Qué evidencia existía de que Abraham se hubiera preparado para sacrificar a su hijo en el monte del Templo, en el lugar donde ahora se hallaba la Cúpula de la Roca? ¿Era el hijo Isaac, o Ismael como creen los musulmanes? ¿No quedaba ningún resto en absoluto del templo de Salomón, ni siquiera una piedra, una joya? ¿Cuál fue la suerte que corrieron los judíos conducidos al exilio por Nabucodonosor y cuál la de los que se quedaron atrás? ¿Cómo fue de grande el segundo templo de Herodes? ¿Era el Muro de las Lamentaciones parte del templo o simplemente una sección de la plataforma donde fue construido? ¿Qué ocurrió con el templo cuando el emperador Tito arrasó Jerusalén en el año 70 d. J.C.? ¿Qué parte del monte del Templo se hallaba ahora cubierta por el Haram al-Sharif musulmán?

Las preguntas prosiguieron como si fuera una especie de test. David hizo lo que pudo para satisfacer a al-Shami. Supuso que el tipo de preguntas del gordo era dictado por la eterna preocupación de quién era realmente el que debía reclamar Jerusalén, pero no veía cómo iban a ayudar sus respuestas. Durante un rato, al-Shami mostró una intensa curiosidad, interrogando meticulosamente a David sobre diversos aspectos de las excavaciones en Jerusalén (las cuales David había visitado a menudo, pero donde jamás había trabajado); de pronto, perdió todo el interés y calló completamente, montando solo y en silencio o yendo un poco más adelante para hablar con Marzuq. En general, los dos árabes hablaban más bien poco entre ellos. Una o dos veces discutieron, pero David no pudo oírlo y además hablaban en un árabe tan rápido que tampoco hubiera podido entenderlo. David tenía la impresión de que Marzuq sabía bien poco de lo que estaba ocurriendo, aunque el terreno parecía serle familiar y posiblemente había realizado aquel viaje otras veces.

En algunas ocasiones, David intentó volver las tornas con al-Shami. Le hizo preguntas sobre Iram, sobre la ruta que seguían, sobre el propósito de aquel viaje. Pero el gordo se negó a cooperar, contestando a David que se enteraría de todo a su debido tiempo, o al menos, de todo lo que le fuera permitido saber. El destino último de David no era una cuestión que ya estuviera prevista, dijo al-Shami. Dependía de su cooperación, de cuánto tiempo fuera de utilidad.

En ocasiones se formaba niebla y llovía. David cayó enfermo. Le dejaron sentarse junto al fuego por la noche, pero no era más que para poderle observar de cerca, a la luz, donde podían verle bien. Mientras los otros dormían, tenía las manos atadas, eficaz y cruelmente, a la espalda. En aquella posición no podía dormir bien, dolorido como estaba de montar durante el día. Las noches hacían estragos en él, con el frío y el insomnio, con el suelo rocoso y lleno de piedras, y los días eran un tormento, ya que permanecía despierto y exhausto, soportando la larga y dolorosa marcha sobre su camello. Tenía los muslos y nalgas destrozados por el constante rozamiento contra la silla de piel; lo que había comenzado por unos rojos y dolorosos verdugones se había transformado en heridas en carne viva. Tenía la espalda hecha cisco a causa del interminable esfuerzo de mantener el equilibrio sobre el camello. No tenía respiro, ni dormía adecuadamente para recuperar las fuerzas.

—¿Dónde está Iram? —preguntó una vez a al-Shami.

—En el desierto, en el Nafud. Ya ha leído a al-Halabi, así que ya lo sabe.

—¿Cómo se llega hasta allí?

—Por la arena. Ya lo verá. Lo verá todo.

El viaje se convirtió en un catecismo entre él y el viejo. Ahora uno y luego el otro era el sacerdote, y después el catecúmeno.

David pensaba a menudo en Leyla y temía por ella sabiendo que jamás volvería a verla de nuevo. Ni siquiera estaba seguro de que siguiese con vida. La implacabilidad de al-Shami parecía no tener límites. A veces hablaba con David sobre la muerte. Parecía estar obsesionado con ella, como si fuera algo que conociera mejor, más íntimamente que la vida. David se imaginó que llevaba su olor con él, igual que una mujer lleva su perfume favorito en la piel. Estaba medio enamorado de ella y medio aterrorizado. Cuando hablaba de ella lo hacía con una mezcla de placer y aversión. Habló a David de hombres que había visto matar o torturar, aunque daba la sensación de ser inocente en su puro y simple amor por ella. Era casi como un niño: jugaba con la muerte, la provocaba, la acariciaba. Y ella parecía amarle a cambio.

—¿Quién construyó Iram? —preguntó David.

—Sus constructores —fue la sencilla respuesta de al-Shami.

—¿No me dice quiénes eran? —preguntó David.

—Lo verá en su momento —replicó al-Shami y repitió—: Lo verá en su momento.

Eso era todo lo que diría. Iram era un misterio, y también la identidad de sus constructores. Pero lo que más preocupaba a David no era quién había construido la ciudad, sino quiénes la habitaban ahora. Eso y por qué habían sido tan crueles para asegurar que la existencia de Iram permaneciera en riguroso secreto.

CAPÍTULO 31

Leyla, Scholem y sus dos guías salieron de las colinas a través de un cañón conocido como el Shi'b al-Asad, pasaron junto a unas montañas planas desembocando en el campo, al este de la cadena de Tubayq. Faltaban dos horas para la puesta de sol. Un viento agudo e irritante soplaba contra ellos desde el este, aguijoneándoles con dientes de hielo. Se internaron directamente en él y se sintieron desanimados, harapientos y fríos.

Finalmente, el sol se puso, una bola roja de fuego que les miró encendidamente mientras se ocultaba tras una enorme nube cargada de polvo. Plantaron la tienda al aire libre de espaldas al viento y encendieron un fuego, utilizando la leña que habían reunido en el último trecho de su viaje. 'Ali hizo arroz, que fue servido con alubias negras y humus; fue la mejor comida que habían hecho desde que salieron de Ma'an. Pero nadie tenía demasiado apetito y la mayor parte de la comida fue a parar a las alforjas. Estaban preocupados por el asesinato e inquietos a causa de la necesidad de volver a encontrar el rastro de al-Shami. Por la mañana, 'Ali tendría que explorar el pie de las colinas, en busca del rastro de la caravana que les precedía. Si lo dejaban para más tarde podría ser imposible dar con él de nuevo.

Establecieron guardias para la noche. Su desconocido perseguidor podía estar en cualquier parte, acechando en la oscuridad a la espera de que se olvidaran de él por unos instantes, durante los cuales aprovecharía para realizar su siguiente movimiento. 'Ali se ofreció para hacer la primera guardia hasta medianoche. Envuelto en la *farwa* de Scholem, se sentó fuera junto al fuego, vigilándolo a lo largo de las horas de oscuridad.

En el interior de la tienda, Leyla hablaba con Scholem a ratos durante la noche. Parecía ser capaz de continuar adelante sin dormir. Ella le había visto dormitar una o dos veces, pero jamás se dejaba caer en un sueño profundo, como si tuviera miedo de hacerlo.

—¿Es que no duermes nunca, Chaim? —preguntó.

Hubo un largo silencio. Cuando finalmente él habló, su voz emergió de la oscuridad en un susurro a duras penas audible.

—No he dormido bien durante cinco años —dijo—. Lo he intentado, pero me despierto una y otra vez. Comenzó pocos días después... del tiempo que pasé con al-Shami. No te lo he explicado todo.

—¿No quieres contármelo ahora? —preguntó Leyla.

—Cuando estuve en el hospital, mi mujer y mi hija no vinieron a verme. Al principio me dijeron que era por razones de seguridad, pero después me pareció obvio que me estaban ocultando algo. Por fin, al segundo día me lo dijeron. Mientras yo estaba en poder de al-Shami, su gente las había secuestrado; planeaban utilizarlas para presionarme. Después hubo la redada. Al-Shami escapó, naturalmente. Cuando ya no me tenían, Hannah y Ruth no eran de ninguna utilidad para ellos, así que las mataron. Les... les pegaron un tiro y arrojaron sus cuerpos en un montón de basura en las afueras de la ciudad. Entonces juré que encontraría a al-Shami y le mataría. Aunque yo también muriera.

A medianoche, Scholem sustituyó a 'Ali fuera de la tienda. Descubrió que todavía quedaban montones de leña: 'Ali apenas había usado nada para él. Un sentimiento de vergüenza embargó a Scholem. Se había pasado la vida persiguiendo árabes como si todos fueran criminales, asesinos con pistolas y bombas, y sin embargo, los árabes que había conocido no habían hecho más que mostrarle amabilidad y afecto. No tenía ninguna importancia que 'Ali le tomara por árabe en vez de judío: aun así le habría dejado la leña.

Poco rato antes del amanecer entró en la tienda para despertar a los demás. No había habido ningún problema, los camellos no se habían movido en toda la noche.

Pero en cuanto entró en la tienda notó que algo iba mal; reinaba una calma en el lugar que no le gustó nada. En la oscuridad no veía más que unas siluetas confusas durmiendo en el suelo. Silenciosamente, se dirigió hacia donde yacía 'Ali, con la delgada manta subida hasta la barbilla. Le cogió por un hombro y le sacudió, pero parecía estar sumido en un profundo sueño. Una punzada de terror se clavó en el corazón de Scholem. Agarró la manta de 'Ali y la estiró hacia atrás. Al tocarla, sus manos notaron algo húmedo y èpegajoso. 'Ali no se movió.

Scholem se dirigió en silencio hacia donde Leyla dormía. La cogió por un brazo y, murmurando en su oído, la despertó. Aliviado, comprobó que musitaba algo y se incorporaba.

—¿Qué sucede? —masculló soñolienta.

—Aún no lo sé —respondió él—. Levántate. Acabo de intentar despertar a 'Ali, pero no se mueve. Creo que he tocado sangre, pero no veo nada con esta oscuridad. ¿Tienes cerillas?

Ella rebuscó en el bolsillo de su *farwa* y sacó una cajetilla arrugada que guardaba con sus cigarrillos. Scholem cogió la caja, la abrió y fue hacia 'Ali. Encendió la primera cerilla.

'Ali yacía de espaldas mirando fijamente al techo con los ojos abiertos de par en par. Le habían cortado el cuello de oreja a oreja, un tajo horrendo por donde manaban chorros de sangre. Todo el suelo a su alrededor estaba repleto de sangre. Scholem oyó un grito de asombro a sus espaldas mientras Leyla se incorporaba. A su izquierda oyó moverse a Zubayr. Fue hacia él.

—¿Te encuentras bien? —preguntó.

—Sí, ¿qué pasa? —preguntó Zubayr. El día anterior ya se había llevado un buen susto con la muerte de Suwailim.

—'Ali está muerto. Le acabo de encontrar. Alguien le ha cortado el cuello. Alguien le ha cortado el maldito cuello y yo no he oído nada.

Scholem sintió que la cólera crecía en su interior, el odio a sí mismo que tan bien conocía del pasado. «¿Por qué no hice algo para evitarlo? ¿Por qué no hice lo que se suponía que debía hacer?»

Encendió otra cerilla y mostró a Zubayr lo que había descubierto. Leyla se había alejado. A la luz vacilante, Zubayr descubrió la marca de una cuchillada en un lado de la tienda, un corte largo y recto por el cual el asesino de 'Ali se había deslizado al amparo de la oscuridad mientras ellos dormían. Scholem maldijo en voz alta y salió en busca de Leyla.

Una luz biliosa había empezado a aparecer por el este, cerniéndose sobre ellos por las arenas del Nafud. Leyla se hallaba en pie, sofocada, cerca de la tienda, con las manos fuertemente apretadas a los costados. Scholem se le acercó y le puso las manos sobre los hombros. No se movió.

—Le debo haber asustado —dijo—. Recuerdo haberme despertado durante la madrugada, no sé a qué hora. Estaba muy oscuro. Pregunté si alguien había hablado, pero nadie me contestó, así que me di la vuelta y seguí durmiendo. Debió ser entonces cuando sucedió. Debí de asustarle.

Scholem asintió. Retiró la mano de su hombro: todavía la tenía mojada de sangre.

Zubayr salió de la tienda y se acercó a Scholem y Leyla. A la débil luz, estaba claro que el hombre se hallaba aterrorizado. En la mano derecha tenía un puñado de monedas, lo que había ganado como guía.

—Aquí tienen su dinero —dijo—. No lo quiero. No pienso seguir. Pueden volver conmigo si quieren, pero yo no sigo.

—Quédate con el dinero —dijo Scholem—. Has venido hasta aquí. No te obligaremos a continuar. Dinos qué dirección debemos seguir, eso es todo lo que necesitamos. El camino más recto al Nafud.

No tenía sentido discutir con Zubayr. Ya no les sería de ninguna utilidad. Sería mejor continuar sin él.

Se repartieron las provisiones, entregando a Zubayr lo suficiente para regresar a Ma'an; cogería la ruta que bordeaba la cadena de Tubayq, más larga, pero donde encontraría campamentos y hospitalidad. Partió llevándose los dos camellos que habían pertenecido a Suwailim y a 'Ali, los cuales prometió devolver a sus familias.

Cuando se hubo marchado, Scholem y Leyla se dispusieron a enterrar a 'Ali. En una de las alforjas tenían una pala que utilizaban para excavar los pozos que se habían hundido. Cavaron una profunda tumba, de más de un metro de profundidad, e hicieron un nicho al fondo, a uno de los lados, donde colocarían el cuerpo siguiendo la costumbre islámica. Scholem trajo a 'Ali de la tienda envuelto en la manta bajo la cual había dormido. Cuando se halló al borde de la tumba, Scholem alzó una mano para cerrar los ojos de 'Ali, pero Leyla le agarró por la muñeca y sacudió la cabeza.

—Déjaselos abiertos, Chaim. Es la costumbre.

Los dejó como estaban, abiertos y con la mirada fija, llenos de incomprensión y agonía. Entre los dos bajaron a 'Ali a la tumba. Scholem èdescendió a la fosa y lo empujó al interior del nicho.

Leyla trajo un poco de leña y cubrieron el cuerpo. Después recitó algunos versos del Corán, el *Surat al-Fatiha* y el *Ayat al-nur*. Por último llenaron la tumba de tierra hasta que sobresalió un palmo por encima del suelo. Ya era suficiente. En el desierto no hay memoriales que duren.

Encontraron varias huellas alrededor del pequeño campamento, pero ninguno de los dos poseía la habilidad para interpretarlas con certeza. No tenían tiempo de perseguir al asesino. Tenían que llegar al Nafud y conseguir un guía Shammar que les acompañara. Tampoco sabía por dónde tenía que «acompañarles». ¿Dónde estaba Iram en medio de aquella soledad? Sin el rastro de al-Shami para seguirlo, eran como marineros a la deriva, navegando sin remos ni velas ni brújula hacia Dios sabía qué costa. Si es que había una costa.

CAPÍTULO 32

Al-Shami, Marzuq y David fueron recibidos en los límites del Nafud por un grupo de seis hombres silenciosos vestidos de negro que saludaron respetuosamente al gordo y trataron con indiferencia al tiburón. A David lo ignoraron por completo, como si no estuviese allí. Hablaban un árabe fluido y montaban en camello con la facilidad natural de los beduinos, incomparablemente mejor que al-Shami, que se había criado en la ciudad, o su compañero, que andaba arrastrando los pies. Sin embargo, cuando David tuvo la oportunidad de observarlos muy de cerca, se dio cuenta de que no eran árabes en absoluto. Una vez más recordó al hombre de Tell Mardikh. Una vez les oyó hablar entre ellos en lo que le pareció alemán, pero en cuanto se dieron cuenta de que les estaba escuchando, cambiaron inmediatamente al árabe.

Por la arena, la marcha era difícil para todos, no menos para al-Shami, cuyo volumen les retrasó considerablemente. Tomaron una ruta indirecta a fin de evitar las dunas más altas. Había agua en abundancia tanto para los hombres como para las bestias, aunque a David le fue racionada. A veces le subía la fiebre y deliraba, mientras su cuerpo y su mente sucumbían al agotamiento y se acercaban a la muerte. La muerte hubiera sido tan bien venida como un trago de dulce, embriagador y cálido vino. El hambre le resultaba insoportable, y más siendo exacerbada a diario por el olor de los guisos que desprendía el fuego de al-Shami. Nadie era deliberadamente cruel con él, pero la negligencia en aquellas condiciones significaba un espantoso sufrimiento. Tenía la piel en carne viva y cubierta de ampollas, no sólo en los muslos, donde las llagas habían comenzado a cicatrizar lentamente, sino por todo el cuerpo, empeoradas por el frío y la arena. Tenía los labios hinchados por la falta de humedad y la nariz le moqueaba constantemente.

Al-Shami era, por turnos, frío y amable. Su básica inestabilidad se hizo más y más patente a medida que la tensión del viaje hacía mella en él. Una vez que David le irritó con una pregunta inoportuna, le azotó con su *misha'ab*, la fina vara del camello que llevaba en la mano derecha. El latigazo abrió la mejilla de David, el cual sufrió una agonía que duró varios días, hasta que cedió para dar paso a un dolor punzante.

Ahora que se había reunido con aquellos hombres, al-Shami se había vuelto más cuidadoso con lo que decía a David. En una ocasión, David le atrapó con una pregunta sobre Von Meier.

—¿Von Meier era tan brillante como dicen? —preguntó.

—Un genio —ponderó al-Shami—. Sin él, nosotros... —Calló y miró a David como si fuera a golpearle de nuevo, pero bajó la vara y rió tontamente. Después guardó silencio y una mirada imprecisa afloró en sus ojos: David no sabría decir si era de astucia, regocijo o sospecha.

—Usted encontró un diario —dijo al-Shami afirmando más que preguntando.

—Sí —respondió David. ¿Qué sentido tenía callar?

—¿Quién lo escribió? ¿Qué ponía?

David hizo una señal de asentimiento.

—Un alemán —contestó—. Un mayor de las SS, el Sturmbannführer Schacht.

Al-Shami parpadeó brevemente.

—¡Ah, sí! —murmuró—. El hombre de las SS. ¿Schacht, dice?

—Sí.

—¿Qué le ocurrió?

—Murió —dijo David—. Fue asesinado. Por su amigo Von Meier.

—Sin duda —replicó al-Shami con una sonrisa. No pareció tener ninguna objeción a aquella atrevida referencia a Von Meier.

Así que existía algún tipo de conexión entre al-Shami y Von Meier, entre la expedición al Sinaí y aquel viaje hacia Iram. Y aquellos beduinos que parecían alemanes y hablaban alemán en privado, ¿dónde encajaban? Eran jóvenes, demasiado para haber conocido a Von Meier en los viejos tiempos o para haber estado envueltos en la guerra. ¿Cómo habían llegado al Nafud y qué hacían allí?

Evitaron cuidadosamente a los otros beduinos. Un par de veces se les aproximaron pequeños grupos de jinetes, pero cuando se les acercaban lo suficiente, invariablemente vacilaban y se alejaban a toda velocidad. No había ninguna duda: los jinetes que acompañaban a David eran conocidos en el desierto, conocidos y temidos. O tal vez odiados.

Los días que pasaron en el desierto parecieron incontables. Y a pesar de todo, David sentía una curiosa excitación que a veces llegó a ser incontenible. No obstante lo que había sucedido, iba a ver Iram. Recordó las sensaciones que había experimentado al descubrir las lápidas inéditas en Ebla o realizando los cinco o seis descubrimientos importantes de su carrera. Es decir, importantes para él, aunque parecían tener escaso valor en sentido material. Y ahora se dirigía hacia un lugar que la arena del Nafud había cubierto durante siglos y que ningún arqueólogo había visto jamás.

Ningún arqueólogo excepto Ulrich von Meier. David no dudaba que el alemán había descubierto Iram tal y como se había propuesto. En sí mismo, aquello era un logro extraordinario. Pero ¿por qué había mantenido su existencia en secreto? ¿Qué había descubierto allí que requería tantos años de silencio y tantas muertes? Al hacerce aquella pregunta, David se percató de que otra se había abierto paso en su mente: ¿qué había descubierto allí... o qué había llevado?

CAPÍTULO 33

Leyla y Scholem tardaron cinco días en llegar al Nafud, debatiéndose entre vientos y lluvias durante el día y haciendo turnos de guardia junto al fuego por las noches. Un par de veces vieron a unos beduinos acampados a alguna distancia, pero continuaron adelante silenciosamente. Si llegaron a verles, nadie vino a preguntarles qué hacían por allá o qué buscaban. Pasaron los días, fríos y ventosos, durante los cuales la vida parecía haberse suspendido y el tiempo no tenía ningún significado. Había pasto para los camellos, y ellos encontraron profundos *khabras*, charcos repletos de agua de lluvia, pero la tierra parecía yerma y abandonada.

Jamás vieron a su perseguidor, pero sabían que continuaba tras ellos, aguardando una oportunidad para atacar de nuevo. Les dejó varias señales, toques inconfundibles de su presencia, como ofrendas en el altar de la región de un dios preislámico. Cada mañana, antes de partir, encontraban su regalo esperándolos a menos de un kilómetro de donde hubieran acampado. Habría construido un montón de piedras de color ocre con forma de intestinos sobre la cual habría colocado su señal: la primera mañana fue una bala cuidadosamente pulida, colocada de pie sobre las piedras; la segunda una pequeña daga *huardhi*, con su único borde cortante enrojecido por la sangre de un animal desconocido; la tercera, una avutarda con el fino cuello cortado y ligeramente abierto; la cuarta, una gacela entera con un pequeño agujero en la cabeza por donde la bala había entrado; la quinta el cráneo de un camello, blanco y encalado por el sol veraniego. Estaba jugando con ellos como un halcón entrenado volando en círculos sobre su presa, a la espera del cazador que le despacharía con su rifle o su cuchillo.

Al sexto día cuando por fin divisaron las arenas, les presentó su último y más espantoso trofeo. Avanzaban en dirección a los rojos y trémulos albores, esperando ver aparecer las arenas ante su vista en cualquier momento, como si fueran viajeros ansiosos de divisar el océano. Finalmente, subieron a una alta loma y contemplaron el Nafud que se extendía ante ellos, una franja de color carmín que se perdía en el horizonte. Descendieron por un largo y rocoso declive y después avanzaron por una región de conglomerados de arenisca bastante elevados, donde las ráfagas de viento habían esculpido grotescas y diabólicas formas. Tenían la arena a sus pies, con los límites claramente definidos, como si un inmenso mar rojo se hubiera congelado en un èmomento preciso de su movimiento, con las grandes dunas sobresaliendo de la superficie como olas gigantes. Y allí, colocado precisamente en el borde que separaba el rocoso desierto de la arena, estaba el último montón de piedras.

Se acercaron juntos, temerosos en cierto modo, presintiendo que encima de él hallarían el último aviso para que se alejaran del Nafud. Un viento agudo les sacudió las ropas, haciéndolas sonar a hueco. La cosa que había sobre el montón se fue haciendo más clara hasta que por fin la reconocieron. Los pájaros revoloteaban por encima, huyendo cuando ellos se aproximaron. Leyla notó que el corazón se le aceleraba repentinamente y sintió una irreprimible necesidad de vomitar el café que había tomado una hora antes. Scholem desmontó y se aproximó al montón de piedras.

La última ofrenda era una cabeza humana, la cabeza de 'Ali, con su *ghotra* roja y blanca aún arrollada a ella, con las cuencas de los ojos vacías por el picoteo de los pájaros antes de la salida del sol. La cabeza había sido rebanada limpiamente de los hombros, dejando un corto trozo de cuello sobre el cual lo había colocado de cara al oeste, de espaldas a la arena. Era como si hubieran regresado al punto de partida, desde los cañones de las colinas Tubayq al borde del desierto interior. Scholem recordó los ojos de 'Ali mientras lo bajaban a la tumba. El principio de la descomposición se hallaba escrito en la piel exangüe y los labios estaban echados hacia atrás sobre los dientes en una mueca rígida. Espontáneamente, una frase del *Libro de Job* acudió a la mente de Scholem: «He dicho que vengáis hasta aquí, y no más lejos.»

—Debe haber ido hasta la tumba y haber desenterrado el cuerpo —dijo Scholem. Leyla desmontó y fue a su lado.

—¿Quién haría una cosa así? —dijo, incapaz de controlar el temblor de su voz. La cara de 'Ali aún tenía polvo adherido de la tumba—. ¿Un loco?

—Un loco, no —dijo Scholem—. Éste está cuerdo; sus acciones son meditadas y cuidadosas. No hace locuras.

—Pero es una locura lo que hace. Desde luego no está muy cuerdo.

Scholem sacudió la cabeza.

—A veces las acciones de una mente cuerda pueden resultar más lunáticas que las de un loco. Ninguno de los acusados en Nuremberg fue declarado loco.

Leyla no replicó. No podía creer tal atrocidad.

Enterraron de nuevo la cabeza, envuelta en la *ghotra*, a bastante profundidad, con un montón de piedras encima para evitar las aves carroñeras. Cuando terminaron, Leyla se volvió a Scholem.

—¿Qué hacemos ahora? —preguntó—. Este aviso ha sido inequívoco. Una vez en el desierto puede cazarnos sin dificultad. Las dunas le protegerán y le proporcionarán docenas de sitios para una emboscada.

—¿Qué quieres hacer? —preguntó él—. ¿Dar media vuelta?

Ella sacudió la cabeza.

—No tenemos elección. Podemos volvernos y dejar a David con al-Shami o continuar.

Leyla asintió.

—Primero tenemos que encontrar un guía.

Scholem miró alrededor y señaló hacia el norte.

—¿Ves esas colinas? Deben de ser las que 'Ali me dijo que había que buscar al oeste de la arena, hacia el extremo nordeste de al-Khunfa. A primera vista deben de estar a quince kilómetros. Si no me equivoco, el campamento Shammar donde nos conducía 'Ali debe de estar a unos ocho kilómetros hacia el sur.

Leyla miró al desierto y después a Scholem.

—¿Qué podemos perder? —dijo.

Volvieron a montar y partieron hacia el sur, rodeando el borde de la arena. Al cabo de dos horas, divisaron una serie de bajos montecillos negros en el horizonte: eran tiendas de piel de cabra. Al verlos, los hijos del jeque del clan, Fahd ibn Fawwaz, les dieron la bienvenida al campamento.

Hicieron café en su honor y el hijo mayor del jeque, Farhan, hizo sonar el almirez, en el interior del cual las cuentas repicaron con un sonido fuerte y rítmico que llamaba a los hombres de las tiendas de alrededor para que conocieran a los recién llegados. Se reunieron en la sección de invitados de la tienda del jeque y tomaron café, charlando sobre las novedades del mundo exterior. Eran los Al Zubayr, un subgrupo de uno de los clanes principales de la sección Sinjara de los Shammar. Fahd ibn Fawwaz, el jeque, era un hombre delgado y con cara de halcón, de unos cincuenta años, el cuerpo y la mente del cual habían sido afilados desde su nacimiento por los vientos del Nafud. Mientras servía el café con la mano izquierda, de un recipiente largo de bronce en las pequeñas tazas de cerámica, desplegó la soltura de un hombre que gobierna por derecho y que cuenta con el respeto de su gente, aunque sólo fueran cincuenta tiendas y vivieran al borde de la inanición cada año.

'Ali les había hablado bien de los Al Zubayr y había proporcionado a Scholem y a Leyla una abundante información sobre ellos. Recordando lo que les había dicho, eran capaces de preguntar por el estado de salud de los principales miembros del clan. Hablaron poco de sí mismos, pero explicaron a Fahd y a sus hijos lo que sabían de los Huwaytat, de cuyo territorio venían. Cuando ya llevaban un rato charlando, el jeque se volvió hacia ellos y preguntó:

—¿Qué hay de 'Ali ibn Sa'd? ¿Está bien?

Scholem miró a Fahd sin responder. El jeque leyó el significado en sus ojos y bajó los suyos hacia el fuego.

—*Rahimahu 'llah* —murmuró—. Dios tenga piedad de él. Era un viejo amigo, un buen amigo.

Las palabras pasaron por la tienda como el azogue, como si un hombre tras otro las oyera y las repitiera.

Fahd alzó la vista de las llamas.

—¿Cómo murió? —inquirió.

Scholem respondió en voz baja:

—Rápido —dijo—, pero ignominiosamente. Desearía hablarle de ello en privado.

Fahd les miró con dureza, primero a él, y luego a Leyla.

—Cuando hayamos terminado el café —dijo—, mis hijos y yo escucharemos lo que tenga que decir.

Siguiendo la costumbre, nadie se quedó después de la tercera taza. Cuando los invitados se hubieron marchado y sólo quedaron Fahd, sus seis hijos, Scholem y Leyla, hablaron de su viaje y de las circunstancias que rodearon las muertes de 'Ali y Suwailim. Cuando finalmente llegaron al relato del descubrimiento de aquella mañana al borde de la arena, Fahd lanzó un grito y escupió en el suelo.

—*Astaghfiru 'llah* —bramó—. ¡Que Dios me perdone! Ningún ser humano haría una cosa así. Cortar a un hombre en pedazos. Desenterrar a un muerto y cortarle la cabeza. Lo que os seguía era un *jinn*, un espíritu enviado por Satanás para conduciros por el mal camino. Dios os debe haber guiado.

Uno de los hijos de Fahd, un hombre de unos veintitantos años, con un largo bigote negro, se dirigió a su padre.

—Padre —dijo—. Pido permiso para hablar.

Fahd, mascullando aún por el ultraje infligido a su amigo 'Ali, levantó la vista.

—Sí, Nazzal, tienes permiso.

Nazzal se volvió hacia Scholem.
—Perdóneme, pero ¿guardaron su hijo o usted el *huardhi* que encontraron hace cuatro días?
Scholem asintió.
—Sí —dijo—. Lo tengo aquí. —Buscó entre sus ropas y sacó un pequeño cuchillo curvo del mismo tipo de los que se utilizan para cazar aves, una versión en miniatura del gran *khusa*. Se lo entregó a Nazzal, quien le dio vueltas examinándolo de cerca antes de pasárselo a su padre.
—No era ningún *jinn*, padre. 'Ali fue asesinado por al-Gharib.
Leyla meditó sobre el nombre, si es que era un nombre. «Al-Gharib» significaba «el extranjero». ¿Quería decir realmente Nazzal «extranjero», alguien de fuera del territorio? Entonces contempló los rostros de los hermanos de Nazzal y se dio cuenta de que ellos sí sabían a quién se refería.
Fahd devolvió la pequeña daga a Scholem.
—¿Ve las marcas en la hoja? —preguntó.
Scholem vio debajo de la sangre seca unas finas marcas, como letras, pero ilegibles, de algún alfabeto que no había visto jamás.
—¿Qué son? —preguntó.
—Sus marcas —dijo Fahd—. Si hubiera mirado atentamente las piedras habría encontrado otras. Las deja por donde quiera que pasa. —El jeque calló mirando fijamente el fuego. Nazzal habló de nuevo.
—Le llamamos al-Gharib —dijo—. Su verdadero nombre es Talal ibn Qasim; pero no es beduino ni árabe. Se le conoce como al-Gharib desde que era un niño. Vive entre las arenas; algunos dicen que es el compañero de los lobos.
—Si no es árabe —dijo Scholem— ¿de dónde es? ¿Es iraní? ¿Africano? ¿Solubba?
Nazzal sacudió la cabeza.
—No, nada de eso. No sabemos de dónde es. Nadie ha visto nunca a alguien como él.
—¿Cómo es?
—Es pequeño, con la piel del color de la almendra y un poco de vello en la cara. Pero lo más extraño son sus ojos. No tiene ojos humanos.
Nazzal levantó los dedos y estiró los lados de los ojos hacia afuera inclinándolos. Leyla intercambió una mirada con Scholem.
—Hay razas de hombres así —dijo Scholem—. Muy lejos, hacia el este. Chinos, coreanos, japoneses.
Un murmullo se alzó en la tienda.
—¿Son musulmanes? —preguntó Fahd.
Scholem asintió.
—Algunos sí. Hay muchos chinos musulmanes. Indonesia es el país musulmán más grande del mundo. Tal vez el extranjero sea indonesio.

Nazzal habló nuevamente.
—¿Los indonesios llevan espada?
Scholem sacudió la cabeza.
—Puede ser, pero yo jamás lo oí decir. ¿Por qué?
—Al-Gharib tiene una espada. Nunca se ha visto una igual en Arabia.
Se inclinó y con ayuda del palillo que utilizaban para remover el café trazó un rápido dibujo en la arena. La silueta de la espada con un largo mango era inconfundible. Scholem se incorporó y miró a Nazzal.
—Es japonés —dijo.
—¿Son musulmanes? —preguntó Fahd.
—No —dijo Scholem—. No son musulmanes.
Leyla intervino.
—¿Cómo llegó aquí? ¿Y cuándo? Conoce el desierto como un *badu*. Sabe montar en camello y seguir un rastro. Antes dijiste «desde que era un niño». ¿Se crió aquí?
Fahd respondió en voz baja para evitar que las mujeres del otro lado de la cortina lo oyeran. Tales asuntos no eran para sus oídos, aunque, a pesar de que él no lo supiera, estaban tan bien informadas sobre al-Gharib como los hombres.
—Hace muchos años —dijo—, un hombre de Palestina vino entre los Shammar. Viajó a través de los campos trayendo cartas de Hajj Amin al-Husayni, el muftí de Jerusalén. Naturalmente, Hajj Amin ya no estaba en Jerusalén. Los incrédulos ingleses le enviaron al exilio, que Dios los maldiga.
—¿Cuándo sucedió eso? —preguntó Leyla.
Fahd pensó con cuidado antes de responder.
—Antes de que Farhan naciera. Yo era joven y aún no me había casado. Recuerdo que mi hermano menor acababa de ser circuncidado. Y ahora tiene cuarenta y siete años. Era en la época que los ingleses tenían una gran guerra en su territorio y sus barcos vinieron a Adén.
—Comprendo —dijo Scholem—. Eso sería hacia 1944 o 1945 si el hermano de Fahd había sido circuncidado cuando tenía unos siete años.
—Por favor, continúe —dijo.
—En sus cartas, el muftí me pedía, en nombre del Islam, que acogiera en mis tiendas a unos niños, todos varones. Nos pidieron que acogiéramos a dos o tres en cada campamento. Los jeques estuvieron de acuerdo, y poco después nos trajeron a los niños. No se nos permitía preguntar de dónde venían ni quiénes eran sus verdaderos padres. Teníamos que criarlos como a los nuestros, como si fuesen beduinos. Tenían que ser instruidos en la vida del desierto, con todas las dificultades y los sufrimientos. Algunos murieron. El resto sobrevivieron, convirtiéndose en fuertes jóvenes. Cuando tenían unos catorce años, vinieron unos hombres y se los llevaron

sin dar explicaciones. También traían cartas de Hajj Amin. Al cabo de poco tiempo, trajeron a otros niños. Desde entonces ha habido muchos, pero siempre se los han llevado cuando eran muy jóvenes.

—¿Y al-Gharib era uno de esos niños? —preguntó Scholem.

—Sí. Fue uno de los primeros, no era más que un bebé. Fue criado por los Al Shiha'.

—¿Eran como él los niños?

Fahd sacudió la cabeza.

—No —dijo—. Él era el único. Por eso le llamaron al-Gharib. Los otros eran menos extraños. Eran europeos. Muchos eran rubios, otros morenos. Pero ninguno era árabe. Creo que procedían de Europa.

—¿Todos? —preguntó Scholem excitado y perplejo ante aquella información—. ¿Incluso los últimos?

—No lo sé —dijo Fahd—. Nos los traían de fuera y se los volvían a llevar otra vez. No sabemos adónde.

—Pero al-Gharib aún está aquí.

—Sí. —Era de nuevo Nazzal—. Vive en algún lugar en el desierto, pero aparece de cuando en cuando para visitar a los Al Shiha'. A veces otros aparecen del mismo modo para visitar a su clan y se esfuman de nuevo. Pero al-Gharib es diferente. La gente le teme. Dicen que es una criatura del diablo. Algunos lo llaman Ibn Iblis, «el Hijo de Satán». Ha matado varias veces, siempre con gran crueldad, pero nadie se atreve a vengarse. La gente cree que ponerle un dedo encima traería una maldición. Él va y viene como le da la gana. Conoce las arenas mejor que cualquier otro hombre.

—¿Por qué no querrá que entremos en las arenas? ¿Qué hay allí? ¿Por qué dejó la cabeza de 'Ali al borde como aviso?

Los seis hermanos intercambiaron miradas. Nadie habló. El jeque Fahd miró hacia el fuego otra vez como si leyera mensajes ocultos en su interior.

Scholem ignoró aquel silencio y prosiguió.

—Mi hijo y yo venimos desde Jordania buscando a tres hombres. Creemos que han entrado en el Nafud. Van al centro, al corazón mismo de las arenas. ¿Qué hay en el centro? ¿Alguno de vosotros ha estado allí?

Pero nadie habló. Scholem notó que la tensión crecía en la tienda. Sintió un miedo fresco y tangible. Continuó.

—Mi hijo y yo encontramos un viejo libro en al-Quds, en Jerusalén. En él se mencionaba una ciudad del Nafud, una antigua ciudad. El autor del libro escribió que la ciudad era Iram, Iram de las Columnas, de la cual se habla en el Libro de Dios.

—Estás equivocado —dijo Farhan—. En el Nafud no hay nada más que arena. Es una arena interminable, suficiente como para tragarse ciudades y todos los libros del mundo. Lo que habéis leído sobre Iram no son más que fábulas antiguas. Tal vez la ciudad que buscáis está en otra parte.

—¿Has estado allí? —preguntó Scholem—. ¿Has estado en el centro del desierto, has visto que realmente no hay nada más que arena?

—En el Nafud —dijo Farhan— el sol se levanta sobre la arena y se pone tras la arena. Tal vez el escritor de vuestro libro vio un espejismo.

El fuego parpadeó en el hogar, decayendo. Nadie se movió para añadir más combustible. Fahd alzó la vista de las llamas; parecía tener las pupilas secas y sin vida, como si el fuego se las hubiera succionado. Miró a Scholem, inquieto.

—Podéis quedaros esta noche —dijo—. Sois nuestros invitados y descansaréis bajo nuestro techo. Pero mañana debéis iros. Volved a Jordania. No entréis en el desierto, ni siquiera para vengaros. Allí sólo encontraríais desdicha, una gran desdicha. Los hombres se despistan en el desierto, se extravían y jamás son vistos de nuevo. Olvidad a al-Gharib. Él ha matado y volverá a hacerlo. Todos venimos de Dios y volveremos a Él. Dejad sus deudas para Dios. Olvidad a los hombres que buscáis. Si no conocen el desierto, ya podéis darlos por muertos; jamás los encontraréis. Si realmente han llegado al centro, se hallan en un lugar donde nunca podréis reuniros con ellos. No hablemos más de esto. Ordenaré que maten una oveja. Esta noche cenaremos bien en memoria de 'Ali.

El jeque se levantó; daba la sensación de ser más viejo que cuando se había sentado. Una terrible carga parecía pesarle mientras estiraba los pies. La alegría y la afabilidad se habían disipado, el fuego de bienvenida había decaído por completo transformándose en cenizas. La cena de aquella noche iba a ser bastante deprimente.

CAPÍTULO 34

A la mañana siguiente, Scholem y Leyla dejaron las tiendas de los Al Zubayr y retrocedieron sobre sus pasos hacia el norte, junto al flanco carmesí del Nafud. Las arenas parecían atraerles, vastas, silenciosas, y, sin un guía, impenetrables. En el campamento no se había vuelto a comentar nada sobre su búsqueda, y ambos conocían demasiado bien la etiqueta de los beduinos como para saber que el asunto había concluido de buenas maneras. Su única esperanza era encontrar otro campamento hacia el norte, donde pudieran contratar a un guía para que les acompañara por el desierto, aunque con un pretexto diferente, confiando en poder persuadirle, una vez solos, para que los condujera a donde deseaban ir. Los Shammar sabían lo de Iram, o, al menos, sabían de algo en el desierto, algo que les preocupaba y atemorizaba y sobre lo cual no querían ni hablar.

—¿Quiénes crees que debían ser esos niños, Chaim? —preguntó Leyla mientras montaban codo a codo, encogidos de cara al viento—. Si Hajj Amin se halla complicado...

—Sí —dijo él con voz dura, casi a la defensiva—. Lo sé. Ya sé lo que vas a decir, pero no quiero creerte.

—¿Cómo llegaron hasta aquí? ¿Adónde se los habrán llevado? ¿Y por qué?

Él la miró con una expresión dolida en los ojos.

—Tú no eres judía —dijo—. ¿A ti qué más te da?

Leyla le miró a su vez, dolida por su reproche.

—¿Ser judía me haría más humana? Me preocupa igual que a ti y por las mismas razones.

El desierto estaba empezando a devorarlos, arrebatándoles su frágil tregua, ensañándolos mutuamente.

A unos cuatro kilómetros del campamento Shammar, oyeron el sonido de un camello corriendo a toda velocidad entre las rocas. Miraron hacia atrás y vieron que el jinete se dirigía a toda prisa hacia ellos. Iba vestido de negro y su montura era de color pardo con manchas rojas. Scholem alcanzó el rifle que llevaba en la alforja y lo preparó. El jinete se aproximaba, aminorando la velocidad a medida que se acercaba. A pocos metros de ellos detuvo su camello y le quitó la *ghotra* de la boca. Era Nazzal, el hijo más joven de Fahd. Estaba sudando y jadeaba. Cuando habló, lo hizo sin las formalidades de costumbre.

—En el interior de las arenas hay algo —dijo—. Mis hermanos no admiten que exista porque están asustados. Mi padre se está haciendo viejo y también tiene miedo. En todas las tiendas de los Shammar es igual, en todas partes.

—¿De qué tienen miedo? —preguntó Scholem—. ¿Es un lugar? ¿Una ciudad?

—No lo sé —replicó Nazzal—. Nadie lo sabe. Nadie va allí ni habla de ello. En el centro de las arenas hay una región donde ningún *badu* se aventura jamás. Entre los Shammar se dice que el lugar está maldito, que los espíritus de los muertos y los diabólicos *jinn* vagan por la arena y atraen a los viajeros inocentes hacia su destrucción. Algunos dicen que hay una ciudad donde habitan los *jinn*.

—¿Esa ciudad es Iram? —preguntó Leyla.

Nazzal asintió.

—Sí, he oído que la llaman Iram. Dicen que Dios la enterró en la arena como castigo.

—¿Es muy extensa esa región? —preguntó Scholem.

—Mucho. Un hombre tardaría diez días avanzando doce horas al día en recorrerla.

Scholem hizo un cálculo y luego miró a Leyla.

—Eso significa un radio de casi cincuenta kilómetros, o sea, unos dos mil quinientos kilómetros cuadrados. Es una enorme área para cubrirla.

Leyla sacudió la cabeza.

—No tenemos que cubrirla. El área que rodea Iram parece ser una zona de exclusión. No tenemos más que avanzar en línea recta hacia el centro e Iram estará aguardándonos allí.

Scholem asintió conforme.

—Pero aun así no podemos conseguirlo sin un guía, Leyla.

Volviéndose hacia Nazzal, preguntó:

—¿Conoces a alguien que nos pueda llevar allí, al menos hasta el comienzo de esa región?

Nazzal sonrió.

—Sí. Yo os llevaré. No creo en *jinn* ni en fantasmas. No me da miedo ir allí.

—Puede ser peligroso —dijo Scholem—. Existen peligros mayores que los *jinn*. No sé qué encontraremos allí, pero desde luego no será una cálida bienvenida con café junto al fuego. Al-Gharib intentará detenernos, estoy serguro. Piénsatelo muy bien antes de decidirte a acompañarnos.

Nazzal no vaciló. Los ojos le brillaban al responder.

—Ya tomé la decisión ayer por la noche. Cuando os marchasteis hablé con mi padre y le expliqué mi plan. Se enfadó, pero no me prohibió venir. Creo que lo comprende. Aún recuerda los tiempos en que las tribus se perseguían unas a otras, cuando se colaba en los campamentos de los 'Aniza o los Mutayr para llevarse las ovejas y los camellos. Ahora el gobierno nos controla con jeeps, aviones y rifles, y ya no hay aventuras. Cuando yo tenga la edad de mi padre, el gobierno nos habrá sacado de aquí y nos habrá puesto en ciudades, para vivir en la miseria, de estación en estación, sin movernos. Os lo juro, tengo más miedo de sus pozos de petróleo que de Iram o al-Gharib. Llevadme con vosotros. Cogeré las arenas y las vaciaré en vuestras manos. Creedme: yo os llevaré allí.

Un viento frío soplaba en el desierto. Por encima se habían formado unos nubarrones negros que descendían como bestias enormes y orgullosas, depredadoras que se acercan para atiborrarse más allá de sus dominios de arena interminable. Alzaron la vista hacia las altas y silenciosas dunas que se divisaban en la distancia y se perdían en el horizonte. Leyla notó que tenía las manos ásperas y frías, y los ojos rojos e irritados mientras giraba la cara hacia el viento. Miró a Scholem con expresión ansiosa y preocupada. Éste asintió y pusieron a los camellos en marcha a las puertas de la arena que les aguardaba.

CAPÍTULO 35

La arena los tragó sin esfuerzo, silenciosa y completamente. El Nafud era un océano de aguas rojas que se encrespaba a su alrededor en grandes dunas con forma de media luna, la más baja de las cuales tendría unos sesenta metros de altura y la más alta más de ciento ochenta. El avance era lento y difícil. A través de las arenas, el movimiento simple en línea recta era imposible. A una velocidad de un kilómetro y medio por hora, avanzaron o caminaron rodeando los profundos hoyos de arena crujiente con que tropezaban constantemente a su paso. Los afilados bordes de las crestas y estrías de arena cedían bajo sus pies, salpicando la dorada arena suelta lejos de ellos. Los camellos luchaban por la blanda superficie, avanzando con gran esfuerzo, duna tras duna, hasta que cada paso se hizo odioso y se agitaban y temblaban a causa del esfuerzo.

Las nubes comenzaron a descargar repentinamente justo antes del mediodía. Nazzal les dijo que desmontaran: no podrían avanzar bajo el chaparrón. Se refugiaron bajo una tienda medio caída al pie de una duna mientras los camellos permanecían temblorosos bajo la gruesa y helada aguanieve que caía a borbotones sobre la arena. Leyla se preguntó cuándo había sido la última vez que había estado caliente y seca. «Ayer por la noche», pensó y le pareció un sueño. Había estado errando desde siempre en medio de aquel viento helado, lluvia y niebla, sobre pedernal, arenisca y arena de color sangriento.

Nazzal les dijo todo lo que sabía sobre Iram, lo que había oído contar a los ancianos de su clan o a su padre. Los hombres decían que la ciudad fue construida en la época de Salomón por un *ifrit* llamado Sultán Manzor. Sus muros fueron construidos con los cráneos de los no creyentes y fue provista de agujeros en los cuales sus almas eran guardadas durante tres días y tres noches antes de ir al infierno. Algunos decían que de hecho era una antesala del infierno, donde ascendían las llamas de las profundidades. Había un constante rumor de llantos y lamentaciones.

—¿Cuánto tiempo ha permanecido esa región prohibida para tu gente? —preguntó Leyla—. ¿Ha sido siempre así? —Recordaba el comentario de al-Halabi de que los beduinos de su época tenían miedo de internarse en el desierto.

—Sí —asintió Nazzal—. Los ancianos cuentan que sus padres ya lo sabían y tenían miedo, y a su vez los padres de ellos. Es un antiguo lugar. Pero mi padre me dijo en una ocasión que hace muchos años el desierto que rodea Iram cambió, se llenó de *jinn* y cosas diabólicas que antes no estaban.

—¿Cuánto tiempo hace que empezaron a suceder esas cosas?

Nazzal arrugó la frente.

—No estoy seguro. Creo que mi padre dijo que fue cuando al-Gharib fue traído cuando era pequeño. Más tarde, muchos asociaron su llegada con los acontecimientos que tenían lugar en el desierto.

Leyla se volvió hacia Scholem.

—Hace unos cuarenta años —dijo.

El aguanieve se transformó en lluvia y la lluvia en una llovizna. Durante el chaparrón, la arena se había vuelto casi de color carmesí. Las nubes se movían hacia el oeste, descargando sobre las montañas de Shifa' y la costa. Plegaron la tienda y se pusieron en marcha de nuevo, notando la húmeda arena dura bajo sus pies mientras ascendían por otra duna. Parecían moverse en círculos sin cesar mientras navegaban por los profundos hoyos de la arena, pero se dirigían siempre hacia el este y cada duna que sobrepasaban los acercaba más a su meta.

Al borde de las arenas aún podían hallar agua en numerosos pozos conocidos por Nazzal. Pero a medida que se internaban en el desierto, el agua comenzaba a escasear, y a menos que hallaran un pozo en las proximidades de Iram, tendrían problemas. Incluso en invierno, cuando llueve y los pastos se extienden, la arena puede ser traicionera y fatal para los inexpertos. Scholem y Leyla no se hacían ilusiones: sin Nazzal morirían en la arena.

Aquella noche acamparon al abrigo de una elevada duna, encendiendo el fuego en el rocoso suelo que mediaba entre éste y el siguiente. En la arena no había escasez de leña: los detritos de los matorrales que habían brotado y muerto en las primaveras precedentes estaban esparcidos por todas partes. Aquella noche había luna, la primera que veían en bastante tiempo. Proyectaba una suave luz. Las dunas parecían suaves e incoloras, con desnudas sombras negras donde el viento las había doblado. El viento silbaba entre las estrías de la arena, y sus prolongadas y silbantes notas llenaban la noche con una desolación sin sol.

Hicieron guardia por turnos durante la noche, pero ninguno de ellos durmió más que a ratos a pesar del fuego. Sabían que al-Gharib estaba en alguna parte entre las dunas, observando el crepitar de las llamas, espiando, aguardando a que penetraran más profundamente en su guarida.

En un momento dado, Nazzal les habló del desierto, sobre las cosas que había visto allí, sobre lo que les aguardaba.

—Tenemos que cruzar varias filas de altas dunas —dijo—. Las peores son las Kuthub Iblis, las Dunas del Diablo. Son muy elevadas, como pequeñas montañas, y la arena es suave y traicionera. Vuestros camellos ya están cansados. Tal vez no puedan cruzarlas.

—¿No podemos rodearlas? —preguntó Leyla.

—Tardaríamos demasiado y además nos alejaría bastante de nuestro camino. Yo preferiría cruzarlas, si es posible.

—¿Cuánto crees que tardaremos?

Se encogió de hombros.

—Depende. Tal vez tres días hasta la propia Iram. No lo sé. Depende de la superficie. Y del tiempo.

—¿Qué hay de la comida y el agua? —preguntó Leyla.

Él pensó cuidadosamente antes de responder.

—Tendremos suficientes provisiones si comemos frugalmente. Las condiciones no cambiarán al internarnos en el desierto, habrá suficiente pasto para los camellos. El agua es un grave problema. Ya no hay más pozos. Tendremos mucha suerte si encontramos algún charco de lluvia en las rocas, pero no habrá demasiadas rocas en nuestro camino. Los camellos pueden estar unos veinte días sin beber; con este tiempo, posiblemente más, pero las Kuthub Iblis pueden debilitarles. Nuestras provisiones son suficientes para llegar a Iram, pero si no encontramos agua allí, moriremos. Una vez pasadas las Kuthub Iblis ya no podremos volver.

—¿Y si no logramos cruzarlas?

—En ese caso deberíamos regresar en seguida. De otro modo, moriríamos todos.

Al cabo de dos días llegaron a unas colinas que parecían pequeñas montañas, que empezaban con terrones de tierra suelta y gruesa arena y continuaban alzándose gradualmente a lo largo del día hasta alcanzar alturas formidables, de color rojo oscuro e inhóspitas. Tuvieron que obligar a los camellos a subir, estirando, empujando y profiriendo palabras fuertes. No podían ir encima de ellos: los camellos apenas si podían con los equipajes. Hora tras hora se arrastraron por la arena pero parecía que no hacían ningún progreso. Daba igual cuánto avanzaran, siempre había otra duna que escalar y cuando llegaban a la cumbre y oteaban el horizonte les parecía no tener fin. Continuaron escalando hasta que les dolieron las piernas, debilitadas, como si ya no pudieran soportar su peso. Cada vez que alcanzaban la cima de una duna aparecía ante su vista un largo y peligroso descenso y la arena se movía bajo sus pies, resbalando hacia abajo a chorros, amenazando con hacerles caer rodando hasta el fondo. Una pierna rota podía significar la muerte para todos. El dolor les laceraba los músculos, un dolor punzante y anormal que no había tenido principio ni fin.

Al mediodía descansaron, exhaustos por completo, con los miembros terriblemente doloridos, aunque sabían que tenían que continuar. Nazzal no les dejó descansar más de una hora, para comer y reposar. Tenía sus razones, dijo, y al cabo de una hora los hizo levantar. Al principio los camellos no se movieron, e intentaron morderlos cuando se acercaron. A media tarde una espesa niebla se extendió por las zonas más bajas, diseminándose por debajo a medida que ascendían, dando la sensación de un pequeño lago gris que se mecía y de cuyas aguas emergían ellos hasta la débil luz de un día encapotado. Cuando descendían lo ocultaba todo de la vista, hasta los objetos más cercanos, confundiéndoles y desorientándoles hasta que volvían a subir otra vez y reencontraban su posición desde las alturas.

Leyla caminaba como en un sueño, con el alma y el cuerpo separados, y las piernas en movimiento por un reflejo automático, sin cuidado, sin dolor. Deseaba tenderse y dormir largamente, un sueño sin pesadillas, olvidar las arenas, olvidar a David, olvidar Iram. Se imaginaba que estaba en casa, en el Sinaí, ayudando a su madre en la cocina, escuchando a su padre recitar sus poemas, orando en la mezquita con sus hermanas. Cayó al suelo varias veces y la recogieron, pero no recordaba por qué seguía caminando. La larga marcha se había enturbiado en su mente como un ovillo de lana enmarañado sin remedio. Ella estiraba y estiraba, pero las hebras seguían enredadas y no había forma de deshacerlas.

La penosa caminata hizo estragos en las fuerzas de Scholem, forzando sus pulmones hasta el límite, haciendo que su corazón latiera a una velocidad alarmante. Tan sólo la fuerza de voluntad conseguía hacerle seguir adelante, la fuerza de voluntad y el deseo de venganza que había ardido en su interior durante tanto tiempo.

Finalmente la pesadilla pareció tocar a su fin. Descendieron de una enorme duna para ir a dar a una vasta depresión que dibujaba una curva y Nazzal anunció que se había acabado. Podían acampar y descansar toda la noche. Leyla se desplomó sobre el duro suelo como si fuera un lecho de plumas. Observó cómo Nazzal prendía fuego a la leña que habían recogido sobre la marcha y le sonrió débilmente.

—¿Quién hará guardia esta noche, Nazzal? —preguntó—. Todos necesitamos dormir. ¿Y si al-Gharib anda por ahí?

Nazzal sacudió la cabeza.

—Si está por aquí, estará tan cansado como nosotros. No hará nada antes de la mañana. Podemos dormir seguros.

Leyla suspiró y se dio la vuelta; después alzó la cabeza para dirigirse de nuevo a Nazzal.

—Tenías razón, Nazzal. Las Colinas del Diablo son un infierno. Pero hemos podido más que ellas. Ahora nada podrá detenernos, nada.

Nazzal la miró con una curiosa expresión en la cara. Arrugó la frente y evitó mirarla mientras hablaba.

—¿Las Colinas del Diablo? ¿Creísteis que ésas eran las Colinas del Diablo? Ésas no eran más que dunas normales y corrientes. Llegaremos a las Kuthub Iblis mañana. Necesitaréis todas vuestras fuerzas, así que ahora descansad. Tenemos que levantarnos antes del amanecer.

CAPÍTULO 36

Las Colinas del Diablo hacían honor a su nombre. Tardaron siete horas en cruzarlas, pero parecieron siete días, siete monstruosos días de continuas pesadillas. Por el camino perdieron a uno de los camellos que transportaba el equipaje. Se desplomó en la cumbre de una escarpada duna y se negó a continuar. Trataron por todos los medios de ponerlo en pie, pero no se movió, y al final Nazzal declaró que era inútil y puso fin a sus desdichas con la afilada hoja de su *khusa*. Se repartieron la carga, quedándose una parte ellos mismos para aligerar a los demás camellos, de los cuales dependían en último término. Vencidos por el peso, exhaustos, sedientos a pesar del frío, aunque incapaces de derrochar agua, continuaron avanzando, como Sísifo subiendo penosamente las laderas del Tártaro con la roca a cuestas. Scholem y Leyla suplicaron a Nazzal que los dejara descansar, pero éste se mantuvo inflexible y no les prestó atención.

—Tenemos que cruzar —dijo—. Si los camellos se detienen a descansar, se debilitarán. En las cumbres de por aquí no hay pastos. Podríamos perderlos a todos, y si eso ocurre ya podemos darnos por muertos.

Por lo tanto siguieron adelante. La arena ya se había secado de la lluvia y las piernas se les hundían hasta las rodillas. Cada vez que Leyla daba un paso, creía que su pierna ya no saldría nunca más, que se quedaría allí clavada para siempre, atrapada en la arena hasta que sus huesos se quebraran y se convirtieran en más arena. Nazzal tenía miedo. Sabía que él podía cruzar las Kuthub, pero aquellos extranjeros inexpertos tal vez no. Y si eso sucedía, él se sentiría obligado por su palabra de acompañarlos y tendría que quedarse para morir con ellos. Y para empeorar las cosas, estaba preocupado por el tiempo. Algo estaba a punto de ocurrir, algo grave, podía sentirlo en el aire. Y quería dejar las Kuthub Iblis antes de que lo que fuera comenzara.

A pesar de todo lograron pasar al otro lado y dispusieron el campamento al abrigo de una estrecha duna cuya ladera descendía suavemente. Bebieron golosamente pero no podían meterse nada sólido en el estómago. A los pocos minutos de llegar allí ya se habían envuelto en las mantas. Sin hacer ningún caso del penetrante frío, se quedaron dormidos en el acto, como niños que han pasado el día en una fiesta y han gastado todas sus energías en juegos alocados y frenéticos.

Con la mañana llegó una tranquilidad extraña y sobrenatural. No hacía viento y la temperatura parecía haber subido ligeramente. El cielo estaba limpio de nubes, pero tenía un color enfermizo:

ceniciento, en algunos puntos casi amarillo. La luz era igualmente enfermiza. Los camellos estaba extrañamente silenciosos y parecían tensos, como si temieran algo. Uno de ellos había desaparecido.

Nazzal despertó a Scholem y a Leyla con urgencia. Su cara mostraba señales de nerviosismo y preocupación. Habló con voz baja y ansiosa.

—Algo ocurre —dijo—. Ha desaparecido un camello, el segundo *fahl*. Y el equipaje que llevaba también, junto con la mayor parte de los demás paquetes. Sólo nos quedan unos pocos odres de agua y algo de comida.

—¿Cómo ha ocurrido? —preguntó Scholem—. Debiéramos haber oído algo.

—La noche anterior, no: estábamos demasiado dormidos. Ningún *badu* haría una cosa así; nadie robaría a hombres que cruzan las arenas, llevándose el agua y la comida. Sólo puede haber sido al-Gharib. Sólo él trataría con tal desprecio las viejas tradiciones. Y sólo él nos dejaría un poco de agua y comida para que luchemos cuando llegue la hora.

—¿Es muy grave? —preguntó Leyla.

Nazzal parecía preocupado. Su frente se arrugó y Leyla vio en sus ojos que no era simple preocupación: estaba verdaderamente asustado.

—No podría ser más grave —respondió—. Tenemos agua y comida para durar unos pocos días más. Los camellos ya no tendrán problemas a partir de aquí: hay pastos en abundancia. Pero si no encontramos agua en Iram, no podemos tener esperanzas de salir con vida de las arenas.

—¿Podríamos regresar si damos la vuelta ahora mismo?

Nazzal sacudió la cabeza.

—Ya habéis visto las Kuthub Iblis. Sabéis lo que hay detrás. Sería un suicidio intentarlo. De todas maneras, aún no os lo he dicho todo.

Le miraron asustados, temerosos de lo que aún tenía que decirles.

—¿Os habéis fijado en el tiempo? —preguntó.

Scholem asintió.

—¿Qué es? —preguntó—. ¿Qué pasa?

—Se está formando una tormenta de arena: una enorme. Puede pasar por nuestro lado, pero no lo creo. No hay modo de saber cuánto puede durar: una hora, un día, tres días. Si dura más de un día, se acabó para nosotros. No podemos permitirnos perder tanto tiempo.

Hizo una pausa. Leyla se dio cuenta de que su cara estaba de color gris y de que sus ojos se movían al hablar, como los de un hombre que tiene algo que ocultar o que busca frenéticamente una salida de donde está.

—¿Habéis estado alguna vez en medio de una tormenta de arena? —preguntó.

—Una vez, en el Sinaí, una pequeña —asintió Leyla.

—Entonces no has visto nada. En el Nafud, los beduinos las temen más que a cualquier otra cosa. Nuestra pesadilla más horrible es viajar en el desierto cuando se produce una. Todo se desvanece: el cielo, la tierra, la luz. Todos los sonidos son ahogados por el aullido del viento. No se siente nada, no se ve, y apenas se puede respirar. Cuando llegue, sabréis lo que es el miedo.

Un escalofrío recorrió la columna de Leyla como si alguna criatura viviente morara en su interior y se hubiera despertado. Al-Gharib había escogido bien su momento. Hasta los elementos estaban a su favor, como si estuviesen asociados, como si de verdad fuese un hijo de Satán. Ella estaba preocupada por Nazzal. Algo le decía que ya no podían depender de él, que se hallaba perdido y al borde del pánico.

Tenían los ánimos demasiado caídos para comer, así que empaquetaron las cosas, las cargaron en los camellos y partieron. Por comparación con los dos últimos días, la marcha pareció mucho más fácil al principio. Nazzal quería llegar a un grupo de rocas que se encontraban a unos ocho kilómetros para refugiarse en lo posible de la tormenta cuando por fin estallase. Continuaron avanzando, conscientes en todo momento de la tensa atmósfera que preludiaba la locura que estaba a punto de llegar.

Se hallaban a la vista del grupo de rocas cuando Leyla dio un grito. Estiró un brazo hacia delante señalando torpemente un punto lejano. La parte oriental del horizonte se estaba volviendo roja, como si las llamas la consumieran desde la parte inferior. Era como si los matorrales de *'arfaj* y de *ghada* hubieran prendido y un resplandor gigantesco rugiera en dirección a ellos desde el este. De repente, una brisa helada les golpeó, algo completamente diferente de cualquier cosa que hubieran experimentado hasta entonces en el desierto. Mientras lo contemplaban, unas densas nubes negras se formaron sobre el rojo horizonte, como humo que arrojaran las distantes llamas, los camellos dieron un respingo de terror mientras el viento ganaba fuerza rápidamente y la negrura se aproximaba a ellos.

Nazzal les gritó que desmontaran y colocaran los camellos de espaldas al viento. La tormenta caía en picado sobre ellos con la velocidad de un tren expreso, y entonces pudieron verla claramente: nubarrones gigantescos de polvo negro daban vueltas por el aire a cientos de metros de altura, sostenidos por columnas de arena roja que los retorcían y propulsaban mientras reunían fuerzas y tragaban más y más desierto. Unos brillantes destellos de luz bailoteaban alrededor de las nubes y a través de las columnas de polvo rojo, como lenguas de color blanco y brillante que lamieran la roja piel.

Se oyó un rugido mientras el viento se transformaba en un vendaval, y en cuestión de segundos tenían la tormenta sobre ellos, aullando, dando zarpazos y aplastándolos contra el suelo, obligándolos a hundirse en el suelo junto a los camellos, con las caras fuertemente envueltas con sus *ghotras*. El mundo entero desapareció de su vista en un instante. Donde antes había cielo y tierra, ahora no había más que una oscuridad cegadora de arena carmesí. Lo arrasaba todo a su paso, arrancaba las dunas como si fueran bichos vivientes, monstruosos y de una crueldad implacable. El sonido era terrorífico: estallidos agudos de las descargas de electricidad seguidos de los fragores de estruendosos truenos que explotaban y dejaban oír sus ecos entre las dunas por encima del rugido incesante, como demonios aullando por manjares sobrenaturales.

La cosa siguió así como si jamás fuera a cesar. Perdieron la noción del tiempo, cada uno de ellos acurrucado separadamente con su pesadilla particular, incapaz de hablar o incluso de pensar. Tenían hambre y sed, y por tanto sabían que el tiempo iba pasando; por lo demás, la tormenta parecía no haber tenido principio y que no fuera a tener fin. No daba señales de ceder. La violencia del viento era increíble, y el rugido, los aullidos y los truenos no iban en disminución con el paso de las horas. No era de noche ni de día; simplemente era una tiniebla constante e implacable, en la cual hombres y animales se reducían a manchas borrosas apenas visibles. Si había oscurecido, había sido en la oscuridad y había pasado totalmente inadvertido. Si había salido el sol, había sido en la oscuridad y no tenía ningún efecto palpable. Ellos yacían y escuchaban el bramido de la tormenta o dormían, despertándose de nuevo con el sonido del viento y de los truenos.

Nazzal avanzó por en medio de aquella pesadilla hasta Scholem y Leyla, les llevó comida y agua de las alforjas, les habló, les tranquilizó. Pero incluso él estaba ya agotado más allá de su resistencia, y en sus roncos susurros podían detectar un temblor de ansiedad que cada vez tenía mayores dificultades para suprimir.

—¿Es muy fuerte? —preguntó Leyla.

—Sí —graznó en respuesta—. Muy fuerte. La peor que he visto. Puede durar días. Nuestra única esperanza ahora es Dios.

Por primera vez en muchos años, Leyla deseó creer en el Dios protector de Nazzal. Era un Dios del desierto: la arena, el viento y el trueno eran sus juguetes. Estaba a su merced, en medio de su más viejo y terrible terreno. Leyla deseó poder creer en Él: ahora le parecía tan real, oscuro, rojo y colérico como el pandemónium que la rodeaba.

Leyla tuvo unos sueños delirantes y, cuando no dormía, visiones que rayaban en la alucinación. Nada parecía real. Dormía y soñaba, y después se despertaba en la oscuridad y comenzaba otra pesadilla. Cuando gritaba, nadie respondía ni nadie acudía. Se agarró a su camello como si éste constituyera el mundo entero, temiendo soltarlo un solo segundo. El camello no se movía en absoluto ni dejaba escapar ningún sonido: se hallaba sentado en medio de la tormenta y aguantaba.

Leyla no estaba segura de lo que la hizo levantar la vista. Había estado dormitando de nuevo, soñando con David y al-Shami, un sueño terrible en el cual el gordo tenía cuatro pares de brazos y se transformaba en una araña blanca y bulbosa que capturaba a David en su intrincada y sucia tela. Al abrir los ojos, la tormenta aullaba como siempre, pero sintió que pasaba algo. Forzó la vista para ver a través de las rojas tinieblas y pudo distinguir a Nazzal en pie a pocos metros de ella, cerca de su camello. Mientras le observaba, vio que se llevaba las manos a la cabeza agónicamente. Estaba segura de que oyó un grito, incluso por encima del rugido del viento. De repente, Nazzal sacudió la cabeza atrás y adelante varias veces y echó a correr, alejándose de ella y de Scholem, en dirección a la tormenta. En cuestión de segundos había desaparecido, tragado por el espeso polvo rojizo.

Leyla se tambaleó sobre sus pies. Al levantarse, se convirtió en diana de las oleadas de arena. Fue abofeteada y azotada, y sus ropas sacudidas de su cuerpo como si un gigante tirara de ellas para arrancárselas. La arena se le clavaba en cada parte del cuerpo que se hallaba expuesta, azotándola con la furia de una criatura atormentada golpeando ciegamente en su sed de venganza. Tenía dificultades para respirar y encontraba casi imposible mantenerse derecha. Tambaleándose, luchó por avanzar en dirección al lugar donde Scholem se encontraba aplastado contra el lomo de su camello. Torpemente, le agarró por un hombro. En cuanto le tocó, él la miró con los ojos abiertos de par en par.

—¿Qué hay? —gritó—. ¿Qué pasa? —Ella apenas le oía bajo el fragor de la tormenta. Se inclinó y le puso la boca en el oído.

—Nazzal —dijo—. Se ha ido.

—¿Que se ha ido? ¿Qué quieres decir?

—Era presa del pánico. Le he visto aún no hace ni un minuto. —Hizo una pausa para recobrar el aliento, jadeando a causa del esfuerzo para hablar.

—¿Dónde está? —gritó Scholem.

—¡No lo sé! Ha gritado como si le diera un ataque y ha echado a correr. Tenemos que seguirle.

—No podemos seguirle. Sería un suicidio...

—¡No podemos dejarle! Necesita ayuda. ¡Voy tras él! —Leyla sabía que aquello era una estupidez, pero estaba tan al borde del pánico que únicamente la acción, la acción definida, podría ayudarla a no ser presa de él. Se irguió y echó a correr en la dirección que creyó que Nazzal había tomado.

Scholem intentó detenerla, pero fue demasiado lento. Vio cómo corría hacia el torbellino y después desapareció. En el lugar donde había estado hacía un momento ya no había nada más que arena dando vueltas. Se puso en pie y corrió tras ella. Tenía la oportunidad de alcanzarla si no había ido demasiado lejos.

Leyla daba traspiés de un lado a otro como un borracho, bregando por avanzar y tambaleándose mientras el viento la zarandeaba sin piedad. No paraba de tropezar, olvidándolo todo, deseando correr y correr para siempre, con la vana esperanza de escapar de la claustrofóbica oscuridad que la envolvía. Había perdido a Nazzal, pero continuó en la dirección que había tomado inicialmente, aunque sabía que no era ninguna dirección. En aquella locura no había direcciones: por lo que intuía, en aquel momento se estaba alejando de Nazzal.

Scholem hizo lo que pudo por seguir a Leyla con ayuda de los pequeños rastros que iba dejando en la arena, antes de que el viento los barriera o los cubriera con más arena. Le dolían bastante los ojos y se hallaba mareado de terror. Allá en medio, lejos de los camellos, perdiéndose más y más, podían errar en círculo hasta que, uno tras otro, murieran todos. De pronto, distinguió una sombra a su izquierda, algo oscuro dentro de aquella oscuridad reinante. Corrió hacia allí. Era Leyla, aplastada contra la arena, cavando frenéticamente y llorando. La sacudió por los hombros y ella volvió sus ojos llorosos y enrojecidos hacia él.

—¡Es inútil! —gritó—. ¡No podemos salir! No hay ningún sitio donde ir. ¡Ninguno!

Le cogió las manos y las apretó fuertemente.

—Cálmate, Leyla. Quédate aquí conmigo. Esto acabará pronto.

Ella sacudió la cabeza violentamente.

—No —gritó—. Mira. —Levantó una *ghotra* con la mano.

—Es su *ghotra* —dijo—. La encontré aquí. Creí que se habría caído, pero esto es todo lo que he encontrado. Ha pasado por aquí. Incluso puede que esté cerca. Tenemos que intentar encontrarle.

Era inútil discutir. Ahora ya importaba poco. Sin Nazzal, con los camellos Dios sabía dónde, tenían muy pocas posibilidades de volver a encontrar el camino, incluso aunque la tormenta cesara en aquel mismo instante. Scholem la levantó y la mantuvo sujeta mientras avanzaban a tropezones hacia delante.

No encontraron nada. El viento los derrotó finalmente, obligándoles a arrodillarse y a buscar refugio junto a un delgado matorral de *ghada* que había sido desgarrado por la tormenta.

Se quedaron dormidos, agotados, medio enloquecidos por el batir incesante del vendaval. Ninguno de los dos durmió bien. Cuando se despertaron, varias horas más tarde, la tormenta había pasado. A su alrededor, la arena se extendía en todas direcciones como antes, silenciosa y calma, como si la enorme furia que había pasado sobre ella la hubiera transformado mínimamente. Era ya entrada la mañana: había transcurrido un día desde que se desencadenó la tormenta.

Ninguno de los dos sabía en qué dirección habían ido durante la noche. No había ningún rastro, ni pisadas que pudieran reconocer, nada excepto arena lisa, miraran a donde miraran. Con ayuda del sol, establecieron en qué dirección quedaba el este, pero aparte de eso no pudieron reconocer nada más. Su única esperanza era que esa noche hubiera un cielo claro y estrellas que pudieran utilizar para guiarse. Nazzal se dirigía directamente hacia el este. Perdidos irremediablemente como estaban, una ruta idéntica debería llevarles al borde de la región que buscaban. Irían más despacio sin los camellos, y su necesidad de comida y agua pronto sería desesperada. Mientras tanto no tenían elección. Sería mejor morir andando que sentarse en un sitio a esperar que la muerte les llegara. Dieron la vuelta hacia el este y echaron a andar.

Al cabo de poco tiempo encontraron a Nazzal al pie de una pronunciada pendiente, donde debió de caer cuando caminaba en la tormenta. Se había roto el cuello y tenía la cara vuelta formando un ángulo muy desagradable a la vista, con una mirada de terror y angustia. Demasiado cansados para cavar una tumba, lo cubrieron de arena en silencio, sin dejar escapar ni un suspiro, vencidos por la única cosa que habían llegado a conquistar: su propio miedo.

Se alejaron de él e iniciaron la última etapa de su largo viaje.

Quinta parte

> Y habitaba ciudades derribadas, casas inhabitadas, destinadas a ser un montón de ruinas.
>
> *Job,* 15, 28

CAPÍTULO 37

Se hallaba en una reducida estancia, iluminada únicamente por una lámpara de aceite que colgaba muy por encima de su cabeza. Las paredes, el suelo y el techo estaban hechos totalmente de sólida roca, desigual y desprovista de toda ornamentación. Ahora era una celda, pero David sospechaba por los nichos que había en las paredes que antaño había servido de tumba. Desde luego era lo bastante fría para tal propósito y David se temió que no iba a tardar mucho en recuperar su uso original. Llevaba allí más de una hora, a solas con sus pensamientos. Desde su llegada a Iram le habían llevado directamente allí, con los ojos vendados y completamente desorientado. Le habían colocado la venda antes de que pudiera divisar la ciudad, así que no tenía modo de saber exactamente dónde estaba y qué posición ocupaba su celda en relación con los alrededores o el exterior, si es que todavía existía el exterior, cosa que había empezado a dudar.

De repente oyó un arañazo en la puerta y ésta se abrió. Un hombre alto con el cabello de un rojo apagado y una cojera pronunciada entró en la habitación.

—Buenos días, profesor Rosen —dijo en un inglés claro y prácticamente desprovisto de todo acento—. Soy el doctor Mandl, Felix Mandl, de Ginebra. Me envían para examinarle. Me han dicho que se encuentra en malas condiciones.

Así que era por la mañana. David había perdido la noción del tiempo. Se hallaba sentado en una esquina de su celda, mudo y sin moverse, sin importarle quién era el doctor Mandl o qué había ido a hacer allí. Le daba lo mismo. Si abusaban de él o le cuidaban, lo harían en beneficio de ellos, no de él.

Mandl era un hombre de unos setenta años, de pálidas mejillas, lúgubre aunque de apariencia firme, con ojos agudos y críticos que parecían trepanar a David. Tenía el cabello cortado a ras del cráneo, y sobre su labio superior, un fino mostacho gris dividía su cara en dos, como una cicatriz. Encendió una pequeña estufa de aceite en una esquina de la habitación y ordenó desvestirse a David. Lentamente y sin ninguna energía, David procedió a hacerlo. Sus ropas estaban hechas jirones y llenas de suciedad; era consciente de que su cuerpo resultaba repugnante y olía horriblemente, pero no le importaba. Mandl le examinó con dedos fríos que parecían de cera, palpando la superficie de su piel con toques delicados que provocaron pequeños escalofríos de repulsión a lo largo de la espina dorsal de David. Echó un vistazo a todo: las llagas producidas por el camello, la cicatriz en el rostro, los sabañones de los pies, los morados que se había hecho al caer del camello al duro suelo. Después auscultó el pecho de David y le examinó los ojos y la garganta, y finalmente le tomó la presión y la temperatura.

—Primero —dijo— tendrá que tomar un baño y ponerse ropas limpias. Después enviaré a alguien para que le vende las heridas y le ponga ungüentos en los hematomas. Mientras tanto, le prepararé algunos medicamentos. Le han tratado bastante mal, bárbaramente. Hablaré con mis superiores sobre el asunto.

—¿Quiénes son sus superiores? —inquirió David.

Mandl ignoró la pregunta, volviéndose hacia su maletín médico.

—¿Por qué me han traído aquí? ¿Qué quieren de mí?

El médico alzó la vista, abrochando el maletín con unas hebillas de cobre.

—Lo sabrá mañana. Hasta entonces, descanse. Yo no soy más que un médico, no puedo explicarle tales cosas. Puede estar tranquilo: no tiene nada que temer.

—¿Y cuando acaben conmigo?

Mandl no dijo nada. Recogió el maletín y fue hacia la puerta. Dio dos golpes breves y la abrieron desde fuera. Sin mirar a su alrededor, salió y la puerta se cerró con un portazo.

A la mañana siguiente, temprano (o al menos así se lo pareció), David fue despertado con un sobresalto por el sonido de una puerta de pesada madera al abrirse. Mandl le había hecho beber un montón de pociones de sabor diabólico y le había puesto una inyección que le dejó fuera de la circulación toda la noche. Al principio no podía recordar dónde estaba. Pensó que debía de estar de nuevo en San Nilo: las rugosas paredes de piedra y el duro lecho donde yacía le trajeron recuerdos del monasterio. En aquel momento entró su guardián, un hombre con un rostro de cemento, al cual sólo había visto brevemente el día anterior.

—Levántese —dijo el guardián—. Quieren verle.

Se sentía débil y atontado. Se tambaleó de un lado a otro al tratar de levantarse, pero el hombre no hizo el menor movimiento de ayudarle. David luchó por contener el mareo y conservar el equilibrio, impedir que la oscuridad volviera a cerrarse sobre él. Le pareció que transcurría una eternidad desde que logró ponerse en pie hasta que las vueltas que daba su cabeza cesaron y se atrevió a abrir los ojos.

—Sígame —dijo el guardián. David se dio cuenta, asustado, de que hablaba en inglés.

Cruzó la puerta tras él y le siguió por un corto pasillo de techo bajo, débilmente iluminado, con olor a basura. Un segundo guardián esperaba allí, y mientras David seguía al primero, el otro cerró la puerta de la celda y avanzó tras ellos.

Al final del pasillo, entraron en un estrecho y tortuoso pasaje que conducía hacia arriba, mientras pasaban junto a oscuros y vacíos pasillos laterales que tenían nichos excavados en la sólida roca. Sus pisadas hacían sonar unos ecos mortuorios mientras avanzaban en fila india precediéndolos en la distancia y apagándose a sus espaldas. El pasaje estaba iluminado por aisladas lámparas de aceite que parecían dar más sombra que luz con sus llamas vacilantes. Una vez cruzaron un estrecho puente de piedra sobre un agujero de varias decenas de metros. Por debajo, David distinguió unas llamativas luces y recordó lo que al-Shami le había explicado de que Iram estaba construida sobre un enorme depósito de aceite. Era el aceite lo que permitió a los fundadores de la ciudad hacerla habitable, excavada como estaba en la roca, ya que el aceite les había provisto de una inagotable reserva de combustible, tanto para calentarse como para la iluminación.

Viajaron más y más profundamente por la roca, a través de un laberinto de túneles y cuevas iluminados por débiles luces amarillentas. La oscuridad reinaba por doquier, como algo tangible que les iba oprimiendo implacablemente como si fuese a aplastarlos. Un fino olor de perfumes antiguos o de especias marchitas hacía largo tiempo flotaba en cada estancia y en cada pasillo por el que torcían. David se sentía perplejo y desorientado, más perdido de lo que había estado en los anchos espacios del desierto. No había modo de determinar si caminaban en una sola dirección o si lo hacían en círculos, ningún modo tampoco de discernir las dimensiones del lugar.

Pasaron junto a grandes puertas desiertas, algunas abiertas de par en par, aberturas ornamentadas de incalculable antigüedad, otras pequeñas y firmemente cerradas. Varias escaleras de piedra subían y bajaban en la oscuridad, con las piedras desgastadas por el paso de generaciones. De vez en cuando, encontraban columnas enormes, algunas solas, otras en grupos, y sus extremos superiores se perdían en las sombras. A la entrada de un pasillo lateral, evidentemente en desuso desde hacía tiempo, David observó enormes telas de araña que se extendían del suelo al techo como si fuesen cortinas; parecían tan viejas como la propia ciudad. Por todas partes colgaban telarañas polvorientas adornadas con verderón, en las paredes, el techo, o enredadas en la entrada de los nichos o de las puertas.

Pero nada de lo que David vio en su camino tuvo tal impacto en él como el descubrimiento de un hecho asombroso y, en cierto modo, profundamente perturbador: Iram había sido una ciudad judía. Por todas partes vio señales del carácter judío del lugar: letras hebreas, pintorescas y arcaicas pero en una forma aún fácilmente reconocible para sus entrenados ojos, grabadas a lo largo de los pasillos por los que caminaban; textos bíblicos familiares aunque extraños; nombres hebreos grabados en la brillante piedra en memoria de los muertos; dibujos del *menorah* de siete brazos, el candelabro que una vez adornó el templo de Jerusalén; y representaciones de las tablas de la ley que Moisés trajo del Sinaí y que desaparecieron con el arca cuando el templo fue destruido por los babilonios.

Y, sin embargo, Iram tenía otra cara, siniestra y más inquietante que su carácter judío. En algunos lugares, David vislumbró curiosas figuras, estatuas de seres alados y encapuchados que se alzaban en los nichos alineados en las paredes o en altos pedestales en las bifurcaciones. Algunas tenían rasgos humanos; otras, cabezas de animales o pájaros; la mayoría eran grotescas, algunas casi demoníacas. ¿Había sido ése el pecado de las gentes de Iram, el pecado por el cual fueron destruidos por su iracundo Dios, el hecho de que hubieran esculpido imágenes para ellos mismos? Los santuarios de cualquier tipo estaban prohibidos en el judaísmo, y sin embargo, allí, en una ciudad judía, varios seres de piedra miraban lascivamente desde las sombras cubiertas de telarañas y las puertas secretas y oscuras de las habitaciones. ¿Habría llegado a ser tan grande el atractivo de la piedra y el amor por esculpirla en formas fantásticas para los habitantes de la ciudad, allí enterrados fuera del alcance del sol como trogloditas?

Mientras David y sus guardianes caminaban, la naturaleza de lo que le rodeaba comenzó a cambiar, imperceptiblemente al principio, y después con creciente intensidad. Había más luces, las paredes de los pasillos eran más suaves y en mejor estado de reparación, las ubicuas telarañas ya no estaban a la vista. La gente empezó a cruzarse con ellos en número rápidamente creciente: hombres vestidos de negro con ropas árabes, como los que les habían recibido a él y al-Shami en el desierto; mujeres ataviadas con vestidos blancos sueltos, atados a la cintura con gruesas cuerdas bordadas de colores variados, y los cabellos trenzados y entrelazados con cintas blancas. Todo el que se cruzaba con ellos era de apariencia europea, pero las mujeres eran más pálidas que los hombres, como si se hubieran pasado la vida entera bajo las piedras de la ciudad. Nadie los miraba dos veces, nadie miró fijamente a David mientras se aproximaba ni se dio la vuelta para hacerlo cuando ya había pasado. Todos parecían enfrascados en sus tareas más inmediatas, aunque David no sabría decir fácilmente cuáles serían. Algunos llevaban cargas al hombro, otros hacían rodar barriles o pequeñas carretillas tapadas y aun otros se apresuraban cargados de libros y papeles.

Al principio, todo aquello le pareció a David como escenas de alguna extraña fantasía, pero cuanto más lejos le llevaban más clara se hacía la terrible realidad de Iram en su mente. La gente vivía y trabajaba allí, entre las reliquias de una civilización desaparecida, gente no más extraña a su manera que los beduinos que vagaban por el desierto en las afueras de la ciudad. Vio un dormitorio y un comedor, un gimnasio completo equipado con material de hacía treinta años o más, pasado de moda pero en constante uso, una fila de oficinas con escritorios y ficheros, una panadería cuyos llameantes hornos habían sido excavados en la sólida roca. Hombres sudorosos trabajaban en los hornos con palas de largo mango, colocando enormes círculos de masa sin levadura sobre las llamas y extrayendo barras de pan recién hecho. Parecían al mismo tiempo locos y cuerdos, incomprensibles y corrientes.

Finalmente llegaron ante una enorme puerta de bronce batido, colgada de unas amplias bisagras y decorada con coronas de frutas y flores, no de Arabia sino flora de la distante Palestina: casia y coriandro, mirto y enebro, hisopo y nardo. A cada lado de la puerta había dos guardias, con rifles cortos colgando del hombro. Asintieron cuando David y su escolta se aproximaron: los estaban esperando. Uno de los hombres que estaba junto a la puerta se dio la vuelta y llamó, después entró en la habitación cerrando la puerta a su espalda. Momentos más tarde, la puerta se abrió de par en par y los hicieron pasar.

David tardó unos instantes en fijarse en todos los detalles de la habitación donde ahora se encontraba. Era de forma imperfectamente circular, con un diámetro de unos quince metros. El techo era abovedado, aunque poco profundo, y las paredes, pintadas de blanco, sólo eran interrumpidas por la puerta y varios estandartes coloreados que colgaban a intervalos por la habitación. David reconoció los estandartes; eran *thangkas,* colgaduras de los templos tibetanos que representaban a dioses y demonios bailando una danza cósmica. Bajo cada estandarte había una lámpara encendida y sobre unos trípodes distribuidos por la habitación ardían unas llamas colocadas en bandejas de bronce casi planas, proyectando sombras angustiosas sobre las paredes y el techo. En el centro exacto de la habitación se hallaba suspendida una cadena, al final de la cual colgaba una enorme esfera de cristal sólido. Bajo la esfera había una amplia cama cuadrada vestida de exquisito lino blanco. En cada una de las cuatro esquinas de la cama se alzaba una elevada figura de oro: cuatro ángeles con alas brillantes y desplegadas. Uno de ellos sostenía una trompeta a la altura de sus labios apretados, otro blandía en el aire una fina espada de dos filos, el tercero llevaba una lanza llameante y el cuarto un libro.

En un principio, David no podía distinguir si la cama tenía un ocupante o no, pero cuando sus ojos se acostumbraron a la luz y a las dimensiones de la estancia, divisó la cabeza y los hombros de un anciano apoyado en blancas almohadas finamente bordadas, sobre las cuales largos mechones de cabellos plateados caían en cascadas en todas direcciones. El anciano no era el único ocupante de la habitación: David vio al médico suizo, Mandl, junto a otros cuatro hombres de negro y dos asistentes con chaquetas blancas. Pero la cama y la figura que la ocupaba eran el centro de toda la atención. Sin él, la habitación no tendría sentido: los ángeles a cada esquina de la cama, los dioses del Himalaya con sus mandalas hilados, la esfera de vidrio girando lentamente en aquella calma, los silenciosos hombres vigilando con atención, todos, de alguna manera, obtenían de él su significado y su lugar en el orden de las cosas. En cierto sentido indefinible, el anciano era la habitación. Él le daba vida, la llenaba con su presencia como los fieles llenan una iglesia o un condenado la celda donde se halla confinado. Por encima de su cabeza, la esfera de vidrio daba vueltas en la cadena, reflejando la luz de todas las lámparas de la habitación, como una bola de fuego viviente, brillante, fría e intocada por las llamas. Tras él, la puerta se cerró firmemente con un suave aunque audible golpe. En la habitación reinaba un silencio total. Nadie hablaba. Nadie se movía. David permaneció en pie junto a la puerta, helado, a la espera.

Se oyó una tos baja, seca y fragmentada, y el anciano de la cama habló. Su voz era quebradiza y apagada, una voz vieja, remota y carente de timbre, casi sin sabor, como si las palabras no tuvieran sabor o lo hubieran perdido hacía largo tiempo. Habló sin preámbulos, como si David y él hubieran sido presentados hacía largo tiempo y se limitaran a continuar una conversación recientemente suspendida.

—El tiempo aquí no existe, profesor. En Iram no hay mañana, ni mediodía, ni noche. Durante más de cuarenta años no he visto el sol de día ni la luna de noche. No ha habido estaciones ni años. Y sin embargo, he envejecido. Mis cabellos se han vuelto blancos, mis dientes se han cariado y caído, mi carne se ha marchitado. ¿Cómo puede ser? Acérquese —continuó la voz cambiando de tema abruptamente—. Venga donde pueda verle.

David avanzó dubitativo hasta el pie de la cama, al lado del ángel que sostenía la lanza llameante. Se quedó allí, mirando al anciano, observando las sombras que proyectaban las lámparas vacilantes sobre sus pálidos rasgos. Durante un segundo, se estremeció incontrolablemente, como si un escalofrío se transmitiera desde las paredes inermes de sólida roca hasta cada una de las células de su cuerpo. Después, el escalofrío le abandonó tan abruptamente como había llegado, dejando su cuerpo en calma de nuevo, aunque aún podía sentir que un miasma nocivo saltaba hasta él desde todos los poros de la piedra. El anciano parpadeó con sus pálidos y acuosos ojos y comenzó a hablar de nuevo.

—El tiempo transcurre aquí como la seda por las manos del tejedor. Es una única sustancia, una única prenda tejida que todos vestimos. Usted también tendrá que ponérsela, profesor. Acérquese más, profesor, déjeme ver su cara, permítame mirar en sus ojos.

David se desplazó hasta la cabecera de la cama. Ahora veía al viejo claramente, las negras manchas que salpicaban la carne arrugada, la vívida estructura del cráneo, los labios hinchados, las venas de las sienes, la afilada y ancha nariz, los pálidos ojos donde se adivinaba una rápida y ávida inteligencia, ojos que no se apartaban del rosto de David ni por un instante. Los ajados labios se abrieron nuevamente. El anciano hablaba en inglés con acento alemán, un tanto torpemente, como si no hubiera hablado en esa lengua durante largo tiempo.

—¿Sabe dónde está, profesor, qué sitio es éste? Sólo hay unos pocos hombres que vivan después de haber posado sus ojos en nuestra ciudad, y pocos que lo hayan hecho desde que fue construida. Sé que es usted curioso, que desea ver más. Usted es arqueólogo y este lugar es un paraíso, algo que supera sus sueños más vehementes. Pero le aseguro que es real. Créame, cada piedra es real. Mientras esté aquí le enseñarán las partes principales de la ciudad. Lamento que no le pueda ser permitido pasear libremente, pero alguien se encargará de cuidarle. Hay muchas cosas que ver. No se sentirá desilusionado.

David lo interrumpió, exasperado por el discurso aparentemente inútil del anciano.

—¿Por qué me han traído aquí? —preguntó—. ¿Qué quieren de mí?

La anciana cara se endureció y los ojos acuosos brillaron un segundo.

—No hable hasta que yo haya terminado de hacerlo. Quiero su respeto, no sus preguntas. Cuando desee hacerlo, le diré para qué le he traído aquí. Hasta entonces, escúcheme.

La voz perdió su dureza, la cara se suavizó y los ojos recuperaron su palidez habitual.

—Usted sabe que este lugar es Iram —continuó—. Me han dicho que usted descubrió bastantes cosas por sí solo: el diario de un hombre llamado Schacht, un libro árabe de un autor conocido como al-Halabi, el hecho de la existencia de esta ciudad. Le felicito. Vea cómo su perseverancia se ha visto recompensada, cómo ha venido aquí en persona, a Iram de las Columnas.

El anciano hizo una pausa para recuperar el aliento. Uno de los asistentes de chaqueta blanca dio un paso adelante, cogió un vaso de una mesa cercana a la cama y ayudó al anciano a beber. Los demás hombres permanecían en silencio, casi reverentes, como si tuvieran miedo de hallarse en presencia de la marchita figura que reposaba entre las blancas sábanas. David se preguntó quién sería. Un pensamiento le golpeó en la mente, una posibilidad que inmediatamente rechazó.

—A pesar de lo que ha leído, a pesar de lo que ha visto —continuó el viejo—, no sabe casi nada de lo que es este lugar o de lo que fue. Incluso yo mismo, después de todos los años que he pasado aquí, sé bien poco de la historia de Iram. Hay partes de la ciudad donde jamás he posado la vista. Los estudiosos tardarían varias vidas en examinar todo lo que la arena ha conservado aquí, y aun así sólo habrían empezado la tarea de comprender Iram. Hay una biblioteca de doce mil pergaminos, todos ellos en el más maravilloso estado de conservación. Yo no he visto más que parte de ellos. Hay inscripciones en la piedra por todas partes: la ciudad entera es como un enorme libro excavado en la roca. Hay artefactos de cada período de la existencia de la ciudad; existen kilómetros de túneles repletos de nichos que contienen miles de cuerpos bien conservados; hay secciones enteras de la ciudad que nadie ha tocado desde que fueron abandonadas hace siglos. Iram es el tesoro arqueológico más grande que jamás se ha conocido, el mayor que se conocerá.

Calló de nuevo. Su voz se había tornado un tanto áspera a causa del esfuerzo realizado al hablar. El asistente se acercó una vez más y le sujetó el vaso a la altura de los labios. Él se inclinó levemente hacia delante y dio dos sorbos; después dejó caer la cabeza sobre la almohada. Respiró profundamente y prosiguió:

—Pero todo esto ya lo sabe. Lo habrá visto o adivinado por sí mismo. Usted quiere saber más; quiere respuestas a las preguntas formuladas en su mente desde el momento en que oyó hablar de Iram. Mientras venía hacia esta habitación habrá visto cosas que le habrán inspirado más preguntas. Permítame que intente responder algunas.

»Como habrá podido ver, Iram fue construida por su misma gente. Ellos encontraron la formación rocosa donde está excavada aquí en el desierto hace mucho tiempo y la convirtieron en una ciudad, una de las mayores ciudades que el mundo ha conocido.

»Vinieron aquí durante el exilio de Babilonia, en el siglo sexto antes de Cristo. Estoy seguro de que sabe que Nabónide, el último rey babilonio, tuvo su capital aquí en Arabia durante un tiempo, en Tayma, al oeste del Nafud. Lo que no se conoce, aunque algunos estudiosos lo han adivinado, es que entre los que le acompañaron aquí había judíos. Trajo judíos albañiles, tallistas de madera, artesanos de todo tipo. Tenía planes para construir una gran ciudad, pero nada se puso en práctica. Después de su muerte, sus seguidores babilonios regresaron a Mesopotamia para ser conquistados por Ciro, el persa, cuando éste tomó Babilonia en el año 538. Pero los judíos que habían venido a Tayma no tenían ningún deseo de regresar a una tierra que asociaban con el exilio. Así pues, se quedaron. Permanecieron en Tayma durante un tiempo, pero al décimo año, una tribu de árabes nómadas arrasó el oasis. Los saqueadores se lo llevaron todo y procedieron a destruir las palmeras y envenenar los pozos. Los exiliados se vieron obligados a marcharse, a buscar un lugar donde pudieran vivir seguros.

»Era invierno, así que se internaron en el Nafud. Incluso los árabes de los bordes del desierto tenían miedo del interior, considerándolo con un terror supersticioso. Aquello no significaba nada para los judíos. Ellos tenían su Dios y tenían...

El anciano hizo un alto y parpadeó, como si hubiera estado a punto de revelar a David algo que no quería que supiese. Lanzó un profundo suspiro antes de continuar.

—Tenían fe, recordaban los largos años que sus padres habían pasado en el desierto con Moisés, tenían la desesperación de los exiliados. Y entonces encontraron un lugar que parecía dispuesto para ellos por su Dios. Había profundos pozos de agua bajo las rocas, almacenes inagotables de aceite que les proveerían de calor y de luz, y lo que era más importante, zonas enteras bajo tierra donde el suelo original no se había transformado en desierto. Durante los primeros inviernos se refugiaron en cavernas en las rocas, pero algunos de sus talladores de piedra aprendieron a excavar túneles más y más profundos en el corazón de la meseta de piedra. Construyeron un pequeño establecimiento en el interior de la roca y le llamaron Iram. Al cabo de dos generaciones se había convertido en una pequeña ciudad, recluida en sí misma, autosuficiente, inexpugnable. En la tercera generación, habían empezado a comerciar con Bahrayn y Yemen. En Iram había plata, plata y piedras preciosas. La gente se multiplicó, y la ciudad creció con ellos, carcomiendo la roca, excavando la piedra, enriqueciendo sus moradas, embelleciendo su gran templo.

»Pero nadie llegó a Iram desde el exterior. Era como La Meca o Lhasa, una ciudad prohibida. Las gentes de Iram transportaban sus mercancías a los puertos de Bahrayn y a las ciudades de Hadhramaut y Yemen, y traían de regreso los productos que compraban allí: telas de Persia y de la India, especias y perfumes del sur, hierro y cobre del norte. No tuvieron ningún contacto con los judíos de Palestina, y no tenían ni idea de que el exilio de Babilonia había concluido hacía mucho tiempo. Al cabo de un tiempo habían olvidado su fe. No sabían nada de los progresos que siguieron a la restauración de Jerusalén, ni de la reorganización de la vida judía, ni de los cambios que ésta había conllevado. Empezaron a imitar a las gentes que conocían en sus viajes comerciales, a importar sus dioses y diosas, a venerarlos junto a su propio dios Yahvé. Manat, al-'Uzza, Hubal, Dhu'l-Shara, importaron un ejército de dioses ajenos a su templo.

»Durante un tiempo, Iram prosperó. De hecho, durante más que la mayoría de ciudades. Era un progreso artificial, y sus gentes llevaban una curiosa vida, una vida extrañamente ordenada. Sólo los hombres salían de la ciudad, para guardar sus proximidades en caso de que sus famosas riquezas atrajesen al invasor de más allá de la arena, para reunir en manada los camellos de los cuales dependía su comercio, para conducir las caravanas a sus destinos y después de regreso a Iram. Las mujeres jamás vieron el sol. Desde su nacimiento hasta su muerte, vivían sus vidas entre las sombras y la luz de las lámparas de aceite. Eran criaturas pálidas y delicadas, como espectros vivientes en un mundo de cuevas y túneles. Como nosotros, profesor, exactamente como nosotros.

Hizo una pausa y miró a su alrededor, como si pudiera sentir la presencia de los demás en la habitación, las pálidas mujeres del pasado de Iram. Lanzó un suspiro y prosiguió:

—Casi desde el principio tuvieron reyes, una dinastía que reclamaba ser descendiente de Salomón y que reinaba en su nuevo reino judío como si Jerusalén jamás hubiese existido. Y ésa, naturalmente, fue una de las razones por las cuales jamás buscaron el regreso a Palestina. Una cosa es ser el rey de una poderosa ciudad en el desierto y otra vivir como vasallo de otro. Era mejor el poder en soledad que la servidumbre en la Tierra Prometida, que ya no era más que una leyenda.

»Pero finalmente el aislamiento de Iram resultó su propia destrucción. El comercio con la región de Bahrayn declinó pronto, aunque la ciudad continuó prosperando a través del comercio con Arabia Felix al sur. Todo aquello terminó con el colapso de Arabia del sur en el siglo sexto. Y entonces algo sucedió en la propia Iram. Que yo sepa, sucedió a finales del siglo sexto, pero tal vez fuera un poco más tarde; los informes no están muy claros. No sé lo que fue exactamente. Lo más probable es que se tratara de una plaga de algún tipo; pero fuera lo que fuese, fue algo repentino y barrió a la mayoría de la población. Los que no fueron enterrados se quedaron donde habían muerto. Sus huesos aún se encuentran donde los abandonaron.

»Aparentemente hubo supervivientes, pero si hay que creer a al-Halabi (y yo no veo ningún motivo para no hacerlo), lo olvidaron todo respecto a la ciudad y su historia en cuestión de dos generaciones. No hay ninguna información después del siglo sexto. Sin embargo, en algún momento, incluso los degenerados supervivientes de los iramitas originarios murieron. E Iram quedó abandonada durante siglos. Hasta que yo la encontré y la resucité.

La voz se apagó y el silencio inundó la habitación. Los dioses, con sus coloreados mandalas, miraban hacia abajo impasibles, como si ya hubieran oído todo aquello anteriormente o como si no significara nada para ellos aquella inspiración y espiración del inamovible ciclo de la existencia terrenal. La esfera de cristal daba vueltas sin cesar. Nadie se movió. Entonces el anciano hizo un gesto con los ojos a su asistente para que de nuevo le acercara un poco de agua.

—¿Y bien? —dijo por fin casi en un susurro. David se estiró para oírle, inclinándose también un poco hacia abajo para lograrlo.

—¿Qué conoce que se le pueda comparar? —prosiguió el viejo—. ¿Hay alguna cosa?

David se sintió transportado a la universidad, al seminario donde el profesor acababa de explicar los detalles sobre algún lugar y aguardaba una respuesta inteligente. Tenía la boca seca, se sentía aburrido y cansado, como un estudiante que no sabe nada, deseando estar en cualquier parte menos allí.

—No —dijo sacudiendo la cabeza—. No he conocido nada igual. ¿Cómo podría? Es como un sueño. Pero ¿cómo sabe todo eso sobre la ciudad?

—Ya se lo dije —murmuró el anciano—. Hay una biblioteca. Hay inscripciones. Hay una historia de Iram que abarca desde su fundación hasta casi su final. Mis colegas y yo hemos traducido varias. Podrá verlas mientras está aquí: le garantizo que le resultarán fascinantes.

—¿Y cuánto tiempo me voy a quedar?

El anciano parpadeó varias veces seguidas. David podía ver la pequeña esfera en rotación reflejada en ambas pupilas, prestándoles un poco del fuego de las lámparas.

—Eso dependerá de muchas cosas. Un tiempo no muy largo. Es demasiado pronto para decirlo. Pero seguro que no estará ansioso por marchar, ¿verdad? No puedo creerlo.

—¿Por qué me han traído aquí?

—Para que comprenda.

—Para que comprenda, ¿qué?

—Eso ya se lo explicaremos.

—¿Y si no logro entenderlo?

—Sí que lo logrará. Su vida depende de ello. No fallará.

—No tenía ningún derecho a traerme aquí. No tiene ningún derecho para retenerme aquí contra mi voluntad. —La voz de David iba creciendo de tono inconteniblemente. Se sentía agitado. La cólera se estaba removiendo en sus venas como un veneno.

—Por favor, profesor, cálmese —susurró el anciano—. Cuando lo comprenda, no se preocupará por los derechos, por la voluntad. Se alegrará de que le trajéramos aquí. Deseará agradecérmelo. Pero ahora está cansado. Y yo también. No me encuentro muy bien estos últimos días. Ya tendremos tiempo para explicaciones más adelante. Ahora debería comer y descansar un rato. El viaje le ha agotado.

El anciano cerró los ojos. David lanzó una ojeada a su alrededor. El guardián le esperaba junto a la puerta. Nada de todo aquello tenía sentido. ¿Qué sentido podía tener? La furia creció en su interior.

—¿Quién es usted? —preguntó bruscamente, con voz a duras penas controlada.

Los suaves e inermes párpados se alzaron. La luz de las lámparas bailó en los pálidos ojos como fuego en su interior. Los ojos parpadearon y el viejo sonrió.

—Seguro que lo sabe —dijo. Se complacía en la confusión de David. Éste sacudió la cabeza. No comprendía. Sintió temor del extraño viejo de la cama.

—Entonces debo presentarme. Mi nombre es Ulrich von Meier. Profesor Ulrich von Meier. Estoy encantado de conocerle, profesor Rosen.

CAPÍTULO 38

En la habitación reinaba un profundo silencio. David sentía latir su corazón dentro del pecho. Se sintió nuevamente desorientado, como si hubiera resbalado en las páginas del diario de Schacht y estuviera allí forcejeando, tratando de rasgar la tinta y el papel para liberarse, de abrirse un camino para regresar al mundo real.

—Profesor. —La voz precisa y deshidratada de Von Meier irrumpió en los pensamientos de David, esparciéndolos como moscas—. No sé lo que habrá leído sobre mi persona en el diario del Sturmbannführer Schacht, pero no puedo imaginar que fuera halagador para mí o mis amigos. A duras penas puedo esperar que crea nada de lo que le digo ahora, si su mente ha sido envenenada por sus opiniones. Pero le suplico que piense con sumo cuidado, que exponga sus creencias a una crítica fría. Usted ha sido entrenado para hacerlo. Sabe lo que era Schacht, conoce la naturaleza de la organización para la cual trabajaba, a la cual pertenecía. En 1935, cuando estábamos en el Sinaí, él y sus compañeros ya habían iniciado una campaña de destrucción contra su gente, su «solución final». Dejaron de susurrar para comenzar a patear y aporrear abiertamente. Eran criminales con elegantes uniformes, asesinos inmaculadamente acicalados. Schacht era un devoto, con un solo objetivo, un hombre de las SS. Le conocía, le aseguro que era todo lo que pueda usted imaginarse, el estereotipo encarnado.

Si no hubiese leído el diario de Schacht, David tal vez hubiera encontrado en las palabras de Von Meier algun tipo de defensa o justificación o al menos algo que diera pie a suspender todo juicio. Pero él había leído el diario y el apéndice de Gregorios.

—No veo razón para nada de eso —interrumpió David—. Para matarlo de la manera en que lo hizo. No suponía ninguna amenaza para ustedes.

Una sombra de fastidio bailó en los ojos de Von Meier durante un segundo, desvaneciéndose tan rápido como había aparecido.

—Mi querido profesor —dijo—, estoy completamente seguro de entenderle. No he leído el diario del Sturmbannführer, pero estoy convencido de que le ha confundido. Y estará de acuerdo en que ni siquiera un oficial de las SS sería capaz de describir su propia muerte. Únicamente Moisés pudo hacer eso. Schacht no murió a mis manos o a las de mis amigos. No éramos asesinos. Su muerte fue un accidente. Lamentable, aunque debo confesar que no excesivamente. Ninguno de nosotros tenía motivos para apreciar a aquel hombre. Era un nazi típico, un vulgar y pavoneante fanático consagrado a la tarea de transformar el mundo de acuerdo con las prescripciones de su partido. Desde un principio se opuso a nuestro trabajo. Creía que el dinero invertido en nuestra expedición debería haberse utilizado para reconstruir Alemania, para comprar revólveres y balas para que la madre patria recuperase su fuerza. Y estaba colérico porque algunos miembros de nuestro equipo eran judíos. Yo insistí en contratarlos personalmente; eran personas en las que podía confiar. Casi llegamos a las manos por tal razón más de una vez, pero yo rehusé pelearme. Para empeorar las cosas, descubrió que la ciudad que yo buscaba era una ciudad judía, Iram, esta ciudad. Casi tuvo un infarto cuando se enteró. ¿Empieza a ver por qué había diferencias entre nosotros? No le pido que me crea sin tener pruebas. Usted es un académico, como yo. Está acostumbrado a exigir evidencias, evidencias aplastantes. Por desgracia, eso no es fácil de lograr, como podrá apreciar. Por tanto, sólo puedo pedirle que se avenga a suspender su juicio. Cuando lleve un tiempo entre nosotros creo que comprenderá mejor las cosas. Empezará a verlas desde una nueva perspectiva. Entonces tal vez podamos hablar de ello.

David se preguntó por qué Von Meier se molestaba en mentir, en llegar a tales extremos para construir esa extravagante y ridícula fabricación. ¿Era simplemente que no había visto el diario de Schacht, que no había leído el comentario de Gregorios sobre la muerte de aquel hombre? David podía imaginar la sangrante figura clavada al suelo, cubierta de blancas y negras arañas que correteaban por encima. Se estremeció recordando las telarañas que había visto a su paso por Iram.

—¿Desea que suspenda también el juicio por la muerte de mis padres? ¿Y de las muertes de Cambridge? ¿Y del intento de liquidarme en Tell Mardikh? ¿O es que simplemente también estoy confuso sobre eso? Tal vez usted conoce una perspectiva desde la cual todo eso comienza a parecer bastante razonable, el resultado de una confusión sin importancia.

La cara de Von Meier pareció dolorida, sus ojos se nublaron como si estuvieran atormentados por un recuerdo que deseaba expulsar.

—Por favor, profesor Rosen, me avergüenza, me humilla. Se está refiriendo a unas cosas que preferiría que fuesen olvidadas. Uno de mis ayudantes cometió un error, no... una serie de errores de los hombres que contrató. Todo lo que yo quería era obtener ciertos documentos, para evitar que el conocimiento de Iram se extendiera por el mundo. Todavía no estamos preparados para tal revelación. Las vidas de mucha gente dependen del secreto absoluto de nuestra existencia aquí. No espero que comprenda ni perdone los fallos que se han cometido contra usted... y su familia. Todo lo que puedo decir es que los responsables serán castigados, severamente castigados, una vez hayan sido localizados. Le doy mi solemne palabra de que así será.

David miró fijamente al anciano. Su aliento era viejo y rancio. No había aire fresco en absoluto en aquel lugar, todo olía y sabía como si llevara siglos circulando por aquellos túneles y pasillos. ¿Le tomaba Von Meier por un imbécil hasta el punto de desperdiciar su tiempo con aquellas excusas?

—¿Por qué mantienen su existencia en tan absoluto secreto? —preguntó—. ¿Por qué está dispuesto a matar a fin de evitar que el conocimiento de Iram se extienda?

Von Meier sonrió, una sonrisa cuidadosa que se extendió por su rostro como un aliento cálido sobre un bloque de hielo.

—Nuestra necesidad de secreto —respondió— es como la de comida y agua, de calor en invierno, de luz en esta oscuridad perpetua. Cada día nuestros jóvenes sacan agua de los pozos que hay bajo la ciudad, ponen aceite en las lámparas y estiran las mechas, se ocupan de nuestros rebaños. Las jóvenes criban la harina y hacen pan en los hornos que ya se utilizaban dos mil quinientos años antes de su nacimiento. Vivimos día tras día sin saber si en el exterior es de noche o de día. Hemos creado una comunidad especial, un modo de vida único. Si una palabra sobre esto se oye en el mundo exterior, todo se desvanecerá como el humo. Primero vendrían los arqueólogos, después los oficiales gubernamentales con instancias y censos, y finalmente los turistas. Nuestro experimento se acabaría, nuestra vida aquí terminaría para siempre.

»Usted aún no ha visto nada de esta vida, nada de nuestra comunidad. No sabe nada de nuestras razones, ni de nuestros propósitos. Y hasta que no haya visto y comprendido todas esas cosas, no puede emitir ningún juicio, y menos sobre nuestra necesidad de permanecer en secreto. Eso cambiará. Con tiempo y paciencia llegará a comprenderlo. Nosotros le ayudaremos. Hay mucho tiempo.

Von Meier calló y el asistente se acercó una vez más para ofrecerle el vaso. A pesar de su aparente debilidad, el viejo no parecía estar cansado y David presintió que poseía una fuerza de voluntad que contrastaba con la fragilidad de los huesos y la transparencia de la carne.

—Sería de alguna ayuda —dijo David— si me dijera cómo y cuándo ha llegado aquí esta... comunidad. Pero antes, tal vez pueda hacerme saber qué hago yo aquí.

Una sombra de impaciencia atravesó de nuevo el rostro de Von Meier pero desapareció después.

—Todo a su debido tiempo, profesor, todo a su debido tiempo. Más adelante se dará cuenta de que el tiempo no es nada en absoluto. Pasará, usted se hará viejo, pero eso no es nada. No se habrá enterado. Cuando tenga noventa años se sentirá como un niño y se preguntará dónde han ido a parar tantos años. La respuesta es:

a ninguna parte. No existe tal cosa denominada tiempo, únicamente el envejecimiento del organismo y el nacimiento de otros nuevos.

»¿Ve todos esos estandartes colgados en las paredes? Son *thangkas,* estandartes de los templos tibetanos, trabajos de gran antigüedad. Los traje del monasterio de Drepung, en Lhasa, justo antes de la invasión china que cerró las fronteras del país. Mírelos atentamente. ¿Ve los dioses, los budas y los bodhisattvas? Han perdurado a través del tiempo, a través del espacio, más allá de la ilusión. Existen en el eterno presente. Para ellos, la rueda del karma ha dejado de dar vueltas, para ellos el principio se ha convertido en fin y el fin en principio.

»Eso es lo que estamos tratando de cumplir aquí. Hemos salido fuera del tiempo, fuera del ciclo de la existencia normal. En la ciudad lloramos y sufrimos, pero a través de nuestras acciones hacemos más lenta la rueda del karma, la espiral de la muerte y el renacimiento. En cuestión de generaciones, tal vez la rueda se habrá hecho perceptiblemente más lenta.

»Pero estoy yendo demasiado de prisa. Usted no sabe nada aún. Habrá muchas cosas que explicarle cuando esté preparado. Primero déjeme decirle cómo llegamos aquí.

Von Meier hizo una pausa. Sus manos se movieron bajo el cubrecama, deteniéndose de nuevo. David contempló las *thangkas,* los vibrantes colores tibetanos, los nebulosos dioses en cielos inaccesibles para él. Los demás ocupantes de la habitación permanecían en silencio, como si el diálogo entre David y Von Meier fuera una especie de ritual, como si el asistente con el agua fuera un acólito que llevaba la copa a los labios del sacerdote mientras éste pronunciaba sus bendiciones. David recordó los monjes de San Nilo, la sangre del viejo monje como vino consagrado derramado por el santuario.

—Antes de la guerra éramos unos pocos —comenzó Von Meier—, una pequeña comunidad dedicada al estudio de asuntos espirituales, en busca de un retiro del mundo. Yo tuve un papel muy activo, pero mi trabajo académico impidió que me dedicara todo el tiempo a la comunidad. Evitamos comprometernos con los nazis cuando éstos subieron al poder. Sus objetivos y los nuestros eran radicalmente diferentes. Nosotros deseábamos una comunidad espiritual donde los hombres pudieran vivir en paz; ellos perseguían una nación fuerte que pudiera declarar la guerra a las demás naciones. Muchos de los nuestros fueron enviados a los campos y murieron. Durante la guerra, nuestros jóvenes fueron reclutados y murieron en el frente ruso.

»Cuando por fin terminó la guerra, sólo quedábamos unos pocos. Pero nos dimos cuenta de que teníamos cosas que hacer. Europa estaba arrasada y exhausta: física, mental y sobre todo espiritualmente. Se había convertido en una tierra yerma, un lugar más árido que el desierto donde vivimos. En el este, los rusos y su ateísmo y su desprecio por la tradición; en el oeste, los americanos con sus valores materiales y su aburrida indiferencia hacia todo excepto las realidades más superficiales. A nuestro alrededor había gente que necesitaba nuestra ayuda: viudas, huérfanos, prisioneros de guerra. Había montones, gente sin hogar, familia ni futuro, y nosotros podíamos hacer muy poco. Hicimos lo que pudimos, como es natural, pero no fue más que una gota en el océano. Empezamos a desesperarnos: el camino que seguíamos parecía inútil, construir una nueva comunidad entre tanta devastación.

»Fue entonces cuando pensé en Iram. Había descubierto la ciudad al año siguiente de nuestra visita al Sinaí. Mi intención original fue hacer público el descubrimiento tan pronto como hubiera llegado a un acuerdo con el monarca saudí, pero cuando hubimos valorado el descubrimiento, las condiciones en Alemania se habían deteriorado hasta tal punto que creí más prudente mantener la ciudad en secreto. Hubiera sido una completa locura haber revelado el descubrimiento de una enorme ciudad judía en aquella coyuntura de la historia de Alemania. ¿No lo cree así? Por tanto, mis colegas y yo estuvimos de acuerdo.

»Al final de la guerra, la mayoría habían muerto. Los pocos que quedaban se unieron a nuestro reducido grupo y pronto pudimos realizar algunos arreglos para transformar Iram de un descubrimiento arqueológico en la sede de una comunidad activa. Teníamos amigos árabes que nos ayudaron y que aseguraron que guardarían nuestro secreto. Todavía nos proveen de los productos esenciales que no podemos cultivar o manufacturar por nosotros mismos.

»Iram iba a ser nuestro santuario. El séptimo santuario. El reducto final de una civilización bajo la amenaza de la destrucción.

David le interrumpió.

—Perdone —dijo—, pero no le comprendo. ¿El «séptimo santuario»?

Von Meier pareció meditar antes de responder.

—Ha habido siete santuarios —dijo—. Siete lugares sagrados donde la larga noche de la barbarie se ha mantenido a raya. El primero y el segundo estaban en Jerusalén: el templo de Salomón y el templo de Herodes. El tercero fue Roma, la nueva Jerusalén. Y en oriente, Bizancio, la nueva Roma, el lugar de la Iglesia de la Santa Sabiduría. La Meca fue el quinto, la ciudad prohibida. El sexto iba a ser Berlín: se hablaba de una nueva civilización, un nuevo orden. Pero antes de que pudiera concluirse, el orgullo de un hombre provocó su destrucción. Así pues, nos trasladamos a Iram. Al séptimo santuario.

»Al principio, nuestra comunidad consistía en un gran número de huérfanos, niños que en Europa habrían perecido o se habrían corrompido. Nosotros los educamos, les inculcamos los ideales que habíamos establecido para nosotros mismos, los ayudamos a crecer en cuerpo y mente. Enviamos a los niños a vivir un tiempo con las tribus árabes de las fronteras del desierto, para que aprendieran las virtudes de la vida nómada. Las niñas se quedaron aquí para ser instruidas en las artes de la civilización: pintura, literatura, música. Tuvieron hijos siendo bastante jóvenes. Ahora ya estamos en la tercera generación, en algunos casos incluso la cuarta.

Von Meier hizo otra pausa. David presentía que se había callado muchas cosas, que deliberadamente sólo había trazado las líneas más vagas de su grupo y de la organización de la comunidad en Iram. Pero ahora que David estaba allí, ahora que había visto Iram con sus propios ojos, ¿qué necesidad tenía de seguir ocultando cosas? Von Meier aún se callaba algo, eso era obvio. La cuestión era por qué.

—Estas personas —prosiguió Von Meier— son, ya lo entenderá, tanto reticentes como incapaces de vivir en el mundo exterior a Iram o de llegar a formar parte de ese mundo. A medida que pasa el tiempo y la civilización occidental decae más y más rápido, el mundo exterior se transforma en menos atractivo y más amenazador. La mayoría de los que viven aquí no han conocido otra cosa que Iram. Encontrarían difícil la adaptación, tal vez incluso imposible. ¿Y qué ganarían con reincorporarse a su mundo? A cambio de la seguridad de este santuario, no encontrarían sino miedo o incertidumbre. Un crecimiento masivo de armas nucleares, terrorismo, desempleo, enfermedades mentales, divorcio, disturbios, una cantidad creciente de crímenes... Como ve, no estoy tan aislado como parece. Sé lo que está sucediendo. Todos nuestros grandes temores sobre el futuro se están cumpliendo.

»Pero tenemos nuestros propios propósitos, nuestras propias metas. Lo comprenderá a su debido tiempo. Y cuando lo comprenda lo compartirá todo. Se dará cuenta de la importancia capital de que este lugar permanezca oculto al mundo. Y tal vez entonces nos ayude a recuperar los papeles que ha encontrado para evitar que lleguen a manos de otros. Quiero que lo haga por propia decisión, darme los papeles y los nombres de las personas a quienes haya enviado copias.

»No obstante, eso llevará algun tiempo. No volvamos a hablar de ello hasta que esté preparado. Mientras tanto, hay otros asuntos de los que quiero que se ocupe. Le he escogido porque es usted arqueólogo, porque usted puede comprender mis razones. Mientras esté con nosotros, quiero que estudie la ciudad y los archivos. Le tengo preparado un detallado informe arqueológico sobre las secciones centrales de la ciudad. Empezará por estudiar eso: le ahorrará mucho tiempo y esfuerzo. Cuando haya terminado, quiero que lo complete con ayuda de sus conocimientos y de las técnicas modernas. Dígame qué equipo necesitará: yo se lo proporcionaré.

»Finalmente llegará el momento, tal vez mucho después de que usted se haya marchado de Iram, pero durante su vida, estoy seguro, en que será posible revelar la existencia de la ciudad al mundo.

No su ubicación: eso debe permanecer en secreto durante un período indefinido, pero sí el hecho de su existencia. Cuando ese momento llegue, quiero que usted se encargue de contar al mundo lo que sabe, de publicar un informe completo en nombre de nosotros dos, de proporcionar ejemplos de artefactos y documentos descubiertos aquí. Tuve mis razones para ocultar Iram después de descubrirla y las he tenido aún mejores para mantener su existencia en secreto desde entonces. Pero el arqueólogo que hay en mi interior está avergonzado de haber mantenido al mundo ignorante de un descubrimiento tan importante. Es el tesoro arqueológico más grande descubierto jamás, mayor que las pirámides de Egipto, mayor que Troya, Ur y Pompeya juntas. Ningún arqueólogo antes que yo ha visto jamás tales maravillas, ni siquiera en sueños.

»Pero llevo aquí más de cuarenta años en la oscuridad total. Mi nombre ha sido olvidado. Mis libros y artículos se han cubierto de polvo en las estanterías de las bibliotecas. El mundo académico no tiene piedad, no permite que nadie se duerma en los laureles. Cuando yo desaparecí, nadie preguntó adónde había ido. Nuevos hombres y nuevas ideas aguardaban para tomar el lugar. Ahora tienen computadoras y microscopios electrónicos y aparatos termoluminiscentes, y yo no puedo competir con nada de eso. No soy más que un viejo que pasa sus últimos días en una ciudad olvidada. Pero tengo un derecho a la fama que no puede pasarse por alto ni permitir que se llene de polvo. Soy el descubridor de Iram. El nombre de Ulrich von Meier se merece figurar junto a los de Schliemann, Carter y Wooley. Y usted, profesor, hará que así sea. Mi reputación quedará en sus manos. A cambio le daré acceso a usted solo durante tanto tiempo como desee. Después del mío, su nombre será conocido para siempre como el del hombre que descubrió los secretos de Iram. Sus libros se convertirán en clásicos, trabajos estándares para las generaciones futuras. El descubridor y el esclarecedor: nuestros nombres serán grabados juntos en el Salón de la Fama de la arqueología.

»Pero antes de que eso suceda, tiene una gran tarea por delante. Tendrá que estudiar mucho y examinar muchas cosas. Le ayudaré tanto como me sea posible. Venga a pedirme consejo siempre que lo necesite. Antes de que se retire, le presentaré a mis ayudantes. Les he dado instrucciones para que le presten toda la ayuda precisa. Se alojará cerca de esta habitación. Al principio, como es natural, tendrá que tener un guardián, hasta que se percate de la importancia de su trabajo y de la sinceridad de nuestras intenciones. Será libre de ir a donde la plazca en Iram, dentro de unos límites.

»Además, hay otra pequeña tarea que me agradaría que realizara mientras se halla aquí. En la biblioteca encontrará copias fotostáticas de todas las lápidas descubiertas en Ebla, junto con las principales publicaciones sobre la materia de Matthiae y Pettinato. Quiero que examine el material disponible a fin de establecer cuál era la verdadera extensión del imperio eblaíta cuando se hallaba en su auge. Tengo la teoría de que sus fronteras se extendían hacia el sur, dentro de la actual Palestina... Israel, si lo prefiere. Pero no cuento con expertos en la materia ni tengo conocimientos sólidos de eblaíta. Cuando oí que un verdadero experto podría estar disponible para examinar mi teoría sentí un gran júbilo. No se imagina lo feliz que me sentí. Y será en provecho suyo, estoy seguro, trabajar sobre textos eblaítas mientras está aquí, tener ese tema entre manos como siempre. ¿Está dispuesto a hacer eso por mí? Por favor, diga que sí.

—¿Y si digo que no? —preguntó David.

Von Meier sonrió de nuevo, esta vez menos cálidamente, si eso era posible.

—Oh, eso sería una pena, estimado profesor. Debe comprender su posición aquí. Todo el mundo trabaja en Iram. No hay que desperdiciar nada con los gandules. Incluso una nueva boca que alimentar es una carga extraordinaria. La extensión de tierra cultivable bajo la ciudad es limitada: únicamente un cierto número de población puede sobrevivir aquí sin importar comida extra. Los antiguos iramitas podrían hacerlo libremente, pero nosotros tenemos más restricciones, hay un límite de lo que podemos traer del exterior. En Iram, los que no trabajan no comen. Incluso los enfermos no comen si hay pocas posibilidades de que se recuperen. Y el que no come, se muere. La disciplina en este lugar es estricta, debo advertírselo. Lo que en el mundo exterior pueden no ser más que ofensas triviales, aquí se castigan severamente. La semana pasada ejecutamos a un hombre y a una mujer porque habían concebido un hijo sin permiso. Una boca extra, ya ve. No estaba prevista. Tiene que ir con cuidado aquí. Uno de mis ayudantes se lo explicará. Tardará un poco en adaptarse. Seremos indulgentes durante un tiempo, pero le ruego que aprenda pronto: su supervivencia en este lugar depende de ello.

»Bien, es hora de que me disponga a dormir. Ya conoce al doctor Mandl. Creo que le permitiré que le presente a sus colegas fuera. Nos veremos dentro de unos días, cuando haya tenido tiempo de descansar y reponerse del viaje. Hasta entonces, adiós, profesor. Estoy encantado de haberle conocido.

Von Meier calló y cerró los ojos. Mandl avanzó unos pasos y cogió a David por el brazo. Un asistente comenzó a apagar las lámparas. En la estancia reinaba una oscuridad casi completa. Una única lámpara se dejó encendida, igual que una pequeña llama frente a un altar. Con Mandl a un lado y el guardián al otro, David siguió a los demás hombres fuera de la habitación.

CAPÍTULO 39

Después de tres días, que no eran días, sino alternancias de luz y oscuridad salpicadas de sueño y escasas comidas, David fue conducido por primera vez a visitar el sector central de la ciudad. Le habían dado ropas negras árabes para que se las pusiera y no llamara la atención mientras paseaba con su guardián, pero de vez en cuando, los demás le miraban, conscientes de que era un extraño, incapaces de comprender su presencia entre ellos. Le estaba prohibido hablar con nadie, pero observaba y escuchaba cómo los habitantes de la ciudad llevaban a cabo sus tareas. Por todas partes reinaba una atmósfera de intensa seriedad. Nadie sonreía y jamás oyó risas por ningún sitio. La gente trabajaba o descansaba después del trabajo o comía en uno de los varios comedores comunitarios dispuestos para aquel fin, unos refectorios grandes y grises con cocinas anexas, aunque aparentemente no había ratos de ocio ni de diversión. No existían las muestras de afecto, ni siquiera entre hombres y mujeres o adultos y niños. No vio que nadie tomara la mano de otra persona ni la abrazara. Los saludos, cuando tenían lugar, eran sombríos y mecánicos. Todo el mundo iba vestido más o menos igual: ropa negra los hombres y blanca las mujeres. Incluso los chiquillos eran solemnes y reservados. Le observaban con grandes ojos al pasar, con la curiosidad perfectamente reprimida, sin susurros ni risitas entre ellos.

Descubrió que la gente no tenía vida familiar. En Iram no existían ni el matrimonio ni el amor. Las relaciones sexuales estaban permitidas para las jóvenes a partir de los quince años y para los varones desde los diecisiete, pero la formación de lazos permanentes o simplemente temporales estaba estrictamente prohibida. Las parejas se intercambiaban regularmente, siguiendo un programa establecido por un oficial conocido como el Geschlechtsverkehrleiter, el «controlador de relaciones sexuales». Cualquier intento de infringir ese arreglo era tratado con la mayor seriedad. Los embarazos no previstos tenían que informarse al Geburtenbeschrankungsleiter, el oficial responsable del control de la natalidad, y en el plazo más breve posible. En la mayoría de casos, esos embarazos se interrumpían antes de su final, a menos que hubiera habido una muerte reciente en la población infantil que todavía no hubiese sido compensada.

Las mujeres podían tener un total de tres hijos, después de lo cual eran automáticamente esterilizadas. Todos los niños pertenecían a la ciudad y eran criados comunitariamente, primero en guarderías y luego en dormitorios. Todo el mundo dormía en habitaciones separadas según el sexo. Las citas con propósitos sexuales eran cuidadosamente reguladas y había que obtener un permiso por adelantado. Las mujeres no esterilizadas eran particularmente controladas. A David le dijeron que existían reglas muy estrictas para las relaciones sexuales de las mujeres fértiles, de manera que su descendencia estuviera conforme a ciertos patrones, pero fue incapaz de dilucidar los criterios en los cuales se basaban tales reglas. A partir de ciertos indicios concluyó que los mental o físicamente disminuidos eran muertos al nacer y que también se practicaba la eutanasia en aquellos casos en que la disminución aparecía o sucedía como resultado de un accidente en edades más avanzadas.

También descubrió que los ancianos, si ya no podían mantenerse con algún tipo de trabajo, eran muertos sin dolor para dejar sitio a los niños. A veces esto se planeaba con uno o dos años de antelación. En tres ocasiones diferentes, David observó a un viejo y otra vez a una vieja luchando por estar a la altura de un grupo de jóvenes trabajadores que transportaban provisiones al almacén central. Pero, a decir verdad, no vio a casi nadie que sobrepasara la edad de cincuenta.

Tuvo escasas oportunidades de observar a los chiquillos de la ciudad. Los más pequeños se hallaban en una guardería débilmente iluminada no lejos de la habitación de Von Meier, donde eran tratados con una eficiencia desprovista de emociones por un grupo de mujeres de cara lavada y poco alegre cuyo cabello estaba peinado hacia atrás en moños bien tirantes y el entrecejo siempre fruncido. A la edad de cuatro años comenzaban a asistir al colegio, niños y niñas separadamente como preparación para la vida futura. A David no le fue permitido visitar ninguna de las clases, y le explicaron que aún no era hora de que le fueran expuestos las ideas y principios en los cuales se fundaba Iram, teorías que configuraban las bases del currículum enseñado en las aulas.

Sin embargo, en una ocasión, David tuvo la oportunidad de sostener una breve conversación con una chiquilla, una niña de unos ocho años que pasó junto a él mientras su guardián, despistado por la falta de problemas de la rutina en la cual habían caído, atendía una cuestión en otro lado. David llamó a la niña, que parecía recatada y seria con su bata blanca y su dorado cabello trenzado, y se presentó a sí mismo.

—Hola —dijo—. Me llamo David. ¿Y tú?

Ella le miró curiosamente, casi a punto de echar a correr aunque intrigada porque aquel desconocido se le dirigiera en alemán con aquel acento tan extraño.

—Yo no tengo nombre, tonto —dijo ella—. Nadie tiene nombre cuando es pequeño.

—Lo siento —dijo David, perplejo ante aquella revelación—. Hay muchas cosas que no sé. Soy nuevo aquí, he venido a hacer un trabajo para... el profesor Von Meier.

La cara de la niña, con una seria expresión adulta, arrugó la frente como si las palabras de David fueran incomprensibles para ella.

—¿Qué quiere decir «nuevo»? —preguntó—. Nadie es nuevo aquí. Todos nacemos en la ciudad y todos morimos en ella. Las únicas personas nuevas son los pequeños bebés, los que están en la guardería. Yo ya no soy un bebé. Ni tú tampoco.

—Pero yo no he nacido en la ciudad —respondió David tratanto de explicarse—. Vengo de fuera. Me trajeron aquí. En camello.

—¿Fuera? —interrogó ella—. ¿Qué es eso? No hay nada fuera de la ciudad. Sólo oscuridad sin lámparas.

David decidió dejar el tema de su procedencia, lleno como estaba de problemas.

—Te lo explicaré cuando seas más mayor —dijo—. Pero antes me gustaría saber más cosas sobre tu nombre. Si todavía no tienes uno, ¿cómo te llama la gente y te dice lo que debes hacer? ¿Cómo sabes cuando tu maestra quiere que respondas en clase, por ejemplo?

Ella pareció casi ofendida por lo que debió parecerle obvio de la pregunta de David, como si le hubieran preguntado de qué color era el blanco.

—Naturalmente que no necesito un nombre para eso —protestó—. Todos hacemos las mismas cosas al mismo tiempo. Nadie hace nada que el resto no haga. Cuando las maestras nos dicen lo que debemos hacer, nos lo dicen una vez. Y en clase todos contestamos juntos. ¿Por qué querría uno contestar solo? Sería estúpido hacerlo. Se equivocaría. Sólo tenemos razón cuando respondemos todos juntos. ¿Es que no te lo enseñaron en el colegio?

—Entonces, ¿cómo es que estás sola hoy? —preguntó David cambiando ligeramente de tema, inquieto por la imagen que se iba formando en su mente de una clase con todos los niños repitiendo como loros unas respuestas establecidas.

—Porque es día de examen, tonto. ¿Es que no sabes nada? —dijo ella impacientándose ante la ignorancia de David respecto a las simplicidades de la vida.

—¿Y qué hacéis en un día de examen?

—No sabes nada, ¿verdad? Tenemos que ir por los túneles y encontrar el camino de la columna central solos. Es un examen importante en caso de que alguno de nosotros se viera separado del resto. Algunas personas se pierden por los viejos túneles y mueren en la oscuridad. El año pasado le sucedió a una niña de mi clase. Estoy segura de que no es agradable.

—¿Tienes miedo de la oscuridad? —preguntó David dudando sobre si admitiría al menos una emoción infantil normal.

Ella sacudió la cabeza.

—¡Pues claro que no! ¿Por qué iba alguien a tener miedo de la oscuridad? Es difícil encontrar el camino si se te apaga la lámpara, pero la gente sensata no se interna por los túneles oscuros. Me gusta la oscuridad, sobre todo cuando vamos a los Antiguos con nuestras lámparas.

—¿Los Antiguos? —preguntó David—. ¿Qué son?

—Eres un hombre extraño —dijo ella arrugando de nuevo la frente—. Los Túneles Antiguos, naturalmente, donde están enterrados los muertos. Me encanta ir a visitarlos. Es un lugar tranquilo y seguro. Yo iré cuando me muera. Será maravilloso.

La conversación había dado un giro perturbador. David trató de ocultar el horror que le embargaba.

—¿Cuándo vas a ver a los muertos? —inquirió

—Cada mañana, por supuesto —dijo ella. Él sabía que con «mañana» quería decir el período de después de despertarse. El tiempo se calculaba con relojes. Por lo demás era como Von Meier había dicho: en Iram no había ni día ni noche.

—Todas las niñas del colegio van a verlos —continuó ella—. Creí que al menos sabrías eso. Vamos todas al templo, a veces con flores, a cantar al gran altar. Entonces salimos por la Puerta de los Muertos hacia los Antiguos. Llevamos flores y arrojamos los pétalos sobre los muertos. Hace un olor muy agradable. Me encantan los muertos, están tan tranquilos y tan pacíficos... Las mujeres están preciosas con sus largas ropas y sus joyas. Los más viejos ya se han derrumbado, claro, pero algunos parecen estar vivos, como si estuvieran durmiendo. ¿No los has visto nunca?

David sacudió la cabeza. Muertos sí, pero no aquéllos, no los de Iram, todavía no.

En aquel momento se oyó un grito. La niña miró a su alrededor. El guardián de David había vuelto y le gritaba que se fuera. Ella lanzó una mirada a David, dio media vuelta y echó a correr hacia un túnel cercano. David suspiró. La anónima niña se detuvo brevemente a la entrada del túnel y miró hacia atrás en dirección a David; después entró en él y se perdió para siempre en la oscuridad.

—Sabe muy bien que no puede hablar con nadie —gritó el guardián corriendo hacia él—. Me veo obligado a informar de este incidente a Herr Von Meier.

David se encogió de hombros. ¿Por qué iban a importarle a él ninguna de sus reglas o regulaciones? De todas maneras, al final le matarían, lo sabía.

Su guardián era un hombre extraño llamado Talal y que hablaba un árabe fluido, pero era de raza japonesa. Era el único oriental que David había visto en la ciudad, pero él se negó a explicar cómo había llegado hasta allí, sin decir siquiera que Von Meier le había llevado a Iram. Ahora tenía cuarenta y cinco años; eso decía, pero parecía mucho más jóven, ágil y sano, como si sólo tuviera veinticinco. Era ascéticamente delgado, bien proporcionado, sin ni una libra de exceso de peso en su cuerpo. Cada músculo, cada fibra, cada pulgada de piel parecía cargada de una energía en bruto que sólo alguien muy fuerte sería capaz de mantener a raya. Las puntas de sus cabellos estaban salpicadas de gris, lo cual no parecía ser tanto por lo avanzado de la edad como la muestra de combates librados y batallas interiores ganadas. Bajo unos ojos encapotados se ocultaba un rápido cerebro y la posesión de una cualidad que David no había hallado jamás en nadie. Parecía estar aislado de su alrededor, no por la indiferencia o por una disciplina del desinterés que se le hubiera impuesto desde fuera, sino que era el resultado de un control interior, un centrarse en sí mismo que le hacía capaz de prescindir del mundo del resto de los hombres.

Era taciturno, pero dispuesto a responder a las preguntas de David sobre las partes de la ciudad que visitaban juntos. Raramente se separaban durante las horas de vela de David, aunque su forzada intimidad no trajo consigo ningún acercamiento real y muy poca comprensión. A veces, cuando podía convencerle de que hablara, Talal le revelaba cosas de sí mismo que permitían a David hacerse un retrato más completo del hombre. Del hecho de que hablara árabe con tanta fluidez como alemán, David dedujo que había pasado bastante tiempo viviendo con las tribus árabes del desierto y sus alrededores, cosa que el propio Talal confirmó cuando se lo preguntó. De hecho, pronto se hizo evidente que Talal tenía más experiencia del mundo exterior a Iram que la mayoría de habitantes de la ciudad. No sólo había vivido durante extensos períodos con una rama de la tribu Shammar en la frontera del Nafud, sino que había viajado a Extremo Oriente, donde estudió japonés y varias artes marciales. Aparentemente no estaba sujeto a muchas de las restricciones impuestas a los habitantes de la ciudad. Por ejemplo, podía irse de Iram a voluntad, y a menudo pasaba meses vagando por las arenas del Nafud solo y hambriento, profundizando en los lazos y vínculos de su propio interior.

Fuera donde fuese siempre llevaba consigo una espada japonesa de largo mango, cuya negra vaina lacada iba atada con cordones de seda y estaba cincelada en ambos extremos con la plata más fina. Aquélla era una de las cosas sobre las cuales no era reservado. Le explicó a David que había sido forjada para él en Kyoto por el maestro herrero de espadas Gassan Sadakazu. La hoja había sido forjada una y otra vez durante un período de más de cuarenta días hasta que cantaba como una campana de cristal cuando la blandían. A lo largo de la hoja había sido grabada una diminuta caligrafía japonesa. Talal tradujo la inscripción a David. Era un *haiku*, un breve poema que él mismo había escrito:

En el acero, fortaleza;
en la hoja, vida.
Las nubes pasan silenciosamente,
la espada pasa en silencio
por las aguas tranquilas.

A menudo se comparaba a sí mismo con la espada. Él había sido templado y forjado muchas veces, dijo, hasta que se había vuelto como el acero, firme aunque flexible, afilado como una hoja, pero mortal sólo cuando le incitaban. Una vez se autodefinió como la espada de Von Meier, envainada durante largos períodos en la oscuridad de Iram, y después desenfundada brillantemente cuando el anciano elegía enviarle a una misión. Pero cuando indagó sobre la naturaleza de las misiones, ni siquiera quiso hacer una alusión a ellas. Cuando ya llevaba más de una semana en compañía de Talal, David recordó la cara oriental que había visto en el coche que se alejaba a toda velocidad del escenario de la muerte de sus padres, en Haifa.

Cuando no le estaban enseñando la ciudad, David pasaba el tiempo leyendo en la biblioteca. En toda su vida, jamás había trabajado en un lugar tan extraño. Techo bajo y débilmente iluminada, y tan sólo de unos tres metros de ancho, parecía extenderse infinitamente hasta que sus límites más alejados se perdían en una nube de oscuridad, como si el propio pasado estuviera allí encerrado, medio visible y medio oculto en la oscuridad. Por las paredes, a cada lado, filas interminables de pequeñas aberturas circulares, de unos quince centímetros de diámetro, se extendían hasta casi perderse de vista antes de ser tragadas por las hambrientas sombras. De unos treinta centímetros de profundidad, se extendían casi desde el suelo hasta el techo, separadas por pequeños espacios. Al examinarlas, encontró que contenían un rollo de pergamino envuelto en una tela, a veces suntuosa, otras modesta. El estado general de conservación de los rollos era, a juicio de David, casi milagroso. Igual que las momias que había visto en las criptas al otro lado de la ciudad, tras su conversación con aquella niña, los pergaminos de Iram se habían beneficiado de cualquier propiedad preservativa que la ciudad poseyera. Después de una hora allí, David se dio cuenta de que sólo la biblioteca representaba el singular descubrimiento más importante de los anales arqueológicos enteros, un hallazgo que hacía que los Pergaminos del mar Muerto, los textos ugaríticos de Ras Shamra, las lápidas de Ebla y los fragmentos de Geniza de El Cairo palidecieran de insignificancia.

En aquella biblioteca había cosas que habrían hecho que los estudiosos bíblicos se mataran entre ellos sólo por tocarlas, o tal vez sólo por saber que existían. En la pared más cercana a la entrada, en un extremo de la gran estancia, una enorme lápida de piedra contenía los títulos grabados de los principales trabajos que albergaba la biblioteca. Algunos de los títulos poseían un gran valor por sí mismos, ya que los nombres de los libros que componían la biblia hebrea eran añadidos posteriores. Sin embargo, no llevó más que unos pocos días y un puñado de manuscritos revelar el hecho de que allí se encontraban las copias existentes más antiguas de los textos bíblicos principales escritos antes del exilio de 586 a. J.C. También había varios trabajos que se consideraban perdidos hacía mucho tiempo, tales como la *Historia de Salomón,* los *Anales de los Reyes de Israel* y los *Anales de los Reyes de Judea,* que sirvieron como fuentes de algunos de los libros históricos que más tarde formaron la Biblia. David sabía que si pudiera publicar los resultados de sólo seis meses de investigación de aquellos pergaminos, cambiaría la faz de los estudios bíblicos, apoyando o demoliendo con aplastante evidencia cada teoría y cada hipótesis formulada durante por lo menos el último siglo.

Pero primero tenía que preocuparse por su propia supervivencia. Cada día leía un trozo del ingente informe de Von Meier, un detallado estudio sobre Iram que se extendía a lo largo de más de dos mil páginas. Excepto las más antiguas, Von Meier había llevado a cabo todas las exploraciones de la ciudad, y el informe presentaba una ejecución asombrosa por lo que respectaba a su amplitud, su minuciosidad y su atención a los detalles. Al leerlo, David llegó a entender a Von Meier mejor y a gustarle menos, si es que ello era posible. El hombre estaba tan obsesionado con Iram hasta el punto de no soportar que nadie aparte de él mismo estudiara la ciudad o informara de los descubrimientos. No había tolerado ninguna colaboración ni tenía ningún deseo de compartir la fama que creía que en último término le pertenecería. David no podía creer que Von Meier fuera sincero al decir que deseaba compartir con él la gloria de su descubrimiento.

Por las noches, David trabajaba sobre los materiales de Ebla, examinando cuidadosamente las principales referencias que indicaban que la extensión del imperio de la ciudad se remontaba a 2400 a. J.C. Había referencias a nombres de lugares en Palestina: Hazor, Gaza, Lachish, Megiddo, incluso Jerusalén; referencias a nombres bíblicos como Abraham, Ismael e Israel; y numerosas indicaciones de que Ebla había ejercido durante un tiempo el control sobre la mayoría de los territorios circundantes. David sabía que la cuestión era del mayor interés desde que algunos fundamentalistas bíblicos habían visto en tales referencias una justificación para el punto de vista extremo de que los eblaítas habían sido realmente hebreos, lo cual había provocado el temor de algunos sirios de que aquello incitara a los sionistas a reclamar la actual Siria. ¿Albergaba Von Meier tales opiniones? David tenía sus dudas. Pero si era así, no sería difícil demostrarle que poca consistencia tenían ahora, y que la misma evidencia podría utilizarse para demostrar lo contrario, que los primeros hebreos habían sido sirios y que, por lo tanto, Siria tenía derecho a reclamar la región palestina.

Pero David se aburrió pronto del material eblaíta. Lo había visto tantas veces y había trabajado tanto en él que ya no le producía ninguna fascinación, y menos en Iram, donde el más pequeño descubrimiento era más vívido y conmovedor para David que cualquiera de los de Ebla lo había sido o lo sería. Nadie vigilaba lo que hacía en la biblioteca. Talal nunca iba allí con él; en lugar de eso, uno de los guardias que habían acompañado a David a ver a Von Meier estaba obligado a permanecer en la biblioteca mientras él leía. No estaba solo, pero tenía completa libertad para leer cualquier cosa y tomar las notas que gustase.

Cuando se cansó de leer las lápidas de Ebla, se paseó junto a las filas de pergaminos, cogiéndolos al azar, examinándolos, y devolviéndolos a los nichos, cada vez más asombrado de la trascendencia de aquello a lo que le habían dado acceso. La biblioteca entera estaba iluminada por unas curiosas lámparas bastante diferentes de las que había en el resto de la ciudad. Estaban excavadas en la roca, de manera que nada pudiera hacerlas salir de su sitio, y cada una estaba provista de un depósito que discurría por un desagüe en la parte posterior, para recoger el aceite que pudiera derramarse y amenazar así con quemar los preciosos pergaminos que servían para iluminar. Después de unos pocos días, David descubrió que en un punto hacia la mitad de la biblioteca las aberturas de la pared estaban cubiertas de telarañas polvorientas, evidencia de que hasta entonces no las habían tocado ni Von Meier ni sus asociados. A pesar de que apenas había comenzado a hacer incursiones por la enorme cantidad de pergaminos del extremo superior del fondo de la vasta estancia, se sintió intrigado por aquellas filas de papiros que nadie había tocado y que ningunos ojos habían leído en quién sabía cuantos siglos.

Sobreponiéndose a su repugnancia inicial hacia las espesas y polvorientas telarañas que cubrían cada abertura y al temor de que los nichos no estuvieran libres de ocupantes, se abrió camino a través de ellas y extrajo un pergamino tras otro. En la octava noche, cuando quitó las telarañas que cubrían uno de los agujeros, se sorprendió al encontrar que a unos tres cuartos de camino hacia arriba de la pared de la izquierda, la abertura había sido tapada hacía mucho tiempo, con un relleno abundante de cera sobre el cual se había estampado firmemente un sello. Agrietado y polvoriento, el sello era difícil de leer al principio con aquella luz tan pobre; trajo una lámpara y un vaso de la mesa donde trabajaba y finalmente pudo descifrarlo:

Que la mano de aquel que rompa este sello se debilite y que sus ojos se cieguen si mira lo que hay debajo. Sellado por orden del Gran Sacerdote Mattathias el día decimosegundo de Tishri, en el año quinto del reinado del rey Jehoahaz de Iram; que el Nombre le proteja y le dé fuerza.

Dudó un instante. Ningún arqueólogo estaba libre de supersticiones referentes a maldiciones en tumbas y objetos funerarios, pero del mismo modo, ningún arqueólogo podía permitirse tomarlos en serio. La cera se había vuelto quebradiza y no era difícil de retirar, pero al hacerlo se hizo añicos en sus manos. Repentinamente, recordó la lápida de Ebla que se le había roto y los terribles acontecimientos que siguieron a aquel día. «Una coincidencia, puro azar», pensó, pero una parte de su mente estaba inquieta.

Con la mano ligeramente temblorosa, consciente de que había dado con algo de verdadera importancia, David alargó la mano por el agujero y palpó suavemente en busca de su contenido. Sus dedos tropezaron con el tacto familiar del lino. Con ambas manos, extrajo con sumo cuidado el pergamino del nicho, y sujetándolo atentamente, lo llevó hasta la mesa y se sentó.

La fina cubierta de lino era la mejor conservada de todas las que David había visto hasta entonces, protegida como estaba por el sello de cera. Estaba ligeramente bordada con un hilillo dorado y atada con una cinta que parecía de seda. Conteniendo el aliento, David desató suavemente las cintas del pequeño rollo. La tela se abrió como si hubiera sido enrollada el día anterior, y David levantó un pergamino. Con extremo cuidado, temeroso de que se quebrara, comenzó a desenrollarlo. Frente a él había no una, sino tres hojas de pergamino.

CAPÍTULO 40

David tardó una hora en sacar una conclusión sobre lo que tenía delante. Había tres pergaminos, cada uno fechado en un período diferente. El más antiguo, una pequeña hoja enrollada entre las otras dos, estaba en relativo mal estado de conservación y aparentemente databa de uno o dos años después de la deportación de los judíos a Babilonia bajo el mando de Nabucodonosor, alrededor del año 584 a. J.C. El siguiente en antigüedad, escrito sobre un material de mejor calidad pero borrado por algunos sitios, podía datarse, por la referencia del texto a la muerte del rey Nabonidus de Babilonia y Tayma, como algo sucedido el año anterior. Según un rápido cálculo mental, David dedujo que había sido escrito el 538 d. J.C. El más tardío, que estaba enrollado sobre los otros, había sido escrito en Iram «en el año ciento veinte de la fundación de la ciudad», probablemente a principios del siglo III d. J.C.

Pasó el resto de la noche trabajando sobre el primer pergamino, el más breve pero también el más difícil de descifrar a causa de las condiciones del mismo y de la torpeza de la escritura. Cuando concluyó, procedió a envolver de nuevo los documentos en su cubierta de lino y los devolvió al agujero donde los había encontrado, luchando por mantener la calma al hacerlo, por temor a que el guardián reparara en su excitación e informase a Von Meier. Se fue a la cama en seguida, pero no pudo dormir en varias horas, ya que su pensamiento daba vueltas y vueltas a lo que había leído, hasta que por fin se quedó dormido al borde del agotamiento.

Lo que había descubierto le excitó y preocupó tanto como le asombró. Era una breve declaración de un sacerdote del templo de Jerusalén llamado Benjamín bar Hilkiah. Durante el sitio de Jerusalén, cuando ya se hizo evidente para él y ciertos amigos suyos que el rey Zedekiah no sería capaz de resistir mucho más contra las fuerzas babilónicas, dieron varios pasos para sacar algunos de los tesoros del templo y ocultarlos cuidadosamente de la ciudad. Cuando Nabucodonosor tomó Jerusalén y comenzaron las deportaciones en masa a Babilonia, Benjamín y sus compañeros se las arreglaron de algún modo para disimular y llevarse uno de los objetos que habían rescatado previamente. Desafortunadamente, allá donde se hacía referencia a este objeto en la declaración de Benjamín, una mano posterior había tachado concienzudamente la palabra, como si su mención fuera algo obsceno o blasfemo. El hecho en sí mismo había producido escalofríos a David. Benjamín y sus sacerdotes habían logrado llegar a Babilonia con su misteriosa carga y la habían ocultado en un sótano. El último fragmento de la declaración consistía en una descripción de la ubicación del sótano y una plegaria para que el receptor de la carta fuera guiado por Dios para encontrarlo y recobrarlo «cuando los pecados de nuestro pueblo hayan sido purgados por las aflicciones del exilio y el corazón del Señor se haya ablandado hacia nosotros».

Durante el día siguiente, David estuvo inquieto todo el tiempo, ansioso de la llegada de la noche y de la revelación que esperaba obtener de los otros dos documentos. Pero no podía correr el riesgo de mostrar su ansiedad y se vio obligado a reprimirla mientras visitaba otro sector de la ciudad. Al poco de la comida del mediodía, que consistía en pan moreno y queso de leche de cabra, se le comunicó que debía acudir a la habitación de Von Meier.

El viejo le aguardaba como siempre, tendido en la cama bajo la esfera de cristal que giraba lentamente, atendido por sus ayudantes y custodiado por dos enfermeras. Cuando David entró en la habitación, estaba escribiendo en un enorme libro encuadernado en piel y al principio no levantó la vista. David esperó, observando al viejo garabatear, mirando la bola de cristal en rotación, contemplando las vueltas de los bodhisattvas mientras bailaban su inmóvil y eterna danza. Finalmente, Von Meier depositó la pluma a un lado, cerró el libro y alzó la vista. Aquel día sus ojos parecían estar inmersos en el recuerdo, pensó David; en ellos había una mirada lejana, como si él también se hubiera unido a una silenciosa danza en algún lugar más allá de los confines de su habitación.

—Escribo un diario —dijo Von Meier—, como nuestro amigo

Schacht, pero no en clave. Está aquí para que cualquiera lo lea después de mi muerte. Lo escribo cada día. Pensamientos, recuerdos, observaciones. Ahora usted también está en él. Junto con Schacht y Hartmann y los demás. Usted ya forma parte de la historia, parte de Iram. ¿Le complace eso?

David no dijo nada. No se sentía parte de nada, ni atado a nadie. ¿Se habría enterado Von Meier de su descubrimiento de la noche anterior, le habría mandado llamar para que le hablara de lo que había hallado?

—Bien —continuó Von Meier—. Hábleme un poco de lo que ha visto, a qué conclusiones ha llegado. ¿Le gusta Iram? ¿Ha estado a la altura de sus expectativas?

Aliviado de que Von Meier no deseara más que un informe provisional de su visita por la ciudad, David dejó que todos los demás pensamientos desaparecieran de su mente mientras se disponía a proporcionar un relato detallado de sus impresiones iniciales. Pasaron toda la tarde encerrados y mientras hablaban se hizo evidente para David por qué, por encima de todas las demás razones, le habían llevado a Iram. Durante más de cuarenta años, Von Meier había medido y anotado, evaluado y descrito las piedras y artefactos de su ciudad perdida, dejando constancia de sus descubrimientos en el extenso informe que David aún estaba leyendo. Durante todo aquel tiempo no había habido nadie capacitado para discutir los tecnicismos de su trabajo con él, nadie había podido apreciar o admirar la incuestionable proeza de aquel hombre. Von Meier estaba ávido de elogios y de reconocimiento por parte de otro arqueólogo, y, mientras le oía hablar, David no halló motivo alguno para condenarle por eso. Ninguno de nosotros trabaja en solitario, ninguno de nosotros puede encontrar significado a la vida sin la reacción de los demás. En su propia carrera, David había buscado la bendición de su padre, la aprobación de sus profesores, el elogio de sus lectores. A pesar de lo extraordinario de sus circunstancias, Von Meier era un hombre como todos cuyo trabajo de toda la vida había pasado inadvertido. Durante un rato, David consideró la posibilidad de hablarle de los tres rollos de pergamino que había encontrado, ya que el valor de tal descubrimiento se debía en último término al propio Von Meier. Pero algo le aconsejó no hacerlo y callar su existencia, al menos hasta que conociera más claramente su significado.

Cenó con Von Meier temprano. Fueron dispuestas una pequeña mesa y una silla junto a la cama del viejo. Había vino, una botella de Médoc rosado de 1945 que de algún modo había sobrevivido a aquel viaje al corazón de Arabia para envejecer perfectamente en las cavernas de Iram. Von Meier explicó a David que 1945 había sido un año vinícola excepcionalmente bueno en la región del Médoc, pero no dijo cómo habían llegado a parar a Iram las botellas que afirmaba tener almacenadas. Von Meier le dijo que era un privilegio para David beber con él: los vinos eran su tesoro personal, a los cuales nadie tenía permitido el acceso.

Durante la cena, Von Meier recordó su infancia y su juventud; explicó a David sus primeros estudios en Hannover, los grandes profesores que había tenido. Explicó también cómo había hallado el viejo pergamino árabe donde se hacía referencia a Iram en una colección de antiguos manuscritos islámicos depositados en una biblioteca de la Universidad de Tubinga por Karl-Friedrich Hauser, el famoso islamista de finales del siglo XIX. A pesar de que las condiciones en Alemania no eran favorables, logró con éxito organizar la expedición al Sinaí, en el curso de la cual muchos de sus colegas murieron. Una vez que Schacht descubrió la verdadera ubicación de Iram, Von Meier pudo organizar una segunda expedición, con la ayuda de algunos amigos árabes, y en otoño de 1936 había llegado a la ciudad exactamente tal y como se describía en el relato de al-Halabi.

Iram era en aquel tiempo extremadamente fría y oscura; sus lámparas se habían extinguido hacía mucho tiempo y también el fuego. Utilizando faroles, Von Meier y sus colegas habían explorado los negros y tortuosos túneles y las estancias repletas de ecos de la metrópoli muerta, trazando lentamente mapas con sus túneles, sectores, entradas y salidas. Tres murieron, dos cayeron en pozos insospechados que no vieron y el tercero como resultado de internarse por túneles laterales de los que jamás regresó. Todavía quedaban muchos túneles laterales, aseguró Von Meier, largos pasillos sin iluminación que discurrían por la roca repletos de restos momificados, que parecían no tener principio ni fin. De vez en cuando, algunos niños que no estaban bien vigilados se perdían en ellos y jamás volvían a verlos.

David trató de que Von Meier explicara algo más de su subsiguiente regreso a Iram tras la guerra, pero sobre eso fue mucho menos abierto. La ciudad era un santuario, repitió, un lugar de esperanza donde las heridas de la guerra y el dolor de las secuelas podrían curarse y nuevas generaciones traerían un mundo remoto y apartado de la civilización y todo lo diabólico que ésta contenía.

Cuando Von Meier puso fin a la conversación era ya tarde. El habitual guardián de David le esperaba, y le preguntó si deseaba retirarse a su habitación. Estaba cansado, pero después de esperar todo el día para regresar a los manuscritos, sacudió la cabeza y le dijo al guardián que prefería volver a la biblioteca y terminar un trabajo que había dejado allí. El guardia se encogió de hombros y le condujo por los pasillos vacíos hasta la biblioteca. Minutos más tarde, David ya había retirado los tres pergaminos y los había desenrollado sobre la mesa.

El segundo rollo era más legible que el primero y David no tuvo dificultad en comprender lo esencial del manuscrito, aunque varias palabras no tenían ningún significado para él. Había sido escrito por un sacerdote llamado Baruch, quien había permanecido en Tayma tras la muerte de Nabonidus. Baruch había sido discípulo de Benjamín bar Hilkiah y a él envió Benjamín su carta antes de morir. Cuando el rey Nabonidus decidió abandonar Babilonia para ir al desierto árabe, dejando a su hijo Belshazzar en su lugar en calidad de virrey, Baruch y su familia se encontraban entre los voluntarios que le acompañarían, posiblemente con la esperanza de poder volver a Palestina. Antes de su partida, Baruch había ido con su padre y tres hermanos suyos al sótano en el cual Benjamín había colocado el tesoro del templo de Jerusalén. Nuevamente David comprobó con frustración que quienquiera que hubiese tachado el nombre del objeto de la carta de Benjamín, había hecho lo mismo con la deposición que había dejado Baruch.

El escriba y su familia habían llevado el inidentificado tesoro de Babilonia a Tayma, manteniendo su existencia en secreto, incluso ante los demás judíos que les acompañaban, y lo enterraron cerca del oasis que había al pie de un grupo de rocas del desierto. Baruch había escrito aquella declaración para su hijo, de manera que éste supiera dónde buscar si llegaba la hora de retirar el objeto de su escondite.

Al final del testamento de Baruch había una breve inscripción de otra mano, la de su hijo Efraín, quien declaraba haber sacado el tesoro del agujero cercano a Tayma y haberlo llevado a Iram, donde lo entregó a los sacerdotes y levitas en sagrado depósito por la destruida ciudad de sus padres.

El tercero y último pergamino completaba la saga. Estaba escrito por Elioref, un sacerdote que había ejercido de escriba del rey Jehoahaz, el tercer monarca de Iram. Según escribía, la ciudad corría peligro a causa de los saqueadores árabes que se aventuraban en las profundidades del Nafud durante la estación menos lluviosa, y el rey decidió retirar el tesoro para ocultarlo en un sitio más seguro. La excitación de David iba en aumento a medida que leía, ya que Elioref procedía a describir el lugar donde ocultaron el objeto y su situación exacta. Pero, al igual que los otros, el texto de Elioref había sido censurado. Comenzaba sin preámbulo alguno:

*El día undécimo de Tishri de este año, cuando el Día de la Expiación ha pasado y el gran sacerdote ha venido del templo, mi señor Jehoahaz, rey de Iram y dueño de las Tierras del Interior, ha decretado que el ****** se extraiga a la luz. Ha llamado a su presencia a Amariah bar Malluch, el gran sacerdote, y a Shemaiah bar Rahum, sacerdote del templo y descendiente de Aarón; y trajo ante él a Joiakim bar Johanan, a Johanan bar Kadmiel, su padre, y a Judah bar Mattaniah, los cuales son levitas; y me ha encargado a mí, Elioref, hijo de Jozadak, que redactara un informe de todo lo que sucediera entre ellos.*

Mi señor Jehoahaz habló del hambre que había en la tierra y de la escasez que la envolvía, diciendo que temía que la mano de los Bene Qedem, los hijos del este, se alzara contra nosotros y nos venciera. En un tiempo en que el futuro se halla oculto por la niebla y el destino de nuestro pueblo en la oscuridad, sería mejor que fueran tomadas ciertas precauciones para que aquello más precioso y sagrado que poseemos no caiga en manos de los ismaelitas y se pierda para siempre.

Por temor a tal día y en previsión de él, el padre de mi señor, el rey Abishalom, había dispuesto un lugar en las profundidades, bajo la ciudad, un lugar oculto y oscuro, una estancia poco profunda excavada en la roca viva, de seis codos de largo, cuatro codos de ancho y cinco codos de alto. Cuando todos se hubieron jurado guardar el secreto con el más solemne de los votos, incluido yo, Elioref, con promesas al Más Alto, mi señor el rey nos describió el lugar donde sería guardado. Era un lugar donde nadie iría voluntariamente, donde los Bene Qedem jamás pondrán los pies.

*El mismo día, cuando muchos aún dormían a causa del ajetreo que habían tenido el día anterior, los sacerdotes y los levitas (y yo entre ellos) llevaron el ****** desde el templo hasta allí y lo cubrieron con una tela de oro, una tela de plata y una tela de fina seda. Lo transportamos desde el templo por la puerta grande, al interior de los túneles más allá de donde están enterrados los muertos. En el pasillo que es el tercero de los que hay a la izquierda del gran túnel torcimos, llevando el ****** con nosotros. Amariah bar Malluch, que era un anciano de gran dignidad, nos precedía sosteniendo una lámpara, y Johanan bar Kadmiel, también mayor, cerraba la marcha con una lámpara como la de Amariah. Caminamos entre ambos rodeados de sombras, y los muertos yacían a cada lado en oscuras filas, y a veces parecía que se movieran por los efectos de las lámparas. A doscientos pasos había una abertura a la derecha y dimos la vuelta por allí, internándonos en la oscuridad, siempre con una luz delante y otra detrás. Al final del túnel por el que caminábamos había una pared que nos impedía continuar.*

*Siguiendo las instrucciones del rey recibidas cuando le vimos, Amariah bar Malluch se agachó y buscó entre el polvo un aro de metal que había sido instalado allí y cubierto para que ningún hombre pudiera encontrarlo. Pero desde luego estaba donde el rey había dicho, hábilmente oculta bajo una mampostería maestra construida sobre la piedra. Así pues, depositamos el ****** en el suelo, y el sacerdote más joven, Shemaiah bar Rahum, debía tratar de levantar la piedra que habían colocado allí, la cual cubría la entrada al lugar de debajo. La piedra había sido colocada tan astutamente que la levantó, aunque no sin esfuerzo, con sus propias fuerzas, ya que había sido dispuesta de aquella manera para que un solo hombre pudiera levantarla y refugiarse debajo, aunque fuera el último de su pueblo y no hubiera otro para ayudarle.*

*Así pues, bajamos el ****** y lo colocamos en la estancia de* *debajo y después sellamos las puertas y pusimos el nombre de Amariah sobre ellas y el nombre de Jehoahaz. Cuando terminamos y los sellamos, rezamos unas plegarias de protección y luego salimos al túnel donde habíamos estado y colocamos la pesada piedra en su lugar una vez más, cubriéndola con el polvo de la tierra, como estaba.*

*He tomado dos epístolas que tenía en mi poder, las cuales me fueron entregadas en mano por mi abuelo Efraín, en las que se relata la historia de cómo el ****** ha llegado a Iram, y se las he entregado a mi vez a Amariah el gran sacerdote a fin de que las conserve junto con este pergamino y para que la historia de este objeto no se pierda para siempre para los hombres. He concluido este escrito en el día duodécimo de Tishri, en el año quinto del reinado del rey Jehoahaz y que el Señor del Universo le guarde y ensanche su reino.*

Al bajar el pergamino, el corazón de David latía aceleradamente y estaba seguro de que el guardia lo oiría latir en aquel completo silencio de la biblioteca. Pero el guardia estaba dormitando en su silla, ignorante de David y de cualquier otra cosa. David puso las manos planas sobre la mesa para evitar que le temblaran y tranquilizarse un poco. Sospechó que Amariah, el viejo sacerdote, sería el responsable de las tachaduras de los tres documentos. Pero también creía saber que era el anónimo objeto. Si estaba en lo cierto y aún se encontraba allí, resultaría ser un hallazgo que eclipsaría a Iram entera.

Reflexionó, llegando a la conclusión de que había muy pocas posibilidades de que realmente aún estuviera allí. Iram había sobrevivido a la amenaza que aquel año había planeado sobre ella a causa de la proximidad de las tribus árabes, los Bene Qedem del relato de Elioref que él ya conocía. Una vez pasado el peligro, era de suponer que Amariah y los demás habrían recuperado el tesoro de su escondrijo y lo habrían devuelto al templo. A menos que... David meditaba. ¿Por qué nunca habían sido retirados del nicho los pergaminos? ¿Podría haberse perdido inadvertidamente el secreto y el tesoro no había sido recuperado jamás? David notó que su corazón empezaba a latir fuertemente de nuevo. Cabía la posibilidad.

Al menos podía comprobar algo, pensó levantándose del asiento y cogiendo la lápida donde se hallaban grabados los nombres de los principales manuscritos y la situación de los nichos donde se encontraban. El informe de Von Meier se refería particularmente a la historia detallada de la ciudad durante el reinado de los quince primeros monarcas. David localizó rápidamente el título en la lápida y pudo así encontrar el pergamino en el nicho apropiado. Era un pergamino grueso, en buenas condiciones, escrito a mano, legible, con una tinta oscura y clara.

El reinado de Jehoahaz, el tercer monarca de Iram, estaba cerca del principio del pergamino. Con un gran susto, David vio de inmediato que sólo había reinado durante cinco años. Poco después de la Fiesta de los Tabernáculos, la cual duró del quince al veintitrés de Tishri, una confederación de siete tribus árabes de la región montañosa del sur de las arenas (presumiblemente los actuales Jabal Shammar) atacaron Iram, pero fueron derrotados aunque a costa de grandes pérdidas, incluyendo al propio rey Jehoahaz y a Amariah, el gran sacerdote. La muerte de Jehoahaz, sumada a las inestables condiciones de la ciudad, crearon confusión y un estado creciente de anarquía, en el curso del cual un hombre llamado Abishai, un herrero, depuso y asesinó al joven hijo de Jehoahaz, Jerimoth, y condenó a muerte a todos aquellos que habían estado relacionados con la última corte real, incluyendo sacerdotes y levitas. El cronista proseguía explicando que a causa de sus blasfemias, Abishai fue alcanzado en el plazo de un año por una enfermedad devastadora de la cual jamás se recuperó y que le llevó rápidamente a la tumba. Otro hijo de Jehoahaz, de nombre Naftali, cuyo maestro le había rescatado de la matanza de Abishai, ascendió al trono de Iram y se restableció el orden en la ciudad.

Pensativo, David enrolló el pergamino y lo devolvió a su nicho. Era posible ciertamente. Era muy probable que los que se hallaban comprometidos en el asunto de retirar y esconder el tesoro de Jerusalén hubieran muerto repentina e inesperadamente poco después de aquel incidente, el rey y el gran sacerdote en la batalla contra las tribus nómadas y los otros después del golpe de Abishai. Existía una remota posibilidad, pero David pensaba que valía la pena intentarlo. Encontraría aquel objeto si es que aún estaba en su sitio. Pero si estaba en lo cierto sobre su identidad, no tenía ningún deseo de que Von Meier conociera su existencia. Lo encontraría, pero lo haría solo.

CAPÍTULO 41

Si iba a callarse aquel descubrimiento, esto es, suponiendo que allí hubiera algo aún, David tendría que dar el esquinazo a su guardián. No creía que aquello fuera a resultar muy difícil, pero el verdadero problema sería regresar luego sin levantar sospechas. Creía saber un modo y decidió intentarlo aquella misma noche aprovechando la modorra del guardia.

Colocando los pergaminos donde los había encontrado, recogió todos sus papeles y pasó un buen rato estudiando atentamente los mapas del informe de Von Meier y copiando detalles en una hoja de papel. Cuando terminó, cerró el archivador y despertó al guardia.

—Es tarde —dijo fingiendo bostezar—. Ya no puedo trabajar más. Llévame a mi habitación.

El guardia asintió, aún medio dormido, deseoso de ir también a acostarse a su dormitorio, dejando a David bien cerrado en su habitación el resto de la noche.

Salieron de la biblioteca, el guardia delante sosteniendo una lámpara en dirección a la habitación de David, a unos tres pasillos de distancia. Al final del primer pasillo había una vuelta hacia la derecha bastante pronunciada, seguida de otra hacia la izquierda. Antes de llegar a la primera vuelta, David se rezagó unos cinco metros, casi el intervalo que mediaba entre ambas vueltas, primero a derecha y luego a izquierda. Cuando giró por la primera vuelta, miró alrededor y vio que el guardia, todavía medio dormido e ignorante de que David se hubiera retrasado tanto, estaba a punto de dar el segundo giro. En aquel momento, David dio media vuelta y echó a correr tan rápida y silenciosamente como pudo por el pasillo por donde había venido hasta que dio con un túnel lateral sin iluminar a mano izquierda. Se detuvo un momento para coger la lámpara de un nicho de la pared opuesta y se internó en el túnel.

A partir de allí todo serían conjeturas, con ayuda del tosco mapa que se había hecho fiado en las notas de Von Meier. Había visto lo bastante de la ciudad y había estudiado lo suficiente los diagramas de Von Meier para conocer la disposición básica del lugar, pero también conocía la enorme complejidad de Iram, sus redes intercomunicadas de túneles y pasillos, tanto naturales como excavados por el hombre, a los cuales se añadían más de cien kilómetros de pasadizos subterráneos. No todas las aberturas figuraban en los planos de Von Meier, los cuales se centraban sólo en las arterias principales. Un hombre podía sin duda llegar a encontrarse irremediablemente perdido vagando por el laberinto de túneles hasta que se le agotaran las fuerzas y se viera obligado a tumbarse entre los muertos, sabiendo que ya era uno de ellos.

El túnel por el cual David había echado a correr no era más que eso, un canal liso y sin luz que discurría en la sólida roca para proporcionar un pequeño atajo entre dos grandes pasadizos. No aparecía en ninguno de los mapas de Von Meier, pero la lógica de la disposición de la ciudad en aquel punto aclaraba razonablemente su propósito y extensión. Los verdaderos problemas vendrían más tarde, cuando alcanzara la región de la necrópolis, pasado el templo, un área prácticamente no reproducida por Von Meier. Si había habido cambios radicales en la disposición de los túneles mortuorios del área donde tenía que buscar desde el reinado de Jehoahaz, puede que jamás localizara la estancia subterránea e incluso era concebible que se perdiera.

Desembocó, tal y como esperaba, en un pasillo iluminado, vacío de transeúntes a aquella hora. Desde allí no había más que una corta distancia hasta el templo, lugar que sólo había visitado brevemente una vez, con la intención de examinarlo más detenidamente más adelante. Se encontró en el templo sin previo aviso al pasar por una puerta baja que había en el extremo superior.

Era una cavidad de proporciones catedralicias, una caverna natural que se había formado en la propia roca, y que el hombre había recortado y dado forma más tarde, apuntalándola por el centro con una sola enorme columna de piedra reforzada. Tan sólo el fondo de la gran cámara estaba permanentemente iluminado, mediante unas llamas que ardían en unos tanques de aceite en un espacio hueco que había bajo el suelo, y la luz brillaba en el templo a través de unos conductos excavados en la roca entre ambos niveles. La porción superior sobre la cual David se hallaba estaba sumida en su oscuridad original, cubierta por la lúgubre santidad de la falta de claridad, como un panteón dedicado a los dioses del mundo subterráneo. Atravesó aquel lugar nerviosamente, mientras su pequeña lámpara ardía sin ningún efecto, sirviendo únicamente para acentuar su pequeñez y fragilidad.

Cuando alcanzó la zona iluminada de la gran caverna respiró con más tranquilidad, como si la oscuridad le hubiera congestionado los pulmones, haciendo aquel vasto espacio claustrofóbico para él. Era consciente de su vulnerabilidad, caminando por allí mientras la mayoría de los habitantes de la ciudad dormían, sabiendo que pocas explicaciones podría dar si le encontraban en el templo. En aquel lugar había algo que inquietó a Talal cuando le acompañó allí, como si guardara algún secreto que era mejor que David no conociera. Talal sólo le dejó estar unos minutos en el interior, impidiéndole el acceso a la parte inferior. Cuando David pidió regresar allí para realizar un examen más profundo, le comunicaron que eso requeriría un permiso especial de Von Meier y que hasta entonces debía considerar el templo fuera de su alcance. Era tentador, ahora que estaba allí, explorar un poco el lugar, pero se encontraba forzado por el tiempo y el ansia de continuar.

Salió del templo por una gran abertura excavada, sin puertas, encontrándose en un amplio pasillo sin luz flanqueado a ambos lados por nichos enormes, en cada uno de los cuales descansaban los restos momificados de un hombre o una mujer. Los nichos se extendían desde el suelo hasta el techo. A la luz que proyectaba su lámpara, David pudo ver jirones de ropa y de piel seca, huesos expuestos al aire, o cabellos mates y llenos de telarañas, el equipo usual de la muerte. Recuerdos perturbadores del osario de San Nilo aparecieron en su mente, recuerdos que había tratado de suprimir pero que no podía arrojar totalmente de su conciencia. Su lámpara no proyectaba más que un pequeño charco de luz, lo cual sólo le permitía unos metros de visibilidad. La verdadera oscuridad comenzaba allí.

Por su tamaño y por la gran calidad de los grabados en los nichos, David dedujo que se encontraba en el «gran túnel» mencionado en el texto de Elioref. Observó cuidadosamente las aberturas del lado izquierdo; cuando llegó a la tercera, torció por ella. La oscuridad pareció hacerse más intensa, aunque sabía que en realidad no podía ser así. Los nichos estaban peor construidos y más juntos que los del túnel principal. Un curioso olor a cerrado mezclado con el de especias llegó a la nariz de David desde la oscuridad, evocando unos recuerdos que no eran suyos. El suelo era rugoso y desigual, haciéndose difícil mantener el pie, que amenazaba con traicionarle y hacerle caer, extinguiéndose así la luz. Caminó con gran cuidado, contanto los pasos que daba y manteniéndose atento a cualquier ramificación del túnel hacia la derecha. Cuando había dado ya doscientos pasos, no había aparecido ninguna abertura y comenzó a temer que después de todo habría confundido las direcciones, o que la entrada había sido cegada, tal vez por orden del propio Jehoazah antes de su muerte.

De pronto, allí estaba, estrecha, oscura y cubierta de telarañas, como una boca que se abría en Sheol, la residencia de los muertos. Mientras la observaba, las telarañas se agitaron levemente, como un habitante de la oscuridad que huye de la luz. De repente recordó el sueño que había tenido en Jerusalén, la figura de Cristo con arañas que correteaban por sus heridas, los huesos en el osario, su padre agarrándole traspuesto, la enorme ciudad funeraria repleta de grises figuras silenciosas que susurraban «esto es Iram, esto es Iram». Sentía un sudor frío bajarle por la frente y la carne de gallina. Se sintió como si reviviera una pesadilla y se preguntó si, después de todo, no se habría quedado dormido en la biblioteca. Pero la luz vaciló, reflejada en la astilla amarillenta de un hueso, y comprendió que estaba despierto y solo en la oscuridad con los silenciosos fantasmas de Iram.

Esquivando las espesas telarañas, entró en el túnel. Le llegaron unos ruiditos, el arrastrarse de ratas y cucarachas, molestas por su paso. Los únicos seres humanos que conocían aquellas criaturas eran sus campos de recreo: la presencia de David provocó un alboroto en su negro mundo. Allí también el suelo estaba sin terminar. Después de todo, ¿qué utilidad tenía para los muertos el suelo pulido o el mármol? Cautelosamente, David avanzó en la oscuridad, dando un paso cada vez, estirándose para poder ver el camino ante él, luchando contra el viejo temor de que alguien o algo se arrastraba tras él, espiándole, acechándole.

Finalmente llegó a una pared lisa que marcaba el final del túnel. Por allí, el suelo estaba cubierto de una gruesa capa de polvo que había sido removida en un punto, pero no durante mucho tiempo. David depositó la lámpara en el suelo, se arrodilló y comenzó a escarbar entre el polvo. El anillo estaba allí, tal y como Elioref había dicho, escondido en la piedra. Lo levantó sin ninguna dificultad y se dispuso a tirar de él. Se echó hacia atrás con todas sus fuerzas, pero no sucedió nada.

Durante siglos, el mecanismo que permitía que la losa girara sobre su eje se había atascado. David suspiró. Probablemente harían falta varios hombres, si no un taco y una palanca, para lograr desalojarlo. Se agachó y tiró de nuevo. No se movía. Entonces reparó en un pequeño agujero a cierta distancia del anillo. Limpiando el polvo de alrededor, descubrió que el agujero se encontraba al final de un pequeño canalillo que formaba un ángulo. Sería posible, tan sólo si... Con sumo cuidado, aterrorizado de que se le apagara la lámpara, inclinó ésta suavemente hacia la pequeña ranura de la piedra. Un fino chorrito de aceite cayó resbalando por el canalillo hasta el agujero.

Aguardó a que el aceite hiciera efecto y después tiró fuertemente del anillo otra vez. Hubo un ligero movimiento. Descansó, relajando las manos, flexionando los dedos, y reemprendió el trabajo, ayudándose con las piernas y reuniendo todas sus fuerzas para dar el tirón. Se oyó un chirrido y notó que la piedra se movía ligeramente bajo sus pies. Redistribuyendo el equilibrio, colocó los pies rectos y estiró de nuevo. Esta vez el movimiento continuó, y de pronto notó que la losa cedía y comenzaba a deslizarse con su estirón, liberando todo el polvo acumulado debajo sobre el cual había reposado durante tanto tiempo. Ahora salía fácilmente, contrapesada por algo que debía de haber bajo su superficie.

David apoyó el borde de la losa contra la pared y recogió la lámpara. A sus pies descendía un estrecho tramo de escaleras en dirección a un oscuro agujero. Torpemente, comenzó a descender los escalones de espaldas, inseguro de que su equilibrio no le hiciera precipitarse escaleras abajo. En total había diecinueve escalones, que acababan en un suelo de piedra al fondo del agujero. Al pie de la escalera, el espacio se ensanchaba considerablemente; cuando David se dio la vuelta y alzó la lámpara se encontró en un vestíbulo de separación, frente a una puerta de metal doble de unos dos metros de altura.

La puerta era de cobre batido, en la cual se habían practicado unas incisiones de letras en hebreo, recubiertas de oro y plata. Las letras eran antiguas y difíciles de leer, pero no fue demasiado arduo traducir las palabras de un verso bíblico conocido: «No os acerquéis aquí: quitaos los zapatos de los pies, pues el lugar donde os halláis es suelo sagrado.» David reconoció las palabras que Dios había dirigido a Moisés en el monte Horeb cuando vio el matorral que ardía y oyó la voz divina por primera vez. En el centro de la puerta, justo debajo del verso grabado, había dos sellos de cera, uno con el nombre del gran sacerdote Amariah y el otro con el del rey Jehoahaz, junto con unas maldiciones que caerían sobre quien violara la puerta y entrara en la estancia que había tras ella.

David sintió al mismo tiempo un sentimiento de temor que le hizo encogerse, como si estuviera a punto de violar una de las leyes más sagradas de la religión de su padre, y una punzada de excitación que le impelía a abrir la puerta. Sabía que no había ido hasta allí en vano, que la estancia no estaría vacía. Pero era como si su padre estuviese junto a él, susurrándole al oído, previniéndole contra la blasfemia que estaba a punto de perpetrar. David no era ni un sacerdote ni un levita, y no tenía ningún derecho a estar allí, tan cerca de lo más sagrado entre lo sagrado. Pero él era un arqueólogo y un no creyente, y, sin duda, había ido a entregar lo que había encontrado en manos de su pueblo. Alargó la mano derecha y tocó el sello de Jehoahaz. Éste saltó limpiamente y lo depositó en el suelo. Después alargó la mano y tocó el sello de Amariah. Como un presagio de mal agüero, éste se rompió y se deshizo al tocarlo, cayendo a trozos en el suelo. Le temblaba la mano, todo él temblaba. El temor y la excitación se mezclaban en sus venas, inquietándole, acelerando su corazón. Tenía el paladar seco y respiraba de manera entrecortada. El aire del vestíbulo era espeso y rancio, apenas apto para ser respirado. Su lámpara ardía peligrosamente floja, falta de oxígeno. La depositó a un lado y empujó la puerta.

Las resecas bisagras protestaron sonoramente al girar. La puerta se abrió lentamente. Había permanecido cerrada durante siglos, y los bordes inferiores de su hoja arañaron el suelo. La puerta de la izquierda se encalló a medio camino y no hubo forma de moverla ni un centímetro más, pero la de la derecha continuó moviéndose, aunque con cierta resistencia, hasta que se abrió del todo. David aguardó hasta que circulara un poco de aire, y recogiendo su lámpara la sostuvo frente a la entrada.

La estancia que se hallaba ante sus ojos era reducida, como la había descrito Elioref: seis codos por cuatro por cinco, es decir, dos metros setenta por un metro ochenta por dos metros veinte. Las paredes y el techo carecían de toda decoración, no estaban pintadas, ni pulidas ni encaladas. Las marcas del cincel aún podían verse aquí y allá, heridas abiertas que el paso de los siglos no había cicatrizado. «El tiempo, pese a todo, no lo cura todo», pensó David. Su luz parpadeó en el aire cargado, proyectando extrañas sombras en la informe roca.

En una peana de piedra, levantada a unos sesenta centímetros del suelo, había un objeto tapado con telas preciosas. Era más pequeño de lo que él esperaba, de poco más de un metro de largo, sesenta centímetros de ancho y un metro veinte de alto. Sabía lo que era incluso antes de dar un paso y quitar las telas. Sin sentir ya ningún miedo, aunque invadido por un sentimiento de temor y trepidación, levantó la primera tela, la de seda. Debajo había otra, bordada con hilo de plata, y debajo de aquélla, otra sobre la cual se habían tejido unas tiras de oro.

Le temblaba la mano al retirar la tela de oro y dejarla caer sobre las otras en el suelo. Sintió una tensión en el pecho, y un nudo en la garganta y sus ojos parpadearon mientras contemplaba el objeto que había destapado. No tenía que preguntar qué era. ¿Qué otra cosa podía ser? ¿Qué? Sintió que la respiración le abandonaba y que su corazón casi se detenía. Era hermoso y atemorizador, y precioso por su antigüedad. Pensó que jamás había visto tal antigüedad en un objeto, a pesar de que había visto y manejado cosas mucho más antiguas que aquélla muchas veces. Era como si fuese la cosa más antigua del mundo, y, sin embargo, completamente nueva, renacida ante sus ojos en aquella minúscula estancia: el Arca de la Alianza y, sobre ella, el Trono de la Merced.

La luz pareció multiplicarse, moviéndose, bailando, reflejándose miles de veces en un río de oro. Y al fondo estaba la propia Arca, un cofre de centelleante oro, donde se hallaban colocadas las tablas de la ley. Encima de ella estaba el Trono de la Merced, con un ángel dorado en cada extremo, los cuales extendían sus alas hacia arriba. Los ángeles estaban dispuestos cada uno de cara a los otros, como amantes eternamente separados, y sus alas doradas daban sombra al cofre de debajo, del mismo modo que las ramas de un ancho árbol dan sombra al suelo.

No sabría decir cuánto tiempo se habría pasado allí traspuesto, contemplando el Arca. Podían haber pasado horas, o días; había perdido toda noción del tiempo y el espacio, toda noción de sí mismo. No existía nada más fuera del Arca, ella formaba el mundo entero, su ser completo, su pasado, presente y futuro. Se vio a sí mismo reflejado en el oro, su cuerpo delgado, sus cabellos enredados, sus ojos encantados, y sin embargo se sentía ajeno a su propia existencia, como si de algún modo se hubiera fundido con el Arca y ahora fueran uno solo, perdiendo aquello que los separaba en sus brillantes y relucientes profundidades.

Finalmente la luz le hizo despertar. Había empezado a temblar, señal de que el nivel del aceite estaba descendiendo peligrosamente. Habría suficiente para regresar a las zonas iluminadas del sector habitado, pero sólo si se marchaba en seguida. De mala gana, volvió a cubrir el Arca con las telas, la dorada debajo de todo y la de seda encima. Una vez hecho eso, dio media vuelta y abandonó la pequeña habitación que durante siglos había albergado a lo más santo de todo lo santo, ignorada e imperturbable. Cerró la puerta doble tras él, pero al marcharse, su pie tropezó con los restos del sello de Amariah, rompiéndolos en fragmentos aún más pequeños. Confió en que el viejo sacerdote, si le estaba observando, sabría comprender y perdonar.

Cuando llegó a lo alto de la escalera, dudó entre cerrar o no la losa. Se temía que, si lo hacía, el mecanismo podría no operar una segunda vez y el Arca se quedaría en su tumba sellada para siempre, a menos que pudiera traer a un grupo de hombres para levantar la losa de piedra. Aunque, después de todo, ¿quién iría allí? razonó. Sería más seguro dejar la losa como estaba.

Se dio la vuelta para irse, y al hacerlo, su pie resbaló en un charco de aceite que se había derramado cuando virtió un chorrito en el agujero de la piedra. Tropezó hacia delante y la lámpara salió disparada de su mano, aterrizando algunos metros más allá y rompiéndose en pedazos igual que el sello de Amariah. La llama chisporroteó unos instantes y se extinguió. La oscuridad lo inundó todo, como el agua que llena un estanque vacío.

CAPÍTULO 42

Cuando el desierto ataca, lo hace duramente. No hay ninguna suavidad en él, nada fácil, blando o redentor. Nada entra o sale de él sin haber cambiado, y sin embargo, él permanece inmutable, distante, autosuficiente en las arenas, las rocas y los espinos. No ofrece segundas oportunidades y sólo unas pocas primeras. Naturalmente, un centímetro se convierte en un metro, y un metro en un kilómetro, distancia más que suficiente para un hombre para pasar los últimos momentos en la inconsciencia, internándose más y más en las arenas finales. En el desierto no hay límites, ni grasa ni residuos; sólo carne magra y huesos. Te asesina por la espalda, acecha por detrás con sus espejismos, sus pozos secos, sus escorpiones, sus repentinos chaparrones, sus heladas nieblas. Se te cala en lo más hondo, bajo la piel, con su frío y su calor, su polvo y su silencio, sus vastas distancias y sus pequeños y estrechos lugares en los cuales, ni siquiera una araña puede respirar, royendo, consumiendo, erosionándolo todo.

Tardaron tres días en llegar a los límites de Iram. Tres días de penosa miseria, durante los cuales el frío, la sed y el hambre causaron profundos estragos en ellos. Ambos tenían unos pocos dátiles en la ropa, que habían guardado de los puñados que Nazzal les llevó durante la tormenta: los atesoraban avariciosamente, comiendo una ínfima cantidad una vez al día, lo justo para proporcionarles un poco de energía, pero no lo bastante para acallar los pinchazos del hambre. En una ocasión encontraron un pequeño *khabra,* un charco de agua de lluvia al pie de unas rocas, cubierto por una costra de arena roja. El agua era amarga y un tanto salada, pero la bebieron golosamente hasta que no pudieron más. No tenían nada con que poder llevarse el resto, así que la dejaron atrás y continuaron su camino, dirigiéndose hacia el este a través de la inmutable extensión de arena muerta.

Cuando llegaron, no cabía ninguna posibilidad de error. Se despertaron al tercer día, acurrucados juntos para calentarse, sucios y malolientes, llenos de golpes y ampollas. Echaron a andar como autómatas, mientras una hora de monotonía daba paso a otra. Aquel día había unas nubes espesas, y todo parecía estar desteñido, taciturno y transparente. Estaban llegando al límite de sus fuerzas. Era casi mediodía cuando Scholem se detuvo y miró a su alrededor, explorando el desierto con la mirada.

—Leyla —llamó. Su voz era débil y quebrada.

—¿Sí? ¿Qué hay?

—Mira, Leyla. ¡Mira! Ésa es, estoy seguro.

Ella miró. El paisaje de alrededor había cambiado imperceptiblemente. Donde había follaje, ya no había nada, ni siquiera *ghada* o *'arfaj*. En lugar de matorrales, unas rocas ásperas sobresalían de la arena. Las dunas habían dado paso a una región llana con algunos intervalos de montañas de arena y áreas de sal. Un viento suave soplaba sobre la superficie de la arena, levantándola como si fuera una nube de humo. No había pájaros en el cielo, ni siquiera las ubicuas avutardas. El color de la arena había cambiado: parecía más pálida, privada de su rico color rojo como un cuerpo exangüe. Las rocas presentaban un aspecto curtido y estropeado, desgastadas y hendidas por siglos de erosión del viento y la lluvia. Un silencio se cernía sobre todas las cosas, más profundo y amenazador que el silencio de las arenas del exterior.

Leyla se volvió hacia Scholem. Él aún se hallaba contemplando los alrededores, incapaz de apartar la mirada de la extremada desolación que se extendía por todas partes.

—Parece muy viejo —susurró ella con voz temerosa—. Todo empezó aquí: la arena, el desierto... todo.

Era un lugar muy antiguo, más viejo y desgastado que cualquiera de aquellos donde habían estado. Podían sentirlo en los huesos, la oscura y duradera antigüedad de aquella primitiva tierra baldía. Allí no vivía nada, ni tampoco había crecido nada durante mucho tiempo, milenios barridos por el viento. Incluso los huesos de los muertos y los fósiles de cualquier criatura que hubiera pasado por allí en el amanecer del tiempo se habían convertido en polvo y se habían diseminado por las arenas.

—Éste es el lugar sobre el que escribió al-Halabi —murmuró Leyla—. Dijo que Iram se hallaba en medio de un paraje muerto, el valle de Barhut, donde las almas de los incrédulos se reúnen antes de ser arrojadas al infierno. Estamos en el buen camino, Chaim. Iram está en algún sitio de por aquí. Todo lo que hay que hacer es encontrarla.

Continuaron caminando en espera de una señal, de algo que les proporcionara una pista sobre el paradero de Iram. Pero todo lo que vieron fue arena y rocas y sal. Pasaron la noche uno en brazos del otro de nuevo. No había nada sexual en su abrazo. El desierto había borrado todo lo trivial. No deseaban otra cosa que alimentos, agua y calor. No había leña, y aunque la hubiera habido, no tenían nada con que encender el fuego. Antes del amanecer, reemprendieron la marcha.

A media mañana encontraron un aeroplano. Al principio pensaron que era otro montón de arenisca roja, pero al acercarse vieron la inconfundible silueta de la cola de un avión apuntando hacia el cielo. Algo en la silueta del avión parecía anormal, así que se aproximaron con gran precaución, atentos a cualquier señal de movimiento. No hubo ninguna. Se acercaron más. Obviamente, el avión se había estrellado: tenía el morro parcialmente enterrado en la arena y la cola formaba un ángulo. Una de las alas se había desprendido con el impacto y yacía a unos trescientos metros de la parte trasera del avión.

A unos cincuenta metros distinguieron el óxido. Lo que habían tomado por el rojo de la arenisca era, de hecho, el color del metal oxidado. Menos angustiados, caminaron hacia el aparato siniestrado. Cuando aún se hallaban a diez metros de distancia, Scholem se detuvo súbitamente mirando hacia la cola. Leyla llegó a su lado.

—¿Qué pasa, Chaim?

—¿No lo ves? —preguntó él—. Allá arriba, en la cola del avión —señaló, y ella siguió la dirección de su dedo.

Desgastada por años de arena y lluvia, una insignia medio borrada era aún visible. A pesar de estar picada y cubierta de óxido, era inconfundible: una esvástica negra formaba un ángulo recortada sobre el fondo blanco. Más abajo, junto al fuselaje, distinguieron la silueta de una amplia cruz negra con las armas del mismo tamaño. Apenas tuvieron tiempo de distinguir las letras y los números que había al lado: *C8* a la izquierda, *BF* a la derecha.

—No entiendo nada —dijo Scholem—. Reconozco este avión. Es un BV-144, un aeroplano de pasajeros y de transporte desarrollado por Blohm und Voss en... ¡oh, alrededor de 1943! Construyeron algunos prototipos en la Francia ocupada, pero al final no lograron nada, ya que los alemanes tuvieron que abandonar la fábrica en 1944. No tiene sentido que aquí haya uno. En absoluto. Aquí no hubo ninguna lucha. Ni siquiera cerca de aquí, con la excepción de Iraq en el golpe de Rashid Ali, y este avión aún debía de estar en el tablero de dibujo por aquel entonces.

—¿Qué quieren decir las siglas, lo sabes? —preguntó Leyla.

—No estoy seguro del todo. Por supuesto, son códigos de unidad de la Luftwaffe. Las de la derecha, C8, identifican la unidad a la que pertenecía el avión. Creo que C8 era una unidad de transporte, pero no estoy seguro: ha pasado mucho tiempo desde que leí cosas sobre esto. BF se refiere al Staffel, el escuadrón.

Caminaron alrededor del aeroplano, como si al hacerlo fueran a descubrir el significado de su presencia en el corazón del Nafud. Las ventanillas estaban intactas, aunque mugrientas, cubiertas de una gruesa costra de arena. Scholem se alzó hasta la única ala intacta y se arrastró por encima hasta el fuselaje, donde se hallaba la puerta. Leyla le siguió.

La puerta estaba fuertemente cerrada y con las bisagras oxidadas. La empujaron y le dieron golpes, pero resistió a sus esfuerzos. Leyla saltó al suelo y buscó una piedra pequeña por los alrededores. Acercándose a la primera ventanilla que vio, la aplastó. Cuando la arena y el polvo se hubieron sedimentado, miró hacia dentro. Pudo distinguir unas formas oscuras y vagas, pero con tan poca luz no podía ver qué eran. Con la piedra en la mano, volvió a subir al ala, donde Scholem trataba aún en vano de forzar la puerta. Le tendió la piedra y dio un salto hasta el suelo para ir a buscar otra para ella. Esta vez cogió una más grande y la depositó sobre el ala antes de subir.

Entre los dos golpearon la oxidada cerradura hasta que tuvieron las manos en carne viva; jadeaban sin cesar. Largos años de ardiente calor y frío penetrante, sucesivamente, habían actuado sobre el metal del avión, dilatándolo y endureciéndolo como la piel de un tambor. El acero, que había sido soldado a presión para resistir la presión en los vuelos de gran altura, se había debilitado considerablemente. Lo que obstruía su camino hasta el fuselaje era sobre todo el óxido. Un último golpe hizo que la puerta cediera ligeramente con un crujido. Se abrió hacia adentro y todo lo que tuvieron que hacer fue empujar, poniendo los hombros contra la lisa superficie. Las bisagras protestaron enérgicamente, pero finalmente la puerta cedió por primera vez en cuarenta años. Se movió hacia dentro muy despacio, parcialmente obstruida por algo que había apoyado contra ella en el interior.

Con un chirrido final, la puerta se abrió del todo. Una nube de polvo se levantó inmediatamente, y después fue cayendo, dejando pasar la luz hacia el lóbrego interior del avión. Scholem dio un paso hacia dentro, seguido de cerca por Leyla. Un espeso y fétido olor les atenazó la garganta y la nariz y les hizo sentir náuseas. El interior parecía falto de aire, rancio, igual que una tumba que nunca se hubiera abierto. Él respiró más despacio, aspirando el escaso oxígeno que empezaba a llegar del exterior por la puerta abierta. Gradualmente, sus ojos se acostumbraron a la falta de luz. Con la piedra en la mano, destrozó varias ventanillas más cercanas a la puerta. Eso ayudó un poco, aunque no demasiado.

Al dar unos pocos pasos más, vislumbró algo que había en el suelo junto a la puerta. Un esqueleto, envuelto en los restos de un uniforme militar alemán hecho jirones, yacía desgarbadamente, roto en parte a causa de su entrada forzada. Unos mechones de pelo y carne colgaban grotescamente del cráneo pelado. Miraba hacia Scholem como disculpándose por haber tratado de impedirle la entrada. Éste pasó por su lado con cautela y se dirigió hacia el fuselaje. Leyla fue con él, luchando por dominar el creciente pánico, sintiendo una imperiosa necesidad de echar a correr hacia el desierto, donde, a pesar de todo, el aire era limpio y fresco.

De alguna manera, ambos se sentían agradecidos por la falta de luz. A pesar de que aquella semioscuridad era horrible, al menos ocultaba piadosamente tanto como mostraba. El avión se había convertido en un aparato privado de pasajeros, espacioso y lujosamente dispuesto. Vieron una mesa de comedor y varias sillas a su alrededor en la parte trasera, un pequeño escritorio, un sofá y varias sillas, volcadas y cubiertas por una fina capa de polvo. El resto del fuselaje estaba equipado con los asientos usuales de un aparato, amplios y cómodos, con espacio suficiente para unas veinte personas. Todos los asientos menos uno estaban ocupados. Nada había sido tocado. Todo estaba tal y como quedó el día que se estrelló. Unas tiras de piel colgaban inútilmente del techo, como si aguardaran la mano de algún pasajero. Dos filas de luces se extendían a lo largo del fuselaje, intactas, cubiertas por un cristal, como si al tocar un botón pudieran encenderse. Bajo la capa de arena, una alfombra azul oscuro discurría entre las filas de asientos, lista para que alguien la barriera y caminara sobre ella de nuevo. Una copa que alguien tenía en la mano antes de morir, se hallaba tirada en el suelo, curiosamente sin romper, como si hubiera sido dejada allí para ser recogida y llenada de vino.

Scholem avanzó lentamente por el pasillo, entre las dos filas de asientos, diez a cada lado, dispuestos por pares. Los cuerpos se hallaban tendidos en los asientos, sujetos aún por unas anchas tiras de lona. El aire del desierto los había conservado en buen estado. Una piel acartonada cubría todavía sus huesos; cabello basto y enmarañado revestía sus cráneos. La ropa se había podrido de mala manera, pero aún se podía reconocer. Tres de ellos eran mujeres, vestidas con ligeros trajes de algodón, y sus cuerpos se hallaban retorcidos por la agonía final. El resto eran hombres, varios con uniformes de la Wehrmacht o de las SS, y tres o cuatro con ropas de civil. Scholem había trabajado una vez en una misión relacionada con el arresto de nazis y sabía un poco de uniformes e insignias del Tercer Reich. Mientras caminaba entre las filas de asientos, llegó rápidamente a la conclusión, por otra parte obvia a partir del mobiliario y de la propia disposición del aparato, que aquéllos habían sido pasajeros extraordinariamente importantes.

Leyla le alcanzó cerca de la cabeza del fuselaje, mirando como hipnotizado los restos de un hombre y una mujer. El hombre iba vestido con ropas militares, pero sin atributos o insignias visibles, con la excepción de una única Cruz de Hierro, con dos chapas circulares encima y debajo; un águila con las alas extendidas estaba cosida en la manga izquierda. Scholem no podía apartar sus ojos de allí. Leyla se reunió con él, perpleja ante su comportamiento; al verlo se dio cuenta de por qué miraba fijamente aquellos cuerpos, de quiénes eran aquel hombre y aquella mujer, y comprendió por qué él se hallaba allí, inmóvil. Sólo un hombre del Tercer Reich había llevado aquel uniforme, aquella sencillez calculada que hablaba en mudos términos de poder absoluto. Permanecieron de pie, juntos, durante un largo rato, inmóviles, hasta que Leyla pasó un brazo alrededor de Scholem y le atrajo fuertemente hacia sí.

—Tenemos que irnos, Chaim —dijo suavemente—. Ya están muertos. Él es tan cadáver aquí como lo hubiera sido en Berlín. No ha cambiado nada.

Él asintió y caminó junto a ella abatido.

—Primero quiero echar una ojeada a la cabina —dijo dando la vuelta y abriendo la puerta que separaba la cabina del piloto de la sección de pasajeros.

En la carlinga reinaba la oscuridad, casi totalmente bloqueada como estaba de la luz que llegaba de la parte trasera del avión. Scholem caminó cuidadosamente por la espesa alfombra de polvo que cubría el suelo de la cabina. Las ventanas de la parte delantera habían saltado con el impacto, dejando pasar la arena. El piloto y el copiloto se hallaban sentados en sus asientos, desplomados sobre los mandos como si aún trataran inútilmente de salvar el avión del desastre. Scholem dio la vuelta y regresó al fuselaje.

Los muertos se hallaban sentados en sus butacas, fila tras fila, mirándole con ojos inocentes y acusadores, ojos que no eran ojos, sino meras cuencas de hueso. Cerró la puerta de la cabina al salir y volvió por el pasillo hasta la parte trasera donde se hallaba Leyla.

Ésta había recogido varios papeles que estaban tirados por el suelo junto al escritorio y los estaba guardando en el forro de su ropa. Cuando Scholem se aproximaba, se levantó e hizo un gesto que abarcaba toda el área del comedor.

—Mira —dijo—, la mesa estaba puesta. Acababan de terminar su última comida.

Un mantel roto colgaba de la mesa. Varios platos sucios y cubiertos de moho estaban colocados encima, pero la mayor parte de los utensilios de la mesa habían ido a parar al suelo durante el choque y estaban tirados en un informe montón de objetos rotos: copas de cristal, porcelana blanca, cubiertos de plata, todo se había estrellado contra el suelo y aparecía cubierto por el polvo rojo del Nafud.

Scholem caminó por entre los escombros y pasó junto a la mesa en la parte trasera del avión.

—Allá debía de haber una cocina —dijo

Abrió la puerta y, empujándola, entró. Estaba hecho un desastre.

Cuatro cuerpos retorcidos se hallaban en el suelo entre un montón de cacharros, sartenes y otros utensilios de cocina. Por sus ropas, o por lo que quedaba de ellas, Scholem supuso que se trataba del cocinero y de tres ordenanzas. Se abrió camino en medio de los cascotes y fue abriendo los armarios uno tras otro.

La comida, igual que la carne humana, se había podrido y secado hacía mucho tiempo. Pero en el tercer armario, Scholem encontró lo que iba buscando: cinco botellas de vino blanco sin abrir, junto con otra cosa que deseaba aunque no esperaba encontrar: dos botellas de agua mineral Apollinaris. Desde que dejó el cadáver de la parte delantera del avión se había estado preguntando si no habría agua potable a bordo. Antes de morir debieron de tomarla en la comida.

En el siguiente armario encontró algo que no se le había ocurrido: una partida de latas metálicas, cada una de unos quince por diez centímetros y cuatro de profundidad. En la tapa había una palabra escrita *Notproviant* [raciones de emergencia] y al lado un águila estilizada sosteniendo una esvástica. Las latas estaban envasadas al vacío y no habían sido abiertas. Scholem cogió una y estiró del tirador que había en uno de los extremos. Se abrió silenciosamente. En el interior había una gran variedad de alimentos precintados en papel de aluminio, aunque todos podridos, con la excepción de unas cuantas galletas envueltas por separado que, de algún modo, habían logrado sobrevivir a los años sin deterioro aparente. Con gran cuidado, mordió una. Sabía un poco a serrín, o al menos a lo que él pensaba que sabía el serrín, pero era comestible. Una tras otra, bajó todas las latas, las abrió y extrajo los paquetes de galletas. Después colocó este pequeño tesoro en dos latas vacías.

En un cajón cercano encontró un sacacorchos, oxidado pero aún utilizable. Se lo metió en el bolsillo y transportó las botellas y las latas hasta el pasillo, donde esperaba Leyla. Se las entregó, quitó el mantel de la mesa y lo rompió en dos trozos. Preparó dos hatillos de latas y botellas, le entregó uno a Leyla y se quedó el otro.

—Espera aquí —le dijo entrando de nuevo en la cocina.

Leyla le vio escarbar entre los escombros. Un minuto después volvió trayendo consigo una cajita de cerillas y dos cuchillos oxidados.

—No están muy afilados —dijo—. Pero necesitamos armas de algún tipo. De momento tendremos que arreglarnos con esto.

—¿Se encenderán las cerillas? —preguntó Leyla.

—No lo sé. Parecen estar secas.

Abrió la caja, extrajo una cerilla y la frotó. Inmediatamente prendió, iluminando brevemente el lóbrego interior del avión y proyectando una multitud de sombras en todas direcciones. Scholem examinó la escena. Súbitamente, sintió frío y una gran inquietud, como si fuera un intruso entre los muertos, sintiéndose él mismo demasiado próximo a la muerte para estar a sus anchas.

—Creo que deberíamos irnos —dijo mientras la llama acababa de consumirse y se apagaba. Leyla asintió. Se dirigieron a la puerta y salieron al exterior. A pesar de que parecía una acción sin ningún propósito, cerraron la puerta otra vez lo mejor que pudieron. Tal vez tenían miedo de los fantasmas, los cuales estarían mejor en su tumba de acero hasta que el paciente desierto reclamara a su debido tiempo lo que le pertenecía.

Cuando se hallaron a cierta distancia del avión, Leyla se volvió hacia Scholem y le preguntó:

—¿Cómo crees que murieron?

—No estoy seguro —respondió éste—. Es obvio que no fue del choque. Estaban todos sentados, excepto el de la puerta. Puede que volaran demasiado alto y muriesen por falta de oxígeno. O tal vez hubo una fuga de gases después del choque del aterrizaje. El hombre de la puerta debía de estar tratando de abrirla cuando le sorprendió la muerte.

—Pero aquí, en el Nafud. No tiene sentido. Ya nada tiene sentido.

Scholem se detuvo y la miró.

—Al contrario —dijo con voz grave y tensa—. Ahora es cuando todo empieza a tener sentido. Y cuanto más lo tiene, menos me gusta.

CAPÍTULO 43

Mezclaron el vino con el agua y lo sorbieron lentamente, sin ninguna gratitud. No creían en Dios, ni en el hombre al cual había pertenecido aquel agua; por tanto, ¿a quién se lo iban a agradecer? Las galletas estaban secas, un poco amargas y con gusto a viejo, tragándolas al segundo intento. Atesoraban las botellas con avaricia, temerosos de malgastarlas, conscientes de los kilómetros que podían separarlos del pozo más cercano, si es que había alguno. Se hallaban en presencia de la muerte, así que se movieron en silencio y muy circunspectos, por temor a molestarla. No utilizaron las cerillas: no había leña por ninguna parte, y aunque la hubiera habido, el fuego habría sido peligroso, podría haber atraído compañía no deseada. Se sintieron vulnerables en medio de las arenas, al descubierto, sin nada donde cubrirse o al menos un lugar donde refugiarse. Cada movimiento suyo era observado, o al menos tenían esa sensación, y sus pasos dejaban un rastro visible y disperso en la arena, a sus espaldas.

Al segundo día, ya tarde, cruzaron lo que parecía un camino permanente, lo más similar a una carretera que habían visto desde que estuvieron en Ma'an. Había estado claramente en uso durante algún tiempo y tenía profundas huellas de pies y pezuñas. La arena lo había cubierto en algunos puntos, probablemente durante la reciente tormenta, pero estaba demasiado marcado para ser fácilmente tapado.

—El camino de baldosas amarillas —dijo Leyla.

Scholem sonrió y después arrugó la frente en rápida sucesión.

—Sí —dijo—. Pero ¿qué o quién aguarda al final? Desde luego no será el mago de Oz.

—Creo que, de todos modos, deberíamos seguirlo.

Él asintió.

—De acuerdo. No tenemos demasiada elección.

Siguiendo el camino, la marcha fue más fácil para ellos. Más fácil, pero también más peligrosa. Si alguien caminaba por él, ya fuera de ida o de vuelta, vería irremediablemente a Scholem y a Leyla. El camino era casi recto, dando vueltas a veces para evitar grandes obstáculos, tales como dunas o depresiones. Era más antiguo de lo que en un principio habían pensado. A intervalos, pasaban junto a columnas de arenisca seca, encima de las cuales se alzaban unas altas figuras, aunque era imposible distinguir si se trataba de hombres, ángeles o demonios, de tan desgastadas como estaban.

Aquella noche yacieron juntos, acurrucados en un pequeño agujero que habían practicado en la arena, a unos setenta metros de la carretera. Había luna, lisa y de una palidez mortal, sobre un cielo negro como el carbón, pero estaban demasiado cansados para continuar caminando. Scholem tenía a Leyla fuertemente cogida, respirando suavemente, incapaz de dormir. Un rayo de luna le mostraba su rostro: sucio, descolorido y el cabello sin lavar. Parecía casi escuálida, y su belleza se había convertido en fealdad a causa del hambre y el agotamiento. El desierto la había enflaquecido, quemando la suave carne, reduciéndola, llevándose todo lo que era superfluo. Él la deseaba, pero, igual que el cuerpo de ella, su deseo había sido debilitado y disminuido por el desierto, hasta que ya no le quedaron fuerzas. Yacían encogidos en la fría y oscura arena, privados incluso de la pasión, con sus cuerpos y mentes vacíos de emociones y sensaciones. Una oscura sombra de desesperación cayó sobre él, desgarrada entre el deseo y la falta de habilidad para expresarlo incluso como necesidad. El desierto había penetrado en él: ya no se movía por el desierto, sino que éste se movía por su interior. Abrazó a Leyla con desesperación, con las manos sobre sus estrechas y salientes caderas, y la cabeza apretada contra su espalda. Estuvieron así echados hasta que la noche se llevó todos los sentimientos y todo el dolor. Si había un Dios, éste prefería acechar en la oscuridad, oculto a la vista.

Por la mañana comieron y bebieron un poco antes de ponerse en marcha de nuevo por aquel camino de camellos. Hacia el mediodía Leyla divisó algo en la distancia. Durante un tiempo, el sol había estado saliendo por encima de las dunas, que al principio ella tomó por altas colinas. Más tarde, aquello se desvaneció durante un tiempo después de que el camino se internara en un desfiladero de altas dunas, para reaparecer, más grandes y agudas que antes. Fuera lo que fuese, no eran colinas ni tampoco arena. Desde la distancia se veía muy negro y grande.

Las columnas se hicieron más frecuentes, apareciendo cada centenar de metros. Algunas de las figuras que se veían tenían alas dobladas, pero no se distinguían los rasgos de ninguna. Era como una tumba egipcia en la cual los sacerdotes han desfigurado el rostro de un rey cuyas blasfemias han ultrajado a los dioses y ha sido condenado al olvido.

Continuaron caminando, escuchando atentamente el sonido de pasos o voces que pudieran alertarlos a tiempo de la proximidad de un jinete o de un grupo de jinetes del otro lado de la duna siguiente. Una o dos veces, las columnas desaparecieron y el camino giraba abruptamente a derecha o izquierda, evidencia de que aquí y allí las arenas se habían movido durante siglos.

A medida que se acercaban, Scholem sugirió que salieran del camino y caminaran indirectamente, rodeando las dunas. Eso los atrasaría considerablemente, pero ambos habían comenzado a inquietarse. Fuera lo que fuese lo que les aguardaba, podía estar vigilado.

Y así era. Al dar la vuelta a la base de una elevada duna, Scholem agarró a Leyla y, sin miramientos, la obligó a agacharse, arrojándose después él mismo al suelo.

—¿Qué estás...? —comenzó ella, interrumpiéndose al ver la cara de Scholem.

—Shhh —siseó él, señalando con un gesto la cima de la duna más cercana. Se arrastró hacia Leyla y le susurró al oído—: Allí arriba hay alguien. Creo que no nos ha visto. Quédate aquí agachada. Voy a ver.

Reptó por el pie de la duna hasta llegar a una esquina, y comenzó a escarbar en la arena hasta formar un agujero a través del cual podía mirar. El hombre se hallaba en pie, de perfil, recortado contra el horizonte. Iba vestido con ropas de beduino, de negro. Llevaba una ametralladora colgada al hombro de una tira y en la mano izquierda tenía un walkie-talkie por el cual hablaba en aquel momento. Parecía tranquilo y Scholem estaba casi seguro de que no los había visto.

Scholem se deslizó de nuevo hasta la duna donde aguardaba Leyla.

—Es una especie de guardia —susurró—. Va armado y tiene una radio. Por lo visto habrá uno como él en cada duna a partir de aquí. Si esto es Iram, hay un cordón alrededor.

—¿Has visto la ciudad?

—Todavía no, pero debe de estar muy cerca.

—¿Cómo haremos para burlar a los guardias? —Leyla estaba cansada. Ahora deseaba llegar a Iram, saber que el viaje había concluido. Si estar allí significaba la muerte, deseaba abrazarla de la misma forma que hubiera abrazado a Scholem la noche anterior si éste lo hubiera pedido, directamente, sin caricias.

—Esperaremos a que oscurezca —dijo—. Tal vez podremos deslizarnos entre ellos o sorprender al guardia por detrás. Si al-Halabi estaba en lo cierto, jamás podremos cruzar el campo abierto hasta la ciudad a la luz del día.

Leyla suspiró. Deseaba ver la ciudad. La había obsesionado durante tanto tiempo, envenenándole la sangre, invadiendo sus sueños...

—¿No deberíamos reconocer el terreno antes de seguir —preguntó— para ver qué nos espera?

Era razonable. Si se perdían o encontraban un obstáculo inesperado, sería fatal. Hasta el momento no habían pensado ningún plan, ninguna idea clara de lo que deberían hacer, más que encontrar el camino de Iram, localizar a David y tratar de salir. Sus armas se habían perdido irremediablemente con los camellos; no contaban con ningún medio de transporte, ningún modo de poder escapar: si les cogían, no podrían luchar, y si les perseguían no podrían escapar. Era un juego fútil: pero ¿qué otra cosa podían hacer, adónde podían ir?

—Muy bien —dijo Scholem—. Echaremos un vistazo. ¿Alguna idea?

—Podemos deshacernos del guardia —respondió ella—. Pero, si lo hacemos, tendremos que darnos prisa en entrar antes de que alguien dé la alarma.

—Demasiado arriesgado. ¿No podemos distraerle?

Leyla reflexionó. Parecía imposible, pero debía haber algún modo. Entonces recordó algo que había visto una vez en el Sinaí, un truco de niños. Habría que correr algún riesgo, pero podría resultar.

—¿Has visto algún camello? —preguntó ella.

—No —dijo Scholem—. Si ha venido con alguno, lo habrá dejado al pie de la duna.

—Voy a ver. ¿Tienes todavía la caja de cerillas?

Ella captó su mirada de asombro.

—Sí —respondió él—. Aquí. —Se metió la mano entre la ropa y sacó la caja. Leyla la cogió.

—Espérate aquí —dijo—. Si crees que me ha visto, aléjate.

No dijo nada más. Se escurrió junto a la duna como una sombra, avanzando cautelosamente palmo a palmo. El guardia no estaría al acecho. Le sorprendía que hubiera alguno en un lugar donde nadie ponía los pies. Rodeó la duna por un lado. El camello estaba allí, tal y como ella esperaba, echado, pastando tranquilamente. Pero el animal apenas si atrajo su atención; era algo irrelevante, una distracción. Se quedó helada, inmóvil. Allí estaba: Iram y la gran llanura que la rodeaba. Era más grande, más alta y más cruel de lo que se había imaginado. Apartó la mirada, por temor a perder más tiempo.

Con gran precaución, se aproximó al animal por detrás. Sacó las cerillas de la caja y las sujetó formando un manojo atadas con una larga tira de su *ghotra.* Después, cuidando de no espantarlo, tocó suavemente las posaderas del camello. Éste volvió la cabeza, mirándola, medio alarmado. Estaba atado con una cuerda por la pata izquierda. Ella alargó la mano y deshizo el nudo, dejando que la cuerda cayera hasta el suelo. Agarró la cola del camello, la levantó y le introdujo el manojo de cerillas en el ano. La bestia lanzó un gruñido de protesta, pero siguió sentado. Leyla cogió la última cerilla y la frotó contra la caja pero no se encendió. Volvió a frotarla sin éxito. El camello bramó. Leyla sostuvo fuertemente la caja y la frotó contra las cabezas de las cerillas del manojo que estaban bajo la cola del animal. Tres o cuatro chisporrotearon y se encendieron, prendiendo el resto sucesivamente. Las dejó arder un instante y dejó caer la cola del camello. En cuanto la cola tocó las llamas, la bestia bramó fuertemente y se puso en pie. Leyla le dio una fuerte palmada en el flanco y se dirigió a toda prisa tras la duna.

Con el corazón latiendo aceleradamente, permaneció observando por encima del borde de la colina.

—¡Corre, bastardo! —murmuró—. ¡Corre!

El camello echó a correr, levantando la cola para alejarla de las llamas, dando bramidos y traspiés por la arena, alejándose de Leyla. Momentos después, ésta vio al guardia que corría ladera abajo gritando y moviendo los brazos. Las cerillas se apagarían de un momento a otro, pero el camello seguiría corriendo. Ya estaba bastante asustado, y eso le provocaría la evacuación: no quedaría ni rastro de las cerillas.

Leyla corrió junto a Scholem.

—Ha funcionado —dijo.

—¿Qué has hecho? —preguntó él.

—Ya te lo contaré más tarde —dijo ella—. Vamos, no tenemos mucho tiempo.

Regresaron al lugar donde acababa de estar Leyla.

Había una neblina baja, a ras del suelo. Un viento incipiente la removía por la llanura. El llano de sal se extendía a lo largo de más de tres kilómetros en todas direcciones, gris, liso y frío, y en el centro se hallaba Iram. Un monstruo de la naturaleza, una formación con apariencia de mesa de arenisca negra se alzaba cientos de metros en el aire. Era irregular, tanto de altura como de silueta, rota y fisurada por algunos puntos, inmensamente vieja. En el pasado distante, varias inundaciones regulares habían erosionado la mitad inferior de la roca, trazando en ella las formas de toscas y desiguales columnas, algunas de un grosor de varios metros, otras finas y de frágil apariencia: las Columnas de Iram.

Incluso desde la distancia podían apreciar cómo la mano del hombre había transformado la roca viva, formando terraplenes y apuntalándola, adornándola con porches, cornisas y columnillas; viejas cavernas moldeadas por el viento habían sido ampliadas y embellecidas con puertas y entradas. A lo largo de las columnas más gruesas discurrían varias escaleras que se extendían por la fachada de la roca, excavadas profundamente en ella, empinadas y peligrosas. Unas ranuras acanaladas se hallaban dispuestas para recoger las lluvias invernales y conducirlas hasta unos pequeños depósitos que había más abajo, donde se almacenaban para ser utilizadas en verano. La piedra roja había sido trabajada, pulida y excavada en túneles en una elaboración de siglos. El estilo era una compleja mezcla de helenístico y antiguo babilónico, como la combinación de un zigurat y Petra, gigante pero refinada.

Alrededor de la roca central de Iram, el llano se hallaba provisto de pequeños edificios, erigidos a partir de la piedra en el curso de la excavación de los propios túneles. La mayoría se encontraban en estado ruinoso y yacían en medio de una confusión, parcialmente cubiertos por montoncillos de tierra suelta. El camino conducía como una flecha hasta la ciudad, desembocando en la entrada de una enorme escalera flanqueada por grandes leones de piedra. Durante todo el tramo que cruzaba el llano hasta Iram, el camino se hallaba flanqueado por altas estatuas aladas, similares a las que ya habían visto anteriormente, pero en mejores condiciones, y con las alas extendidas. La gris neblina se deslizaba de manera enfermiza a sus pies y daba la sensación de que se hallaran suspendidas como si flotaran en el aire gracias a sus extendidas e inmóviles alas. Más allá de las figuras, Scholem y Leyla pudieron distinguir varias filas de lo que aparentaban ser agujeros: posiblemente pozos, o tal vez excavaciones de algún tipo. Cerca de ellos se alzaban aquí y allá unos postes metálicos, el uso de los cuales no acertaron a adivinar. Un grupo de camellos paseaba por allí, consumiendo la vegetación que les habían dejado en unas antiguas cuencas de arenisca o bebiendo agua de los abrevaderos.

Otearon el llano durante todo el tiempo que se atrevieron, grabando en sus mentes la situación de los agujeros, postes y edificios y la configuración de la propia roca. Tan sólo una observación más cercana y prolongada podría revelarles cuáles eran las entradas menos utilizadas, que serían el camino más fácil y seguro para acceder a la ciudad. Sólo el diablo podría ayudarles después a encontrar la salida. El guardia había conseguido atrapar a su camello y volvía montado sobre él; el animal parecía tembloroso y bramaba de vez en cuando. Era comprensible. Leyla y Scholem se ocultaron de la vista, refugiándose tras la duna más distante, alejados del borde del llano.

El agua casi se les había acabado y el avinagrado vino era demasiado fuerte para beberlo solo. En sus débiles condiciones, les provocaría mareos y delirios. Mezclaron un poco con lo que les quedaba de agua y lo tomaron a sorbos. Si volvían a beber alguna vez, sería en los confines de Iram.

La noche cayó rápida y completamente, cubriéndolos de una oscuridad húmeda y bochornosa. Rogaron porque no hubiera luna, ya que, de otro modo, no podrían esperar cruzar el llano a cielo descubierto sin ser vistos. Aguardaron cuatro horas consumiendo el tiempo hasta que cesara toda actividad en Iram. Hacia medianoche comenzaron a moverse. Volvieron con cautela a la duna desde detrás de la cual habían contemplado el llano aquella tarde. El guardia, o el que lo había relevado, todavía estaba allí: una silueta negra recortada contra la oscura línea del cielo. No debería ser visible en absoluto. Leyla se deslizó junto a la duna y echó una ojeada. Por todo el llano, varias fogatas pequeñas ardían sobre los postes, rojas, verdes y blancas, proyectando un extraño brillo sobre todas las cosas, otorgando apariencia de vida a las figuras aladas y un aura de diabólica ira a toda la llanura de sal. En las ventanas de Iram ardían unas luces amarillentas, macabras e irreales, como las velas de una calabaza en Halloween.

No tenían alternativa: tendrían que correr el riesgo. Tomando una ruta serpenteante lograrían mantenerse a distancia de los postes encendidos y tal vez evitarían llamar la atención. Uno tras otro, se lanzaron hacia la roja oscuridad y comenzaron la última y más peligrosa etapa de su viaje. Se sentían desnudos y vulnerables, dispuestos a oír en cualquier momento un grito de alerta. Paso a paso, se deslizaron por la parpadeante oscuridad. El corazón de Leyla latía aceleradamente. Tenía la boca seca; intentó tragar, pero no pudo. Se sentía como si caminara sobre cola líquida, sujeta al suelo a cada paso, incapaz de echar a correr para esconderse.

No tenían ni idea de cómo lo lograron, pero después de lo que les pareció una eternidad, alcanzaron la sombra de una gruesa columna cercana al extremo norte de la ciudad. Iram se alzaba ante ellos, ocultando el cielo de su vista con su enorme volumen. Se habían dirigido hacia allí porque parecía haber menos luces. La escalera que se alzaba sobre sus cabezas se hallaba sin iluminación, ascendiendo gradualmente en la oscuridad, una oscuridad más profunda y amenazadora que la de la noche por la cual acababan de cruzar.

Scholem abrió la marcha hacia arriba. Los escalones de piedra eran toscos, excavados profundamente en la columna, sin barandilla o asideros de ningún tipo. Tenían que aplastarse fuertemente contra la fachada de la columna, ascendiendo al tacto, como montañeros ciegos sin cuerdas ni ganchos de hierro. Arriba, una trampilla de madera les cortaba el paso. Scholem la empujó, temiendo que estuviera cerrada por dentro. Pero no era así. Cedió a su empujón, chirriando sobre sus goznes sin engrasar, y se alzó. Un fino hilillo de luz brilló en la abertura, amarillo, como una luz espectral en medio de un pantano en invierno. Scholem pasó la cabeza por la abertura. Vio un pasillo que se extendía desde aquella entrada, iluminado a intervalos por unas curiosas lámparas dispuestas a lo largo de las paredes. Parecía vacío. Trepó hasta la abertura y saltó al interior sobre un suelo liso y embaldosado. De pronto, se quedó helado. Oyó a sus espaldas el sonido de unas fuertes pisadas. Una voz preguntó en voz alta:

—*Was machen Sie da?*

A Scholem se le encogió el corazón. Oscuros recuerdos de su infancia salieron de su escondite y le dejaron estupefacto. La pregunta brotó en aquel tono ¡y en aquella lengua! Volvió a oír la voz.

—*Drehen Sie sich herum!*

Por todo el pasillo no veía más que luz. Su madre había echado a andar por una largo pasillo como aquél, helado, embaldosado de blanco, y jamás la volvió a ver. La voz insistió. Hizo lo que le pedía; se dio la vuelta.

Un hombre vestido con ropas negras se hallaba frente a él; un pequeño revólver reposaba en una de sus manos. Las ropas eran árabes, pero inusualmente limpias, más parecidas a un uniforme que al vestido informal de los beduinos. Sus cabellos eran rubios, con un tono sucio, matizado por el sol, pero inconfundible. Unos ojos azules le miraban fijamente. El hombre caminó hacia él, sujetando el revólver con manos fuertes aunque nerviosas. Un leve temblor recorrió su mejilla izquierda y se apagó.

—*Woher kommen Sie? Sprechen Sie Mal schnell.*

La mano de Leyla apareció por debajo y agarró con fuerza el tobillo del hombre. Dio un estirón hacia atrás haciendo caer al hombre encima de Scholem con un gruñido de dolor. Scholem se sintió momentáneamente aturdido y después, recobrando los reflejos, el horror de hacía unos instantes desapareció. Alargó una mano para coger el revólver del hombre arrebatándoselo por el cañón y lo hizo resbalar por encima de las baldosas con un ruido metálico. El hombre tomó aliento para gritar pidiendo ayuda. Antes de que pudiera pronunciar una sola palabra, Scholem le plantó la mano derecha en plena boca. El guardia sintió náuseas y luchó tratando de ponerse en pie. Scholem se balanceó desesperadamente, arrojando todo su peso sobre el pecho de su oponente, con la mano aún sobre su boca.

Leyla penetró a través de la abertura y se lanzó contra las piernas del hombre. No era un hombre grande, pero tenía una fuerza que la cogió por sorpresa. Su rostro se hallaba contraído de dolor y frustración, y sus grandes ojos parecían ir a saltarle de las órbitas mientras Scholem le impedía con la mano respirar correctamente.

—El cuchillo —silbó Leyla—. Por Dios, usa el cuchillo.

Scholem jamás había matado a un hombre a aquella distancia. En una lucha armada con terroristas, tres o cuatro veces; en arrestos fronterizos, a menudo; en la guerra, muchas veces, pero con un cuchillo, cara a cara, jamás. Se metió una mano entre las ropas y sacó el cuchillo. El hombre lo vio y renovó sus esfuerzos, pateando, tratando desesperadamente de gritar. Mordió a Scholem fuertemente en la mano derecha, hincando sus dientes en la carne, derrochando su frenética fuerza en aquel mordisco. Scholem le puso el filo del cuchillo en la garganta, aquella garganta que parecía tan inocente, tan poco merecedora de una carnicería. El hombre disparó una rodilla hacia arriba alcanzando a Leyla en las costillas. Ésta se tambaleó, pero apretó aún más fuerte con su cuerpo. El hombre gruñía como un cerdo que sabe que está a punto de ser sacrificado, mordiendo la mano de Scholem con frenesí. Scholem deseaba gritar a causa del dolor que le producía el mordisco, pero luchó por tragárselo, como la bilis, amarga y áspera.

Cortó con el cuchillo la desesperada garganta en movimiento, a través de las tensas y oscuras venas. La hoja estaba oxidada y sin afilar, prácticamente inútil. Tan sólo consiguió provocar un corte superficial a un lado del cuello, poco más que una herida de poca importancia, de la cual comenzó a brotar un fino hilillo de sangre acuosa. El rostro del hombre se estaba volviendo azulado y sus hinchados ojos revelaban un gran pánico. Sus brazos se movían convulsivamente, pero Scholem los aprisionaba con su peso, inmovilizándole igual que Abraham hizo con Isaac, mientras serraba enloquecido su cuello con el cuchillo desafilado. Éste comenzó a cortar más profundamente, pero muy despacio. Se deslizaba por la carne fresca sin penetrar demasiado. La sangre salpicó los dedos de Scholem mientras éste proseguía inútilmente su acción.

—¡La punta! —le gritó Leyla, desesperada, sabiendo que no podría contener al hombre mucho más tiempo.

Scholem dio la vuelta al cuchillo y colocó la punta contra el lado del cuello. Era difícil encontrar un sitio donde se pudiera presionar. Apretó. La punta rehusó entrar, y la curtida piel parecía resistir, pero finalmente cedió y el cuchillo se hincó con dificultad destrozando los tensos músculos. El cuerpo del guardia subía y bajaba y su boca producía unos sonidos horribles. Algo espeso y viscoso cayó sobre la mano de Scholem cuando el hombre vomitó. Apretó el cuchillo más fuerte, encontrando un punto de apoyo, hincándolo más y más en su cuello. Sus miembros se movían convulsivamente. De repente, las manos del hombre se liberaron, y agarró a Scholem por el cuello atrayendo su rostro hacia el suyo. La mano derecha de Scholem abandonó la boca de su víctima. Soltó el cuchillo, dejándolo clavado en el amasijo sanguinolento del cuello. El hombre sentía náuseas y trataba de respirar, deseoso de vivir, deseoso de gritar en su agonía. Ahogándose, arrojó sangre y vómitos; se moría. Sus manos, sin vida, soltaron la garganta de Scholem.

Permanecieron junto al cuerpo durante lo que les pareció una eternidad, aunque no fueron más que un par de minutos. Cuando Leyla alzó la vista, vio a Scholem inclinado sobre el cuerpo, como si lo abrazara. Le cogió y le ayudó a ponerse en pie. Su mano sangraba profusamente por el sitio donde el hombre le había mordido. Leyla rasgó una tira de tela del dobladillo de su *dishdasha,* hizo un rústico vendaje y lo enrolló con fuerza alrededor de la mano.

—Es como mejor sé hacerlo —dijo—. ¿Puedes mover la mano?

—No muy bien, pero servirá.

—Vamos a quitarnos esto de encima —dijo arrastrando el cadáver por las piernas hasta la abertura por la cual habían entrado a la ciudad. Con el brazo izquierdo, Scholem la ayudó. Tiraron al guardia por el agujero y bajaron la trampilla para cerrarla. Con suerte, el cuerpo se quedaría allí sin ser descubierto hasta la mañana siguiente o más tarde. Tal vez alguien echara de menos al guardia al poco rato, pero no alzarían una protesta inmediatamente. A menos que alguien viera la sangre que se hallaba en el suelo formando un charco.

Scholem recogió el cuchillo que había caído del cuello del hombre y tropezó con la ametralladora que éste transportaba.

—Aquí tienes —dijo alargándosela a Leyla—. Mejor que la lleves tú. Mi mano es prácticamente inútil para manejar algo así.

Leyla cogió el arma y miró hacia el largo y aséptico pasillo.

—Salgamos de aquí —dijo.

Se encaminaron hacia la derecha, en la dirección que les conduciría a la ciudad. Estaban en Iram, pero aún tenían que localizar a David y volver a salir.

Tras ellos, el charco de sangre se congeló a causa del frío aire de la noche.

CAPÍTULO 44

Las manos de Scholem estaban aún pegajosas e impregnadas de sangre medio seca. Se las restregó contra su *'aba,* pero la sangre no parecía irse del todo. Le dolía terriblemente la mano derecha, y su propia sangre se mezclaba con la de su víctima. Notaba el olor a sudor que se le había quedado pegado al cuerpo y a la ropa; su esencia se había intensificado en el interior de la ciudad, combinándose con los curiosos olores de la propia Iram. La ciudad desprendía un montón de olores indefinibles, fantasmas de perfumes y especias, rastros de canela, casia, incienso y mirra. ¿Habría sido Iram alguna vez un almacén en la ruta mercantil desde el «aromático sur» de Arabia hacia el norte, un depósito de perfumes del Yemen y de especias de la lejana India? Scholem aspiró profundamente, pero no pudo librar a su nariz del agrio olor a sudor. Ni tampoco podía evitar la sensación de que la delicadeza de aquellos olores fantasmales, a veces tan sutiles que parecían casi no estar allí, si no ser una mera impresión de su mente, ocultaban otro perfume más profundo y oscuro, una suave esencia de decaimiento y corrupción, de muerte antigua.

Los pasillos por los cuales caminaban Leyla y él estaban desiertos, privados de vida. Sus pies no arrancaban ningún sonido de la fría piedra. A cada recodo del pasillo esperaban ser descubiertos, pero no había nadie. Evidentemente había guardias a la entrada, pero en ningún otro sitio... por el momento. Desde fuera, Iram parecía enormemente grande e inexpugnable. Pero ahora que se hallaban dentro, se había convertido en un complejo laberinto de pasadizos con y sin luz, en los cuales. Se encontraban irremisiblemente perdidos. Si no hubiese sido por los guardias del exterior, hubieran creído estar solos.

Habían cogido sendas lámparas de aceite que se hallaban en la pared, cerca del lugar por donde habían entrado a la ciudad, y en aquellos momentos la luz demostraba ser necesaria. Leyla fue la primera en notar que las lámparas cada vez se hacían menos frecuentes. Presumiblemente algunas partes de la ciudad eran de menor uso que otras.

No sabrían decir exactamente cuándo fue, pero finalmente se hizo evidente que, aparte de las pequeñas lámparas que llevaban en las manos, se hallaban sumidos en una oscuridad total. El túnel en que habían penetrado tenía aspecto de ser más viejo y estrecho que cualquiera de los otros por donde habían pasado y una corriente húmeda les llegaba desde alguna parte. Leyla sostuvo la lámpara en alto y alumbró alrededor. Se encontraban en una especie de antiguo bazar, con tiendas a cada lado, sencillas aberturas excavadas en la roca y a varios palmos del suelo, igual que las tiendas de cualquier mercado árabe tradicional. Leyla se acercó a la primera tienda a su izquierda y la examinó. Lanzó un silbido de asombro.

La tienda todavía estaba repleta de mercancías. Grandes cacharros y jarrones, platos lisos, pequeños frascos de perfume o aceite, lámparas de arcilla, toda la oferta del negocio de un alfarero. Allí estaba también el taburete donde debía de sentarse el encargado de la tienda, todavía en su sitio, un poco carcomido, pero intacto, y había algo que parecía un antiguo narguile, en el cual debían de haber fumado algo que no era tabaco. Casi no había polvo. Todo parecía casi original, intocado por el hombre durante siglos. La tienda de al lado era igual, y las demás, cada una repleta de mercancías como en espera del regreso del dueño que reemprendería el negocio y de los clientes que vendrían a husmear. Las lámparas que llevaban en las manos iluminaron la gran variedad de objetos: figurines, joyas, instrumentos de escritura, cuchillos, canastillas, evocando sombras entre ellos, como fantasmas. Leyla se estremeció. En una de las tiendas había varios modelos de animalillos, pequeñas figuras de hombres y mujeres, casitas y peonzas de colores brillantes, juguetes de niños que habían muerto hacía mucho tiempo. Leyla se volvió hacia Scholem.

—No me gusta esto —dijo—. Me pone la carne de gallina.

—A mí también —confesó él—. Es como uno de esos museos en los que lo ponen todo de una manera que parece que hayas regresado al pasado, a una vieja habitación, o a una tienda... Sólo que esto es real.

Cogió uno de los juguetes, un camello en miniatura con alforjas de piel. Su hija Ruth tuvo un zoo una vez, completo, con leones, tigres y un cocodrilo verde y largo que abría las mandíbulas.

También había un camello, con un cuello muy largo y dos jorobas. El animal del zoo de Ruth era de plástico, y el que él tenía en la mano estaba tallado en madera. Todos eran iguales: los juguetes abandonados de niños muertos. Dejó el camello.

Salieron a toda prisa, asegurándose de que el aire no apagara sus lámparas. A poca distancia, las tiendas daban paso a lo que parecían ser unas viviendas, con las puertas rotas, revelando su interior, amplio y oscuro. Entraron en una de las casas cruzando el umbral con la sensación de ser intrusos. Igual que en las tiendas, todo estaba intacto: mesas, sillas y bajas camas doradas. En una habitación trasera con aspecto de caja, de tamaño reducido, había varios utensilios de cocina, y un montón de cenizas en el pequeño hogar, sobre el cual se veía una abertura estrecha, probablemente una chimenea que discurriría por la sólida roca hasta el exterior. Leyla permaneció hipnotizada en la habitación; era como si hubiera dado un paso hacia el pasado, como si el siglo XX y todo lo que éste contiene hubieran sido barridos. Cruzó la habitación hacia una puerta baja y la abrió.

En la habitación contigua se hallaban los últimos habitantes de la casa, acurrucados en un rincón como si hubieran muerto lentamente, uno en brazos del otro. La carne se había podrido hacía largo tiempo, pero todavía había algunos jirones de ropa pegados a los blancos huesos. El mal olor era muy fuerte en la habitación. Leyla cerró la puerta y se apartó de ella, de la habitación, de la casa.

Entraron en media docena de casas, todas ellas con el mismo melancólico orden de trivialidad doméstica suspendido en el tiempo, inmutable como si fuera incorrompible, todas con los huesos de sus habitantes originales y el amargo olor de sus muertes flotando en el ambiente, como un vapor en el rancio y cargado aire. Un sentimiento de vacío creciente invadía todas las cosas. ¿Qué había matado a la gente de Iram? ¿Una plaga, un virus introducido en la ciudad por un cargamento de incienso, el hedor de una enfermedad, cubierto por montañas ingentes de resina de dulce olor? ¿Suicidio colectivo, familias enteras compartiendo un frasco de veneno? Leyla se sintió deprimida. La ciudad parecía una enorme tumba de piedra, una necrópolis de la cual se había barrido todo, excepto huesos suavemente corruptos. ¿Qué podía lograr allí? ¿A quién le importaba?

—Aquí no hay nada, Chaim —dijo mientras su voz arrancaba monótonos ecos de las frías paredes de las estancias—. Tenemos que encontrar una salida. Tenemos que encontrar a David. Podríamos morir aquí y nadie lo sabría jamás.

—Nos estarán buscando muy pronto —dijo él—, tan pronto como descubran al hombre que he matado. No podemos perder tiempo. Pero tampoco podemos precipitarnos. Tratemos de salir de este sector y cazar a alguien que sepa decirnos dónde está David.

Al poco rato dejaron atrás aquel sector de viviendas para entrar en un mundo aún más extraño de oscuros túneles naturales, extendidos y ensanchados sin ninguna razón aparente. Tal vez aquélla era una región preparada para más viviendas cuando se precipitó el desastre. Tal vez un poco más de luz revelaría una función que quedaba oculta en la oscuridad. Se oían siniestros y escurridizos sonidos y ecos vagos y distorsionados que parecían venir de muy lejos y que, sin embargo, en ocasiones sonaban muy cercanos y amenazadores. Leyla estaba al borde del pánico, aterrorizada con la idea de que se les apagaran las lámparas y quedasen perdidos para siempre en aquel laberinto de túneles. Hubiese sido más sensato apagar una de las lámparas para ahorrar aceite, pero el riesgo de continuar con una sola luz entre ellos y la oscuridad final espantaba a ambos. Se cogieron fuertemente de la mano, más por reconfortarse que por necesidad.

Súbitamente aparecieron nichos en las paredes, nichos horizontales que se alzaban dispuestos en filas hasta el alto techo, que se hallaba fuera del alcance de la vista. Su forma y tamaño hacía evidente cuál había sido su uso. Un poco más allá, Leyla descubrió el primer cuerpo, momificado y envuelto en un sudario liso de color blanco. Pasaron junto a filas y filas de cuerpos, rígidos, cubiertos de telarañas, sin ojos, montones mohosos de cuerpos extendiéndose a lo lejos sin fin. Otros pasillos laterales albergaban más, cientos, miles, generaciones de muertos olvidados. Unas pequeñas placas de piedra contenían inscripciones en una escritura hebrea que ni Scholem ni Leyla podían leer, tan indescifrables como los muertos que conmemoraban. En algunos de los cuerpos, pequeñas joyas reflejaban la luz, y finas tiras de oro brillaban como rizos desgranados a su paso con las lámparas: durante todos los siglos de existencia de Iram, los cuerpos de los muertos habían permanecido inviolados, inmunes a la depredación de los saqueadores de tumbas, perfectos en su decaimiento ornamentado. Otros tenían aún unos pequeños ramilletes de flores marchitas entre las blanquecinas manos. Leyla se preguntó de dónde procederían aquellas flores, en aquellas inhóspitas profundidades de las arenas. Vio una niña con una muñeca de madera, con la cara contraída en una mueca de pánico, como si soñara una interminable pesadilla, igual que las momias mexicanas que Leyla había visto en fotografías.

El sentimiento de pánico comenzó a crecer alarmantemente en el interior de Leyla. La combinación de la ubicua oscuridad, de los altos y opresivos túneles y de las interminables hileras de muertos con horribles muecas provocaron en ella una sensación de sofoco y constricción. Sintió que la atenazaba la claustrofobia y una desesperada necesidad de echar a correr y no parar hasta que se viera libre de aquella oscuridad opresiva. Tomó la mano de Scholem convulsivamente, colgándose de él en busca de algún tipo de apoyo reconfortante. Él caminaba a su lado casi enfermo, supersticioso a pesar de todo, mientras la ansiedad le iba ganando, como si hubiera sido condenado a vagar por la oscuridad de aquellos pasillos de olor dulce para siempre.

De repente Leyla dio un respingo y apretó la mano de Scholem.

—Veo una luz —susurró—. En alguna parte por allá arriba.

—Yo no veo nada.

—Es muy débil, pero estoy segura de que está. Sigamos.

Aceleraron el paso, ignorando a la silenciosa cohorte de los lados. Finalmente Scholem también vio la luz, un pálido reflejo rojizo al borde de su campo visual. La luz se iba haciendo más intensa a medida que avanzaban, hasta que por fin divisaron una entrada monumental de la cual salía el resplandor rojo. Con creciente precaución, se aproximarom, sintiéndose tan nerviosos a causa de la luz como antes lo estuvieron por la oscuridad. La entrada, de seis metros o más, se alzaba en las sombras, flanqueada por altas columnas rematadas con brillantes baldosas de cerámica y coronada por un entablamento gigantesco cuyos detalles no podían distinguir. Las baldosas estaban decoradas con numerosos motivos, toros, dragones, y figuras voladoras idénticas a las de los pedestales que habían visto anteriormente. Leyla quitó el seguro a la ametralladora y la sostuvo lista para abrir fuego. Como soldados de juguete, empequeñecidos por las enormes columnas, pasaron a través de la puerta.

La estancia donde se encontraban era de proporciones incomparables a todo lo que habían visto antes. La entrada había sido un mero anuncio de sus dimensiones. Ambos supieron instintivamente, y David lo habría confirmado de haber estado allí, que jamás en la antigüedad había habido una estancia como aquélla. En el centro se alzaba una inmensa columna, que se perdía en las sombras que ocultaban el techo. Debía de medir más de tres metros de diámetro, lo mismo que el tronco de un árbol gigante. Altas pilastras sin decoración flanqueaban las paredes. Al pie de cada pilastra había una pequeña abertura circular en el suelo, de la cual provenía un resplandor entre rojo y dorado de algún punto de las profundidades. La luz oscilaba y cambiaba, proyectando sombras enloquecidas en las paredes, ya descubriendo, ya ocultando una serie de estatuillas que se hallaban colocadas en pequeños nichos a la altura de la cabeza. Las caras aparecían y desaparecían al azar, los ojos les miraban fijamente durante un instante y se ocultaban de nuevo, y la habitación entera era una sombra en movimiento jugando con imágenes de pesadilla. Se hallaba desierta y silenciosa, con las luces vacilantes, como si aguardara su llegada.

Un tramo de doce escalones los condujo al nivel del suelo. A medida que descendían se iban sintiendo más y más pequeños, convertidos en insignificantes por la enormidad repleta de ecos que les rodeaba. El extremo más alejado se hallaba prácticamente sumido en la oscuridad, ya que las luces subterráneas no llegaban hasta allí. Leyla se mareó al mirar al techo. Se sintió más sola allí que en las desiertas calles o en los largos pasadizos de los muertos. Algo en aquel lugar le producía escalofríos. A su alrededor las paredes desnudas se cernían amenazadoramente, oscurecidas y manchadas por el tiempo y el hollín de los fuegos que ardían debajo. Era una grandiosidad sin sentimiento, fría, de una arrogancia matemática, sin calidez. Daba la sensación de ser viejo y apagado, como una tumba después de largo tiempo en desuso, abandonada por completo a los elementos y a los muertos. Las paredes se habían desconchado por algunas partes, descubriendo la roca bajo la superficie ennegrecida.

Leyla quería volver sobre sus pasos, retroceder por los largos pasillos de los muertos hasta encontrar la entrada y salir al aire fresco del desierto nuevamente. Sus pulmones se hallaban irritados por la rancia y enrarecida atmósfera de aquel lugar, y se sentía inquieta, como si una presencia invisible se cerniera sobre ellos en aquella vasta y espaciosa estancia. No era supersticiosa. No creía en nada fuera de ella: ni en Dios ni en ángeles, fantasmas o *jinn.* Pero allí era como si el propio lugar se burlara de su incredulidad introduciendo pequeñas insinuaciones de una enfermiza vida después de la vida en su cerebro. Su razón se sintió afectada por la enormidad que la rodeaba. Alargó una mano y tocó a Scholem, entrelazando sus dedos con los de él, que sangrantes y vendados, dejaron sentir una humedad al tacto de ella como un fino rastro de sangre secreta entre la piel de ambos.

Se movieron con dificultad en medio de aquella oscuridad parpadeante. Algo oculto en las sombras parecía amenazarlos, pero era inútil que Scholem moviera la lámpara, no lograban descubrir nada, excepto más sombras, pálidos gestos contra la roja y agitada oscuridad. Las verdaderas dimensiones de la caverna eran invisibles a sus ojos, pero podían sentir su presencia impresionante y su quietud como si fueran tangibles, algo viejo, insomne y mensurable. Mientras las sombras se inclinaban y retorcían alrededor de ellos, vislumbraron unas curiosas siluetas que colgaban de las paredes, a gran altura, como baldosas rotas que cuelgan en la perpetua media penumbra de una antigua catedral. Otras formas, que parecían figuras talladas en la roca, se perfilaban sobre sus cabezas, casi fuera del alcance de la vista, presencias siniestras que espiaban todos sus movimientos. Leyla sintió un hormigueo en la piel del cuello, como si su rancio aliento se deslizara por él. Sus pasos eran tragados por la oscuridad como si jamás los hubieran dado. La alta estancia repleta de ecos los hacía disminuir igual que la oscuridad hacía disminuir la luz de la lámpara de Scholem. Se hallaban sumidos en sombras de color rojo sangre y en un lóbrego y nervioso silencio. El desierto, con su viento, su arena y su eterno frío, había desaparecido para siempre, como si jamás hubiese existido, como si no hubiese sido más que un sueño febril y ellos llevaran toda la vida caminando por aquellos pasillos, en aquel silencio, en aquella media penumbra.

Cuanto más se adentraban en la gran cámara, más lóbrega se hacía la luz rojiza, hasta que sólo sus pequeñas lámparas alumbraban el paso a sus cansados pies. En aquel momento distinguieron una segunda puerta en la pared más alejada, más reducida que aquella por la que habían entrado, visible gracias a una luz que entraba débilmente por ella. Al aproximarse a la parte trasera de la gran habitación, vislumbraron una estructura de forma curiosa, parecida a un templete con tejado o a un oratorio que sobresalía de la pared, alzándose a una altura de unos tres metros. Enfrente de la estructura y parcialmente colocado en su interior había un bloque de piedra bajo y de forma cuadrada que debía haber sido un altar. Vagamente distinguieron los contornos de unas marcas realizadas con profundas incisiones y figuras talladas a lo largo de los lados del bloque de piedra, y Leyla creyó discernir la textura más suave de un trapo de colores oscuros que yacía sobre la cara superior de la losa. Scholem alzó la lámpara y avanzaron hacia la extraña estructura que atraía fuertemente su curiosidad después de todo el vacío de la habitación que había tras ellos.

En aquel momento, Leyla oyó algo. Al principio era débil, como las hojas de un bosque cayendo en otoño, pero al escuchar con atención oyó que subía de tono y crecía en intensidad; voces finas y aflautadas que subían y bajaban al unísono. Sus dedos se clavaron en la mano de Scholem y le hicieron daño.

—Chaim —susurró agudamente, temerosa de alzar la voz en el silencio—. ¿Lo oyes?

Durante medio minuto, él permaneció a la escucha. Sus oídos no eran tan finos como los de ella, sino más viejos y menos acostumbrados a detectar pequeños sonidos en espacios enormes. Finalmente, él también oyó las voces. Sintió un estremecimiento. Hacía frío en la habitación, pero no era el frío de la atmósfera lo que le hizo estremecer. En la oscura inmensidad de Iram oía unos niños cantando con voces que subían y bajaban suavemente, un poco desafinadas, en un canto tembloroso. Recordó el camello de juguete que había visto, los pequeños esqueletos acurrucados en las casas donde habían entrado, la momia y su muñeca de madera encastada en aquel nicho para toda la eternidad. ¿Estarían vagando todavía los frágiles fantasmas de los niños muertos por aquellos desolados pasillos de piedra, cantando en busca de los padres que los habían abandonado hacía tantos siglos? Las voces se hicieron más fuertes. Venían de la pequeña puerta que había a su derecha.

Leyla tiró del brazo de Scholem.

—No podemos quedarnos aquí, Chaim —siseó urgiéndole con voz temerosa e insegura. El extraño cántico creció de volumen.

—De prisa —susurró Scholem—. Volvamos hacia las sombras al otro extremo de la habitación.

Extinguió la vacilante llama de su lámpara con un soplo rápido y nervioso. El mundo se transformó de nuevo en oscuridad, tensa, profunda y poblada de siglos negros y abandonados. La luz no era más que un sueño y una ilusión. De ella no quedó ni un triste recuerdo. Y en la implacable oscuridad, las voces crecieron y el sonido de ligeros pies calzados resonaba cada vez más claramente sobre las pesadas baldosas de la ciudad.

Cogidos de la mano para defenderse contra el ciego mareo de la oscuridad, Leyla y Scholem retrocedieron hacia las sombras, como amantes huyendo para no ser descubiertos o ladrones para no ser arrestados. Desde la puerta abierta, les llegaba claramente el murmullo de voces infantiles unidas en una lúgubre y onírica melodía que hizo estremecerse a Leyla. Se detuvieron junto a la pared y dieron la vuelta. Ahora podían ver a través de la puerta abierta una luz oscilante que jugueteaba suavemente sobre la piedra de las paredes y que crecía en intensidad a medida que se aproximaba. Acurrucados en las sombras junto a la pared, observaron la puerta con aprensión, como zorros con la vista fija en la entrada a sus dominios, escuchando a la jauría que ladraba en el exterior. Las voces arrancaban débiles ecos, como si un sonido pálido y lastimero, idéntico al silbido del viento en una noche gris, les llegara de un pasillo que hubiera más allá de la puerta.

De repente, hubo un resplandor de luz amarilla y una figura apareció en la entrada. Leyla se estremeció. Era la figura de una niña pequeña que transportaba una gran vela de cera en la mano derecha. La luz de la vela proyectaba un pálido resplandor alrededor de la niña, alumbrándola suavemente en medio de la oscuridad. Debía de tener cinco o seis años, con suaves cabellos rubios que caían en cascada sobre sus hombros, relucientes a la luz de la vela en movimiento. A la altura de las cejas le habían atado una delgada corona de flores blancas. En pleno invierno, en el corazón del desierto, en una ciudad de piedra, llevaba pálidas flores primaverales, como las de una corona de novia. Iba vestida de blanco con una túnica que le llegaba hasta los tobillos; por debajo asomaban unos pequeños pies calzados con sandalias. Al caminar, su boca se abría y cerraba mientras cantaba con voz aguda y un tanto estridente. Tenía los ojos entrecerrados y su tez era pálida, casi traslúcida, como si se pudieran ver los huesos a contraluz. Caminó llevando luz a la oscuridad, sosteniendo la vela por delante, y tras ella apareció una segunda niña de la misma edad, vestida de igual modo y cantando lo mismo que la primera.

Una tras otra, unas treinta niñas entraron por la puerta, las más jóvenes de unos cinco años, las mayores, de catorce o quince. Eran todas niñas, la mayoría rubias y vestidas de forma similar en blanco, con flores en los cabellos. Todas sostenían velas en la mano y cantaban la misma canción una y otra vez, como un mantra, repitiéndola como si fuera un canto fúnebre, como para mantener a la oscuridad a raya. En el pequeño oratorio, se reunieron formando un semicírculo, agitándose ligeramente mientras formaban la fila.

La canción se detuvo un instante y fue seguida por un escalofriante silencio. Las niñas permanecieron erguidas, quietas como estatuas, hasta las más pequeñas, y después, una detrás de otra, se quitaron las coronas de flores de los cabellos y las depositaron en el altar. A cada lado, una de las niñas mayores se adelantó y encendió una lámpara que colgaba junto a la losa de piedra. Después encendieron más lámparas hasta que el altar pareció nadar en una suave piscina de luz.

Su superficie estaba desnuda, excepto por las coronas de flores blancas que se hallaban sobre la piedra como coronas de muertos en una vieja tumba de piedra, pálidas y casi moribundas a la débil luz.

Las niñas colocaron las velas ante el altar, dieron un paso atrás y juntaron las manos, pálidos dedos de cera, blancos como el marfil, entrelazándolos como fantasmas que buscan reconfortarse en la presencia del otro. Comenzaron a cantar de nuevo, esta vez otra canción, lenta y mesurada, con palabras inaudibles y confusas al principio y una melodía sencilla pero inquietante, para subir de tono después, mientras que las palabras se hacían más claras. Scholem dio un respingo al oírlas y darse cuenta de lo que eran. La lengua era alemán y la canción una especie de elegía:

Somos criaturas del mundo de los sueños,
forjadas en la oscuridad de carne y acero;
nos levantamos, doradas, al alba
con flores para los muertos y los recién nacidos.

A medida que iban desgranando los versos, más parecían criaturas de una pesadilla. Al escucharlas, las rítmicas voces despertaron viejos recuerdos en Scholem. Los sonidos de una infancia desaparecida volvieron de nuevo: las voces de jóvenes vestidas con un uniforme marrón, cantando canciones del Partido, miembros del Bund Deutscher Mädel desfilando por las calles. Podía ver sus cabellos rubios peinados en moños o trenzas, las caras sonrientes, los ojos brillantes. Y tras ellas podía ver a sus hermanos vestidos con el uniforme de las Juventudes Hitlerianas, marchando al compás de tonadas adultas y destinos adultos. Y tras las voces cantarinas, podía oír el paso de unas botas sobre la piedra y el retumbo de las locomotoras.

Levantó la vista, y al hacerlo una vela se encendió súbitamente iluminando una forma oscura tras el altar. Era una esvástica dorada grabada al aguafuerte contra la oscuridad, como los rayos relucientes de una antorcha, lisos, sobrios, confiados. En la vasta y medio derrumbada estancia, entre las sombras ancestrales y las vacilantes llamas, su absoluto simbolismo dominaba inmóvil el pasado y el presente. La vela chisporroteó regresando a su estado original; las sombras se cerraron sobre la esvástica como alas negras.

Scholem se volvió hacia Leyla, atenazándola con fuerza con la mano.

—¿Has visto? —preguntó con los labios pegados a sus oídos.

—Sí. —Su voz era casi inaudible. Se preguntaba si después de todo no habría muerto en el desierto y aquello no sería más que una pesadilla de la muerte.

En el altar, la canción tocaba a su fin. Una de las niñas mayores se inclinó para recoger una canastilla de mimbre con forma de cornucopia y comenzó a meter en ella las flores que había sobre el altar. Cuando terminó, se alejó de las demás, se colocó de cara al extremo más lejano de la habitación y aguardó hasta que todas hubieron recogido su vela del altar y hubieron formado una fila tras ella. Dos de las niñas más altas levantaron unos cirios que se hallaban fijados a unas altas estacas y los encendieron con la vela que había dejado la primera niña, y después avanzaron hacia ambos lados del pasillo. Leyla y Scholem se apartaron de ellas y de la luz, retrocediendo hacia la oscuridad del templo. Las niñas alzaron los largos cirios y encendieron dos lámparas de aceite que colgaban a unos tres metros de altura en la pared. Comenzaron a caminar por la habitación, encendiendo más lámparas a su paso. Hacia el centro de la estancia, ahora débilmente iluminado desde todos los lados, la fila de niñas comenzó a moverse de nuevo, entonando una nueva canción al marchar, esta vez un canto fúnebre, lúgubre y funesto:

Traemos flores a los muertos
y luz a la oscuridad.

Scholem se volvió hacia Leyla con pánico en la voz. La agarró fuertemente por el brazo con dedos tensos y nerviosos.

—Tenemos que salir de aquí —dijo—. Si nos quedamos, nos encontrarán.

Pisando la piedra con cautela, avanzaron de puntillas entre las sombras junto a la pared, y al llegar al alcance de la luz roja que todavía oscilaba por debajo de las pilastras del extremo más alejado, salieron al centro de la gran estancia y se dirigieron en silencio hacia la puerta. La elevada columna central se interponía entre ellos y la fila de niñas que se aproximaban, pero cuando llegaron hasta la entrada, la primera niña pasó, después la siguiente, con la reluciente vela levantada.

Fuera de la estancia reinaba la oscuridad. No se atrevieron a volver a encender la lámpara de Scholem, pero tampoco podían arriesgarse a adentrarse sin luz por los oscuros túneles. Si se perdían, puede que jamás volvieran a encontrar el camino y vagarían perdidos durante días por los pasillos sin luz hasta que la debilidad causada por la sed y el hambre los obligara a sentarse entre los muertos para unirse a ellos.

—¿Adónde podemos ir? —preguntó Leyla, desesperada—. No podemos quedarnos aquí. ¿No podríamos correr el riesgo de seguir por este pasillo?

—No —respondió Scholem—. La canción que cantaban decía algo sobre llevar flores a los muertos. Estoy seguro de que vendrán hacia aquí. —Miró a su alrededor desesperadamente. Le dolía la mano. Se sentía cansado y vencido, como si toda su vida, todas sus energías se hubieran agotado entre el desierto y la fría piedra de aquel lugar. La esvástica, sobre todo, había despertado en él una muda desesperación que amenazaba con aplastarle. En la penumbra podía ver el largo túnel tras ellos perdiéndose en la oscuridad, tan sólo con la abertura de los nichos de los muertos a cada lado.

—¡Rápido! —gritó—. ¡A aquel nicho! Métete detrás del cuerpo y échate en el suelo. Yo me meteré en éste.

Leyla miró de hito en hito el nicho. Del interior del templo salía la luz suficiente para distinguir lo que había dentro. Era como un ataúd abierto, oscuro, podrido y lleno de telarañas. Un viejo cadáver yacía en su interior, contraído e inhumano, carne seca sobre huesos secos, algo que se haría añicos si lo tocasen. Ella no pudo hacer ni un movimiento. No podía tenderse a su lado en aquella oscuridad. Las voces de las niñas ya estaban cerca.

—¡Date prisa! —siseó Scholem—. Estarán aquí dentro de un segundo.

Si no se movía, llegarían hasta ellos y los encontrarían encogidos junto a la puerta. La venganza que Leyla iba buscando para su familia jamás se cumpliría. Scholem también moriría sin haber exigido su propia venganza. David se habría perdido. El desierto y todo lo que allí había ocurrido también habría sido en vano. Si ella no se movía en cuestión de segundos, David y Scholem morirían irremediablemente y ella los seguiría con toda seguridad, y ¿adónde iría a parar su repulsión hacia los muertos? ¿Pudriéndose en la tumba con ella? Corrió hacia el nicho y cerrando los ojos con fuerza pasó por encima de la piel apergaminada y quebradiza. Un débil olor a especias llenó su nariz. El sudario se arrugó al tocarlo, y un miembro seco cayó hacia un lado al darle un golpe con un brazo. Se encontró adornada de telarañas polvorientas. El sonido de pasos llegó a la entrada. La canción resonaba entre las piedras:

Traemos música para el silencio
y aliento para los que ya no respiran.

Leyla se echó y al hacerlo notó que algo se movía por su pierna. Los pasos resonaron junto a ella y las finas voces de las niñas llegaron a ella como en un sueño.

La luz de las velas inundó la oscuridad, descubriendo a Leyla el horror que reposaba junto a ella. Notó un breve movimiento fuera del nicho y algo aleteó durante un instante. Una nube de pétalos blancos había sido arrojada sobre el cadáver y caían como copos de nieve descoloridos sobre el arrugado sudario. Las voces hicieron resonar los ecos entre los nichos funerarios al tiempo que las niñas se adelantaban hacia el siguiente, para esparcir pétalos sobre los muertos. Leyla recordó el ramillete de flores blancas marchitas que había visto en manos de un cadáver y volvió a preguntarse de dónde provenían. Cerró los ojos fuertemente, ocultando de su vista la podredumbre que había a su lado, ahogando los gritos que pugnaban por salir de su garganta. La cosa que había en su pierna se movió de nuevo.

CAPÍTULO 45

Los pasos y las voces se perdieron en la distancia y desaparecieron. La luz de las últimas velas se fue debilitando hasta desvanecerse. El silencio y la oscuridad volvieron con la fuerza recuperada.

Aquélla era la peor parte: esperar unos últimos minutos a que las niñas se hubieran marchado definitivamente para poder aventurarse de nuevo en el túnel. Leyla se limpió el cuello y la cara con dedos temblorosos. Tuvo que obligarse a sí misma a continuar echada y quieta. Un minuto... dos minutos. Las arañas, si es que eran eso y no algo peor, aún se arrastraban por su piel, con sus patas rígidas y temblorosas. Se había aplastado contra la pared interior del nicho para estar lo más lejos posible del cadáver que tenía al lado. Se preguntó si sería capaz de volver a pasar por encima o si sencillamente se quedaría paralizada en la oscuridad, sin poder moverse.

Un agudo susurro interrumpió sus horrorosos pensamientos.

—¡Leyla! Ya puedes salir. Se han ido.

Ella se movió y también la cosa que se arrastraba con ella. Habían estado tanto tiempo junto a los inmóviles muertos que no reconocían nada que se moviera en la oscuridad más que ellos mismos. Dominando su repugnancia, pasó por encima del cadáver. Durante un horrible instante creyó que la estaba mirando con resentimiento en los ojos por molestarlo después de tanto tiempo de tranquilo reposo.

Scholem la esperaba en el pasillo, cerca de la entrada. A la débil luz que llegaba de fuera vio que tenía el pelo lleno de telarañas. Nerviosamente, se limpió las ropas con una mano. Una enorme araña negra cayó al suelo y salió corriendo. Leyla se estremeció y se agachó junto a Scholem. Miraron alrededor, desde el borde de la entrada a la estancia que había más allá.

Las luces aún ardían en el extremo superior de la nave. Fuera cual fuese el propósito del ritual que acababan de celebrar las niñas, parecía que parte de la intención era preparar el terreno para nuevas visitas al templo, sin duda para otros cultos. Si Scholem y Leyla no querían verse obligados a pasar varias horas más ocultos entre las sombras de las tumbas, más valía que se dieran prisa.

Entraron de nuevo en el templo, empequeñecidos por su implacable inmensidad, como insectos sobre una mesa. Era más seguro no separarse del centro, donde las sombras eran más oscuras y las posibilidades de ser descubiertos más pequeñas. Leyla iba delante, alegrándose de estar fuera de la tumbra y moviéndose otra vez, pero extrañamente inquieta por lo que había visto de las niñas y su extraño ceremonial. No había comprendido la letra de la canción, pero la misteriosa y rítmica melodía se repetía en su cerebro como una nana de guardería que los niños cantan una y otra vez mientras juegan. Si tan sólo pudiera creer que aquellas niñas estaban jugando, que las canciones y la siembra de flores entre los muertos no había sido más que un juego; pero no había oído ninguna risa ni ninguna señal de ligereza. Detrás de lo que había visto había un propósito mucho más serio.

Por segunda vez llegaron al extremo superior de la nave. No se oía ningún sonido detrás de la pequeña puerta lateral, así que se acercaron cautelosamente. Detrás había otro largo pasillo iluminado con lámparas de aceite, con puertas en vez de nichos en las paredes. No había un alma. Pero por su apariencia, que era relativamente limpia y cuidada, daba la sensación de señalar el comienzo de la parte habitada de la ciudad, como si el templo fuera una especie de tierra de nadie entre los vivos y los muertos.

No tenían elección. Podían quedarse en el templo, mal escondidos, sin saber qué parte —si es que había alguna— constituía un lugar seguro para esconderse. O bien podían intentar encontrar un lugar seguro en el que poder descansar y esperar la caída de la noche, o lo que hiciera las veces de noche en aquel lugar de oscuridad perpetua. Con toda seguridad, Iram se despertaría pronto. No había tiempo que perder.

Leyla se encaminó hacia el pasillo, con la ametralladora lista, aunque sabía que les sería de poca utilidad en un enfrentamiento. Scholem la siguió, todavía perplejo por lo que había visto y oído, como si hubiera puesto los pies involuntariamente en una de sus propias pesadillas, en las cuales su infancia le perseguía como un maligno y perverso fantasma. Se movían sigilosamente, con los ojos y oídos atentos al menor movimiento o sonido.

Se hallaban a medio camino cuando oyeron pasos y voces en la distancia, como si un grupo numeroso se dirigiera en dirección a ellos.

—¡Rápido aquí! —dijo Scholem.

Empujó una puerta que había a su izquierda rogando porque no estuviera ocupada, pero razonando que, si lo estaba, podrían manejar a sus ocupantes más fácilmente que a la multitud que circulaba por el pasillo. Leyla dio media vuelta y le siguió, cerrando silenciosamente la puerta a su espalda.

Por un momento pensó que se había vuelto loca o que había entrado en una pesadilla. A la luz de la lámpara vio ojos que la miraban fijamente, rostros monstruosos y deformes, bocas babeantes, una multitud de hombres y mujeres que eran más parecidos a demonios en pie que los contemplaban. Dio un respingo y, presa del pánico, casi se le cayó la ametralladora, pero Scholem la cogió de un brazo.

—No pasa nada, Leyla. A mí también me han asustado, pero no son más que estatuas, eso es todo.

La habitación estaba atestada de estatuas similares a las que habían visto camino de la ciudad, en el exterior y el interior de la misma: monstruos deformes, de una imaginación religiosa también deformada, habitantes del infierno privado de alguien encarnados en piedra. Leyla se estremeció y respiró profundamente. En el exterior, el ruido de pasos llegó hasta la puerta, pero las voces se habían extinguido al llegar a las proximidades del templo.

Sin duda las estatuas habían sido almacenadas en aquella habitación como parte de una colección. Cada una llevaba un número y una etiqueta en alemán, que describía su origen exacto y la fecha en que la habían retirado y guardado en la habitación. Algunas se remontaban a principios de los años cincuenta, otras eran más recientes. Leyla estimó que había unas sesenta en total, de tamaño variable, entre uno y tres metros. Algunas tenían alas, unas pocas, tres grupos de ellas; otras sostenían armas o extraños artefactos con manos nudosas; algunas iban vestidas, otras desnudas, y de éstas las había obscenas, con falos erectos que habían crecido de una forma fuera de lo corriente; todas parecían ser masculinas, aunque una o dos parecían andróginos o incluso daban la impresión de pertenecer a un tercer sexo híbrido, un género sobrenatural expresado claramente a voluntad del escultor, a juzgar por la mueca de la boca o la forma y número de los genitales.

Leyla y Scholem estuvieron de acuerdo en que habían dado por casualidad con un escondite ideal. Era extremadamente improbable, o así lo creyeron, que alguien entrara allí en un día normal y corriente. Las estatuas estaban cubiertas de polvo y daban la sensación de llevar muchos años sin ser tocadas, aguardando la llegada del próximo miembro de su camarilla. Para evitar cualquier posibilidad de riesgo de ser descubiertos se deslizaron entre la multitud de estatuas hasta la parte trasera de la habitación, donde había suficiente espacio para tenderse, invisibles a los ojos de quien abriera por casualidad la puerta y echara una ojeada al interior. Apagaron una de las lámparas y colocaron la otra en el doblez del ala de un demonio para que estuviera completamente ensombrecida.

Trataron de dormir. Al principio fue difícil, ya que tenían los nervios a flor de piel, pero finalmente el cansancio y la oscuridad pudieron más y cayeron en un inquieto duermevela. Scholem había dejado hacía tiempo de dar cuerda a su reloj de pulsera, ya que el tiempo no tenía ningún sentido en el desierto, donde sólo importan los días y las noches, y donde las horas pasaban más rápido si no estaban numeradas. Pero antes de quedarse dormido, puso el reloj a las seis, arbitrariamente, y le dio cuerda.

Cuando se despertó era primera hora de la tarde. Leyla dormía profundamente. Se sentó y reflexionó durante un rato, y después engulló unas pocas galletas. Cuando volvía a meter la lata en la bolsa, reparó en el montón de papeles que Leyla había cogido en el avión. Se hallaban en malas condiciones, arrugados y medio rotos, pero todavía bastante legibles. Sacó la lámpara de detrás de las alas del demonio y la alejó de Leyla para que la luz no la molestara.

Al principio leyó por pura curiosidad, para pasar la noche y probablemente el final de su enfermiza suerte, pero al poco su curiosidad dio paso a un verdadero interés, que a su vez se transformó en creciente excitación. Cuando hubo terminado, volvió a empezar inmediatamente, sumido en lo intrincado de lo que leía. Iram y la habitación en la cual se hallaba, con su corte de demonios alrededor, fueron desvaneciéndose. Cuando terminó de leer por segunda vez, permaneció sentado con los papeles en el regazo, con la mirada perdida en la oscuridad en el punto en que se fundía con la luz, cavilando sobre cosas que le dejaron aún más inquieto y preocupado de lo que ya estaba. Lo que había leído le llenó de un gran miedo que se le atascaba en la boca del estómago.

La voz de Leyla rompió el silencio, como una piedra que rasga un oscuro lago repleto de algas.

—¿Qué pasa, Chaim? —susurró—. ¿Qué has encontrado?

—Los papeles que encontraste en el avión. Los he estado leyendo —dijo, mostrándolos.

—¿Son interesantes? Pareces inquieto.

Él asintió despacio, pensativo.

—Sí —dijo—. Son inquietantes. Ojalá...

Desvió su vista de ella hacia el suelo de piedra.

—¿Sí? ¿Ojalá qué?

Él miraba fijamente hacia el suelo como si esperara ver algo que le ayudara a responder. Pero allí no había nada, sólo piedra, dura y silenciosa.

—Ojalá nunca hubiera venido, y nunca hubiera oído hablar de este lugar y de esta gente. Ojalá no hubiéramos tropezado con el avión ni con estos papeles. Todo tiene sentido, forma un patrón. Y el panorama que está empezando a tomar forma es... —hizo una pausa, en busca de una comparación— igual que estas estatuas. Es grotesco y un poco loco. Es como una enfermedad que te corroe por dentro hasta que sale a la superficie en una deformidad.

—¿Por qué no me dices lo que has encontrado? ¿No me los puedes traducir, darme una idea de su contenido?

Él dudó, después asintió y se arrastró a su lado.

—Muy bien —dijo—. Tienes derecho a saber lo que encontraste.

Separó dos hojas de papel mecanografiadas del montón que tenía delante.

—Empezaremos por aquí. Sin duda es lo más importante. Es una carta de Heinrich Himmler a Adolf Hitler en persona, en la cual explica los detalles de una entrevista que tuvo lugar a principios de 1944. Haré una traducción general para ti.

»Está datada el 28 de abril de 1944 y encabezada por «Reichsfuhrung SS, Alto Mando de las SS». Debajo alguien ha escrito las palabras «Schloss Wewelsburg» a mano. Se trata del castillo de Wewelsburg, el retiro campestre de Himmler en Westfalia. Lo utilizó como una especie de templo de las SS: allí guardaba toda clase de parafernalia ritual y celebraba ceremonias especiales. En la esquina superior de la derecha dice «Geheime Reichssache», lo cual significa que esto era reconocido como documento de alto secreto de Estado. Comienza con las frases de rigor como «Querido Führer» y después va al grano en el segundo párrafo. Empezaré desde aquí.

Hizo una pausa, acercó un poco más la lámpara y miró a Leyla. Parecía casi íntimo, allí juntos y encogidos a la luz de la pequeña lámpara, excluyendo la oscuridad de su reducido círculo. Scholem empezó a leer.

Tal y como informé en mi última comunicación (RfSS 897/7/2/44), fui citado recientemente por el profesor Von Meier para discutir con él un asunto de la mayor importancia...

—Un momento —interrumpió Leyla—. Creí que habías dicho que era una carta de Heinrich Himmler.

Scholem asintió.

—Pues no lo entiendo —dijo ella—. Has leído «fui citado». ¿No tendría que ser al revés?

Scholem sacudió la cabeza.

—Eso creí yo también al principio. Pero está bien claro: *war ich auffordert,* que quiere decir «fui citado». El resto de la carta respalda esa lectura. Ya verás. Continúo.

Ahora puedo revelarle el contenido de aquella discusión. Me pedía que, en calidad de Reichsführer de las SS con responsabilidad última del RuSHA, que...

Leyla estuvo a punto de interrumpir, pero Scholem se le adelantó.

—Rasse und Siedlungshauptamt, el Departamento de Raza y Repoblación. Era uno de los principales departamentos de las SS, responsable de asegurar la observación absoluta de la pureza racial en la organización. Sigo.

Me pedía que... etcétera, que determinara si era posible, en caso de que los esfuerzos bélicos recibieran un golpe, velar por el futuro de la raza proveyendo de los mejores especímenes raciales a una élite, para darles refugio fuera de la patria hasta que el tiempo y las circunstancias permitieran la creación de una nueva base de poder desde la cual se intentaría restablecer el Reich. En aquel momento le dije que no veía ningún obstáculo evidente para tal proyecto, pero expresé mis dudas acerca de la viabilidad de encontrar un lugar lo suficientemente remoto para tal propósito y sin embargo practicable como lugar de refugio durante lo que podía convertirse en un período muy prolongado. Él se limitó a sonreír y me dijo que el Bund ya tenía algo pensado. ¡Como si necesitaran decirlo! Esos siempre tienen algo pensado, ¿no es cierto?

El mes pasado le envié mi informe, esbozando los principales problemas acerca de la selección y cómo creía yo que podrían solventarse. Los criterios raciales básicos establecidos previamente por el profesor Schultz y utilizados hasta el presente como bases para la admisión en las SS, continuarán siendo fundamentalmente válidos, aunque he sugerido una política más restrictiva de aceptar tan sólo a aquellos que Schultz incluye en su primera categoría, los nórdicos puros, sin ningún rastro de cualquier tipo de bastardización. Independientemente, recomendé a Von Meier que podríamos utilizar a los niños que se alojan normalmente en la Institución Lebensborn a fin de obtener una reserva inmediata de genes puros para la siguiente generación.

Leyla interrumpió:

—Lo siento —dijo—. Jamás había oído hablar de esa Institución Lebensborn. ¿Qué es? ¿Un orfanato?

Scholem sacudió la cabeza.

—No exactamente. Era más que un instituto de crianza, diseñado para dar a los oficiales de las SS una oportunidad de producir descendencia racialmente pura, aunque sorprendentemente muy pocos lo aprovecharon. Eran asesinos, sangrientos bastardos, pero en materia sexual eran muy moralistas. El Lebensborn era, básicamente, una fundación para madres solteras, que proporcionaba casas donde podían tener a sus hijos libremente sin temor a las amenazas de su entorno. El matrimonio a veces transcurría perfectamente, pero tenían que guardar las apariencias. Las mujeres quedaban embarazadas a voluntad del Estado, pero si el padre era aceptable no había problemas. Ellas y sus hijos estaban bien cuidados. Sigo.

Von Meier transmitió mis recomendaciones al Consejo del Bund, y durante unos días no tuve noticias, hasta hace poco, cuando me pidieron que concertara una entrevista aquí en Wewelsburg. La entrevista tuvo lugar ayer por la noche en mi estudio privado. Estaba Von Meier, junto con Lorenz y Schmidt como representantes del Consejo. También estaba presente el Gran Muftí, el cual había venido desde Berlín en compañía de Von Meier, aparentemente en re-

presentación propia y personal, aunque sospecho que posiblemente fuera miembro del Consejo. Tenga cuidado cuando vuelva a verle.

Permítame hablarle sobre la entrevista. En primer lugar cenamos y charlamos sobre asuntos generales. Puedo decirle, ya que sin duda Von Meier se lo habrá dicho antes, que reina un gran descontento sobre el desarrollo de la guerra, al cual se une un extremado pesimismo sobre su desenlace. Ya han empezado a llamar a los miembros del Bund para que regresen a Munich antes de enviarlos fuera del país. ¿Lo sabía? Están preocupados, y están comenzando a ser presa del pánico, aunque, por supuesto, no de la manera en que cualquiera podría serlo. Son atenazados por el pánico igual que un bloque de hielo derritiéndose en pleno diciembre. El Proyecto del Santuario forma parte de ese pánico organizado.

Von Meier ha tenido su santuario listo durante todo este tiempo. Se llama Iram. Se trata de una ciudad situada en algún punto en medio del desierto del Nafud, en Arabia, un lugar que descubrió tras una larga búsqueda en 1936. Dice que, como mínimo, puede proporcionar refugio a unos mil habitantes durante un período indefinido. Cuenta con profundos pozos artesianos y aceite para combustible. En un sector se pueden cultivar cosechas, y hay numerosos almacenes donde se puede guardar comida suficiente para diez años. El Muftí afirma que su gente puede asegurar un aprovisionamiento regular sin revelar el secreto de la ciudad. A cambio de su cooperación, desea la garantía de que existirá un Reich árabe, dirigido por él o por sus descendientes. Von Meier le ha dado la garantía.

Hemos llevado a cabo un proyecto preliminar sobre la organización del santuario. El núcleo del liderato estará formado por antiguos miembros del Bund, incluyendo algunos del actual Consejo. Contarán con la ayuda de oficiales de las SS escogidos por encima del rango de Obersturmbannführer y de miembros del actual liderato del Reich, incluido yo mismo, Gobbels, Bormann y Speer. Naturalmente, usted conservará el cargo y funciones de Führer, según las condiciones actuales y probablemente adquiriendo otras nuevas, dependiendo de la lateración de las circunstancias.

Habrá un gran contingente de mujeres con la aprobación del RuSHA, escogidas entre los tipos raciales más elevados, las cuales asegurarán una reserva para la próxima generación. Además, las casas de la Lebensborn recibirán instrucciones a fin de suministrar doscientos niños varones engendrados por padres de las SS, que serán destinados a recibir un entrenamiento en los más altos niveles de la excelencia, como los predecesores de una nueva raza de hombres que es nuestro destino traer a la existencia. Cuando lleguen a la edad adulta, algunos serán enviados de vuelta al mundo, a fin de que se dediquen a sentar las bases fundacionales para un nuevo Reich. Serán la vanguardia del nuevo orden del mundo, y trabajarán codo a codo con mis unidades Valkiria para lograr la victoria. Entiendo que el Muftí está relacionado de algún modo con su tem-

prano entrenamiento, pero todavía me tienen que dar los detalles por lo que a esto se refiere.

Von Meier tiene la creencia, y yo personalmente la comparto, de que los británicos acabarán agotados por esta guerra. Ha predicho su rápido declive político y económico en los años que seguirán a la llamada «victoria», con la pérdida de sus colonias y la desaparición de su prestigio mundial, coincidiendo con el alzamiento del poder global de sus supuestos aliados, Estados Unidos. Por tanto, en los años venideros debemos dirigir nuestra atención al último país mencionado y es precisamente allí donde están siendo enviados la mayoría de los miembros del Bund, o lo serán cuando cesen las hostilidades. Von Meier no cree que exista ningún obstáculo al movimiento de enormes masas de gente durante la posguerra europea, y yo tampoco. Los informes del servicio de información comienzan a mostrar que ni las autoridades británicas ni las americanas están ansiosas por llevar a cabo programas de persecución judicial de crímenes de guerra serios o de largo alcance después de la guerra. Los rusos, por razones propias, serán más pertinaces e insistirán en realizar purgas, por lo que debemos hacer todo lo que esté en nuestras manos para asegurarnos de que nuestra gente esté en áreas controladas por los poderes occidentales cuando se produzca el alto el fuego. Una historia de actividades antisoviéticas será la tapadera más convincente, proporcionándonos incluso la posibilidad de penetrar con facilidad en los servicios de inteligencia americano y británico.

El propósito del santuario es facilitarnos un lugar aún más protegido donde poder planear otros proyectos a largo plazo y asimismo ejecutarlos sin temor a interferencias externas, y donde las generaciones futuras puedan ser entrenadas adecuadamente en las actitudes, teorías y métodos de servicio al Reich y de cooperación con el Bund.

Por último, en este asunto no tenemos elección. El Consejo se ha pronunciado a favor de la opción del santuario, y lo único que nos piden es nuestra ayuda para desarrollar el proyecto mediante la provisión de facilidades y fondos. Ya he hecho los preparativos para efectuar una transferencia de una suma adecuada de dinero para la financiación inicial de la operación. Von Meier se pondrá en contacto con usted en persona con las instrucciones sobre la que espera será su función. Si me permite ofrecerle un consejo, no importa hasta qué punto le hayan abandonado la Wehrmacht y la masa de burócratas menores, trate de convencerle de que usted todavía controla su propia persona y su destino. Después de todo, usted aún es el hombre que ellos escogieron y yo todavía tengo una respetuosa fe en lo que usted puede cumplir y cumplirá. Naturalmente, deje que haya un Götterdämmerung, deje que los perros de la guerra siembren la destrucción mientras puedan. El pueblo alemán ha demostrado no estar a la altura del elevado destino al cual lo llama-

mos. Debemos dejarlo para otra generación, una generación de seres racialmente perfectos que harán realidad esa gloriosa época de perfección moral y física con la que usted y yo hemos soñado tantos años. Nos iremos al desierto, como Abraham, como Moisés, como el rey Enrique, que construyó sus fortalezas en la frontera de la desolación, y sentaremos las bases para un nuevo Reich, un Reich de duración infinita. Créame, mi Führer, es lo mejor.

Firmado,

Reichsführer SS und Chef der Deutschen Polizei
HEINRICH HIMMLER

Hubo un largo silencio mientras Chaim dejaba el papel a un lado y se reclinaba hacia atrás en las sombras. Se frotó los cansados ojos con los nudillos y parpadeó repetidas veces.

—¿Es auténtico? —pronunció Leyla incapaz de aceptar las implicaciones de lo que acababa de oír.

—No veo ninguna razón para que no lo sea. Lo encontramos en un sitio donde perfectamente podría encontrarse una carta así. El estilo parece ser el de Himmler. Incluso hay una referencia al rey Enrique. Se trata de su héroe, Enrique I. Enrique era un rey sajón que conquistó a los eslavos en el siglo X. Himmler estaba obsesionado con él. Hizo que llevaran sus huesos a la catedral de Quedlingburg. Se dice que solía estarse solo en la cripta de la catedral a medianoche cada año el día del aniversario de la muerte de Enrique. Decía que el espíritu de Enrique se le aparecía en sueños. Al final, él mismo creía ser una reencarnación de Enrique. Creo que la carta es auténtica.

Leyla pensó en el gran templo que acababan de atravesar, en la esvástica dominante desde el extremo superior, en las niñas celebrando su ritual diario delante de aquélla. Sí, había un patrón, uno muy inquietante.

Scholem sostenía dos hojas más pequeñas.

—Esto te interesará —dijo.

Leyla alzó las cejas.

—Parece ser parte de una carta o de una declaración escrita por el Muftí, probablemente a Hitler. Toma.

Le alargó la hoja de debajo. Al final estaba la firma del Muftí y las iniciales «A. H.» sobre las palabras mecanografiadas *Amin el-Husseini, Grossmufti von Palästina.*

—Ya lo veo —dijo devolviéndoselas a Scholem.

—¿Te lo leo?

Ella asintió

—Vamos a ver —comenzó—. Empieza en mitad de una frase. Debe de haber un trozo antes pero se ha perdido. —Comenzó a leer—: *... en nuestra larga y gloriosa historia. El pueblo árabe tiene un alto destino, un destino que hasta ahora se ha visto frustrado* *por la maquinación de seres inferiores, por los judíos y las razas cristianas del Mediterráneo. Una vez dominamos el imperio más grande del mundo y un día volveremos a dominarlo, junto a un imperio alemán en el norte. Usted mismo ha dicho en más de una ocasión que hubiera sido mejor para los alemanes haberse convertido a la religión musulmana en vez de la católica, ya que la fe del Islam es el credo del guerrero, en el cual la lucha por la victoria mediante la espada está aprobada por la ley santa.*

No puedo decir muchas más cosas sobre tan noble percepción. En la fe cristiana hay una debilidad, un error fatal que muy pocos han visto desde dentro. Es ese énfasis en la mansedumbre, en la pasividad, en poner la otra mejilla, que la Iglesia ha propagado astutamente durante siglos. Han hecho del embrión de su religión algo vergonzoso, una derrota, dolor y sufrimiento. Han hecho de la cruz su símbolo y han proclamado un Dios que se deja capturar y matar por sus propias criaturas. ¿Cómo puede salir de tales falsas creencias la fuerza o la grandeza duradera?

El Corán enseña que Jesús jamás murió en la cruz. Predica la guerra santa como deber de la comunidad y apremia a los creyentes a ofrecer sus vidas en nombre de Dios, no como víctimas voluntarias, sino en el campo de batalla. El Islam tampoco ha caído en el otro gran error del cristianismo, que la Iglesia y el Estado deben ir separados, que la religión es una cuestión del otro mundo y no de éste. Para un musulmán, no hay diferencia, ni demarcación entre religión y política. La ley de Dios nos enseña a organizar una sociedad perfecta tanto como a orar o a enterrar a los muertos. Cada parcela de la vida, desde las relaciones internacionales entre los Estados hasta las relaciones más íntimas entre un hombre y sus esposas, está gobernada por el único sistema, por la única serie de leyes.

De aquí mi propuesta de que los niños que se traigan de Alemania a Arabia, igual que todos los que nazcan en Iram, sean educados en la fe del Islam y entrenados desde su nacimiento para servir tanto a Dios como al Estado. Los niños varones serán dejados en manos de los beduinos de las arenas interiores para ser educados en la vida del desierto. Y en esto hay una gran sabiduría. Sus propios escritores volkisch han proclamado una y otra vez que son las ciudades las que corrompen, donde todos los vicios se congregan, donde las razas se abandonan a la degeneración. Nosotros los árabes hemos sabido eso durante siglos, desde los primeros tiempos de las conquistas islámicas, cuando los placeres de Damasco y Ctesifón atrajeron a nuestros líderes y a nuestros jóvenes. Desde aquel día, es práctica común entre nosotros enviar a nuestros hijos durante un tiempo al desierto para que vivan con las tribus, para que respiren el aire puro de las arenas, para que se les endurezca cada fibra, para que se vuelvan inmunes a la lujuria y a la distracción de la ciudad.

Eso es lo que haremos con los predecesores de la raza domina-

dora. Purificarán su cuerpo y su espíritu como los beduinos. Serán alemanes de sangre y beduinos de espíritu, capaces de resistir cualquier embate, entrenados para soportar cualquier sufrimiento, completamente leales a su tribu, a su raza, a su sangre. Les enseñarán el orgullo de los antepasados, aprenderán el significado del honor y del deber, adorarán a un Dios que jamás se entregó a la cruz o se coronó con espinas. Serán capaces de matar sin piedad ni pena y de morir sin temor o lamentaciones. Nunca se habrá visto nada igual en el mundo, serán perfectos en mente, espíritu y cuerpo, dispuestos para aceptar el liderazgo del mundo. Únicamente un hombre que posee el dominio de sí mismo puede dominar a los demás. Sólo...

Chaim dejó de leer y bajó los papeles.

—Continúa en el mismo tono durante dos párrafos más —dijo—, pero creo que ya habrás captado la idea.

Leyla asintió.

—Hay una o dos cosas más —prosiguió Scholem—. Unos documentos del doctor Gregor Etner, el director del Lebensborn, diciendo que él personalmente ha seleccionado a los niños que serán enviados al Reichsführer de las SS para lo que él llama «destino especial». No creo que supiera nada de su destino real. Una carta de Von Meier diciendo a Hitler que ha llegado la hora de sacar a todo el mundo de Alemania y llevarlos al santuario; la fecha es 10 de abril de 1945, es decir, tan sólo unos veinte días anterior al supuesto suicidio de Hitler. Una lista de nombres, aparentemente, la lista de pasajeros del vuelo: es una lectura interesante sin duda, muy interesante. Parece como si algunos de nosotros nos hubiéramos pasado años persiguiendo a unas personas cuyos cadáveres se han estado cociendo en el Nafud durante las últimas cuatro décadas.

Hizo una pausa y cogió una pequeña carpeta azul atada con una cuerdecilla. Contenía una docena de páginas grapadas por la parte superior. Las grapas se habían oxidado y habían manchado el papel, pero la carpeta había conservado las páginas relativamente claras y legibles. Scholem alargó las hojas a Leyla sin pronunciar palabra.

Ella les echó una ojeada y arrugó el entrecejo, incapaz de entender su significado. No era más que una lista con números al lado, nada más. Comenzó a repasar la lista:

Adler, F. (Valk. III): 12944/D7139-V
Abshagen, H. (Valk. III): 12944/BE9412-V
Angren, K. (Valk. IV): 121044/D7294-V
Auerbach, J. (Valk. I): 12544/A7381-V
Abetz, P. (Valk. III): 12944/BE9843-V
Ampletzer, K. (Valk. II): 121844/D7157-V

Los nombres continuaban página tras página, cada una de ellas diferente y sin embargo con algún parecido con las demás, deshumanizados por los números que los seguían. Leyla se las devolvió a Scholem con las cejas arqueadas.

—¿Tienen algún sentido para ti?

Sacudió la cabeza.

—Nombres. Números. Había tantos en el Tercer Reich... A veces parece que eso es todo lo que fue: un chorreo interminable de nombres y números. Carnets de identidad, pases, autorizaciones, registros de campo, tatuajes en los brazos... todo el mundo tenía un número. Y muchos los tenían para morir: éstos al frente, aquéllos a los hornos. Todo estaba bajo una reglamentación estricta. Si vuelve a ocurrir... —Suspiró—. Piénsalo —dijo—. Computadoras, bancos de datos, decodificadores de huellas dactilares, máquinas grabadoras de voces... Los nazis resultan primitivos comparados con lo que los gobiernos tienen ahora. Pero ellos se las arreglaron con lo que disponían. —Juntó los papeles y los volvió a guardar en la carpeta—. Se las arreglaron muy bien. —Suspiró y miró a Leyla. Ellos habían sido enemigos, pero ahora eso parecía trivial, casi infantil.

Leyla echó una mirada al montón de papeles del suelo. Lo que antes no había tenido ningún sentido para ella comenzaba a tenerlo ahora. Finalmente comprendió dónde estaba y cuál era el significado de Iram. Alzó la vista hacia Scholem.

—Quieres marcharte, ¿verdad?

Él no dijo nada, pero ella le vio asentir suavemente.

—Para explicar todo esto a la gente.

Él asintió de nuevo.

Leyla guardó silencio durante un rato.

—Lo comprendo —dijo—. Pero no puedo ir contigo. He venido a buscar a David. Todo lo que he pasado era con ese propósito. No puedo volverme atrás.

—Puede que no esté aquí —dijo Scholem sin levantar la vista.

—No —dijo ella—. No hay necesidad de decir eso. Está aquí. Lo sé. Quiero encontrarle, Chaim. Tú vete, debes hacerlo. Yo me quedaré y buscaré a David e intentaremos salir de aquí. Me quedaré con la ametralladora, si no te importa.

Scholem permaneció sentado durante un rato sin responder. Finalmente alzó la vista y buscó los ojos de Leyla. En sus mejillas había lágrimas, pequeñas y finas, que trazaban pálidos surcos en la suciedad. Él alargó una mano y tomó la de ella.

—Tienes razón —dijo—. Tenemos que quedarnos. Hemos venido a buscar a David. Hagamos lo que hagamos, será un suicidio. Al menos podemos intentar hacer lo que vinimos a hacer. No discutamos más. Come un poco y después pensaremos lo que debemos hacer esta noche.

Se quedaría. Pero le daba mucho miedo. Tenía que regresar. Tenía que advertir a quien quisiera escucharle. Himmler había hecho referencia a sus unidades Valkiria. En la lista utilizaba la abreviatura «Valk». Había oído algo sobre eso: rumores, chismorreos. Pero era suficiente para aterrorizarle hasta la médula. Y ahora tenía la evidencia de que las unidades Valkiria no eran producto de la fantasía de nadie, habían existido. Y si lo que había sucedido recientemente era una señal, estaban a punto de ser reactivadas.

CAPÍTULO 46

La oscuridad era total, envolvente, inevitable. A veces creyó ver luces, pero cuando miró de nuevo se dio cuenta de que no estaban más que en su mente. De algún modo se las había arreglado para cruzar la primera ramificación del túnel, continuando por otra abertura de salida, cada vez más confuso y perdido. Luchó por dominar el pánico, sabiendo que sería fatal que se apoderase de él. Estaba cansado y necesitaba dormir, pero tenía miedo de hacerlo ya que se desorientaría aún más. Mientras caminaba, tratando de volver sobre sus pasos, utilizaba los nichos para mantener la línea recta y saber cuándo acababa un túnel y empezaba otro. Lo principal, se decía, era evitar internarse más en el laberinto. No podía estar lejos del túnel mortuorio principal que conducía al templo. Si pudiera llegar hasta allí, estaría a salvo.

Pero la oscuridad y el silencio obran de manera extraña sobre los sentidos y la mente. Los ciegos se las arreglan bien en sus casas y en la calle, pero en un lugar extraño, privados del sonido y el tacto de objetos familiares, se encuentran irremediablemente perdidos. Un hombre en una habitación oscura está más lejos del pánico que otro en un bosque o en una enorme casa vacía sin luz, sin importar cuán pequeña y claustrofóbica sea la habitación a la luz del día o cuán espaciosos sean el bosque o la casa. David sufría lo peor de ambos mundos: se sentía oprimido, atrapado entre los muros rocosos a cada lado, como si éstos fueran descendiendo lentamente sobre él y, pese a todo, podía sentir la enormidad del laberinto por el cual vagaba, su falta de final.

Finalmente se quedó dormido, agotado por el esfuerzo excesivo de la jornada anterior y de la noche que la siguió y que aún continuaba sin ninguna esperanza de éxito durante el día. No escogió el lugar donde dormir: uno era igual que otro, del mismo modo que se parecen dos tumbas. En los túneles hacía frío y estuvo tumbado, estremeciéndose, antes de que el sueño total se apoderara de él. Tuvo pesadillas repletas de cosas muertas que se agitaban y hablaban, las voces de las arañas y las manos de los centípedos.

No tenía ni idea de cuánto tiempo había estado durmiendo. Podían haber sido horas o incluso un día entero. Cuando se despertó tenía el cuerpo entumecido y frío y le dolía por todas partes. Un espantoso dolor de cabeza le latía en la sien izquierda y sentía un hambre mortal y enfermiza que le retorcía el estómago y le provocaba náuseas. Vomitó dos veces, llenando el túnel donde se encontraba de un olor amargo y acre. La cabeza le daba punzadas y durante largo tiempo no se atrevió a ponerse en pie. Pero seguir allí sentado significaba la muerte, así que al final se movió, tratando de recuperar la actividad normal de sus miembros andando.

Mientras dormía, había perdido toda noción de dónde se encontraba. Era como un larguísimo túnel, un túnel de huesos roídos por las arañas y más solitario que la faz de la luna. Un pensamiento volvía una y otra vez a su mente, tratando de distraerle, aunque sabía que era irracional: que podría llegar, llevado por la locura del hambre y el temor de la muerte, a comer la carne momificada que se extendía en abundancia a cada lado. Pidió morir de una forma rápida, por una locura que se sobrepusiera a la lucidez de una muerte lenta. No tenía modo alguno de saber hasta dónde había caminado o cuánto tiempo. A veces parecía tardar horas en dar un paso, y otras le parecía que sólo habían transcurrido unos pocos segundos desde que salió de la habitación donde estaba el Arca.

Para entonces ya se cansaba muy rápidamente: los pies le fallaban y se vio obligado a detenerse y descansar de vez en cuando. Lo que más le debilitaba era lo desesperado de su situación. Eso minaba su voluntad y sus fuerzas. Parecía no tener ningún sentido caminar sin parar por todos aquellos túneles cuando al final daría lo mismo dónde se dejara caer para morir. Por lo que intuía, había pasado tal vez más de una vez a pocos centímetros del recodo hacia la derecha. Pero fuera un centímetro o un kilómetro, todavía estaba atrapado.

En aquel momento recordó que cuando era un niño le encantaba jugar a hacer el ciego, corriendo a tropezones con los ojos vendados en pos de sus pequeños y vociferantes amigos, entusiasmado en un mundo que consistía sólo en sonido, tacto y olor, seguro de saber que un simple tirón de la venda le devolvería al mundo de la luz y el color. También recordó cuando jugaba a los laberintos, trazando con un lápiz los serpenteantes senderos que conducirían al héroe fuera del bosque encantado, las líneas curvas que le llevarían hasta el tesoro enterrado. En aquel lugar, en la realidad, había encontrado el tesoro de verdad, pero había perdido el camino de salida.

¿Lo había perdido? De repente, otro recuerdo volvió a su mente como una iluminación, algo que le habían dicho cuando tenía unos doce años, un método para encontrar la salida de un laberinto. Era muy simple, y era efectivo; lo había probado varias veces antes de perder todo interés por los laberintos, ya que éstos dejaron de representar un desafío. Todo lo que había que hacer, recordó, era mantener la mano, o el lápiz, pegada a una pared, la de la izquierda, por ejemplo. No importa lo lejos que vayas, nunca hay que separarla de la pared; al final, aunque uno vaya a parar a todos los túneles sin salida y vuelva sobre sus propios pasos varias veces, saldrá del laberinto.

Se daba cuenta de que seguir aquel método en aquel lugar sería difícil. No tenía ni idea de la verdadera extensión de los túneles, ni de cuántas vueltas y revueltas daban. Pero era una posibilidad y tenía que intentarlo. Con la mano izquierda fue siguiendo la pared de piedra entre dos nichos a la altura del hombro caminando con paso firme. Al cabo de un rato, llegó a una curva y luego a otra, pero siguió andando, con la mano en constante contacto con la pared. De vez en cuando, el nivel de la piedra se alteraba, pero no era difícil volver a encontrarlo. En una ocasión chocó con algo que obstaculizaba el túnel. Un rápido examen reveló que era un cadáver, seguramente de alguien que se había internado en los túneles y se había perdido, muriendo allí.

A pesar de la lóbrega advertencia que esto significó para su empeño, el hecho de haber adoptado un método de acción positivo hizo mucho para restablecer sus fuerzas. Su único temor era agotarse y quedarse dormido otra vez, ya que podría despertarse inseguro sobre la dirección que había tomado y volver por donde había venido. Al andar, se maravillaba de la extensión de las catacumbas de Iram y de las molestias que se habían tomado los habitantes de la ciudad sólo para alojar a sus muertos.

Cuando vio la luz, no estuvo seguro de que no fuera una alucinación, una mala pasada que le jugaban sus cansados ojos. Pero al cerrar los ojos y abrirlos de nuevo, la luz seguía allí delante, un débil resplandor en la distancia, atrayéndole hacia sí.

Había ido a parar un poco más allá del túnel principal de las catacumbas que conducía al templo. El resto sería fácil. Atravesó el templo y se dirigió a los túneles de detrás y desde allí tan sólo una corta distancia le separaba de su habitación. No había nadie. La habitación estaba vacía, tal y como la dejó... ¿cuándo? ¿El día anterior? ¿Dos días antes? No tenía ni idea. No había encontrado a nadie a su paso hacia la habitación y supuso que volvería a ser «de noche». Una ola de extremo cansancio le invadió. Se desplomó en la cama y cayó en un profundo e inquieto sueño.

Le despertó una mano que le sacudía brutalmente por el hombro. Sus ojos se abrieron una fracción tratando de ver algo. La débil luz de la lámpara le pareció anormalmente brillante. Talal se hallaba junto a su cama, mirándole con dureza, como un Buda disgustado al haber sido perturbado de su contemplación del orden infinito para atender a mundanas trivialidades.

—¿Cuánto hace que ha vuelto? —inquirió.

David sacudió la cabeza, cansado y soñoliento.

—No lo sé —dijo—. Ni siquiera sé cuánto tiempo he estado fuera o qué día es hoy.

—Es el primer período después de despertarse. Desapareció hace dos noches.

David asintió. No hacía tanto como se temía. Se encontraba fatal.

—Quiero comer... —dijo— y beber.

Talal le ignoró. Sus ojos eran implacables y su voz tan dura como la roca contra la cual resonaba el eco.

—¿Dónde ha estado? ¿Qué ha estado haciendo? ¿Qué ha visto?

David se impacientó. Tenía la boca arenosa, como si hubiera estado en el desierto, tragando arena igual que una exquisitez.

—¿No podríamos hablar más tarde? —protestó—. Estoy cansado, tengo sed y la garganta me escuece horriblemente.

Talal insistió.

—Quiero saber dónde ha estado, qué ha estado haciendo. ¿Por qué se escapó? —Su voz era cortante como una hoja, brillante y caligráfica, con su filo suavizado en un afilado casi perfecto.

—No he estado en ninguna parte —respondió David cortante y perdiendo rápidamente la paciencia—. Me perdí, di la vuelta por un sitio equivocado. Me rezagué del guardia, estaba cansado. Me perdí por las catacumbas. Por Dios, ¿no ve en qué condiciones estoy? Necesito descansar, no un interrogatorio.

—No le creo —replicó Talal con sequedad.

—Pues peor para usted, porque es verdad. Resbalé y se me apagó la luz. Tengo suerte de estar aún con vida.

Talal le miró con curiosidad, imparcialmente.

—Tal vez no —dijo.

—¿Qué quiere decir eso?

Talal no respondió

—Bueno, lo siento —continuó David—, sólo que no quiero hablar de esto ahora. Quiero comer y necesito descansar un rato. Después le diré todo lo que quiera saber, si es que puedo. ¿Dónde está Boris? —Era el nombre del guardia habitual de David—. Quiero que me traiga algo para desayunar.

—Heinz está muerto —respondió Talal—. Ahora yo soy su guardián. Nos veremos mucho, usted y yo.

David miró a Talal a los ojos, como si esperara leer algo en ellos. El otro le devolvió la mirada, con ojos ilegibles, igual que dos caracteres de escritura japonesa.

—¿Muerto? ¿Cómo que muerto? No comprendo.

—Le habían ordenado que le vigilara cuidadosamente, que controlara sus movimientos. Pero le dejó escapar. Herr Von Meier ordenó que fuera ejecutado.

A David se le abrió la boca. El agudo horror de aquel lugar le traspasó, como si su crueldad se fuera haciendo visible ahora.

—Pero eso es absurdo —dijo finalmente—. Nada... mi ausencia no ha causado ningún daño. No fue culpa suya si yo di la vuelta por el túnel equivocado.

—Por favor, no hablemos más sobre su muerte. Era un soldado y tenía órdenes: conocía las consecuencias de un fallo. Con eso basta. —Talal hizo una pausa como si dudara en abordar otro tema—. ¿Hasta dónde llegó por los túneles? ¿Adónde fue?

David se encogió de hombros.

—¿Cómo voy a saberlo? Todos son iguales y yo no tenía ninguna luz. Sólo Dios sabe adónde llegué. Incluso puede que estuviera caminando en círculo todo el rato.

—¿No estuvo en el extremo oeste de la ciudad? ¿Ayer por la noche? —preguntó Talal.

—Le he dicho que no sé dónde estaba. Puede que sí, no sabría decirlo con seguridad.

—Si se había perdido, ¿cómo es que encontró la salida?

—Eso es fácil de explicar, aunque no fue tan fácil hacerlo. Seguí la pared. Puse una mano contra la maldita pared y eché a andar. Pruébelo alguna vez. Funciona, pero no es nada agradable.

—Entonces, ¿no sabe nada del cadáver?

—¿El cadáver? Estaba rodeado de cadáveres. ¿A cuál se refiere?

Talal observó con atención a David, como si escudriñarle fuera a detectar las mentiras.

—El cadáver del guardia —dijo—. El que encontramos en el cambio de guardia, en la entrada oeste de la ciudad.

—¿Quiere decir que creen que maté a un guardia?

Talal vaciló un instante.

—Sí.

—Y después regresé aquí y esperé que vinieran a buscarme.

—No sé. No conozco sus razones, ni por qué ha vuelto.

—¿Y no traté de escapar? Dice que yo estaba junto a una entrada, maté a un guardia allí y... di media vuelta y volví tranquilamente a mi habitación.

—No tenía adónde ir. Fuera sólo hay desierto. Ya sabe cómo es. No tenía comida ni agua.

—Entonces, ¿por qué iba a matar a un guardia?

—No lo sé. Tal vez él le encontró haciendo algo y trató de detenerlo. Eso tendrá que explicármelo usted.

—Suponga que yo le digo que tampoco sé nada. Que me he pasado los dos últimos días vagando en la oscuridad en una desagradable compañía. Tal vez es que tienen un renegado entre ustedes. ¿Han comprobado si falta alguien?

Talal sacudió la cabeza.

—Ya lo haremos, no se preocupe. Mientras tanto, Herr Von Meier desea verle. Está muy perturbado por todo lo sucedido. Tenga mucho cuidado con lo que le dice. Le tolera porque usted sirve a un propósito y... usted le divierte. Pero después de lo ocurrido ya no le encontrará tan divertido. Le aconsejo que sea muy cuidadoso.

Sin otra palabra, Talal fue hacia la puerta y la abrió, aguardando a que David le acompañara. David permaneció un momento sentado en el borde de su cama, con los ojos fijos obstinadamente en el otro hombre, resistiéndose a moverse. A pesar de haber dormido, estaba física y emocionalmente exhausto. Una entrevista con Von Meier era lo último con lo que podía enfrentarse en aquel momento. Los ojos de Talal permanecían fijos en él, instándole a levantarse, pero David no se movió, enfrentando su voluntad a la del otro.

El siguiente movimiento de Talal fue tan repentino que David no tuvo tiempo más que de ver un corte que estallaba de dolor. La mano del hombre se movió hacia la empuñadura de su espada y efectuó un rápido salto hacia David con la espada desenfundada, la cual quedó suspendida un instante en el aire y descendió diagonalmente sobre el pecho de David, hasta la parte superior de su estómago. Por donde la espada había pasado, un hilillo de sangre carmesí brotó formando una línea. David se agarró el pecho, que le mortificaba, y se preguntó por qué no estaba muerto. Levantó la vista para ver cómo Talal limpiaba la espada y la devolvía a su funda, con un movimiento lento y preciso, pasándola por entre los dedos de la mano izquierda al envainarla. Volvió a posar su vista en la línea roja de sangre que fluía de su pecho. El corte no era más que superficial, como la incisión de una cuchilla que hubiera pasado por la piel.

—No me obligue a hacer un corte más profundo —dijo Talal empujando a David hacia la puerta.

La herida le producía un agudo dolor. Se levantó y fue hacia la puerta sin pronunciar palabra. Tendría que aguantar con descaro a Von Meier. Después de cruzar la puerta se dirigió hacia la izquierda, en dirección a la habitación de Von Meier, pero Talal le agarró por un brazo y lo arrastró en una dirección diferente. Miró a Talal con una expresión de evidente asombro, pero el hombre no dijo nada, limitándose a indicarle el camino y siguiéndole a uno o dos pasos de distancia. David caminó en silencio por el pasillo donde se hallaba situada su habitación y después siguió por unas escaleras que no había visto hasta entonces.

Llegaron a un nivel inferior donde David jamás había puesto los pies. Aquello parecía más oscuro y viejo, primitivo y descuidado. El pasillo por el cual caminaban tenía el techo bajo y David tenía que encogerse ligeramente. A intervalos se veían unas viejas telarañas que colgaban por las paredes. Entraron en un segundo pasillo, que descendía en pendiente hacia abajo, perdiéndose en la distancia, desolado y vacío. No había nadie más excepto David y el que le custodiaba. Las sombras se cernían sobre ellos como viejos amigos cayendo en picado sobre los recién llegados.

Aquél era el viejo corazón de Iram, en aquella época ya casi vacío, un lugar lúgubre, repleto de sombras exangües y sueños derrotados. Todas las ciudades tienen un corazón de oscuridad, una tierra baldía y abandonada que una vez fue su núcleo, un lugar de calles deshechas y de húmedos y podridos almacenes, un lugar abandonado a la descomposición en las sombras de su propia deformidad. La deformidad de Iram estaba allí, en aquellos pasillos monótonos, en las estatuas torcidas y los adornos medio derruidos, una lepra negra que roía la piedra con una sencillez carente de remordimientos. Las paredes se cernían sobre ellos como si un millón de toneladas de piedra hicieran presión hacia abajo, celosas de las dos pequeñas vidas que se deslizaban entre sus estrechas cavidades. Entraron en un último túnel. Unas estatuas aladas y leprosas marcaban la ruta, como guardianes de piedra alineados en una procesión. O en un funeral.

El túnel acababa en un pequeño tramo de escalera. Una luz salía por una abertura, una luz rojiza y chillona que David no había visto en ningún otro sitio de la ciudad, con excepción de las que vio bajo tierra en el templo. Flotaba un fuerte hedor y David notó unos débiles gases que emergían de debajo. Talal le urgió por detrás y él descendió por la escalera, un escalón tras otro, temeroso de resbalar y precipitarse a las profundidades.

Fueron a parar a una caverna de techo bajo que se extendía por debajo del sector principal de la ciudad, una amplia área donde la arenisca no había sido excavada en columnas por el viento. La caverna estaba sumida en una llamativa luz rojiza y tensas sombras ondulaban agitadamente sobre las paredes ennegrecidas. El aire era caliente y espeso, aunque respirable. El suelo de la caverna estaba sembrado de pozos de aceite ardiendo que variaban de tamaño, desde unos pocos palmos hasta enormes depósitos de más de diez metros de largo. Hacía siglos, en los inicios del establecimiento de Iram, aquellos pozos ardían durante todo el invierno y eran apagados durante los cálidos meses de verano. Cuando al-Halabi visitó la ciudad en el siglo VIII, los bárbaros descendientes de los habitantes originarios habían perdido el viejo conocimiento de los pozos de aceite y en invierno se calentaban mediante leña que recogían en el desierto durante el verano. Ahora, durante más de cuarenta años, los pozos volvían a arder en invierno. Nadie sabía qué profundidad tenían, pero parecían inagotables, tan inmortales como la propia ciudad. Daba lo mismo cuánto tiempo ardieran, el nivel nunca descendía, como si fueran constantemente llenados por algún interminable manantial de aceite desde las profundidades de Iram.

Al borde del pozo más cercano, de espaldas a David y a Talal, se erguía una alta figura vestida de negro hasta los pies. Era Von Meier, que se había desprendido de todo olor a lecho de muerte. Se hallaba en pie, ligeramente encorvado, con los blancos cabellos cayendo pesadamente sobre los hombros, sumido en profundas meditaciones, como un viejo rey solo en los desiertos sótanos de su castillo abandonado. La luz y la sombra se movían a su alrededor en igual medida, como si jugaran o danzaran lentas y oscilantes. Se hallaba perdido en sus pensamientos, en sus recuerdos, en sueños. Mentalmente, caminaba fuera de los túneles mortuorios de Iram, fuera del frío y envolvente desierto, fuera de Arabia, hasta un mundo que se había vuelto suave y vulnerable tras largos años de paz y prosperidad. En sus sueños, él y sus hijos reconstruían la tierra: hacían ondear banderas blancas en los edificios de Washington, Londres y París; plantaban símbolos rúnicos en las agujas de las grandes catedrales; marchaban por las largas y anchas avenidas de una docena de ciudades; limpiaban y purificaban las naciones. La tierra volvía a estar limpia, redimida por su exilio y su sufrimiento, por sus casi cincuenta años de encarcelamiento, dolor y soledad. Respiró el olor acre de la caverna y suspiró.

Cerca de él, colocada en una columnata de piedra, había una momia ciega, alrededor de la cual se enroscaban las llamas y las sombras reflejándose en su piel seca y su mortaja hecha un harapo. David recordó el incidente relatado en el diario de Schacht, el coloquio de Von Meier con el muerto a medianoche. La vieja locura —pensó— en otro lugar.

David desvió la vista de Von Meier y la momia, posándola en las profundidades de la caverna. Una estatua alada reposaba en una roca aislada, como un ave fénix, con las llamas agitándose coléricamente como lenguas enfermas. Tenía un rostro suave y transfigurado, como el de un ángel caído hace mucho tiempo, que ha olvidado su beatitud y ha convertido los dolores del infierno en molestias diarias. Como el matorral sinaítico que ardía sin consumirse jamás. David volvió su rostro hacia Talal y lo desvió de nuevo. Éste permanecía a pocos pasos detrás de él, con los ojos fijos en Von Meier, esperando.

En una oscura esquina de la caverna se movió algo suave y blanco. Después hubo un segundo movimiento y luego un tercero. A través de una hendidura que se hallaba a la derecha de David, entraron unas cosas pálidas como gigantescos gusanos dando tumbos. David se estremeció involuntariamente. No podía ver claramente lo que eran aquellas cosas blancas, pero algo en su modo de moverse le repugnaba como si realmente fueran gusanos hormigueando en una mortaja. Ni Von Meier ni Talal prestaron aparentemente ninguna atención a las criaturas. David se estiró para ver mejor lo que era. Entonces, el primero de ellos apareció ante su vista, recortado sobre las llamas. Eran cerdos, enormes cerdos blancos hurgando en el suelo de la caverna con el hocico.

De repente, Von Meier se dio la vuelta, aunque David no estaba seguro de que les hubiera oído entrar a él y a Talal. No pareció sorprendido en absoluto de verlos y miró a David un instante. Levantando una mano, dobló un dedo haciéndole señas de que se acercara.

—A veces se acercan aquí en busca de calor —dijo. David se

dio cuenta de que se refería a los cerdos—. De luz, no. Son bastante ciegos. Los encontramos aquí cuando descubrimos Iram, una piara de cerdos blancos viviendo en la oscuridad de las cavernas. Comen todo lo que crece aquí, e incluso los restos de sus propios cadáveres. Son la última abominación de Iram, la gran blasfemia. De vez en cuando matamos alguno y nos lo comemos; su carne es pálida, pero dulce.

Von Meier hizo una pausa y apartó su mirada de David, hacia la esquina donde los cerdos hozaban en la roca con suaves y obscenos labios.

—¿Por qué no le hago matar? —preguntó.

David no respondió. Sabía que estaba en poder de Von Meier hacerlo. Como los cerdos. ¿Eran necesarias las razones? ¿Allí, en un lugar como aquél?

—Me va a contestar —dijo Von Meier volviéndose. La amenaza de su voz era tan desnuda y descarnada como la herida de David.

—¿Qué quiere que diga? —David miró al anciano, a su rostro lineal, a sus ojos fríos—. He oído los cargos contra mí de boca de Talal. No puedo refutarlos, al menos con alguna evidencia. Quería libertad para ver la ciudad sin guardián por una vez, así que me escurrí de su vigilancia. Como resultado, me perdí. Todo el rato estuve muy cerca. Pero no sé nada de su guardia muerto, el que encontraron junto a una entrada. Que yo sepa, no estuve cerca de allí. Uno de sus hombres debe ser el responsable. Si no me cree, está corriendo ese riesgo. Tiene a un asesino entre los suyos. O bien alguien ha desaparecido.

Al principio Von Meier no dijo nada. Tenía unas manos finas y suaves que mantenía juntas por delante, unas manos blancas que hicieron pensar a David en un cirujano más que en un viejo y blanquecino anciano en una caverna repleta de llamas. Miró más allá de Von Meier y volvió a ver a los cerdos. Su carne también era blanca.

—¿Qué vio? ¿Adónde fue?

—No vi casi nada. Pasé por el templo, pero estaba casi oscuro. Torcí por el tercer... no, por el cuarto túnel hacia las catacumbas. Debí de ir bastante lejos, después resbalé con algo y perdí la lámpara. Traté de encontrar el camino de vuelta, pero me equivoqué al torcer en alguna parte y me perdí del todo. Nadie me vio. Créame, no estoy mintiendo.

Sabía que muy poco se interponía entre él y una muerte súbita. La mano que había manejado la espada como si fuera una hoja de afeitar podría segar su cabeza de sus hombros con pasmosa facilidad de un solo golpe. Von Meier contempló a David durante largo rato, con cara impasible excepto por sus pálidos y observadores ojos. Ahora era el rey de Iram, pensó David, un Salomón que reinaba en un reino de muertos.

—Muy bien —dijo Von Meier por fin—. Le devolverán a su habitación, donde quedará confinado bajo estricta vigilancia. Se efectuarán las pesquisas necesarias. Si alguien ha desaparecido o se desconoce su paradero, supondré que es usted inocente a menos que salga otra evidencia a la luz. De todas maneras será castigado por escapar de su guardián. Pero déjeme decirle que no le creo. Ya he dado órdenes para que le ejecuten mañana, en el primer período después de levantarse. No será algo rápido y sin dolor: ese privilegio lo reservo para mi gente, para hombres como Heinz, cuya muerte ha causado. Deseará haber muerto como Schacht o no haber encontrado jamás la salida de las catacumbas. Y cuando muera haré que corten su cuerpo en pedazos y los echaré a esos cerdos.

Sacudió una mano en dirección a David como barriéndolo y dio la vuelta para seguir contemplando su reino subterráneo.

—Déjeme —murmuró—. Ha dejado de serme útil.

David dio media vuelta y siguió a Talal por la escalera. Echó una breve ojeada hacia atrás y pudo ver a Von Meier aún de pie frente a las llamas. Tras él, las sombras leprosas se movían silenciosamente sobre las rocas, lamiéndolas con lenguas repugnantes.

CAPÍTULO 47

Cerca de la pequeña puerta que se abría al templo había un nicho vertical vacío, que una vez contuvo una alta estatua. La luz más cercana estaba a cierta distancia y el nicho se encontraba permanentemente en las sombras. Leyla había estado aguardando allí dentro durante lo que empezaba a parecer un largo tiempo, en espera de que pasara alguien. Poco después de haber tomado posición, un grupo de unas diez personas había entrado en el templo, donde había permanecido aproximadamente media hora, para regresar finalmente por donde habían venido. Ella quería a alguien que fuera solo, pero empezaba a pensar que no iba a venir nadie más. Se sentía entumecida y cansada. El sueño que había descabezado aquella tarde no la había refrescado. Se sentía incapaz de relajarse hasta que estuviera fuera de Iram, y ésa parecía ya una posibilidad muy remota.

Se oyó un sonido lejano de pasos por el pasillo. Leyla atisbó con sumo cuidado por el borde del nicho, confiando en que las sombras la ocultarían. Se acercaba un hombre solo, y, según veía, desarmado. Era bastante más alto que ella y de aspecto fornido, pero ella contaba con el elemento sorpresa. Scholem le había enseñado lo que debía decir en alemán, y lo ensayaba mentalmente una y otra vez mientras se escondía en el nicho a la espera de que pasara el hombre.

De pronto, allí estaba... y luego ya había pasado. Ella le siguió unos pasos silenciosamente con el cuchillo en la mano, moviéndose a sus espaldas; le puso una mano en la boca mientras acercaba el cuchillo a su garganta.

—No te muevas —susurró.

El hombre se detuvo en seco, quedando inmovilizado por aquel ataque que no provenía de ninguna parte. Veía el cuchillo junto a su garganta y notaba la punta apretada a su cuello. El aliento de Leyla le llegaba a la nuca, caliente y pesado. Ella siseó otra orden. Scholem le había enseñado las palabras.

—Da la vuelta despacio.

Empezó a dar la vuelta, mientras ella le mantenía sujeto, apretando el cuchillo hasta que estuvo segura de que le dolía. La punta ya había traspasado la piel del hombre y salía sangre.

—Camina —ordenó. El hombre comenzó a caminar retrocediendo por el túnel, lenta y torpemente. Ahora que el primer susto había pasado, comenzó a cavilar sobre la manera de desarmar a su atacante sin darle oportunidad de utilizar el cuchillo. Tenía las manos libres; si acertaba en el momento oportuno podría deshacerse de ella y pasar a la defensiva antes de que tuviera la oportunidad de atacar. Pero primero tenía que inducirla a tener una cierta seguridad para que aflojara la guardia un segundo. De todos modos, ¿dónde le llevaba? ¿Quién era ella? ¿Qué querría?

Llegaron ante una puerta que estaba al final del túnel. Él la reconoció: era la puerta de un almacén que apenas se utilizaba.

—Abre la puerta —ordenó Leyla.

Él puso la mano sobre el manubrio y empujó. La puerta se abrió. En el interior ardía una luz en alguna parte. Sobre una caja que tenían enfrente había un hombre sentado con un revólver en la mano. Había dejado escapar su oportunidad de liberarse.

Leyla empujó al hombre hacia dentro y cerró la puerta tras ella con un pie. Quitó su mano de la boca del hombre y después se retiró bruscamente de su lado, fuera de su alcance, por si trataba de atraparla y utilizarla de escudo. No tendrían una segunda oportunidad si ahora cometían un fallo. Cuando cada paso significa correr un riesgo, es fácil estar de vuelta de todo.

Scholem miró al hombre atentamente, sosteniendo su mirada durante largo rato.

—Venga aquí —ladró en alemán. El hombre se le aproximó.

—Ahí está bien. Quédese donde está. —El hombre se detuvo y se quedó plantado delante de Scholem con los brazos colgando a ambos costados.

—Quiero saber dónde está el americano, el hombre que trajeron hace poco.

El hombre no dijo nada. Miraba fijamente a la pared que había detrás de Scholem. Scholem se puso en pie. Hizo un gesto a Leyla. Ella fue hasta su lado y cogió el revólver. Scholem se acercó al hombre, casi hasta tocarle.

—¿Dónde tienen al americano?

No hubo respuesta. Scholem golpeó al hombre en la cara con el reverso de su mano sana.

—¿Dónde está?

No hubo respuesta. Otro golpe. La bofetada resonó en la habitación como un disparo.

—¿Dónde?

Nada. El tercer golpe. Y luego el cuarto. Crac, crac. Leyla deseaba darse la vuelta pero no podía demostrar su debilidad ante aquel individuo. Scholem se sentía asqueado de sí mismo, pero sabía que no tenían tiempo para ser pacientes.

—*Wo ist der Amerikaner?*

El hombre estaba verdaderamente dolorido, pero apretó los dientes y no dijo una palabra. Scholem volvió a golpearle de nuevo, con la mano extendida, agitándola de un lado a otro. Continuó haciéndolo durante medio minuto hasta que el hombre comenzó a tambalearse a cada golpe mientras la cabeza le daba vueltas. Scholem cesó de golpearle y le volvió a preguntar. El hombre abrió la boca y escupió sangre, un largo chorro rojo mezclado con saliva amarga.

—No lo sé —dijo tosiendo.

Scholem le pegó de nuevo.

—¡No lo sé! —repitió más alto esta vez. Scholem alzó la mano—. ¡Le juro que no lo sé! —A esas alturas ya suplicaba, encogiéndose antes del siguiente golpe. Scholem le pegó. Después otra vez, y otra. Lloriqueando, el hombre repitió lo que había dicho antes—. No sé dónde está, lo juro. Le he visto una vez, eso es todo. Tenía un guardián, Heinz, pero a Heinz lo ejecutaron ayer. No sé dónde lo tienen.

—Está diciendo la verdad, Chaim. Estoy segura. No le pegues más. —Leyla no lograba entender que el desierto no hubiera llegado a destruir todos sus sentimientos.

Scholem había alzado de nuevo la mano para descargar otro golpe, pero la bajó.

—Muy bien —concedió—. Quítese las ropas —dijo al hombre.

Éste miró a Scholem y después a Leyla, y vaciló.

—Haga lo que le digo —ordenó Scholem—. O le pegaré de nuevo.

El hombre se desnudó. No llevaba nada bajo las negras ropas. Verano o invierno, era lo que llevaba siempre.

—Tírelas hacia aquí —dijo Scholem—. Leyla, vigílale mientras me visto.

Scholem recogió el vestido y se lo metió por la cabeza. Era holgado y un poco largo, pero se lo ató a la cintura con el cordón de sus ropas viejas, las cuales llevaba debajo, y decidió que eso serviría.

—¿Qué hacemos con él? —preguntó Leyla.

Se volvió hacia ella y casi sin darle importancia le contestó:

—Pégale un tiro.

Leyla le miró horrorizada.

—¿Así, sin más? —dijo—. ¿A sangre fría, igual que hacen ellos?

Scholem fue hasta ella y le puso una mano en el brazo.

—¿Qué otra cosa sugieres? —preguntó—. No tenemos ninguna cuerda, nada con que atarle. Esta puerta no tiene cerrojo. ¿Le dejamos salir y que dé la alarma a sus amigos? Pues para eso no nos molestemos más por todo este asunto —dio unos pequeños golpes en la ropa que se acababa de poner—, simplemente salgamos y digamos que estamos aquí.

Ella sabía que tenía razón. Pero le era imposible matar a aquel hombre o dejar que le matara él. Había visto lo suficiente como para convencerse de que, si la situación fuera a la inversa, su prisionero probablemente no dudaría en matarlos a ambos. Miró al hombre. Éste, desnudo, le devolvió la mirada, ceñudo, sin acobardarse por su situación. Tenía la cara hinchada y enrojecida donde Scholem le había golpeado. Su delgado y musculoso cuerpo la turbaba. Tendría que quedarse allí y mirar cómo Scholem le metía una bala en el cerebro.

—No puedo hacerlo —dijo ella con un hililllo de voz—. No puedo dejar que lo hagas. ¿No podemos simplemente dejarle fuera de combate?

—¿Durante cuánto tiempo? ¿Una hora? ¿Dos horas? ¿Cuánto tiempo tardaremos en encontrar a David y sacarle de aquí? ¿Menos? ¿Más?

—Entonces le ataremos —dijo ella—. Dame el cordón que tienes en la cintura.

Scholem dudaba.

—Es la única diferencia entre nosotros dos, ¿no lo ves? Si le matamos así, todo será inútil. En el desierto me hablaste de tu esposa y de tu hija. Mátale ahora y te unirás a los asesinos, perpetuarás sus muertes. Él no significa nada para ti. No hagas que se convierta en algo, no le conviertas en una víctima cuya muerte no podrás luego explicarte a ti mismo.

—Tú me viste matar al guardia —estalló Scholem—. ¿Por qué no trataste de detenerme entonces?

—Aquello no fue a sangre fría. Se trataba de él o tú. ¿No ves que esto no es lo mismo? ¡Dame la cuerda, por lo que más quieras!

—No le sujetará.

—Yo haré que le sujete, no te preocupes por eso.

Scholem calló. Miró al hombre y después otra vez a Leyla.

—Toma —dijo desatándose el cinto.

Leyla lo cogió y le hizo señas al hombre para que se le acercara y se diera la vuelta. Mientras lo hacía, ella volvió a sentir la firme masculinidad que la había turbado. No era la desnudez del hombre lo que la turbaba tanto como el propio hombre, su silencio, su intensidad, su dominio de sí mismo.

Le ató fuertemente las muñecas y después las manos a la espalda con gran experiencia. Luego se quitó su propia cuerda de la cintura.

—Échate en el suelo —ordenó. Él la miró sin comprender.

—*Niederlegen Sie sich* —repitió Scholem.

El hombre se tendió en el suelo y Leyla le ató los tobillos juntos, uniendo después las cuerdas de las muñecas con las de los tobillos en el medio, donde no podía alcanzarlas. Era una habilidad que aprendió en un campo de entrenamiento de la OLP. Sabía que aquel hombre no podía escapar a menos que alguien fuera a desatarlo.

Cuando le hubo atado satisfactoriamente, utilizó el cuchillo para cortar el dobladillo de sus ropas y las de Scholem. Era un trabajo bastante precario, pero les evitaría tener un desliz, y además les proporcionaría un trapo para amordazar al hombre que estaba en el suelo.

—¿Estás contento, Chaim? —preguntó cuando hubo concluido.

Scholem se agachó y examinó los nudos, después se irguió y asintió.

—Está perfecto —dijo—. Éste no causará problemas. Siento haber parecido insensible.

—Estabas dispuesto a serlo —respondió Leyla.

—Sí. Pero si hubiera sido el único modo, si no hubiéramos tenido el cordón ni otra alternativa, ¿qué habrías hecho?

Leyla sacudió la cabeza. No podía responder nada. Ni a Scholem, ni siquiera a ella misma.

Salieron al pasillo, Leyla delante, como prisionera, y Scholem detrás con el revólver.

Pasaron junto a varias puertas abiertas, pero las habitaciones que había dentro estaban sumidas en la oscuridad y no revelaban nada. Después vieron una puerta cerrada con una sola palabra escrita en rojo. Scholem se detuvo unos instantes para llamar la atención de Leyla, explicándole en susurros lo que era. Tendrían que volver allí, si podían, después de haber encontrado a David. Si es que le encontraban. Leyla asintió tristemente y continuaron.

Únicamente el pasillo central por el cual avanzaban estaba iluminado, y aun así, débilmente. Primero hubo una intersección y luego, bruscamente, otra, pero ellos continuaron por el camino principal. Todo estaba en calma. No parecía haber nadie a la vista.

En la siguiente esquina, Leyla oyó algo. Se detuvieron y escucharon con gran atención. Alguien estaba lavando cacharros y sartenes cerca. Se deslizaron por el pasillo en dirección al sonido, con los sentidos aguzados al límite. De una puerta, a mano derecha, salía una pálida luz que iluminaba el pasillo. Aplastándose contra la pared, se acercaron a la puerta, listos para luchar o correr en caso de necesidad. El ruido del lavado era más fuerte y sin duda procedía de la habitación con luz. Leyla se aproximó al borde de la puerta y miró dentro.

Una mujer sola se hallaba en una enorme cocina de cara a un alto fregadero de piedra. Estaba a medio lavar un enorme montón de platos y cacharros. En una cocina cercana había una tetera de gran tamaño con agua hirviendo. Leyla se dio la vuelta y gesticuló en dirección a Scholem. Juntos se deslizaron al interior de la habitación, acercándose a la mujer. Ésta continuaba fregando, sin percatarse de su presencia.

Scholem dio un paso tras ella, deslizando una mano sobre su boca, dominándola antes de que tuviera tiempo de reaccionar a la repentina intrusión.

—No haga el más mínimo ruido —le susurró al tiempo que la hacía girar lentamente para encararse con ella. Era una joven de unos diecisiete o dieciocho años con los ojos abiertos de par en par, asustadísima.

—¿Estás sola? —preguntó Scholem acercándole la boca al oído. Desprendía un olor a especias, como si su piel hubiera adquirido aquel olor con el paso de los años. Ella asintió frenéticamente.

—¿Hay alguien por aquí cerca, alguien que pueda oírnos?

Ella sacudió la cabeza. Sus ojos reflejaban el pánico.

—Voy a quitar la mano de tu boca, ¿comprendes? No grites, no lo intentes o me veré obligado a hacerte callar. ¿Has entendido?

La muchacha asintió. Scholem retiró la mano y ella respiró profundamente varias veces seguidas, y luego rompió a llorar reaccionando al susto. Tenía las manos mojadas del agua de fregar. En la cocina, el agua hervía sin cesar, expulsando una nube de vapor que ascendía suavemente.

Era una mujer bastante bonita, pensó Scholem, pero sus rasgos se habían echado a perder a causa de la expresión de monotonía y aburrimiento que había producido, dedujo él, no tanto la innata falta de inteligencia, como el vivir secuestrada toda una vida en un mundo de rocas y sombras.

—No te voy a hacer daño —dijo él— a menos que grites pidiendo ayuda o trates de escapar. Contesta mis preguntas y no recibirás ningún daño.

Leyla le miraba sin decir nada. Se preguntaba por qué no la golpeaba para hacerla hablar. ¿O es que eso aún estaba por venir?

—¿Has visto al hombre que trajeron hace unos días, el americano? —interrogó Scholem.

La joven respondió afirmativamente con las lágrimas chorreando por sus mejillas.

—¿Sabes dónde lo tienen, dónde está ahora?

Ella asintió.

—Entonces, dímelo. No tengas miedo.

La joven tragó saliva e intentó hablar. Al principio su voz era ronca y temblorosa por el miedo.

—Viene... viene aquí a las horas de comer... Yo... yo misma le he servido... varias veces. —Hizo una pausa sin saber qué decir a continuación.

—¿Y dónde duerme? ¿Cerca de aquí?

—Sí —respondió—. Cerca de la habitación del líder.

—¿Dónde es eso? —se impacientó Scholem.

Respiró profundamente y se secó los ojos. Estaba empezando a calmarse un poco. Pero todavía estaba muy asustada. ¿Quiénes eran aquellos extraños? ¿De dónde habían venido? Jamás los había visto en la ciudad.

—Ahí fuera, no muy lejos...

—Pero, por el amor de Dios, ¿en qué dirección? —Scholem la agarró por los hombros y la sacudió violentamente. Ella rompió a llorar de nuevo. Leyla apartó a Scholem con brusquedad.

—Por favor —dijo—, ¿no ves que está asustada? No iremos a ninguna parte si haces que se ponga peor. Tienes que hacerlo tú, porque eres el que habla alemán, pero al menos trata de ser más suave.

La voz de Scholem era más tranquila cuando habló de nuevo a la joven.

—Prometo no hacerte daño. Pero es muy importante que nos digas dónde podemos encontrarle.

—Salen de aquí —dijo la joven, soltando por fin lo que le preguntaban—, y van a la... derecha. Al final del pasillo, a la izquierda. Es una de las puertas siguientes del otro pasillo, pero no sé cuál. Puede que haya un guardia fuera, no sé.

—Gracias —dijo Scholem para tranquilizarla—. A ver, dices que David... el americano... viene aquí a comer cada día. ¿Dónde guardáis los alimentos para las comidas que preparáis aquí? ¿Hay una despensa o un almacén?

La joven señaló unos grandes armarios en la pared.

—Ahí guardamos lo necesario para una semana, y después nos mandan a buscar más a los almacenes que hay en el nivel inferior.

Scholem comunicó a Leyla lo que había dicho la chica. Ella asintió y fue hacia los armarios. Las puertas estaban cerradas con llave y le dijo a Scholem que le pidiera las llaves a la chica, si es que las tenía. Él lo hizo y aquélla extrajo un manojo de llaves del bolsillo y se las entregó. La mano le temblaba al hacerlo y sus ojos se movían constantemente hacia la puerta como si contemplara una posibilidad de libertad. Scholem le dio las llaves a Leyla sin quitar la vista de la chica. Aún tenía que decidir qué hacer con ella.

Leyla abrió el armario más grande; descubrió que más que un simple armario era una despensa excavada directamente en la roca. Dentro había sacos de yute y cacharros de barro de diversos tamaños. Abrió algunos y encontró arroz, harina y gran variedad de legumbres. La dieta básica del pueblo de Iram era de una simplicidad monótona, aunque bien equilibrada y en muchos aspectos más sana que la del americano o europeo medios.

Leyla se volvió hacia Scholem.

—Pregúntale dónde crece todo esto, Chaim. Seguramente en este lugar se pueden autoabastecer.

Scholem se lo preguntó a la muchacha.

—Sí —respondió—, cultivamos lo que comemos. ¿Qué otra cosa podríamos hacer? ¿Dónde crecería si no la comida? Los hombres dicen que fuera de la ciudad no hay más que arena, que se extiende igual que los túneles en todas direcciones. Tal vez mientan, pues yo no me imagino algo tan enorme como eso. Pero bajo la ciudad hay seis campos y muchas habitaciones de... hidro... lo siento, pero no sé cómo es la palabra.

—Hidropónicos, ¿no? *¿Wasserkultur?*

Scholem tradujo resumidamente lo que había contestado a Leyla.

—Pregúntale de dónde vienen las flores —dijo Leyla.

Scholem lo hizo.

—De los hidro... pónicos. Hay una habitación especial para ellas. Sólo cultivan una flor, llamada edelweiss, creo. La cultivan para los muertos. Y para el líder.

Scholem explicó todo aquello a Leyla y añadió:

—La edelweiss era la flor favorita de Hitler.

Se volvió de nuevo hacia la joven y le preguntó:

—¿Quién es ese líder que dices? ¿Cómo se llama?

Ella sacudió la cabeza.

—No tiene nombre. Sólo es el líder. Siempre ha estado aquí, antes de que yo naciera, antes de que ninguno de nosotros naciéramos, excepto tal vez los más viejos. Le vemos raramente. La mayor parte del tiempo se la pasa en su habitación, pero a veces viene a vernos. Es muy viejo, no hay nadie tan viejo como él en Iram. Dicen que jamás morirá. Por lo menos hasta que el mundo vuelva a ser nuevo. Entonces morirá y regresará a nosotros con un cuerpo más joven.

Mientras Scholem hablaba con la muchacha, Leyla había comenzado a vaciar una enorme jarra con una tapa que se desenroscaba. Serviría para llevar agua. Cuando estuvo vacía, extrajo un poco de harina de un saco, después encontró un cántaro de agua en una esquina y llenó la jarra. Seguidamente colocó la jarra en el saco dejando espacio suficiente para atarlo en el extremo superior y en el inferior, y repitió la operación con un segundo saco y una segunda jarra, convirtiendo los sacos en una especie de bolsas con nudos en cada extremo. Volviéndose hacia Scholem le dijo:

—Dile que me dé la cuerda que lleva en la cintura. Creo que será lo suficiente larga para lo que quiero.

La joven llevaba un cordón trenzado en la cintura que le daba tres vueltas. Cuando Scholem se lo pidió, ella se lo desató y se lo entregó para que a su vez se lo diera a Leyla.

Leyla lo cogió, calculó la mitad y lo cortó en dos con el cuchillo. Cogió uno de los cordones y ató uno de los extremos al nudo superior de la bolsa y el otro al inferior y volvió a hacerlo con la segunda bolsa. Recogió una de las bolsas y se pasó el cordón por encima de la cabeza, de manera que éste colgaba sobre su hombro izquierdo y la bolsa diagonalmente a su espalda. Era mucho más incómodo que una mochila, pero tendría que servir.

Entregó la otra bolsa a Scholem.

—¿Qué hacemos con la chica? —preguntó Leyla. Esta vez no tenían absolutamente nada con que atarla.

Scholem lanzó una ojeada a la despensa.

—La encerraremos aquí. Sin duda alguien acabará por sacarla. Con suerte, para entonces ya nos habremos ido.

Ordenó a la chica que se hiciera un hueco allí dentro y que se metiera. De mala gana, ella se metió acurrucándose sumisamente, como si toda su existencia se centrara en aquel acto de acurrucarse bajo amenaza, bajo la amenaza de la violencia. Scholem se preguntó qué clase de vida le esperaba en un lugar como aquél. Miró al infinito y después cerró la puerta y echó la llave.

Leyla le aguardaba junto a la puerta. Tenía el revólver fuertemente sujeto con ambas manos.

—Es hora de irnos —dijo.

Él asintió. Era hora.

CAPÍTULO 48

David yacía medio dormido en la impenetrable oscuridad de su habitación. Junto a su cama había una lámpara, pero prefería el confort de la oscuridad. A la luz, podía ver dónde se encontraba; seguía tendido en la cama contemplando el techo, los desnudos muros, toda la presencia de Iram a su alrededor. Podía sentir cómo la ciudad respiraba a través de sus largos túneles sin luz, apretando las sogas a su alrededor, sofocándole. En la oscuridad podía encontrarse en cualquier parte y en ninguna. Sus pensamientos le perturbaban: pensamientos nocturnos de muerte sin reposo, sin resurrección. Se preguntó por qué Von Meier se empeñaba en mantenerle con vida. Y se preguntó quién habría matado al guardia de la entrada oeste. Oyó un pequeño ruido en la puerta, después ésta se abrió y entró al-Shami, gordo, fúnebre y siniestro, todo a la vez. Llevaba una lámpara. Unas trémulas sombras grises jugueteaban en su rostro. Parecía cansado y nervioso, menos lleno del impulso vital de la crueldad de lo que David recordaba. Había perdido peso. Después de vacilar un momento, entró en la habitación, resollando ligeramente en el aire frío. Junto a la estrecha cama, había un pequeño taburete. Se dejó caer despacio sobre él: parecía absurdamente pequeño para su enorme volumen, como el de un niño pequeño.

Desde que había llegado a Iram, David sólo había visto a al-

Shami dos veces. Y en ninguna de ellas había sido un encuentro agradable. Al-Shami, tal vez reprendido por el trato que había dado a David durante el viaje a Iram, había tratado de ser conciliador, pero David había sido incapaz de facilitar la transición a una relación más relajada. Todavía temía y desconfiaba de aquel hombre obeso, su compañía le inquietaba, sentía el trasfondo diabólico de aquel hombre igual que la primera vez que le vio. Es más, diría que al-Shami no se sentía en absoluto como en su casa en Iram, que le disgustaba e incluso temía aquel lugar, y que por tanto no se podía confiar en él. David era de la opinión de que el hombre se había percatado de que tenía alguna ventaja sobre él, de que, de alguna manera, le había vendido a Von Meier a cambio de algo que David no tenía modo de conocer. Y estaba seguro de que fuera cual fuese el precio, al final, éste no había sido totalmente del gusto de al-Shami. ¿Había sido David un as en una prolongada partida de póquer entre los dos hombres, un as con el que al-Shami había jugado demasiado tarde o ineptamente? David no lograba adivinar qué clase de profundas relaciones existían entre el sirio y el alemán; sólo sabía que fueran cuales fuesen, Von Meier siempre tendría la sartén por el mango. Y al-Shami, a pesar de todas sus fanfarronadas, también lo sabía.

El gordo depositó la lámpara en el suelo y miró a David.

—¿Estaba durmiendo? —preguntó.

David sacudió la cabeza.

—No —continuó al-Shami—. No podría dormir. A mí también me cuesta conciliar el sueño en este lugar. A pesar de la oscuridad. O tal vez a causa de ella. —Hizo una pausa, contemplando cómo se juntaban las sombras que proyectaba la lámpara.

»Dicen que Von Meier no duerme jamás —prosiguió—, que no ha dormido durante siete años. Me cuesta imaginarlo. Siete años sin descanso, sin sueños. Pensando, siempre pensando. Incapaz de escapar. No creo que yo pudiera soportarlo, estar siempre despierto. —Suspiró. Las sombras parecieron agolparse en las zonas más altas de la habitación.

»Y sin embargo —continuó al-Shami arrugando ligeramente su cara de pudín— creo comprenderlo. Cuando un hombre se hace viejo, el sueño es un terrible ladrón. Cuando queda tan poco de vida, gastar tanto tiempo durmiendo... —Calló bruscamente y miró a David—. ¿Es por eso que usted no duerme? —preguntó.

David sacudió la cabeza. Apenas había pensado en la muerte desde que Von Meier pronunciara su sentencia.

—He oído lo que sucedió —siguió al-Shami.

David no dijo nada. Se hizo un cauteloso silencio.

—¿Mató usted al guardia? —preguntó por fin el gordo.

David sacudió la cabeza. Se preguntó si sería así de sencillo. ¿Esperaba al-Shami una confesión de David, algo más que hubiera debido decirle a Von Meier?

—Creo que dice usted la verdad —dijo al-Shami—. En ese caso, su muerte es un misterio. Tal vez alguien quería escapar de la ciudad. Dicen que jamás ha sucedido, pero yo podría entenderlo.

Calló de nuevo. De un bolsillo, extrajo una sarta de cuentas enhebradas. Eran de ámbar y tenían una fina borla de seda verde en un extremo. Los gordos dedos comenzaron a juguetear indolentemente con las cuentas, haciéndolas resonar con suavidad.

—¿Adónde fue? —preguntó rompiendo el silencio otra vez—. Cuando se marchó hace dos noches. Tendría alguna razón para escabullirse. ¿Trataba de escapar? ¿O buscaba algo? ¿Es eso lo que ocurrió?

David permaneció en silencio. No le diría nada a al-Shami, ni siquiera para que sacara el Arca a la luz después de su muerte. Había estado bajo tierra durante dos milenios y medio y podía seguir allí. Tal vez fuera mejor así. Recordó la maldición del sello de cera, las advertencias de la puerta que había antes del Arca. Recordó su lámpara que resbalaba por el túnel, el recorrido en la oscuridad. Las viejas supersticiones se avivaron en su memoria, recuerdos infantiles.

—Está muy callado —pinchó al-Shami—. ¿No quiere hablar? ¿Le molesto?

—¿Por qué ha venido? —preguntó David.

—Para hablar con usted. Para hacerle compañía. Si no encuentran otro sospechoso, Von Meier hará que le ejecuten mañana, cuando la ciudad despierte. —Hizo una pausa—. Pero si se abre a él, si le dice adónde fue, qué vio, puede que lo reconsidere. Usted puede serle útil, hizo que le trajeran con un propósito.

—En ese caso, tendré que desilusionarle. Deberá buscar a otro.

—Sí —dijo al-Shami—. Habrá otro.

—¿Qué teme que yo haya visto? —preguntó David—. ¿Qué importa lo que yo vea o lo que sepa? No puedo salir de aquí, no puedo decírselo a nadie. ¿Para qué tantos secretos, incluso ahora?

Al-Shami jugueteó nerviosamente con las cuentas.

—No hay secretos —dijo casi en un susurro—. Sólo... que hay cosas que es mejor que no vea. Si le ayuda, si coopera como él pide, todo se le aclarará al final. Hay tanto sitio para los malentendidos... Y ya ha habido demasiados en el pasado.

—¿Y usted? ¿Qué tiene que ver con él?

Al-Shami pareció cogido por sorpresa por la pregunta y no fue capaz de responder durante unos instantes.

—Soy un amigo —dijo finalmente.

—¿Es que él tiene amigos? —preguntó David—. ¿Y usted?

—Le conozco desde hace mucho tiempo —aventuró al-Shami—. Le he ayudado. Le he mantenido a salvo. He mentido por él. —Hizo una pausa—. He matado por él.

—¿Me mataría mañana si él se lo pidiera?

Al-Shami empezó a hablar, con voz titubeante.

—Sí —dijo quedamente—, claro que sí.

—¿Rápido?

Los diminutos ojos se movieron, observando las sombras. Al-Shami sacudió la cabeza.

—Eso no puedo prometérselo —dijo débilmente.

—¿Cuándo le conoció? —preguntó David volviendo al tema Von Meier.

—Hace mucho tiempo, cuando éramos jóvenes, aunque entonces no creíamos ser jóvenes. Como le decía, yo formaba parte de la expedición que fue al Sinaí en 1936. En aquellos tiempos yo era ayudante de Hajj Amin al-Husayni, el Muftí de Jerusalén.

David asintió. Eso al menos tenía sentido.

—Vine a Siria desde Palestina a principios de los treinta y me metí en política. Mi familia tenía contactos con Hajj Amin y yo me uní a su gente. Él ya conocía a Von Meier desde varios años antes de nuestro viaje al Sinaí. Tenían un acuerdo de algún tipo, había algo entre ellos... ni siquiera ahora estoy seguro de lo que era.

»Hajj Amin ayudó a Von Meier a encontrar este lugar en 1937, justo antes de ser obligado por los británicos a abandonar Palestina. Yo también me vi complicado en aquello. Justo antes del final de la guerra, cuando Von Meier decidió crear su santuario aquí, habló de ello con Hajj Amin. En aquel entonces, el Muftí estaba en Berlín. Y yo con él. Cuando llegaron a un acuerdo, fui enviado aquí para hacer habitable una parte de la ciudad, para arreglar la manera de abastecerla de provisiones y para establecer rutas para los camellos que nadie más conociera. Teníamos que utilizar camellos: los vehículos motorizados o los aeroplanos hubieran sido demasiado llamativos.

»En aquellos tiempos yo estaba delgado. Podía montar por el desierto durante semanas sin cansarme. Convertí esto en un refugio. Von Meier vino el primero, con los niños y otros pocos. Más tarde llegaron más. Mantuvimos el camino expedito. Desde entonces lo hemos mantenido así.

—¿Y qué ha obtenido a cambio? —preguntó David tanteando aún.

La respuesta fue simple y sincera.

—Esperanza —dijo al-Shami.

—¿Esperanza de qué?

—De un futuro para los míos. —El gordo suspiró—. Usted me ve como un hombre vicioso, un sicario, un asesino. Y tal vez sea todas esas cosas. Los años me han hecho brutal, me han endurecido. Pero empecé de un modo muy diferente. Y todo cuanto he hecho, lo hice por mi gente. Para liberarles, para devolverles su libertad.

—Pero usted es libre —dijo David—. Todos los estados árabes tienen su independencia.

—Los palestinos no. Su gente todavía ocupa lo que una vez fue su tierra. En cuanto a los demás árabes, no son libres. Occidente los ha hecho prisioneros, vasallos, lo cual es lo mismo que si aún gobernaran sus territorios. Ustedes creen que somos niños, inmaduros y fanáticos, incapaces de autogobernarnos, sólo útiles para suministrarles petróleo. Para ustedes el árabe sigue siendo un estereotipo, algo de *Las mil y una noches,* de una película de Valentino. Como máximo, un noble salvaje vestido con ropa exótica. Pero no alguien a quien invitaría a cenar, ni permitiría que su hija se casara con él.

»Como puede ver, no somos realmente libres, profesor. Ustedes nos tienen atados, nos dejan alejarnos hasta cierto punto y entonces estiran de la cuerda para mantenernos dentro de unos límites, límites que ustedes han establecido para nosotros. Nuestra civilización es más antigua y profunda que la suya, pero cuando tratamos de mantenerla con vida, nos hacen retroceder. Nuestra lengua es cien veces más sutil y expresiva que la suya, y sin embargo tenemos que hablar inglés cuando queremos comerciar con ustedes o discutir asuntos políticos. ¿Cuántos de sus hombres de estado o de negocios hablan una sola palabra de árabe? Su cultura es como un cáncer que devora nuestra sociedad. Israel no es más que la parte más visible de la enfermedad, el tumor que hay que extirpar antes de poder iniciar el tratamiento. No obstante, cuando tratamos de curarnos, nos acusan de egoísmo.

»Así pues, como verá, necesitamos tener alguna esperanza de que las cosas no serán siempre así. Lo que Von Meier quiere para su gente, nosotros lo queremos para la nuestra: dignidad, libertad, una oportunidad de madurar sin la interferencia de los demás. A pesar de lo que sus hombres de estado imaginan, ya no somos niños. No tenemos lámparas mágicas para esperar que aparezca un *jinn* en medio de una humareda: utilizamos la electricidad, igual que ustedes. Utilizamos carabinas en lugar de cimitarras. Volamos en aviones y no a lomos de pájaros gigantes o alfombras voladoras.

—Todavía no me ha dicho qué es lo que Von Meier le dará a cambio de su ayuda —presionó David—. ¿Cómo les da esperanza? ¿No exigen algo más sustancial?

Los ojos de al-Shami se quedaron fijos en la sombra, como si buscara en ella algo que hubiera perdido.

—Si vive —dijo—, lo sabrá en su momento. Su gente nos ha ayudado de muchas maneras. Con dinero, con hombres, con equipo. Y cuando llegue la hora, devolveremos esa ayuda. Ya no tendremos que esperar mucho. Mañana me voy a Jerusalén. Quiero estar allí cuando la cuerda empiece a soltarse. He esperado mucho tiempo, pero ya falta poco.

David notó la intensidad, el ansia de la anticipación. Algo le produjo escalofríos en los huesos. Al-Shami no estaba soñando, sino planeando.

—¿Qué ocurrirá en Jerusalén? —preguntó David sabiendo que ya no importaba lo que supiera.

—Si vive, ya lo sabrá. Y si muere, ¿qué puede importarle? —El gordo se estremeció—. Estoy harto de este lugar. Ésta será mi última visita. Ya soy demasiado viejo para venir otra vez. —Recogió su lámpara y se puso en pie mirando a David. La enfermiza luz proyectó su sombra de una forma gigantesca en la pared de detrás, como la de una bestia del Pleistoceno—. Adiós, profesor —dijo en voz baja—. Haré lo que pueda por usted. Le pediré que le dé una muerte rápida, una muerte limpia. Un último favor.

Se dio la vuelta. Al hacerlo, el manubrio giró y se abrió la puerta. El guardia estaba allí, pero no era Talal, sino otro al que habían asignado la vigilancia de David durante la noche. Entró en la habitación. Detrás de él apareció una mujer con unas ropas árabes hechas jirones y una ametralladora, y después un hombre vestido de negro.

CAPÍTULO 49

El hombre cerró la puerta a sus espaldas y sonrió a David, y seguidamente a al-Shami, dos sonrisas muy diferentes. David se incorporó despacio, con los ojos fijos en la mujer, incapaz de respirar o de pensar. Era Leyla, y sin embargo no lo era. Había cambiado: su cuerpo, su cara, sus ojos. Sobre todo sus ojos. Tenían una mirada distante y atormentada, que reflejaba más dolor que otra cosa. En cuestión de semanas, ella se había convertido en una extraña de nuevo. No decía nada, no ofrecía nada. David trató de sonreírle, pero descubrió que no podía.

Scholem fue el primero en hablar.

—David —dijo—, ¿serías tan amable de cachear al señor al-Shami y quitarle cualquier arma que encuentres? Como verás, tengo la mano derecha un poco dañada. —Scholem habló con voz quebradiza, como si hablara y actuara bajo una enorme tensión.

David hizo lo que le pedía, como en sueños. Se volvió y comenzó a registrar al gordo; sus manos se movían por el enorme torso como si fueran pajarillos en el cuerpo de un hipopótamo. Al-Shami permanecía en silencio mientras David invertía de aquella manera los papeles que habían desempeñado previamente. Sus ojos estaban fijos en Scholem, como si le reconociera. En uno de los bolsillos de la ropa de al-Shami halló un revólver, una Luger automática, vieja pero bien cuidada, y mortal. La extrajo y se la entregó a Scholem. El israelí sacudió la cabeza.

—Quédatela tú, David. Quiero tener las manos libres.

Los ojos de al-Shami sostenían aún la mirada de Scholem con firmeza, pero estaba claro que, de hecho, no le reconocía. Le había visto antes, en alguna parte, lo presentía, pero no lograba recordar cuándo, ni dónde, ni en qué circunstancias. Scholem dio un paso hasta colocarse justo delante del gordo. Aún tenía el cuchillo oxidado. Lo había reservado para al-Shami igual que los amantes reservan la ternura para su pareja. El viejo gordo estuvo por fin a su altura, más gordo de lo que le recordaba, grasiento, sudoroso y asustado, mientras miles de fantasmas torturados bailaban en sus ojos. «La venganza será mía, dijo el Señor.» Scholem había deseado la venganza año tras año. La idea le había mantenido con vida a través de calurosos veranos y fríos inviernos. Ella había evitado la desesperación final de la vida. Le había sostenido en el desierto. Pero no sería nada matar a al-Shami ahora, pensó: una simple acción, un acto de piedad, vacío de significado, estéril. Podía usar el revólver, hacerlo rápido. Pero eso no daría significado al acto. Así no, a sangre fría, no después de tantas muertes, en la fría oscuridad. Habló a Leyla.

—¿Leyla?

Ella sacudió la cabeza cansadamente sin mirar alrededor. No tenía nada que hacer con al-Shami. Su sangre también era fría. Se daba cuenta de que había ido en busca de David y no de venganza.

—Déjame tu ametralladora, Leyla —dijo Scholem—. Mientras tanto, tú y David haced unas cuantas cuerdas para nuestros amigos. —Cogió la pesada arma y la colocó a la altura de los dos hombres, los cuales estaban apoyados junto al muro del fondo. David se metió la Luger de al-Shami en el bolsillo y ayudó a Leyla a cortar en tiras la fina manta de su cama. La manta era sencilla, pero, bien retorcida y atada, serviría.

Ataron a al-Shami y al guardia del mismo modo que al hombre del almacén y los amordazaron de manera segura. Con suerte, tendrían tiempo de salir de la ciudad antes de que se descubriera la desaparición de David. Cuando hubieron terminado, David y Leyla se miraron el uno al otro. Todavía no se habían dicho ni una palabra.

—Lo has conseguido —dijo David. Era todo lo que se le ocurría. Leyla asintió. Le dedicó una sonrisa, tal vez no fue más que una torpe mueca, pero bastó. Cerca de la puerta, Scholem habló:

—La hora de recordar será más tarde. Primero tenemos que salir de aquí. Vamos. Leyla conoce el camino, ella irá delante.

Abrió la puerta unos centímetros y miró fuera con sumo cuidado. No se veía a nadie. David siguió a Leyla hasta la puerta, preguntándose todavía si no sería un sueño. Desde la puerta se dio la vuelta y miró a al-Shami, que estaba en el suelo. El gordo, como una ballena encallada en la playa, yacía de costado con algún propósito inimaginable, aunque en su grotesca e indefensa situación no había nada humorístico ni lamentable. Miró a David con la ira de un perro atado que sólo aguarda la oportunidad de morder.

Salieron rápidamente y cerraron la puerta con llave tras ellos, con ayuda de la que Leyla había quitado al guardia. Leyla iba la primera, guiándolos por el vacío túnel, de vuelta por el camino que ella y Scholem habían seguido en la ida. Se movían en silencio, con los corazones a toda velocidad, el pulso acelerado, las bocas selladas, seguros de que alguien saldría y les detendría. Pero no había nadie. David llevaba la lámpara que al-Shami trajo consigo, y Scholem había cogido la de la habitación de reserva.

Entraron en el túnel que conducía al templo. A medio camino, Leyla se detuvo. Enfrente estaba la puerta que ella y Scholem habían visto aquella misma noche, más temprano. Scholem asintió y Leyla trató de abrir la puerta. Estaba cerrada con llave. David leyó el rótulo de la puerta y arrugó la frente. ¿Qué pretendían Leyla y Scholem? El rótulo era simple: *Achtung: Sprengstoffe* (Atención: Explosivos). Bajo el pequeño rótulo había un aviso: *Apagad todas las lámparas.*

La cerradura había sido diseñada más por seguridad que con la intención de impedir el paso a alguien. La disciplina era estricta en Iram: la cerradura sólo estaba allí para recordar la observancia de lo que decía el rótulo. Scholem sacudió una patada a la puerta y ésta cedió.

La habitación trasera estaba permanentemente iluminada mediante una fila de lámparas de aceite colocadas tras un cristal en una de las paredes, el acceso a la cual era posible a través de una pequeña habitación que había al lado. Scholem y Leyla depositaron sus lámparas en el suelo y entraron. David dudó un momento, luego dejó su lámpara y les siguió, cerrando la puerta. Junto a las paredes de alrededor había un montón de cajas colocadas ordenadamente en filas. David distinguió lo que contenían algunas: gelignita, TNT, nitroglicerina y nitrato de amonio. Había otras cajas más pequeñas con detonadores y cronómetros, colocadas fuera del alcance de los explosivos.

—No comprendo —dijo David—, ¿para qué hemos venido aquí? Pronto se darán cuenta de la desaparición de al-Shami o de que el guardia no está en su puesto. No tenemos mucho tiempo.

Scholem volvió su rostro hacia David.

—Lo sé —dijo—. Tenemos que trabajar rápido. Mira, David, ya he discutido esto con Leyla y ella está de acuerdo. Las posibilidades que tenemos de salir de aquí son de verdad escasas, eso ya lo sabes. Y aunque logremos salir de Iram, no doy mucho por nuestras posibilidades de sobrevivir en el desierto por segunda vez, sin medio de transporte, sin otras provisiones que las que llevamos en estas dos bolsas. Eso significa que puede que no volvamos a Jerusalén ni a ningún otro sitio con la información que poseemos, y ni siquiera hay forma de enviar un mensaje. Ni a Jerusalén, ni a ninguna parte. Eso sólo nos deja una opción. Tenemos que destruir lo que podamos, mientras podamos. Si lo conseguimos, mejor para nosotros. Alguien podrá regresar aquí y concluir la faena si es preciso.

David sacudió la cabeza. Encontraba difícil asimilar lo que Scholem le estaba diciendo.

—Lo siento —dijo—, pero no comprendo. ¿Destruir? ¿Destruir el qué?

Scholem le miró fijamente.

—Iram, por supuesto. ¿Qué otra cosa iba a ser? Lo he planeado todo. Creo que hay una manera de causar mucho daño. Vale la pena intentarlo.

David levantó la mirada sintiendo que las palabras de Scholem eran como un mazazo para él.

—Sin duda no hablas en serio —dijo.

Leyla se adelantó y se colocó junto a Scholem.

—Sí, David —dijo—, habla en serio. Los dos. Me lo ha explicado todo y creo que está en lo cierto. No sé mucho de explosivos, pero creo que podemos conseguirlo. Chaim tiene razón al decir que tiene que ser ahora. No podemos arriesgarnos a esperar que alguno de nosotros consiga volver. Si es así y dejamos el lugar intacto, sólo Dios sabe lo que puede ocurrir.

David creía que ambos habían perdido la razón. Querían destruir el mayor descubrimiento arqueológico de todos los tiempos. Había visto cosas en aquel lugar que desbordaban sus sueños más osados. Sólo la biblioteca tenía más valor para la humanidad que una docena de colecciones del doble de su tamaño. Había estatuas, pinturas murales, utensilios de cada período, tesoros de cada una de las culturas con las que la ciudad había estado en contacto durante su existencia, ropas, joyas, armas, utensilios de cocina, una sociedad entera en gelatina. Había suficiente material como para mantener ocupados a un millar de estudiosos durante toda su vida. Allí obtendrían las respuestas de innumerables cuestiones sin resolver y pistas para otras miles. Y ellos querían reducir todo aquello a escombros, enterrarlo para siempre bajo una montaña de polvo y arena.

—Casi no puedo creerlo —dijo—. ¿Estáis sugiriendo realmente que destruyamos este lugar? Pero, ¿os dais cuenta de lo que hay aquí? Esto no es nuestro, no podemos destruirlo. Iram pertenece a toda la humanidad, con todo lo que contiene. ¿Qué mal hay en dejarla? Von Meier y su gente son inofensivos. Todo esto no durará más de una generación o dos.

Scholem lanzó una mirada a Leyla y luego miró a David otra vez.

—¿Von Meier? ¿Está en Iram?

David asintió.

—Debe de ser viejísimo —dijo Leyla.

—Lo es —respondió David—. Pero aún gobierna este lugar como un rey.

—El líder —musitó Leyla.

—En ese caso, razón de más para hacer lo que hemos dicho —dijo Scholem.

—¿Por qué? ¿Porque un viejo loco vive aquí abajo con una multitud de gente que no conocen nada mejor, queréis volarlo todo?

—David hizo una pausa—. ¿Os dais cuenta de lo que hay aquí abajo, de lo que ha estado aquí escondido todo este tiempo?

—Lo siento, David, pero eso no importa. Da lo mismo lo que haya. Creo que no comprendes. Von Meier y su gente son una amenaza, un grave peligro. Este lugar lo es.

David sondeó los ojos de Scholem. Era vital hacerle comprender cuán devastadora sería la destrucción de Iram.

—Chaim —dijo. Era la primera vez que utilizaba el nombre de pila de Scholem—. Por favor, escúchame. Aunque no te importe el resto de Iram, esto tiene que importarte. Lo encontré hace un par de días. Aún me cuesta creerlo, pero es cierto. Trajeron el Arca aquí, Chaim. Después de Babilonia. ¿Comprendes? El Arca de la Alianza.

Una corriente helada pareció atravesar la habitación. La cara de Scholem se volvió grisácea. A pesar de ser poco practicante, de no ser muy respetuoso con la tradición, no podría hacerlo. Era lo más sagrado de las cosas sagradas. No podía ser el instrumento de su destrucción. Miró a Leyla. Sus ojos estaban fijos en él sin comprender.

—¿Qué pasa? —preguntó—. ¿De qué habláis?

—El Arca —dijo Scholem—. El Tabut al-'Ahd, así se llama en árabe, ¿no? Contiene las tablas de la ley. Desapareció cuando el templo fue destruido, hace dos mil quinientos años. David tiene razón, no podemos destruirlo. Tendremos que pensar en otra cosa.

—¿Lo dices en serio, Chaim? —protestó Leyla—. ¿Estás dispuesto a dejar este lugar intacto a causa de un viejo tesoro judío que David ha encontrado? Sabes lo que descubrimos nosotros, lo que este lugar significa. Díselo a David. Él ha estado aquí, pero creo que no sabe lo que pasa realmente.

Scholem la miró y desvió su mirada hacia David.

—Exactamente, ¿qué sabes de Iram, David? —preguntó.

David se mordió los labios.

—No mucho —dijo—. La ciudad es un santuario establecido por Von Meier después de la segunda guerra mundial. No sé exactamente para qué, no me lo han querido decir. Creo que es una especie de comunidad religiosa.

—¿No crees que pueden ser peligrosos?

David vaciló.

—Sí —dijo—, supongo que sí. Ya hemos visto lo que son capaces de hacer. Pero no creo que supongan una amenaza tan grave para nadie como para que nosotros destruyamos el lugar. No tenemos derecho. Tenemos una responsabilidad.

Scholem intercambió una mirada con Leyla y volvió sus ojos hacia David. Sacudió la cabeza lentamente.

—Tienes razón, David. Tenemos una responsabilidad. —Hizo una pausa. No era fácil—. Iram es un santuario, como tú dices; pero no una comunidad religiosa. Fue planeado hacia el final de la guerra por Von Meier en combinación con Heinrich Himmler y otros oficiales del Tercer Reich. Amin al-Husayni, el Gran Muftí, se halla complicado de un modo u otro. Trajeron profesores para adoctrinarlos en la ideología nazi. Es una especie de guardería, David, un último refugio para las semillas trasplantadas desde la Alemania nazi. No sé cuáles son sus planes o cómo tratarán de llevarlos a cabo, pero sé que han montado todo esto con un propósito. Si, como dices, Von Meier aún vive, no dudo que tal propósito no ha sido olvidado.

David miraba a Scholem, perplejo.

—¿Cómo... cómo sabéis todo eso? —preguntó—. Yo no he visto ni la más mínima señal, nada. —Pero entonces recordó los sectores de la ciudad que le habían sido declarados prohibidos, las restricciones que le habían impuesto de hablar con los habitantes, la prohibición de visitar las clases de la ciudad.

—Encontramos unos papeles, David. Ahora no hay tiempo para explicaciones. Más adelante, si todavía estamos vivos. Leyla tiene los papeles en la bolsa.

Leyla interrumpió suavemente:

—Cerca de aquí, en una especie de templo, hay una esvástica gigantesca. Es una especie de religión, en la cual la esvástica es el símbolo. Tienes que creernos. Este lugar es el epicentro de algo muchísimo más peligroso. Tenemos que pasar a la acción como sea. Tenemos que hacerlo.

Finalmente todo tuvo sentido. El templo. La inquietud de Talal. El extremo superior de la caverna sumida en la oscuridad. Pensó en las palabras de al-Shami: «Mañana me voy a Jerusalén, quiero estar allí cuando la cuerda empiece a soltarse». David respiró profundamente y luego asintió.

—Muy bien —dijo—. Lo comprendo. Tenéis la suerte... no habéis visto este lugar, no sabéis cómo es. Pero si lo que decís es cierto, creo que no tenemos elección, ¿no?

Scholem sacudió la cabeza.

—Me gustaría poder decir: «Sí, dejémoslo como está y confiemos en que sucederá lo mejor», pero no es posible. Podríamos lamentarlo el resto de nuestras vidas, si vivimos lo suficiente, y sin embargo eso es algo con lo que deberemos enfrentarnos cuando ocurra. Prefiero no tener que vivir con la alternativa.

—¿Qué hay del Arca? —preguntó David—. ¿No podemos hacer algo con ella? Podríamos llevarla entre los tres, no es muy grande.

—Nos haría ir muy despacio —dijo Leyla.

—Tiene razón, David —terció Scholem.

David los miró, dándose cuenta de lo que les pedía. Quería que arriesgaran sus vidas en nombre de algo en lo que ni siquiera él creía.

—Tendrás que decidirlo tú, Chaim —dijo finalmente.

Scholem permaneció silencioso, perdido en serias cavilaciones. El tiempo iba pasando. Finalmente se volvió hacia Leyla.

—Ve tú por delante —dijo—. David y yo colocaremos los explosivos y el cronómetro para... digamos, dentro de una hora. Nosotros iremos a buscar el Arca y veremos si podemos transportarla. Si no podemos, tendremos que dejarla.

Leyla sacudió la cabeza.

—Vamos todos o ninguno. Yo te traje aquí. Vine para buscar a David. ¿Crees que puedo marcharme y dejaros a ambos atrás? —Hizo una pausa—. ¿De verdad es tan importante el Arca?

Scholem se preguntó cómo podría explicárselo.

—Sí —dijo—. Creo que sí. Es un símbolo. Representa algo. Creo que jamás podría destruirlo, al menos conscientemente.

—Muy bien —dijo ella con voz calmada—. Voy con vosotros. Sin discusiones, por favor.

Scholem sonrió.

—En ese caso, pongámonos manos a la obra. No hay tiempo que perder. Parece que hay montones de gelignita. Con una caja para cada uno habrá suficiente.

—No lo entiendo —dijo David—. ¿Qué vamos a hacer con tres cajas de gelignita? Ni todo el contenido de esta habitación sería suficiente para causar un daño serio a Iram. Se está haciendo tarde. La gente pronto se pondrá en movimiento. No tenemos tiempo de poner explosivos en suficientes sitios.

Scholem puso la mano en el hombro de David.

—¿Has mirado bien la columna central del templo? —preguntó.

David sacudió la cabeza.

—Yo no la he visto más que un par de veces —continuó Scholem—, pero si estoy en lo cierto, una potente carga la partirá limpiamente por la mitad. Una vez se derrumbe, se derrumbará el templo entero. Y si el templo cede, todo este lugar se vendrá abajo. Puede que no funcione, pero es nuestra única oportunidad.

CAPÍTULO 50

El templo se hallaba envuelto en un silencio mortal. Por unas grietas que había cerca de la columna, en el techo, se filtraban unos rayos de luna que luchaban por llevar vida y recuerdos del mundo exterior a Iram. Unos rombos de luz acuosa moteaban las regiones superiores de la propia columna. Entre la luz y las sombras, la columna se parecía al gran Árbol del Mundo del mito del norte, Yggdrasil, el pilar cósmico que unía el cielo y la tierra.

David escudriñaba con el ojo cuidadoso de un arqueólogo, observando cómo las piedras que se habían empleado en su construcción habían sido cortadas, modeladas y luego dispuestas una sobre otra con una precisión casi perfecta, con una horizontalidad absoluta, creciendo hacia arriba como un organismo vivo al tiempo que la propia caverna se iba ensanchando. Pensó que Scholem estaba en lo cierto. En aquellos momentos todo dependía de la columna: los muros del templo, el techo... en último término, Iram entera. La ciudad había sido excavada en la arenisca. Era vieja, agrietada y erosionada, y durante innumerables siglos se había ido ajando y hendiendo más. El Nafud la tenía sujeta a terribles cambios de temperatura: de la noche al día y de estación en estación, las piedras sufrían toda la gama del calor al frío. Si la columna cedía, destruyendo el precario equilibrio del corazón de la ciudad, el gran templo repleto de ecos sufriría sin duda un colapso. Y si eso ocurría, David estaba seguro, por lo que había visto y leído, de que la mayor parte de Iram, si es que no toda, se hundiría con él. Recordó las palabras de Jesús referentes al templo de Jerusalén, el templo de Herodes: «No quedará piedra sobre piedra, todo se derrumbará.» Jesús era judío, pero había profetizado la destrucción de su templo. Y la profecía se había cumplido.

Abrieron las cajas y desenvolvieron con gran cuidado la gelignita, depositándola suavemente alrededor de la base de la columna. Leyla y Scholem sabían lo que se hacían, ya que ambos habían aprendido, aunque con propósitos opuestos, a manejar y hacer detonar explosivos. Ahora trabajaban juntos, experta y rápidamente, colocando la gelignita en el lugar adecuado, mientras David vigilaba. Tardaron unos pocos minutos, aunque les pareció mucho más.

Cuando terminaron, partieron en dirección a la gran entrada, la gran puerta de Elioref, la Puerta de los Muertos sobre la cual la niña había hablado a David. Se encaminaron por los túneles de las tumbas hacia el lugar donde se hallaba escondida el Arca. Al llegar a la puerta, David echó una ojeada atrás, hacia la amplia nave del templo, iluminada como siempre por las llamas subterráneas, esparcidas por la cima con rayos luminosos que se esforzaban por entrar en el oscuro interior de Iram. Observó cómo la luz de la luna jugueteaba en los ángulos superiores de la columna y se le ocurrió que siempre habría sido así, mes tras mes, año tras año, desde que se abrieron los pequeños orificios del techo. Se dio cuenta de que aquellas mismas aberturas debían dejar pasar la luz del sol durante el día hasta cierto punto, pero él sólo había estado en el templo cuando en el exterior ya había caído la noche... o al menos eso suponía él. Se preguntó cómo sería el templo al caer los rayos de sol por las aberturas, reflejando el polvo que flotaba en el rancio aire de la ciudad, el polvo de las piedras mezclado con el de la carne seca que flotaba en el ambiente. Sus ojos se posaron sobre la base de la columna, pero no pudieron distinguir los paquetes de explosivos ni oír el cronómetro marcando los últimos minutos de la ciudad abovedada.

Se dio la vuelta para marcharse, pero al hacerlo vislumbró un movimiento por el rabillo del ojo. Siseó para que los demás se detuvieran y avanzó cautelosamente en la dirección del movimiento sosteniendo la lámpara por delante. Con la mano que tenía libre se tocó la Luger que tenía en el bolsillo. Forzó la vista tratando de distinguir formas en la oscuridad, pero los estandartes y las gárgolas le confundían y le hacían ver movimientos donde no los había, mezclando las sombras más oscuras con las que proyectaban las llamas. Era imposible saber si había alguien allí, y no podían perder el tiempo en búsquedas. Dio media vuelta y se reunió con los otros en la puerta.

—Creí haber visto a alguien —dijo—, pero puede haber sido un efecto de la luz. Creo que deberíamos seguir.

Scholem asintió y se apresuraron a salir del templo por el túnel principal de la necrópolis. David iba delante. Estaba nervioso. No estaba del todo seguro de que no hubiera alguien espiándoles en el templo. Tendrían que darse prisa.

Llegaron a la vuelta que les llevaría a los túneles mortuorios. David se detuvo diciendo:

—Es por aquí. No está lejos, pero, por el amor de Dios, id con cuidado con vuestras lámparas. Si quedamos atrapados aquí, maldita la esperanza que tendremos de salir de nuevo.

Vacilaron un instante y después Leyla y Scholem siguieron a David por la oscuridad. Incluso con tres lámparas, el túnel resultaba claustrofóbicamente oscuro. David les condujo lentamente junto a los habitantes que dormían a cada lado, por la negra oscuridad, hasta llegar a un recodo hacia la derecha que les conduciría hasta el Arca. Avanzaron en fila por el estrecho pasillo. Nadie hablaba. David experimentó de nuevo el sentimiento de pavor que le había embargado la última vez que estuvo allí. Se preguntaba si Scholem también lo sentiría. Tal vez era algo casi tangible para cualquiera que se aproximara al Arca. Tal vez no era más que la voz de su padre que le llegaba desde su infancia, hablándole en tono bajo sobre el Arca de Dios y lo que contenía.

La losa estaba abierta, tal y como David la había dejado. Había un charquito de aceite en el suelo, donde la lámpara de David se había derramado: advirtió a Scholem y a Leyla para que no la pisaran. Uno tras otro, con David abriendo la marcha y Scholem cerrándola, descendieron por los escalones y se reunieron en el reducido espacio ante las dos puertas. Aunque ya sabía lo que le esperaba, David estaba tan ansioso como la primera vez que había estado allí. Permaneció unos segundos con las manos apoyadas en la puerta, listo para abrirla. Leyla estaba a su lado, atemorizada a pesar suyo, contagiada por la trepidación de David. Quería abrazarle de repente, agarrarse a él en aquella oscuridad, tenderse junto a él en la oscuridad y dormir.

David empujó ambas puertas. Nada había cambiado. El Arca se hallaba bajo las telas esperándoles. Dio unos pasos y quitó las telas, una por una, hasta dejar el Arca al descubierto. A la luz de las tres lámparas brillaba más que nunca. El tiempo no la había empañado. La madera de acacia con la cual había sido construida no estaba carcomida, el oro con que había sido bañada no se había oscurecido.

Al principio Scholem no podía moverse. Permanecía estático en la puerta, traspuesto, incapaz de asimilar lo que veía o de sobreponerse a las emociones que sentía. Finalmente, David alargó la mano y le urgió a acercarse al Arca. Ambos permanecieron muy juntos, como niños boquiabiertos doblegados bajo el peso de todos sus antepasados.

Leyla estaba fuera, incapaz de entrar en la reducida estancia. Sentía que no tenía lugar allí dentro. El Arca les pertenecía, vivía a través de ellos. Lucharía contra ellos por la tierra, por Palestina, pero no por aquello. Sólo el recuerdo de aquel objeto había mantenido a su pueblo unido durante siglos incontables. Era un símbolo más poderoso que las bombas o las balas. Sentía que aquél la hacía empequeñecer, pero no entera, sino a trozos, como si fuera atomizada y se convirtiera en polvo y arena. Ella y los suyos eran un pueblo antiguo, más antiguo que el de David; para ellos, sin embargo, la historia era el desierto, liso, desolado y sin edad, la larga resistencia del errabundeo sin fin, en tanto que su gente lo contemplaba todo desde la cima de una montaña rodeada de fuego y humo. Ésa era la diferencia entre ellos. Ambos habían construido una civilización, ambos habían oído la voz de Dios que les hablaba, ambos habían sido empujados al exilio y a la conquista de los extranjeros. Pero allí, en aquella habitación, se hallaba el símbolo de todo lo que los separaba, la muestra de una alianza irrompible con un Dios celoso. Odiaba el Arca por todo lo que representaba, por el dominio sobre ella y su gente. Y sin embargo, al amar a David, al mismo tiempo que odiaba el Arca, se encontró a sí misma amándola como si ella también le perteneciera.

—¿Cómo llegó a parar aquí, David, lo sabes? —preguntó Scholem en voz baja como si temiera romper el silencio.

David le explicó lo más brevemente que pudo el descubrimiento de los pergaminos y resumió sus contenidos. De alguna manera, conocer los detalles de cómo el Arca había llegado a parar a Iram no le restaba en lo más mínimo el misterio que poseía. Cuando terminó de hablar, se volvió hacia Scholem y sugirió que trataran de moverla. Scholem dudaba, pero luego asintió y se colocó delante de la estructura. Con el querubín sentado encima del Arca sobre una baja plataforma, el Trono de la Merced, parecía poco manejable y daba la sensación de ser demasiado pesada para que pudieran acarrearla. Pero una vez dieron con las asas adecuadas, les fue posible levantar el Arca sin grandes dificultades. Lo ideal sería que hubiera dos barras largas insertas en los aros que había en cada una de las cuatro esquinas de la caja, pero evidentemente se habían perdido o bien habían sido abandonadas en algún punto de la transferencia del Arca desde Jerusalén. Leyla se apartó a un lado mientras

Scholem empezaba a moverse fuera de la habitación e iniciaba el ascenso por los escalones. David le seguía, aguantando el Arca por detrás. Leyla se echó la bolsa de Scholem al hombro y recogió la lámpara que había dejado en el suelo. Tendrían que abandonar la tercera lámpara.

Era una tarea ardua alzar el Arca por las escaleras y a través de la estrecha abertura. Una vez arriba, depositaron el Arca en el suelo al final del túnel y aguardaron a que Leyla subiera con las lámparas. Dejó la lámpara de David atrás, ardiendo en la estancia donde había estado el Arca, como recuerdo de su presencia. David se agachó para volver a colocar la losa en su sitio; por alguna extraña razón no le parecía bien dejarla abierta. Al hacerlo, se le congeló la sangre. Una voz surgió de las sombras a corta distancia desde el túnel, la voz de un anciano, dura y vibrante en el espacio cerrado.

—Por favor, no se moleste, profesor Rosen. Deseo examinar yo mismo lo que haya debajo. Haga el favor de decirle a la joven que deje la ametralladora en el suelo. Le estoy apuntado directamente a la cabeza con una pistola; por favor, no me obliguen a usarla.

David se enderezó y colocó una mano sobre el brazo de Leyla.

—Quiere que tires el arma, Leyla. Es mejor que hagas lo que dice.

Leyla se quitó la ametralladora del hombro. Durante un instante pareció como si fuera a colocarla en posición de abrir fuego.

—No se lo aconsejo —dijo la voz.

Leyla miró a David. Éste sacudió la cabeza. Ella tiró la ametralladora a sus pies, cerca del borde de la abertura.

—Muy bien. Ahora, profesor, ponga las manos sobre la cabeza. Y diga a sus amigos que hagan lo mismo.

—No será necesario —dijo Scholem en alemán—. Le entiendo muy bien. Nunca olvidé cómo obedecer las órdenes en su lengua. —Lentamente puso las manos sobre la cabeza, de un modo insolente. David le susurró algo a Leyla y siguieron su ejemplo.

Una cerilla tembló en la oscuridad, repentina y violenta, lanzando sombras vibrantes sobre los rostros de los muertos. Una mano encendió una lámpara y la sostuvo en alto. Von Meier estaba allí en pie, con una pistola Mauser en la mano. Junto a él se hallaba su compañero japonés, Talal.

Se oyó un suspiro agudo. Leyla miró a Talal y adivinó instantáneamente quién era, sintiendo el clímax en aquella prieta oscuridad. Después de todo les había esperado, sabiendo que al final irían. Sintió que se le enfriaba la sangre. Las manos y los pies se le congelaron, como si un viento helado hubiera soplado sobre ella. Sabía que en algún lugar del templo el cronómetro contaba implacablemente los minutos.

Cuando la luz se estabilizó, Von Meier vio por primera vez claramente lo que David y Scholem habían sacado de la habitación subterránea. Lo contempló asombrado con la vista fija, dándose cuenta lentamente de lo que era, incapaz de creer que lo tenía delante, que había estado en Iram durante todo el tiempo, sin que él lo sospechara siquiera. Cuando por fin habló, lo hizo con voz seca, una voz que parecía haber envejecido súbitamente.

—Así que ésta es la razón por la que vinieron aquí. Les felicito. Esto eclipsa todo lo que yo mismo he descubierto, lo admito libremente. Esto convierte a Iram en... cenizas. Lo había sospechado, naturalmente. En las historias había referencias, indicaciones, alusiones. Pero ni la más mínima pista de su paradero. Entonces usted viene aquí, y, en cuestión de días, lo encuentra. Me impresiona profundamente. No me equivoqué cuando hice que le trajeran. —Hizo una pausa y calló de nuevo mirando el Arca—. Bueno —dijo finalmente—, ya tendré tiempo de verlo despacio. Preferiría estar a solas, quedarme con mis pensamientos igual que supongo habrá hecho usted. Pero siento una irreprimible curiosidad por ver qué hay al final de esos escalones. ¿Sería tan amable de mostrarme el camino?

—¿Cómo nos ha encontrado? —preguntó David, incapaz de creer en una aparición casual de Von Meier o en que los hubiera seguido todo el camino.

—Alguien los vio. Un trabajador del templo. Siguió las luces hasta aquí y luego fue a buscarme.

David suspiró. Tenía razón: había visto a alguien en el templo.

Von Meier hizo un gesto con la pistola. Leyla era la que estaba más cerca de los escalones. De mala gana comenzó a descender, seguida por David y Scholem. Talal sacó la espada y se plantó ante la abertura. La hoja brillaba a la luz de las pequeñas lámparas como si robara el fuego del Arca. Llegó al escalón superior y comenzó a bajar tras ellos. Von Meier iba detrás, esperando que estuvieran abajo.

En el preciso instante en que Talal llegaba al cuarto escalón, Scholem se dio la vuelta. En la mano tenía el cuchillo oxidado que habían encontrado en el avión. Con un grito de ira, alzó la mano en dirección a Talal blandiendo el cuchillo. El japonés se ladeó hacia atrás ligeramente al tiempo que balanceaba la espada con un rápido movimiento rebanador que no pareció costarle el más mínimo esfuerzo. La hoja cayó sobre Scholem en su hombro izquierdo y le atravesó el torso en diagonal, como un alambre cortando un queso. Durante un segundo, Scholem pareció quedarse congelado en el escalón. Lanzó un breve grito entrecortado como si alguien hubiera pulsado un interruptor. El cuchillo cayó rodando por las escaleras con un sonido metálico. La porción superior de su torso, incluyendo la cabeza y el brazo derecho, se separó del resto del cuerpo y se dobló hacia atrás cayendo sobre David, mientras el resto del torso y las piernas caían por las escaleras. Un torrente de sangre brillante cayó como una cascada por todas partes, bañando los escalones. Leyla gritó. David cayó al recibir el impacto de la cabeza de Scholem y, retorciéndose al final de la escalera, sacó la Luger del bolsillo y disparó a ciegas tres veces seguidas.

Las balas alcanzaron a Talal en el pecho, haciéndole saltar hacia atrás y a los lados. Von Meier corrió para sujetarle. Al hacerlo, el brazo de Talal que sostenía la espada se sacudió presa de un espasmo, sesgando la cuerda que sujetaba el contrapeso de la losa. En el momento en que Von Meier se abalanzaba hacia delante para sostener a Talal, su pie resbaló en el aceite que se había derramado pocos días antes. Tropezó hacia delante; mientras caía, la losa se balanceó, desplomándose a continuación, atrapándole por la mitad de la espalda y partiéndole la columna. Se vio atrapado en la entrada, con medio cuerpo fuera y medio dentro, al tiempo que la losa le aplastaba con su inexorable peso.

David empujó la cabeza y el brazo de Scholem para quitárselos de encima. Leyla se hallaba junto a la puerta de la habitación del Arca, temblando. Por alguna razón, aún sostenía la lámpara de aceite con una mano, aunque le temblaba horriblemente. Las escaleras eran un baño de sangre. Scholem y la sangre de Scholem parecían haberlo salpicado todo. En lo alto de la escalera yacía Talal, encima de su espada. La mitad superior del cuerpo de Von Meier colgaba sobre el japonés. La sangre goteaba por la entrada. David sintió un mareo y desvió el rostro.

Durante largo rato, él y Leyla permanecieron abrazados en la semioscuridad, incapaces de hablar o de moverse. La explosión los cogió desprevenidos, como si un timbre de alarma sonara insidiosamente en sueños y despertara al durmiente a la depresión de un nuevo día.

CAPÍTULO 51

El túnel resonaba igual que si hubiera cobrado vida, como si el día de la resurrección hubiera llegado por fin y los muertos comenzaran a despertar. Se las arreglaron para salir de la estancia subterránea, para encararse con la amenaza de ser enterrados vivos en los túneles. Por todas partes había ruidos de fracturas y derrumbamientos mientras las paredes se desplomaban por la presión que anteriormente habían compartido con la gran columna del templo. Bajo sus pies, el suelo se sacudió repentinamente. Unos pequeños fragmentos de roca se desprendieron del techo y cayeron entre ellos. Cerca, uno de los cuerpos que había en los nichos tembló con un sonido suave y trémulo, como un suspiro. Después le siguió otro.

El Arca se hallaba contra el muro, sin mancha, como si desafiara a las rocas a que la aplastaran. Había nacido en la roca, en las palabras pronunciadas por el trueno en la cima de una montaña envuelta en nubes. Había llevado aquellas palabras en su vientre grabadas en roca, igual que las generaciones de los fieles las habían llevado grabadas en sus corazones. A pesar de todo, había sobrevivido, no sólo en aquel santuario olvidado, sino en la mente y en el recuerdo de aquellas generaciones.

David se aplastó al lado del Arca. Ahora ya no tenían modo de transportarla, incluso en el supuesto de que pudieran escapar, lo cual dudaba. Pero tal vez...

—Leyla —dijo—, ayúdame, rápido.

—David, tenemos que salir de aquí. No tenemos tiempo.

—Por favor. Esto es muy importante.

Ella se reunió con él junto al Arca. Siguiendo sus instrucciones, le ayudó a levantar el Trono de la Merced con el querubín de encima de la estructura. Debajo había una lisa tapa dorada. David la empujó con fuerza y la tapa se abrió sin dificultad.

A sus espaldas, algo se agitó en la oscuridad. Un cadáver que regresaba al polvo.

David levantó su lámpara y la acercó al Arca. Al principio pareció que estaba vacía, pero después distinguió la silueta de un rollo de tela cuidadosamente atado con unas correas de piel. Metió una mano y lo sacó. La piel seca se deshizo al tocarla. Le temblaban las manos, pero desenrolló la tela. Contenía dos piedras, de más de medio kilo de peso cada una. Eran toscas, como si acabasen de ser recogidas del suelo, pero uno de los lados de cada una de las piedras había sido pulido para hacerlo liso. En la superficie había unas líneas escritas. David reconoció el estilo como el de la antigua escritura sinaítica.

Las sostuvo entre sus manos cerca de la lámpara que había depositado en el borde del Arca. Las tablas de la ley, dos piedras con rudas incisiones recogidas de la tierra y colocadas allí como símbolos de un Dios de fuego y carnicería, el cual había efectuado una alianza con una tropa de tribus nómadas harapientas, que cruzaban su desierto. Eran piedras sagradas, moradas de la deidad, depositarias de su palabra, la forma más primitiva de la religión semítica.

Alargó una de las piedras a Leyla.

—¿Puedes llevar esto? —le preguntó.

—Creo que sí —respondió ella. Cogió una de las bolsas que llevaba al hombro y metió la piedra dentro. Pensó que era inútil, pero lo hizo.

—Yo llevaré la otra bolsa —dijo David. Leyla se la dio y él guardó la segunda piedra dentro. En la distancia, las rocas se precipitaban abismalmente.

—Es hora de irnos —dijo David.

Se apresuraron por el túnel lateral hacia un segundo túnel que les llevaría al pasillo principal. Al final de aquél, se volvieron para mirar atrás. Aunque no veían nada, el Arca estaba allí, en la oscuridad, esperando ser aplastada bajo miles de toneladas de mampostería derruida. En la habitación inferior reposaba Scholem, enterrado en la oscuridad con el Arca y las mortajas gimientes. Dieron la vuelta y se encaminaron al pasillo principal.

A pocos metros de ellos oyeron un pesado estruendo, seguido de un rugido, al tiempo que el techo que tenían encima se desplomaba. Toneladas de rocas caían delante de ellos, inundando el túnel por el que avanzaban. El túnel experimentó una sacudida, y uno por uno, los cadáveres que había en él se desintegraron hasta convertirse en una larga hilera de polvo.

Leyla se echó al suelo y se llevó las manos a la cabeza. Era como si un destino maligno les persiguiera por aquellos túneles, resuelto a obligarlos a una rendición abyecta antes de enterrarlos definitivamente en las profundidades de Iram. David se dejó caer junto a ella, igualmente vencido. Había hecho todo lo posible, ya no podía hacer más. Se habían retrasado innecesariamente para ir a buscar y tratar de llevarse las tablas de la ley. Y ahora la propia ciudad les reclamaba. Recordó la maldición del sello de cera que había roto y el otro sello que se había hecho añicos frente a la habitación del Arca. Había esperado demasiado. Tomó la mano de Leyla y la sostuvo entre las suyas. Sobre sus cabezas, una última momia se convirtió en polvo.

El suave sonido hizo mirar a David hacia arriba. Al hacerlo, recordó algo que había leído en el informe de Von Meier, algo que había olvidado. En cierta etapa de la exploración de la ciudad, Von Meier había descubierto una serie de aberturas en la parte posterior de los túneles mortuorios. En un principio pensó que posiblemente habrían sido utilizadas como chimeneas para algún tipo de cremación, pero un examen más cuidadoso mostró que no era así. Más tarde, una referencia hallada en una de las historias de Iram reveló el hecho de que las aberturas habían sido construidas como avenidas para las almas de los muertos, pasajes por los cuales podían escapar de la interminable oscuridad y salir al mundo exterior.

David habló a Leyla de las aberturas.

Ella suspiró. Le parecía demasiado esfuerzo tener que moverse nuevamente. Era más sencillo y más cómodo seguir allá sentados en la semioscuridad y dejar su destino en manos de la ciudad. David la estiró por un costado para ponerla de cara a él. La esperanza comenzaba a florecer de nuevo en su interior. O tal vez no era más que puro desafío, un sentimiento de ultraje en la opresiva oscuridad y un rechazo a dejarse conquistar por ella.

—Es nuestra única oportunidad —dijo—. No tenemos nada que perder por intentarlo. Ven conmigo, por favor.

Ella le miró a los ojos, a su pálido y atormentado rostro, en la penumbra. Con una mano le tocó los labios suavemente.

—Sí —dijo.

David abrió la marcha por la angustiosa oscuridad. El sonido de las rocas derrumbándose crecía de volumen a su alrededor. Todo el lugar estaba a punto de venirse abajo. Los constructores de Iram habían cavado y excavado la tierra, y habían practicado túneles en la sólida roca durante siglos, esculpiendo la ciudad entera en la arenisca. La gran meseta era un laberinto de túneles y pasillos laterales, vestíbulos y estancias, pozos, escaleras, agujeros y pozos negros. Finalmente estaba cediendo, y cada sector que se desplomaba dejaba una presión insoportable a lo que iba quedando.

Los dos corrían, cuidando de que no se les apagaran las lámparas, trazando un camino a través de la negrura en busca de una vía de escape. El suelo tembló y volvió a quedarse quieto. Tras ellos, una lluvia de rocas se vino abajo bloqueando cualquier posibilidad de retorno. Espesas telarañas les cubrían el paso. Durante siglos, nadie había puesto los pies allá abajo, tal vez desde que habían enterrado a los últimos muertos. Si se habían equivocado de túnel, uno que no tuviera abertura al fondo, jamás saldrían de Iram con vida.

El túnel daba vueltas y giros varias veces, y después discurría en línea recta. De pronto acabó en una pared desnuda. No podían seguir. Estaban atrapados en un túnel sin salida. Aquél debía de ser uno de los túneles mortuorios más antiguos: los cuerpos que había en los nichos no eran más que esqueletos, tan antiguos como Babilonia. Pero el aire era fresco. David alzó la lámpara.

A gran altura en la pared distinguió algo que parecía una abertura, estrecha, pero suficientemente amplia como para que cupiera una persona que fuera lo bastante delgada.

—Ésa debe de ser una de las aberturas —dijo.

—¿Cómo puedes estar seguro? —preguntó Leyla—. Podría ser cualquier cosa, un hueco natural en la roca, por ejemplo. Podríamos quedar atrapados.

—Ya estamos atrapados —replicó David—. Pero tiene que haber una abertura por ahí. El aire llega desde alguna parte. Es la única abertura que veo.

—¿No tendría que ser recta? ¿No tendría que haber luz?

—No lo sé. Tal vez no están hechas en línea recta. Tenemos que intentarlo. No podemos hacer nada más.

El túnel entero se estremeció.

—¿Y cómo llegaremos hasta arriba? —preguntó Leyla.

—Utilizando los nichos —dijo él—. Sígueme.

Dejaron las lámparas en el suelo. Ya no les serían de ninguna utilidad. Sin embargo, las lámparas continuaron ardiendo, arrojando una luz escasa. Cautelosamente, puso un pie en el borde inferior del primer nicho y luego se aupó, dando manotazos para alcanzar el borde del siguiente. Sus manos tocaron ropas podridas y huesos. Con ambas manos se izó hacia arriba y se metió en el oscuro nicho. No tenía ni idea de lo que había allí y prefería no saberlo. Se arrodilló y extendió una mano hacia abajo para que Leyla se agarrara. Ella se aupó hasta colocarse junto a él, con ambos pies en el borde. Abajo, la luz de la lámpara, que chisporroteaba, cubrió su rostro de sombras trémulas. Él se inclinó hacia delante y la besó, un beso suave y tembloroso en sus labios asustados y entreabiertos. Ella apretó su mano una vez y se dio la vuelta para seguir trepando.

David la ayudó a subir al siguiente nicho y luego ella tiró de él para ayudarle a su vez, tanteando entre los muertos en busca de un punto de apoyo. Recuperaron el aliento y continuaron subiendo. Un temblor grave sacudió todos los túneles. Parte de la pared que tenían delante se vino abajo.

Había cinco nichos, y luego ya estaban junto a la abertura. Si es que realmente era una abertura.

—Yo iré primero —dijo David. Parecía que era lo más adecuado, pero tuvo que hacer acopio de valor para poner una mano en la oscura abertura. Pasó sus hombros hacia el interior y empujó el resto de su cuerpo por la estrecha grieta. El canal discurría formando un ligero ángulo que le permitió avanzar con ambos brazos por delante, reptando como una serpiente. Estaba oscuro como boca de lobo. Sentía que las paredes del túnel le oprimían por todas partes, miles de toneladas de roca que se agitaban.

Trató de sofocar el pánico y continuó arrastrándose. Tras él, Leyla ya se hallaba dentro del canal, empujando fuertemente con los talones. Se produjo una fuerte vibración y a través de toda la roca que había sobre él oyó un sonido similar al de un tren expreso. Una repentina sacudida hizo que su hombro se golpeara contra la pared del túnel. Se oyó el estruendo de rocas que se desplomaban en algún punto. Sintió que su corazón se desbocaba. El terror infantil a ser enterrado vivo resurgió en algún rincón de su mente. Quería liberarse, levantarse, mover los brazos y las piernas. Se sentía constreñido, aplastado.

Leyla no podía ver a David, pero sabía que estaba delante de ella. El sonido de su respiración rápida y entrecortada le llegaba a través de la oscuridad. Pensó que estaba sumamente nervioso, a punto de ser presa de la claustrofobia. Si cedía al pánico, ambos estarían acabados.

—David —llamó—. Respira más despacio. Aspira profundamente. Trata de relajarte.

Él oyó su voz como si le llegara desde muy lejos, remota y despreocupada. Respiró profundamente, conteniendo el aliento y expulsándolo lentamente después, y luego otra vez. Gradualmente, su pulso se fue regularizando y sintió que se tranquilizaba. Se arrastró hacia delante de nuevo. Se oyó otro estruendo, esta vez muy cerca.

—¡David! —Era Leyla de nuevo—. ¡Ha sido justo detrás de mí! Creo que la entrada del túnel se ha desplomado. ¡Tenemos que salir de aquí!

David se dio cuenta de que el túnel entero podía derrumbarse sobre ellos. O que, aunque hubiera una salida en aquel túnel, podría estar bloqueada. Empujó hacia adelante con renovada desesperación, abriéndose camino a través de la oscuridad hacia una luz que sólo esperaba que estuviese allí. Era difícil de precisar, pero se diría que durante todo el tiempo había estado ascendiendo de una forma imperceptible pero indudable. Aquello parecía no tener fin. Tenía las manos, los codos y las rodillas en carne viva, y la piel levantada por la roca. De vez en cuando le llegaban unos sonidos como de truenos, a veces lejanos y otras espantosamente cerca.

Sin previo aviso, sus dedos chocaron con algo. El corazón dejó de latirle. Se deslizó con suavidad hacia adelante y alargó las manos. Éstas chocaron contra la roca. Frenéticamente, palpó a tientas por delante, por encima, por abajo, por todas partes. El túnel no iba más lejos. Ya no era un túnel: se había convertido en su tumba.

CAPÍTULO 52

—¿Qué pasa, David? ¿Por qué te paras? —La voz de Leyla le llegó desde detrás. Respiró profundamente varias veces, tratando de dar una respuesta con voz tranquila.

—He llegado a una pared —dijo—. No puedo seguir. Creo que estamos acabados.

Se hizo un silencio. Después:

—¿Estás seguro? Tal vez no sea más que una pequeña obstrucción.

—No, es roca sólida. Una especie de fachada de roca.

—¿Y el aire? —dijo Leyla por detrás.

—¿Qué quieres decir?

—El aire que hay aquí. ¿De dónde viene? ¿Qué sentido tiene este túnel? No puede ser un callejón sin salida. El aire tiene que venir de algún sitio.

Tenía razón. En medio de aquel pánico estúpido, se había olvidado de pensar. Se obligó a calmarse; gradualmente, fue recomponiendo sus pensamientos. Había algo más que el simple aire. El túnel era obra del hombre, estaba seguro. Parecía ser de construcción bastante recta y regular y por abajo llegaba a un lugar bastante conveniente. ¿Para qué construir un túnel que no llevaba a ninguna parte? Incluso aunque no fuera más que un camino para Gehenna, no tenía sentido que terminara sin salida. Las almas de los muertos podrían salir por el agujero de una aguja si fuesen lo bastante ágiles, pero aquello no parecía tener sentido. Los antiguos no interpretaban la muerte en términos demasiado espirituales. Ponían vasijas y alimentos y armas en las tumbas de sus muertos. Creían que la vida después de la muerte era como una existencia semifísica, y no como una espiritualidad sin cuerpo. Un final sin salida no tenía sentido.

De algún modo, la idea de un túnel que no conducía a ninguna parte le era familiar. Los arqueólogos se encuentran a menudo en sus excavaciones con túneles bloqueados o pasillos cegados, pero esto era diferente: tenían intención de que fuera así. Y entonces se le ocurrió. En algunas tumbas de Egipto, incluyendo la propia Gran Pirámide, había túneles cerrados a fin de frustrar los esfuerzos de los ladrones de tumbas. Se utilizaban pesados rastrillos de piedra, losas o tacos de piedra para cegar los pasadizos, dejando a menudo una ruta de escape para los trabajadores que los colocaban.

Pero allí no había ningún túnel de escape; el canal donde se encontraban ya serviría para aquel propósito. Tal vez incluso había sido construido para eso. Más seriamente, David reflexionó sobre si el saqueo de tumbas habría sido un crimen corriente en una sociedad tan cerrada como Iram; ¿dónde podría vender el ladrón su botín? Y con toda seguridad, las tumbas estaban al otro extremo del túnel y no allí. A menos que...

Comenzó a explorar la roca que tenía delante, recorriendo con los dedos la intersección donde se unía a la pared del túnel. El corazón le dio un brinco. No era continua con la roca del túnel. Había una pequeña grieta, apenas suficiente para introducir un dedo, al fondo, a ambos lados. Aquello era una losa o un taco. La cuestión era cómo sería de grande. Algunas de las losas de Egipto sobrepasaban los noventa metros. Entonces cayó en la cuenta de que la losa debía de ser la fuente de aire en el túnel.

Se pegó a la roca y empujó con todas sus fuerzas. Pero no ocurrió nada. Tenía muy poco punto de apoyo, estirado como estaba en el suelo. Se movió haciendo presión sobre ambas paredes. Había un área desigual contra la cual podía poner un pie. Empujó de nuevo. Se oyó un sonido, como un arañazo, de una piedra que se movía sobre otra. Puso un dedo en la grieta. Se había movido ligeramente, estaba seguro. La losa era móvil.

—No puedo moverla —gritó.

—No malgastes tu aliento —gritó Leyla en respuesta—. Sigue empujando.

El suelo sufrió un temblor y otra parte del túnel se derrumbó. David empujó otra vez, rechinando los dientes con desesperación. La piedra chirrió de nuevo. Un suave resplandor apareció a través de la grieta, una luz muy débil. Redobló sus esfuerzos, obligándose a emplear toda la fuerza que le quedaba. La losa se movió aún más, dando paso a dos finas rayitas de luz. El sonido de los temblores era ya constante. Iram se estaba desintegrando. Seguía empujando, con los músculos de los brazos y la espalda tensos como sogas y las venas del cuello como alambres. El sudor resbalaba por su cara. La piedra se movió, después sufrió una sacudida y comenzó a deslizarse hacia atrás, movida por algún resorte de contrapeso. La luz llegó a bocanadas al túnel. David cerró los ojos al quedar deslumbrado y después los abrió con precaución.

Se hallaba frente a una estancia de techo bajo, de construcción regular. Allí reposaba el secreto final de Iram, un secreto tan bien guardado que, durante siglos, nadie sospechó que estuviera allí.

David era el primero en posar sus ojos en aquel lugar después de más de dos milenios. La cámara se hallaba iluminada a través de unas estrechas grietas en el techo que dejaban pasar la luz, pero no el agua de la lluvia, la cual era reconducida al exterior por unos canalillos. Pero los ojos de David no estaban fijos en el techo y su mente no se preocupaba por la luz.

Por toda la habitación, sobre enormes asientos de piedra, se hallaban los reyes de Iram. Vestidos con los más finos brocados, con ropas ricamente bordadas de rojo, oro y púrpura, los herederos de Salomón se hallaban sentados en sus tronos en el corazón de su reino desierto. Piedras preciosas y ornamentos de filigranas doradas, broches de plata y anillos de amatista relucían centelleantes bajo el polvo de siglos. Había cofres de marfil y estatuillas de ébano y cedro esculpidas delicadamente y pintadas de forma que parecieran hombres de verdad; camellos cincelados en alabastro, barcos modelo de Yemen, espadas de Babilonia. Hundidas en sus tronos, las momias reales habían mantenido su corte durante siglos, con los rostros ocultos tras pálidas máscaras de alabastro, abrochadas con cuerdas doradas, y los ojos, ciegos, teñidos de antimonio.

David se arrastró fuera del túnel y saltó a la cámara-tumba. Vio figuras de gacelas, halcones de marfil, demonios alados como los que había en la ciudad que moría bajo sus pies. Ahora que sus ojos se habían acostumbrado a ella, la luz era débil, pero hacía brillar todo lo que tocaba. Miró a su alrededor mientras la cabeza de Leyla aparecía en la boca del túnel; observó el asombro en sus ojos. Hasta aquel momento, él no se había deleitado en la contemplación de su cara. Había cambiado, pero todavía era la suya, y sus ojos todavía eran los suyos. Leyla vio que él la miraba y desvió la vista, incapaz de sostener su mirada.

Bajó de la abertura del túnel saltando a la habitación, por la cual paseó hacia el trono que tenía justo enfrente. Las rígidas manos de la momia y las podridas ropas a punto de desintegrarse hablaban de la muerte, pero la máscara y los colores de antigua fabricación y el pecho enjoyado todavía dejaban sentir los ecos de una majestuosidad desvanecida. Deseó arrodillarse. La voz de David la despertó de su ensueño.

—Tenemos que salir de aquí rápido —dijo—. Todo se está viniendo abajo. Esta habitación se derrumbará en cuestión de segundos.

—¿Y cómo saldremos? Esto no es que sea mucho mejor que el túnel, sólo más grande. Aquí podremos morir más cómodos, eso es todo.

David miró alrededor desesperadamente. Tenía que haber una salida.

—Este lugar está encima de la ciudad —dijo—. Esos túneles dan directamente al exterior.

—Son demasiado estrechos, no podremos pasar por ahí.

—¿Y qué hay de las almas de los reyes? —preguntó él—. Esos túneles fueron construidos para dejar pasar la luz hacia dentro, no para dejar salir las almas. Creo que el túnel por el que vinimos era la única unión entre esta habitación y la ciudad. Pero al-Shami dijo que había docenas de los túneles que originalmente mencionó. El túnel por el que vinimos debía de ser uno sin salida, construido a semejanza de los otros, pero cuya finalidad real era traer los cuerpos de los reyes aquí a intervalos frecuentes, y de ahí la losa con el contrapeso. Suponiendo que existan otros túneles, tal y como le explicaron a al-Shami, ¿por qué no hay uno para los reyes? También necesitan ir al cielo, ¿no?

—Pero un túnel muy grande dejaría pasar la lluvia en invierno.

—A menos que se pudiera mantener cubierto.

Comenzaron a explorar el techo, mirando ansiosamente en busca de algún rastro de una abertura. Bajo sus pies se oía un estruendo amenazador. De repente, el suelo se hinchó por el centro de la habitación. Se abrió una grieta que lentamente comenzó a ensancharse. Uno de los reyes se precipitó por el agujero, como un amasijo de huesos y oro. La máscara que cubría el rostro de otro resbaló a causa del temblor, revelando una muerte corriente, sin adornos ni realezas. La habitación vibró.

Estudiaron palmo a palmo la encalada superficie. Parecía tan suave como si nadie la hubiera tocado. Estaba decorada con figuras geométricas pintadas en oro y plata.

—¡Aquí! —gritó David. Su experimentado ojo había vislumbrado las finas líneas rectangulares de la abertura. Leyla corrió a su lado.

—¿Cómo llegaremos hasta ahí?

—Las cajas. ¡Rápido!

Agarraron los cofres y vaciaron su contenido en un desgarbado montón. David era más alto; él subió primero.

Originariamente había habido una polea, pero la cuerda se había descompuesto hacía tiempo. David empujó la trampilla con la parte inferior de su mano, pero rehusó a moverse.

—El contrapeso —gritó Leyla—. Aquí está.

Tenía un trozo de cuerda pegado. Lo cogió y se lo pasó a David. Una fuerte vibración sacudió la habitación. Uno de los tronos rebotó en el suelo, arrojando a su ocupante por los aires hasta el centro de la habitación. Su cabeza rodó hasta detenerse a los pies de Leyla.

David estaba de puntillas, pasando la cuerda a través del aro del cual colgaba otra originariamente. Era pesado y amenazaba con hacer perder el equilibrio a David. La habitación sufrió una nueva sacudida. Se tambaleó un momento, pero recobró el equilibrio en seguida. La cuerda se deslizó por fin por el aro, y la ató nerviosamente, temiendo que se rompiera.

Esta vez, la trampilla empezó a moverse, con una lentitud exasperante. De pronto apareció otra grieta en el suelo, abriéndose rápidamente mientras la habitación se partía en dos. Leyla se quedó al otro lado.

—¡Salta! —gritó David—. ¡Por el amor de Dios, salta!

Ella miró la hendidura y vio las fauces que se abrían debajo. La aterrorizaron. Miró a David. La fisura se iba ensanchando por momentos.

—¡No esperes más, Leyla! ¡Salta!

Cerró los ojos y saltó, salvando la grieta por los pelos. David se tambaleó sobre las cajas y se izó hasta la abertura del techo. Estaba en la cima de Iram, en la propia cumbre de la formación rocosa, que sólo había oído descrita por al-Shami. Alargó las manos y ayudó a Leyla a subir. La torre de cofres cedió y se desplomó sobre el suelo. Ella quedó colgada por un brazo durante unos instantes, hasta que David encontró un punto de apoyo firme y tiró de ella hacia arriba.

Permanecieron quietos escuchando bajo sus pies los últimos estertores de Iram. A lo lejos, en el otro extremo de la meseta, una sección entera de roca se vino abajo, abriendo una brecha de cientos de metros.

—Tenemos que bajar de esta roca —dijo David—. Puede que también se hunda.

Descendieron lentamente, tanteando la roca en busca de puntos de apoyo para los pies y las manos. La roca parecía tener vida propia, rugiendo y gritando en su agonía de muerte, temblando de vez en cuando como un animal moribundo que tratara de sacudírselos de encima. Un resbalón podría ser fatal.

Les pareció que tardaban horas, aunque no les llevó más de quince minutos. Finalmente, llegaron al pie, demasiado cansados para moverse, con los huesos doloridos, los músculos ardiendo como si se quemaran, y la piel cubierta de heridas sangrantes. Sabían que debían alejarse de la roca antes de que sufriera un colapso final, pero ambos se sentían incapacitados para moverse o hablar. Descansaron junto a una de las columnas, sintiéndose a salvo en la sombra. Por encima de sus cabezas se elevó el rugido de Iram que se desplomaba por momentos dejando oír retumbos de trueno.

Leyla dio un respingo al oír una voz. Después se oyó de nuevo.

—Was gibt's? Was geschieht?

Levantó la vista. Uno de los guardias se hallaba frente a ellos. Había venido sobre un camello. Apostado a cierta distancia, había sido el último en ir hacia allá desde que empezaron los temblores.

David se levantó, dispuesto a saltar sobre él. El guardia le miró y luego a Leyla.

—*Wer sind Sie?* —interrogó—. *Was machen Sie hier?*
Quitó el seguro a su ametralladora y les apuntó.

—¿Quiénes sois? —preguntó esta vez en árabe—. ¿Qué hacéis aquí?

Casi al mismo tiempo, se oyó un estruendo como si estallara un almacén de explosivos y se inició un temblor que crecía de volumen a increíble velocidad. Las columnas que les rodeaban sufrieron una violenta sacudida. El guardia alzó la cabeza aterrorizado. David disparó desde el bolsillo dos rápidos tiros sucesivos. Vio caer al guardia, quieto y silencioso. «¿Era tan fácil morir —se preguntó David—, siendo tan difícil todo lo demás?»

Echaron a correr. Los dolores finales se apoderaron de Iram. Alrededor de la roca, varios hombres se apelotonaban confusos, gritándose unos a otros por encima del ruido. Nadie había reparado en su presencia. Miraron por la llanura, más allá de los oscuros agujeros y de los postes metálicos, más allá de las estatuas aladas. Iram había terminado. Las columnas habían empezado a ceder bajo el peso que se les venía encima, primero las más delgadas, después las más gruesas y por fin sectores enteros de la ciudad. Era como la ira divina. El susurro de la noche, las oscuras alas, la música de muerte repentina, allí, en aquel instante, entre el rugido de las rocas y la quiebra de las descomunales columnas. Una leyenda se hizo añicos desplomándose sobre la arena. David pensó en Sansón en Gaza, en el templo de Dagón, en las columnas que se derrumbaban y el edificio que caía aplastando a los filisteos. Oía el rugido de Iram, como el mar rompiendo contra las rocas durante la tormenta. Pensó en los reyes de la cámara, volviendo al polvo, en los tesoros de la ciudad, la biblioteca, el gran templo, el Arca. Desvió el rostro arrimándose amargamente a Leyla en aquella zanja maloliente.

CAPÍTULO 53

David y Leyla se quedaron en la zanja toda la noche. Al salir por la mañana, la llanura estaba desierta. Aparentemente no había habido más supervivientes. Iram era un montón de rocas del cual emergían ocasionalmente humo y llamas. Encontraron un camello abandonado, posiblemente la montura del guardia que David había matado el día anterior. Encontraron agua en un charco que había en una roca y alimentos en las alforjas del camello, lo suficiente para dos o tres días si comían frugalmente. Todavía tenían unas pocas provisiones y agua que Leyla y Scholem habían cogido de la cocina en Iram. Leyla recordó a la muchacha que habían dejado encerrada en el armario: ¿se habría imaginado lo que estaba sucediendo cuando el mundo empezó a derrumbarse sobre su cabeza?

Continuaban adelante como si les sostuviera alguna fuerza más poderosa que la suya propia. Hubiera sido más fácil tenderse en la arena y no volver a levantarse jamás, aceptar que el fin de Iram también era el de ambos. Sabían que estaban muy cerca de la muerte y que cada paso que daban aún los acercaba más. Montaban al camello por turnos, uno cabalgaba y el otro caminaba a su lado, siguiendo una línea recta hacia el norte. Parecía inútil, pero ¿qué otra cosa podían hacer? Hablaban poco de lo sucedido. Leyla deseaba olvidarlo, dejar atrás los recuerdos de aquel viaje al Nafud, de todo lo que había tenido lugar en Iram.

Durante la noche yacían juntos, acurrucados junto al camello en la oscuridad. Leyla pensaba en las frías noches que había pasado con Scholem en las arenas, en su desesperación y amargura. Quería abrazar a David, tocar su cara y sus manos, convencerse de que era real. Deseaba hacer el amor con él, pero tenía miedo, miedo de entregarse en aquel frío y aquellas arenas estériles. Ella no había repetido la declaración de amor que le hiciera en Jerusalén y David no lo había mencionado nunca. Tal vez él creía que la había hecho impulsada por el temor y la incertidumbre de aquellos últimos días en Jerusalén. Y si volvía a decirlo, ¿no creería él que no era ella quien hablaba sino las arenas del desierto y el temor de que allí acabara todo?

Hablaban a trompicones, con grandes silencios en medio. Ambos buscaban el olvido en la arena, y hablar les recordaba dónde habían estado y por qué. David estaba preocupado por la pérdida de Iram, por la destrucción del Arca. Pensaba en aquello constantemente, le daba vueltas, como el hombre que ha matado a alguien muy querido, aunque sabe que esa persona le habría traído un sufrimiento insoportable. Lo hecho, hecho está, y David no atinaba a imaginarse la diabólica Iram en un futuro imposible. Recordaba tan sólo la oscura belleza de sus túneles, la luz que se filtraba por el techo desigual del templo, el Arca surgiendo de debajo de sus velos. Y pensaba constantemente en la niña con la que había hablado, cuyo cuerpo él había aplastado bajo toneladas de piedras y roca. En aquellos momentos se sentía terriblemente culpable, y se despreciaba a sí mismo.

Pero Leyla le enseñó los papeles que ella y Scholem habían hallado en el avión, y recordó la declaración de al-Shami de que algo estaba a punto de desencadenarse en Jerusalén. La conspiración no empezaba y acababa en Iram. Había más, tal vez mucho más, de lo que ya conocían. Todavía no alcanzaba a comprender para qué le había llevado Von Meier a Iram, por qué eran tan importantes las lápidas de Ebla y su comparación. Algo le decía que había razones más profundas del interés de Von Meier y que se relacionaban con un plan más amplio y terrible que el que ya habían descubierto.

Continuaron su desesperanzado viaje, salpicado de nuevos temores que se cernían amenazadoramente sobre sus personas. A menos que lograran ponerse en contacto con algunos beduinos, morirían allí, y de ser así, mucho se temían que ya no habría ninguna esperanza de poder interferir en fuera cual fuese la maquinación secreta.

Aquella noche volvieron a yacer en la oscuridad, cogidos de las manos como amantes, rompiendo la armonía con la noche, el desierto y ellos mismos. No había modo de medir el amor en aquella remota distancia; ninguna proximidad parecía suficiente para romper la enormidad de las arenas.

—¿Por qué viniste, Leyla? Eras libre; ¿por qué volver a atraparte otra vez?

Ella le habló del rollo de película, de la fotografía del Muftí.

—Al-Husayni era un hombre buscado mucho antes de que fuera a Alemania —dijo—. En Palestina, durante los años veinte y treinta, organizó disturbios antijudíos e incluso ataques a las propiedades judías. Se convirtió en el más poderoso del país: presidente del Consejo Supremo Musulmán, jefe del Alto Comité Árabe. Era avaro y ambicioso, y no permitió que nadie se interpusiera en su camino. No se contentó con matar judíos. Sus hombres también dieron muerte a políticos árabes que se le oponían y a gente corriente que seguía una línea más moderada que la suya. Fueron asesinadas docenas de personas inocentes. Familias enteras fueron aniquiladas. La mía perdió diez miembros, asesinados por los pistoleros del Muftí. Sabía que había muerto, pero cuando me enteré que había estado mezclado en... todo esto, no pude quedarme en Jerusalén. Parece algo insignificante, como el destino o algo así. Soy musulmana, me criaron para creer en el destino, en la voluntad de Dios. Aún recuerdo cuando mi padre nos hablaba cuando éramos niños. Nos enseñó su foto, y luego diez fotos más de los tíos y primos que habían muerto. Lo que los judíos nos hicieron después no fue nada comparado con lo que nos hizo el Muftí entonces. Enfrentó árabes contra árabes, familia contra familia. No sé, David, para mí no tiene sentido albergar tantos odios.

El cielo era claro. Una estrella fugaz relució en la oscuridad, desvaneciéndose instantes después.

—¿Valió la pena? —preguntó David.

Ella alzó la mirada.

—Ir a Iram —aclaró él—, encontrar lo que encontraste. ¿Era lo que querías?

Leyla sacudió la cabeza.

—No, no lo era. ¿Cómo iba a serlo? Me di cuenta mucho antes de llegar a la ciudad. No fui a buscar a al-Shami: fui a buscarte a ti. Eso era más importante para mí que la venganza de antiguas muertes. Si me dices que al-Shami está muerto y enterrado bajo aquel montón de piedras, eso no significa nada para mí. Aunque le hubiera matado con mis propias manos, no significaría nada. Algunos errores son tan antiguos que la venganza no tiene sentido.

—Los beduinos no opinan lo mismo.

—Sí, los beduinos piensan otra cosa. Pero ellos llevan el pasado en sus mentes, lo mantienen con vida alrededor de sus campamentos. Nosotros tenemos libros, periódicos y películas; escribimos historias, las reescribimos, seleccionamos, editamos, censuramos. ¿Cómo sé lo que ocurrió en los años treinta? Hace cincuenta años, yo no había nacido.

—¿No crees en nada, Leyla?

Ella miró a su alrededor, las piedras, la arena, el camello, David.

—No —dijo—, ya no.

Sexta parte

> Vamos abriéndonos paso a punta de lanza
> al tiempo que avanza el estandarte de los más bravos.
> No permitiremos que pierda la vida;
> las valkirias poseen el poder de escoger
> la hora de la muerte.
>
> *Saga de Njal*

CAPÍTULO 54

Una primavera temprana había abierto las primeras flores en Jerusalén. En el monte de los Olivos el verde invernal de los cipreses era sustituido por resplandores rojos y purpúreos. La esencia del jazmín inundaba el aire. El sol tardío de la mañana brillaba sobre las cúpulas doradas de la iglesia de María Magdalena y, más abajo, la Cúpula de la Roca.

David y Leyla caminaban por la calle Herzl en dirección al apartamento de Abraham Steinhardt. A los tres días de salir de Iram, tropezaron con un campamento beduino. El jeque les dio escolta hasta la base del campamento de exploraciones Aramco, a cuatro días de viaje hacia el norte, y allá lograron persuadir a los hombres para que los ayudaran a salir de Arabia Saudí sin ser detectados. Los transportes del campamento incluían un avión ligero, un Cessna 414, y el piloto accedió a llevarlos hasta un lugar cercano a Haql, en la frontera jordana. Cruzaron la frontera hasta Jordania sin dificultad y se encaminaron a Aqaba. Leyla tenía contactos allí, personas que sabían abstenerse de hacer preguntas, y que les proporcionaron ropa y dinero y les condujeron por la noche a través del golfo de Aqaba hasta Eilat, en Israel. Desde Eilat habían tomado el primer *sherut* hasta Jerusalén. Hasta el momento habían gozado de una suerte extraordinaria. Nadie les pidió la documentación.

Steinhardt vivía en unos bloques nuevos, no lejos de la estación central de autobuses de Jerusalén. Ya era más del mediodía cuando llegaron; con suerte, Steinhardt estaría en su casa comiendo. Le habían comprado un regalo, una botella de calvados francés. Leyla había vaciado su cuenta bancaria aquella mañana: necesitaban el dinero tanto como la suerte.

Subieron la escalera hasta el cuarto piso. David llamó a la puerta de Steinhardt: tres veces, el viejo código que habían acordado entre él y Leyla. Reinaba el silencio. Llamó de nuevo, esta vez más fuerte. Pero nada.

—¿Qué crees que debemos hacer? —preguntó él—. Tal vez podría llamar a la universidad para ver si está allí.

—Ahora apenas va allí, David. Unas cuantas conferencias, visitas a la biblioteca del monte Scopus. Trabaja en casa la mayor parte del tiempo.

—Pues entonces esperaremos.

La puerta de enfrente de la de Steinhardt se abrió ligeramente. Alguien miró hacia fuera desde el sombrío interior. Dos pálidos ojos les escudriñaban. Se oyó una tos asmática, seguida de un jadeo. Ambos se dieron la vuelta.

—¿Buscan a Steinhardt? —preguntó la voz de un anciano desde detrás de la puerta.

Leyla asintió. Hubo una larga pausa. La rendija de la puerta no se abrió más.

—Se ha ido —dijo la voz jadeante. Otra pausa para respirar—. Está muerto. Murió hace... dos semanas. Se cayó por la escalera, ahí... y se rompió el cuello. El pobre bastardo tenía la presión muy baja. Eso dijeron. Tenía vértigo. Las escaleras son empinadas. Demasiado empinadas, maldita sea... para los viejos.

Escucharon perplejos y en silencio aquella voz, el vecino invisible explicando su infortunio. Calló y comenzó a toser de nuevo. Sus viejos pulmones expulsaban las lluvias, nieblas y vapores del largo invierno. Durante un largo rato nadie habló. Leyla tenía a David cogido de la mano, luchando por contener las lágrimas. Hacía frío en el rellano lúgubre y pintado de beige. El invierno había hecho estragos en el edificio, y también entre sus habitantes. La pintura de una de las esquinas empezaba a despegarse. Leyla miró las escaleras. Parecían duras y poco cómodas, desde luego no como el lecho de muerte que alguien escogería.

La puerta se cerró y se quedaron solos en el rellano. David comenzó a bajar por la escalera. Leyla contempló la puerta de Steinhardt, recordando aquella tarde que fue de vuelta de casa de Scholem. Apartó aquel recuerdo de su mente y se dirigió a las escaleras.

De pronto la puerta de enfrente se abrió de nuevo y una cabeza apareció por ella. Unos mechones grises flotaban alrededor de una cabeza calva. Unos ojillos ribeteados de rojo observaron a Leyla con mirada miope sin la ayuda de las lentes. Unos labios delgados y exangües se pusieron en movimiento.

—¿Es usted Leyla?

Ella asintió. No hubo respuesta. Dijo:

—Sí.

—Y usted —prosiguió la voz dirigiéndose a David—, usted debe de ser David. David Rosen.

—Sí, soy David Rosen.

—Esperen aquí —dijo el viejo—. Tengo una cosa para ustedes. Para los dos. Tiene sus nombres escritos.

Se alejó, cerrando la puerta tras él. Aguardaron en el rellano a la débil luz mortecina. Leyla tenía la mirada extraviada. Se preguntaba si tendría suficientes fuerzas para bajar por la escalera. Se sentó en el escalón superior. Pasó un largo rato.

La puerta se abrió con un graznido y la cabeza blanquecina asomó de nuevo. Extendió un largo brazo hacia delante. Una delgada mano sujetaba fuertemente un sobre blanco, arrugado y grasiento. Leyla se levantó y lo cogió. Su nombre y el de David estaban escritos con letra de Steinhardt, cuidadosamente, en una escritura hebrea pasada de moda. No se acostumbraba a ver su nombre escrito en hebreo.

—Gracias —dijo, y su voz resonó por el largo y profundo rellano.

—La dejó aquí —murmuró el hombrecillo—. Dijo que era para que les fuese entregada si venían, si algo le sucedía. —Hubo una pausa mientras el viejo tosía—. Debía saberlo. A veces se sabe. Que uno se está muriendo, quiero decir. —Hubo otra pausa y una nueva tos, que de hecho fue más como un espasmo, seco, que llegaba de las profundidades de su pecho.

—¿Cuánto tiempo antes de su muerte? —preguntó Leyla.

El anciano reflexionó. Tenía las arrugadas mejillas hundidas, como la piel de un balón desinflado. Respiraba espasmódicamente, como si después de todo fuera a rendirse. Le costaría tan poco esfuerzo morir..., pensó Leyla.

—Dos días —dijo—, o puede que tres. No más. ¿Creen que lo sabía?

—Sí —dijo ella despacio—. Creo que lo sabía.

El anciano asintió crípticamente. La miró por el rabillo del ojo.

—Sí —asintió de acuerdo—. Los viejos lo saben.

La cabeza se retrajo y la puerta se cerró con un clic suave pero desagradable, como el de un ataúd al cerrarse.

Bajaron por las escaleras y salieron al fresco aire primaveral. Cerca de allí había una cafetería, repleta de gente comiendo. Encontraron una mesa libre y tomaron asiento. Camareros y clientes revoloteaban ocupados a su alrededor, charlando, pidiendo, discutiendo; pero ellos parecían ser ajenos a todo, en un capullo de silencio y tristeza, incapaces de actuar o de hablar. La botella de calvados estaba encima de la mesa, un símbolo incongruente de una pena muda. El camarero les preguntó qué deseaban. Automáticamente pidieron *kreplachs* y dos maltas Nesher. La comida tardó en llegar. Mientras esperaban, Leyla abrió el sobre y sacó la carta que contenía. Acercándose a David, la leyó en voz baja. Comenzaba abruptamente, sin mayor preámbulo.

Queridos Leyla y David,

Si llegáis a leer esto, yo estaré muerto. Ruego porque ambos es-

téis aún con vida, aunque temo por los dos. Me están siguiendo, estoy casi seguro. Hace tres días había un hombre fuera del bloque de mi apartamento. Ayer también estaba y hoy otra vez. Se limita a observar y esperar algo que yo no sé. Cuando salgo, viene detrás de mí a una discreta distancia. No le he visto a mis espaldas nunca, pero sé que está ahí, puedo sentirlo detrás.

Creo que han abierto y registrado mi apartamento por lo menos una vez. Había pequeñas señales de que alguien había estado allí. No encontraron nada. He enviado todos vuestros papeles (el libro, el diario, las fotografías y la truducción que hicisteis) a un amigo. No os preocupéis, con él están a salvo. Los envié por correo, así que nadie sabe dónde han ido a parar. Creo que es mejor que os cuente algo del hombre al que se los di.

Se llama Harry Blandford. Es inglés, pero vive en Israel desde 1947. Se convirtió al judaísmo hará unos diez años, aunque su observancia del mitzvoth *aún deja mucho que desear. El gran rabino no lo aprobó en absoluto. ¡No es que yo vaya a criticarle! Pero come bacon para desayunar siempre que puede conseguirlo... lo cual es bastante a menudo.*

Harry Blandford es un hombre extraño, pero es el mejor hombre que conozco en Israel para que guarde vuestros papeles. Llegó a este país cuando era joven y jamás ha vuelto a poner un pie fuera de él. Después de la guerra fue designado para un puesto con la AG3, la sección del Departamento de Ayuda General de la Oficina de Guerra Británica, responsable de la investigación de crímenes de guerra. Al cabo de un tiempo lo trasladaron al CROWCASS, el Registro Central de Criminales de Guerra y Sospechosos de Seguridad, donde trabajó a las órdenes de Palfrey en París. En 1946 estaba completamente desilusionado ya que se dio cuenta de que no se hacía nada serio para cazar a los nazis, ni por parte de los británicos ni de los americanos. Los rusos parecían ser los únicos que hacían algo, aunque no mucho, pero no sentía demasiada simpatía hacia ellos por otras razones. Dimitió de la comisión y encontró trabajo como periodista en el Guardian *de Manchester. En 1947, el periódico le envió a Palestina y un año después, cuando el país se convirtió en Israel, decidió quedarse. Continuó ganándose la vida como periodista ocasional, pero su verdadera obsesión era identificar y dar caza a ex nazis. Ha trabajado con Simon Wiesenthal y otros en Europa, pero la mayor parte del tiempo trabaja solo. Tiene muy poco dinero, y el que tiene se lo gasta en sus archivos y en la correspondencia.*

Os estaréis preguntando por qué he enviado vuestros papeles a una persona así. O tal vez ya lo habréis descubierto por vuestra cuenta. En caso de que no sea así, dejadme aclararlo. El diario que encontrasteis fue escrito por un mayor de las SS que describe una expedición alemana al Sinaí antes de la guerra. La expedición iba dirigida por alguien que tenía evidentes relaciones personales con

Hajj Amin al-Husayni, un hombre que más tarde se convirtió en el eje central del Tercer Reich en el mundo árabe. Acabo de enterarme por otra fuente de que al-Shami, el hombre que puede haber secuestrado a David y habérselo llevado al Nafud, era uno de los asociados más próximos del Muftí, antes, durante y después de la guerra. Sean cuales fueran los lazos de unión que existían en 1935, todavía pueden existir. Harry se pasó un montón de tiempo durante los años cincuenta y sesenta tratando de que arrestaran a al-Husayni para juzgarlo. Sabe más de él que cualquier otro ser viviente. Si existen lazos de unión, él los averiguará. El resto queda en vuestras manos.

Al escribir todo esto supongo que ambos estáis bien, o que lo estaréis cuando lo leáis. Por lo menos uno de los dos. No tengo derecho a hacer tal suposición, claro, pero la alternativa es la desesperación. La vida debe tener algún significado, aunque no sea más que un intervalo. Tal vez Harry averigüe algo, tal vez podáis poneros en contacto con él, y tal vez alguien que ocupe un alto cargo os creerá cuando expliquéis lo que está pasando. ¿Qué hay del coronel Scholem? ¿Está convencido? Encontraréis a Harry Blandford en el apartamento 7 del 15 de la calle Nissim Behar, en Makhane Yehuda. Decidle que os envío yo, decidle quiénes sois; yo le di vuestros nombres.

Le dejo esto a mi vecino Potok. Ha sido viejo durante tanto tiempo que piensa que los jóvenes sois otra raza. Probablemente no se dará cuenta ni de que me he ido, si es que algo ocurre. Pero guardará la carta: jamás tira nada. Cuando su esposa murió, tuvieron que luchar contra él para sacar su cuerpo del apartamento. Potok vio cosas desagradables en Rusia; espero que no le hagan daño si vienen a por mí.

Cuidaos mucho. Si veo al Señor del universo, le explicaré todo lo que está pasando. Probablemente no me prestará ninguna atención; creo que está aburrido o molesto con nosotros. Pero aun así, podría intentarlo. No seáis tontos: portaos bien el uno con el otro. Cuando lleguéis a mi edad, ya no importará... lo que ahora os parece que importa. Shalom.

ABRAHAM

Leyla guardó silencio y dobló la carta, devolviéndola a su estropeado sobre. El camarero trajo los *kreplachs* y la cerveza. Comieron y bebieron en silencio. Cuando terminaron, David llamó al camarero y pidió dos vasos pequeños. Luego, cogió el calvados y sirvió un poco en cada vaso. Miró a Leyla, su cara delgada y preocupada, sus ojos tristes. Miró sus manos, que estaban sobre las suyas. Con una mano levantó el vaso.

—*L'chaim* —dijo—. Por la vida.

Leyla levantó su vaso.

—Por Abraham.

CAPÍTULO 55

Después de casi cuarenta años en Israel, Harry Blandford apenas si sabía suficiente hebreo para pedir la comida o dar la dirección de su casa al taxista cuando estaba demasiado borracho para ir a pie. Proclamaba su desdén de inglés por cualquier lengua excepto la propia con aire jactancioso o jubilosa indiferencia. Cuando llegó a Israel, todavía era Palestina, y el inglés era la lengua franca; y por lo que a Harry Blandford se refería, aún lo era. Cuarenta años de sonidos guturales semíticos en trenes y autobuses, cafeterías y bares, no le habían convencido de lo contrario. Durante los últimos diez años había empeorado las cosas para sí mismo empeñándose en lucir un brillante *yarmulkah* rojo y asistiendo regularmente a la sinagoga. No era un judío demasiado religioso, pero trataba de borrar su falta de piedad durante la semana mediante una rigurosa observación del shabbat y emborrachándose religiosamente durante el Purim.

Recibió a David y a Leyla en una habitación tan atestada de papeles que ambos se sintieron como si entraran en un archivo de grandes proporciones. No había desperdicio: las sillas, las mesas, el viejo y remendado sofá oculto en una esquina bajo una montaña de carpetas. Incluso las puertas habían sido desatornilladas de las bisagras de los armarios para permitir el libre acceso a los estantes, y una escalera de mano que facilitaba el alcance hasta los más altos había sido reclamada para otros servicios y tenía cajas colgadas por todas partes. Un olor a polvo y a papel vetusto impregnaba el lugar. Desde el techo, una única bombilla presidía el caos de debajo. Un enorme gato atigrado los observaba soñoliento desde detrás de una silla.

Harry cruzó la habitación y cogió al gato, colocándoselo bajo el brazo. Seguidamente ofreció la silla a Leyla.

—Se llama *Sammy* —dijo refiriéndose al gato—. Muy travieso cuando era joven. Solía tirarme todos los archivos por el suelo, el muy tunante. Pero nunca parecía haber mucha diferencia. Sin embargo, al final se ha vuelto reposado. Tenía que ser así. O se tranquilizaba o daba un mordisco. Solía morder en el trasero, ¿sabe?, para enseñar lo que era. ¡Dios, vaya dientes tenía por aquel entonces! Ahora come gachas de avena; se está haciendo viejo, como yo.

Limpió otra silla para David y se quedó de pie de cara a ellos junto a la ventana. Bajo su *yarmulkah,* el cual le daba una apariencia de cardenal, una maraña de cabello blanco, sucio y enredado, sobresalía formando ángulos improbables, como si tratara de sacudirse el gorro de encima. Tenía unas grandes cejas blancas, sur cadas por la edad y las continuas cavilaciones. Un bigote de aspecto muy inglés retocaba un rostro sonrosado que hizo pensar a David en los mayores del ejército ya retirados y en los bulldogs. La parte inferior de la cara no parecía concordar con la superior, como si las hubieran unido por accidente. Llevaba una chaqueta veraniega de universitario desteñida, con algunos rotos y sin codos. Su camisa blanca había conocido días mejores. Las manchas de su corbata hacían juego con las de la chaqueta. La ropa le había durado toda la vida y ya no se separaría de ella. David reparó en que tenía ojos de muchacho joven. Agudos, inquisitivos, inteligentes. Harry Blandford no era ningún excéntrico chocho: era un halcón, un pájaro de presa dispuesto a lanzarse en picado sobre los ratoncillos del campo para devorarlos miembro a miembro.

Les ofreció té y ellos aceptaron tontamente, pensando que era lo correcto. En todos los años que llevaba fuera de Inglaterra, jamás había perdido la habilidad de transformar la bebida más civilizada del mundo en algo casi venenoso. En una callejuela del Barrio Antiguo había hallado hacía mucho tiempo un proveedor que le proporcionaba todos los materiales necesarios para persistir en su vicio. Tiró unas bolsitas de algo llamado Filtros PG en una gran tetera de cerámica marrón, los bañó en agua hirviendo y los dejó reposar hasta que el líquido se volvió prácticamente de color negro. Cuando ya había reposado lo suficiente, vertió el líquido de repugnante aspecto en unas tacitas de porcelana china, añadió leche antes de que pudieran detenerle y levantó la cabeza con unas pinzas plateadas en la mano para preguntar:

—¿Un terrón o dos?

Ambos sacudieron la cabeza y él les llevó las tazas, junto con los platos y unas cosas redondas llamadas galletas digestivas. Sonriendo cortésmente, masticaron las galletas y sorbieron la lechosa bebida. Harry quitó un montón de papeles de un viejo sillón atiborrado y tomó asiento.

—Entonces —dijo— os envía Abraham Steinhardt.

David miro a Leyla y después a Blandford.

—Directamente no —respondió—. Nos dio su nombre en una carta. Me temo... me temo que Abraham está muerto. Él...

—Sí, lo sé —dijo Harry—. Se cayó por las escaleras del rellano de su apartamento, me enteré poco después por medio de un amigo mutuo.

—La cosa es —prosiguió David— que no creo que su muerte fuera...

—¿Un accidente? —le interrumpió Harry—. Lo sé desde hace dos semanas. Aquellos papeles que le dejasteis llevan a conclusiones bastante extrañas. Me escribió una carta hablándome de los asesinatos. Tiene sentido. No mucho, pero lo suficiente. No hay mucho que hacer por ahora. Pero mi viejo amigo Hajj Amin parece estar implicado. Cualquier cosa en la que esté envuelto me interesa.

—¿Por qué? —preguntó David.

—¿Por qué el Muftí?

—No, no sólo él. ¿Por qué cualquiera de ellos?

—¡Ahhh! —suspiró Harry. Sorbió su té. Parecía gustarle, como un adicto con su pinchazo—. Alrededor vuestro podéis ver las muestras de una obsesión y os preguntaréis: «¿Es inofensivo o podría llegar a ser peligroso?» Bueno —continuó golpeando la taza con una cucharilla sobre la cual había grabado un apóstol—. No soy inofensivo. Puedo parecerlo, incluso oler a eso, pero os aseguro que no lo soy. Al principio lo era, naturalmente, igual que un excéntrico con su hobby. Recogía información, preparaba mis archivos, escribía mis informes y los entregaba a las que consideraba autoridades apropiadas: las agencias de los aliados en Alemania Occidental, y después a los propios alemanes occidentales, y más tarde a los israelíes. Recibía educadas cartas en respuesta diciendo que mi información había sido «archivada para futuras acciones» o simplemente para «futuras referencias».

»Les entregué archivos repletos de nombres responsables de las muertes de decenas de miles de personas. Comandantes del Einsatzgruppe, oficiales de los campos de concentración, industriales, generales de la Wehrmacht, y todo cuanto decían era «pendiente de más investigación». Su palabra clave era «normalización». Deseaban volver a tener a Alemania a sus pies. No querían tener nada que ver con sindicalistas, socialistas, personas que se hubieran opuesto a su régimen. Experiencia y respetabilidad, ésas eran las cosas que deseaban. Los nazis se habían estado riendo en sus narices desde que acabó la guerra. Representamos unas cuantas farsas de juicios, eso fue después de que el Ministerio de Asuntos Exteriores británico pusiera en marcha una lucha endiablada para detener incluso aquéllos, y después dejamos a los demás descolgados. Simplemente barrimos varios millones de muertes como si fueran molestas y nos dedicamos a nuestros asuntos habituales.

»Al final, empecé a dar mis papeles a otra gente. Gente a quien le importaba. La mayor parte, grupos de jóvenes judíos activistas. ¿Queréis saber lo que hicieron? Pusieron bombas en los umbrales de las casas; dispararon contra hombres que sólo habían visto en una foto; arreglaron las cosas para que ciertas personas sufrieran desagradables accidentes. Admito que no es mucho, pero eso me convirtió en un hombre peligroso. Me hubiera gustado que se hiciera un mejor tipo de justicia, naturalmente, algo más limpio, más abierto: juicios y exposiciones públicas, una relación completa. Pero, claro, no iba a haber nada de eso, ¿verdad? Así que tuve que hacer lo segundo. Pero ellos lo sabían. Cada vez que uno de ellos sufre un misterioso accidente, corre la voz. Se preocupan un poco, o tal vez incluso mucho. Se pasan una o dos noches sin poder dormir, preguntándose si llamarán al timbre de su puerta. Se ponen a sudar cada vez que un coche se detiene cerca de ellos.

David se llevó la taza de porcelana a los labios. El asa era pequeña y difícil de manejar; no pudo pasar ninguno de sus dedos a través de ella. En alguna parte había oído que en Inglaterra extienden el dedo meñique de la mano derecha al beber. Eso parecía arriesgado. Tomó otro sorbo.

—¿No tiene miedo de lo que pueda ocurrirle? —preguntó—. ¿De que alguien llame a su propia puerta cualquier día?

Harry se echó hacia atrás en la silla. Los viejos muelles rechinaron.

—¿Crees que soy tan ingenuo, David? —preguntó a su vez—. No he sobrevivido todo este tiempo comportándome como un niño. Te he dicho que trato con información. Al excavar en el pasado de alguien, inevitablemente excavas en el pasado de varias personas más. Hay hombres y mujeres, algunos muy importantes, que se declararían libremente poseedores de un pasado nazi como si no les diera ninguna vergüenza: «Yo era joven entonces y no sabía lo que hacía», o bien: «Permanecí en el sistema y ayudé todo lo que pude para rescatar a los judíos.» Ya sabéis cómo va el asunto. Parece causarles bien poco daño. En algunos círculos es incluso una ventaja. Pero haced saber a esas mismas personas que tenéis información sobre, digamos, una infidelidad matrimonial, una relación homosexual o un desfalco, y los tendréis comiendo en la palma de la mano. Dando a entender que habéis tenido cuidado de guardar la información en cuestión en un lugar seguro, con instrucciones de revelarla si algo os ocurre. Las mismas personas que ansían veros muertos, se convierten en vuestros más asiduos protectores, como las madres pájaro vigilando celosamente a sus crías. Le aseguro, profesor, que hoy en día la gente todavía se siente más afectada por el sexo que por la violencia o incluso el asesinato. Un hombre confesará más fácilmente un crimen violento que uno de pasión sexual.

Se recostó en el asiento y vació la taza. Miró dentro con una mueca de disgusto, como si le repugnara lo que acababa de beber, y después recobró su expresión normal.

—Éste es el problema de las bolsitas de té —dijo—. No dejan hojas en el fondo de la taza. Es más limpio, naturalmente. Pero no se puede predecir el futuro.

David le miró, atónito.

—Es una vieja costumbre británica —explicó Harry—. Se puede predecir el futuro de una persona por los dibujos que forman las hojas de té en el fondo de la taza. Un barco significa un viaje. Una casa, buena suerte. Es un arte en extinción. Naturalmente, no son más que paparruchas, igual que los horóscopos, pero sirve de pasatiempo. Antes había mucho tiempo que pasar. Sin embargo —prosiguió—, aquello era otro mundo y otra época. Tenemos prisa por hablar de ciertas cosas. Habréis venido por los papeles, ¿no?

—Sí —respondió David—. ¿Tienen algún significado para usted?

—Oh, sí, desde luego. Son de lo más interesante. Me interesa todo lo relacionado con mi viejo amigo Hajj Amin. Se dedicaba a hacer jugarretas todo el tiempo, Dios le bendiga. Era un bastardo como tantos otros. No, retiro eso. Era un bastardo fuera de lo corriente. Rastrero, tortuoso, traidor... A su lado, Adolf parece un santurrón. El viejo Adolf jamás estuvo en sus cabales; pero Hajj Amin... era el excremento más calculador de todo este siglo. Ahora está muerto, por supuesto. Se lo cargaron en el 74, en la villa que tenía cerca de Beirut. Creo que fue algo muy desagradable; en todo caso, confío en que así fuera. Pero, como dijo el bardo, «el diablo que los hombres llevan dentro, vive después de su muerte». Palabras adecuadas, sin duda. ¿Creéis que aún hay amigos suyos rematando su obra?

—Grandes amigos —dijo David—. Amigos que tienen interés para usted. Amigos de los viejos tiempos en Berlín.

El hombre se sentó muy derecho y callado. Después se levantó, fue hacia la ventana y miró hacia fuera. Seguidamente bajó una persiana que había enrollada. Volvió a su asiento y se sentó en el borde de nuevo.

—Me parece que sería bueno que le explicarais al tío Harry todo lo que sabéis —dijo.

David se lo explicó. Leyla añadió algunos detalles.

Cuando terminaron, Harry se sumió en profundas reflexiones. El silencio inundó la habitación. Por primera vez, David reparó en el tictac de un viejo y pesado reloj. Un vago escalofrío recorrió el ambiente. Leyla se estremeció y miró a David. Sus ojos se encontraron y se separaron de nuevo. El reloj siguió marcando los minutos implacablemente. El té se les había enfriado en las tazas hacía rato.

Finalmente, el viejo alzó la vista. Parecía haber envejecido. Tenía los hombros caídos y su arrugado rostro estaba de color gris.

—Ya veo —dijo, y eso fue todo. La mínima respuesta, pero sin embargo, dijo todo lo que había que decir. Fue muy preciso. Veía todo tan claramente, que el patrón estaba empezando a tomar forma. Y lo que vio le espantaba, tanto que deseaba vomitar. Se puso en pie y se dirigió al escritorio que estaba escondido en las sombras de una esquina de la habitación. Regresó con los brazos repletos de viejas carpetas. Volvió a tomar asiento y depositó las carpetas en el suelo, a su lado.

—¿Qué sabéis sobre los orígenes del Tercer Reich? —preguntó.

Ambos se encogieron de hombros.

—Algo —dijo David—. Los hechos básicos, supongo.

—No me interesan los hechos. Al menos, no los hechos desnudos. Lo que me importa es el ambiente. ¿Qué sabéis del ambiente?

David meditó durante un rato. Buscaba las palabras adecuadas.

—Frustración —dijo finalmente—. Frustración económica y política. Resentimiento a causa del tratamiento que recibió Alemania después de la primera guerra mundial. Insatisfacción... por la República de Weimar, por su política, por el nivel de vida, por los disturbios. Paranoia hacia los judíos y los rojos, una especie de pánico moral, un sentimiento de decadencia que iba minando las fibras de la nación. Profundos sentimientos de incertidumbre, un deseo de grandeza nacional, de autoafirmación. Buscaban un chivo expiatorio: los judíos de nuevo, los comunistas, los homosexuales, los Testigos de Jehová. Me imagino que un sentimiento de desesperación, de que sólo un cambio total podría barrer la miseria y transformar la sociedad. La gente quería un salvador, alguien que les sacara del abismo. Realmente, no lo sé, debieron ser muchas cosas. Pero sobre todo un aire de neurosis colectiva, un sentimiento de que algo estaba a punto de estallar.

Harry asintió.

—No está mal —dijo—. Y naturalmente, algo estalló. Al menos, así parece siempre. La verdad es que no hay un momento determinado que se pueda señalar y decir «entonces fue cuando los alemanes perdieron el juicio». Lo que sucedió en 1933 fue algo más que una formalidad, simplemente fue lo que coronó lo que ya estaba ocurriendo desde hacía tiempo. El ambiente se exageró después de aquello, claro, y cambió; pero la neurosis todavía estaba bajo control.

»No obstante, habéis pasado por alto una cosa, la esencial. La irracionalidad. Un escritor inglés llamado James Webb le dio un nombre: lo describió como «el vuelo de la razón». Se inició en diferentes partes de Europa en la segunda mitad del siglo pasado y llegó a su punto culminante en Alemania durante los años treinta. En cierto modo, aún continúa. La gente se asusta a menudo de un exceso de razón. Para la mayoría de la gente, lo que cuenta es la emoción, los sentimientos viscerales. El antisemitismo no es racional, pero tratad de decírselo a un fanático de derechas. ¿Habrá alguna diferencia para él? El antisemitismo va bien, te proporciona a alguien a quien patear en la cara cuando tu mujer te abandona o cuando te echan del trabajo en un sistema económico que de hecho ni siquiera entiendes.

»Pero, por supuesto, no todo el mundo quiere dar una patada a un judío en la cara o quemarle la sinagoga. Eso se lo dejamos a los proletarios. Nosotros estamos por encima de eso, somos gente civilizada. Al mismo tiempo, ser irracional no es una prerrogativa de las clases trabajadoras e iletradas. Nada más lejano. Si Hitler no hubiera dependido más que de los proletarios, jamás hubiera llegado al poder. La gente educada puede asustarse de la razón tanto como los iletrados, a veces más que ellos, ya que conocen las tensiones que causa de primera mano. En 1931 había el doble de apoyo a los nazis en las universidades que en el resto de la población alemana. ¿Os sorprende? Pues no debería ser así. Hablo en términos proporcionales, claro. Los académicos fueron destituidos y expulsados de sus propias instituciones sólo por tener opiniones poco populares. En algunas universidades hubo disturbios. Y seguro que no habéis olvidado las quemas de libros en 1933. ¿Qué ocurrió con la Época de la Razón? ¿Qué sucedió con el Progreso, la Ciencia y la nueva Cultura Liberal? La arrojaron al retrete y luego tiraron de la cadena, ¡eso es lo que ocurrió!

La cólera, mezclada con un dolor largo tiempo contenido, afloraron en la voz de Blandford, obligándole a hacer una pausa para recobrar el aliento. David la aprovechó para interrumpir.

—Todo esto es muy interesante, señor Blandford. Quiero decir que me gustaría oír más de lo que tiene usted que decir. Pero no veo qué relevancia puede tener en relación con lo que hablábamos. Toda esa teorización sobre los orígenes no nos va a ayudar a descubrir qué está pasando o qué planes tiene esa gente.

Harry miró a David con sus ojos agudos y penetrantes.

—¿Que no ves la relevancia? —interrogó. Luego sonrió—. No, tal vez aún no. Pero la verás. Espera y verás. ¿Y usted, señorita Rashid?

—Me siento igual que David —dijo Leyla—. Es fascinante, pero no nos conduce a ninguna parte.

—Lo hará —dijo Harry—. Tratad de ser pacientes. Lo que os he estado explicando era una especie de introducción. Tal vez he divagado un poco. Pero es que algunas de las cosas que os diré pueden parecer... digamos, un tanto extrañas. Cuesta creerlas. De ahí el preámbulo, y de ahí la aparente irrelevancia. Pero os prometo que al final todo tendrá sentido. ¿Puedo continuar?

Ambos asintieron.

—Muy bien. Hemos dejado establecido que demasiada razón produce una reacción. La fe en la razón da paso a la fe en las emociones. A anhelos románticos. A una creencia en fuerzas irracionales. Hegel y su incontenible proceso de la historia del mundo; Nietzsche y su superhombre; Wagner y sus mitos de grandeza teutónica que cobraban vida. Todo era muy cerebral, muy plausible para los intelectuales que buscaban algo trascendental.

»Los alemanes no estaban solos en todo esto. Si hubieseis ido a París, a San Petersburgo o a Nueva Inglaterra a finales de 1800 hubierais encontrado un gran número de gente en una situación similar. Ya habían tenido bastante realidad en sus vidas, y querían algo más, algo que los sacara de sí mismos. Sesiones de espiritismo, rapé, magia, ciencias ocultas, la cábala, cualquier cosa que prometiera nuevas visiones, un escape de las quisquillosas exigencias de la razón. Espiritualismo, teosofía, un sinnúmero de nuevas religiones, cultos y órdenes ocultas; un amplio abanico de ofertas de deslumbramiento o de acceso a «conocimientos rechazados», los cuales habían sido suprimidos por el sistema. Donde quiera que fueseis habría nuevos mesías, adivinos orientales, maestros ocultos: una mezcla de santos, granujas y charlatanes, con una decisiva influencia posterior.

David interrumpió de nuevo.

—¿Está usted diciendo que todo aquello era... bueno, como los sesenta y los setenta, con los hippies y el maharishi y los moonies, la astrología, el tarot, y lo demás?

Harry asintió.

—Exactamente. Incluso varios de los mismos grupos están en el ajo. Krishnamurti empezó como mesías teosofista. Vivekananda visitó Europa y América hacia el cambio de siglo. Abdul Baha, el líder Baha'i, le siguió pocos años más tarde. No ha habido muchos cambios. Problemas parecidos, respuestas parecidas.

—Sin embargo, aún no alcanzo a ver...

—Ahora voy con eso —cortó Blandford, un tanto impaciente—. Por favor —dijo más suavemente—, os aseguro que es importante. Hay un patrón pero no es fácil exponerlo. Lo que habéis visto no es más que un fragmento, una pieza del rompecabezas. Dejadme intentar al menos que os proporcione más detalles.

»De cualquier modo, volvamos a Alemania. Los alemanes estaban obsesionados con el ocultismo. Lo oculto encajaba bien con Wagner y todos esos románticos anhelos sobre la vida pura alemana que sólo podría ser vivida lejos de la decadencia de las ciudades, lo que llamaban filosofía *völkisch*.

David dejó de removerse en su asiento. Lo que decía Blandford estaba empezando a tener sentido, después de todo. Los nazis habían sido profundamente influidos por la filosofía *völkisch*, la creencia en el folklore alemán, en la pureza de sangre, raza y suelo. Los pensadores *völkisch* habían exaltado las virtudes del campo, condenando la decadencia de las grandes urbes. Igual que los hippies, los «pájaros errantes» alemanes de los años veinte se habían pronunciado a favor del retorno a un modo de vida más sencillo. Hitler soñó y escribió sobre un estado *völkisch*.

David escuchó a Harry mientras éste continuaba:

—Hacia 1920 era ya un *boom* en Alemania. Había un sinnúmero de movimientos: pequeñas camarillas como la Sociedad para la Vida Moderna en el suburbio de Schwabinb de Munich, grupos enormes como los Weissenbergers, que en 1930 contaban con cien mil miembros. Las multitudes de rigor estaban por allí: teosofistas, gnósticos, taoístas, neobudistas, a menudo mezclados con nihilistas, colectivistas, sindicalistas, una completa red subterránea.

»Pero los alemanes tenían su propia contribución que hacer a todo esto. Había profetas alemanes como Bö Yin Râ, cuyo nombre real era Joseph Schneiderfranken, o bien Ottoman Zar-Adusht Ha'nish, conocido como Otto Hanisch. Había el Gottesbund Tanatra, fundado por un hombre de negocios llamado Feder Mühle: hacia 1929 reunían dos mil personas en un solo mitin.

Hizo una pausa.

—¿Os aburro con tantos detalles? —preguntó.

—No —dijo David—. Todo empieza a tener sentido. Al menos eso creo.

Estaba pensando en Ulrich von Meier cuando le vio en la caverna subterránea de Iram, en el templo y las niñas de las que le había hablado Leyla. Harry estaba haciendo más que conjeturas en la oscuridad.

Harry sonrió.

—Estarás seguro cuando termine. Sigo. Muchas de esas personas eran lo que los americanos llamáis *weirdos.* Nosotros los llamábamos charlatanes. Hoy en día, si un cretino llama a tu puerta diciendo que los venusianos han aterrizado en su jardín, lo mejor que se puede hacer es mandarlo a tomar por el culo. Con perdón, señorita Rashid. —Pareció ruborizarse.

Leyla levantó la vista y sonrió.

—Lo siento —dijo— pero nunca había oído esa expresión.

Blandford enrojeció visiblemente.

—Oh, en ese caso... Es una manera poco fina de decir «váyase a la mierda», lo cual realmente...

—Ya capto la idea —dijo ella riendo. Le gustaba Blandford; era como un colegial muy crecidito. Sin embargo, aunque David comenzara a encontrarle un sentido, ella no.

—¿Por dónde iba? —preguntó Blandford—. Ah, sí... el cretino en la puerta. Bueno, pues la cosa es que no siempre compensa ignorar a los charlatanes. El charlatán de hoy puede ser un pez gordo mañana. No es fácil de determinar. Retrospectivamente sí, pero nunca por adelantado. No obstante, ocurre suficientes veces como para que una persona sensata se preocupe. La familia de Jesús trató de encerrarle en una casa de locos local. Mahoma fue perseguido desde La Meca por los nobles de la ciudad ya que decían que estaba poseído por los espíritus, o algo así. Pero ambos se hicieron adultos al final. Mahoma conquistó La Meca ocho años más tarde. Es suficiente para escuchar a quien sea la próxima vez que llamen al timbre.

»Pero voy al grano. Mientras los ocultistas se dedicaron al rapé, a debatir dónde estaba situada la Atlántida o a proyectarse a sí mismos en el plano astral, eran inofensivos. Incluso puede que ayudaran a algunas personas. Eso es mucho mejor que patear a los judíos en la cara. Permite que la gente sea irracional de una manera pseudorracional. Hasta ahí, perfecto.

»Pero, naturalmente, ahí no acaba la cosa. Después de todo, si uno cree poseer unos conocimientos especiales, ignorados por el resto de las personas, no tarda en empezar a pensar: «Mis amigos y yo podríamos organizar muchas cosas para el mejor funcionamiento de la humanidad.» O tal vez piensa que con su pequeña camarilla forman el núcleo de una nueva raza de hombres, el germen de la sociedad regenerada. O tal vez el mesías ha vuelto para anunciar una nueva era en la tierra. El viejo orden tiene que dejar paso al nuevo orden. *Die neue Ordnung*. El ocultismo da paso a la política. Las sesiones de espiritismo dan paso a la reorganización. Las mesas donde se aspira el rapé preparan el camino para hostigar a los judíos.

»No hay más que mirar a las ideas de algunos de los grupos ocultistas alemanes para ver que tal transición no sería difícil. De soñar en un nuevo mundo a construirlo. Antes mencioné al profeta Hanisch. Ese hombre fundó una religión llamada Mazdaznan. Entre otras cosas, predicó que sólo los arios de pura sangre con cabello rubio y ojos azules podían ser portadores de la verdad. ¿Os es familiar? Varios grupos más predicaban lo mismo.

»Incluso antes de la primera guerra mundial algunas sectas hablaban ya del advenimiento de una nueva era. Durante los años veinte, el milenarismo estaba en su punto culminante. El Gottesbund Tanatra se preparaba para un Reich de mil años. Y también un grupo de Sajonia llamado los laurentianos. Tomaron su nombre de Hermann Lorenz y tal vez os interese saber que Hermann tenía un hermano llamado Heinrich.

David alzó la mirada. Vio los ojos de Blandford, pero no pudo leer nada en ellos.

—Volveré sobre Heinrich más tarde —dijo Blandford—. Todavía estoy dibujando el escenario. Algunos no se contentaban con aguardar a la Utopía que vendría a su debido tiempo, determinado por la voluntad de Dios. Establecieron colonias por todas partes, mini-Utopías donde poder practicar la buena vida. La más conocida era Monte Verita, en un lugar de Suiza llamado Ascona. Todo el mundo se dirigió a Monte Verita. Escritores como Hermann Hesse y Stefan George, pintores como Arp y Klee, Isadora Duncan la bailarina, políticos como Lenin, Trostski y Bakunin. Monte Verita se transformó en una sociedad mágica llamada Ordens Tempel der Ostens, la orden de los Templarios de Oriente.

»Había otro grupo con un nombre similar, la Orden de los Nuevos Templarios, dirigida por Jorg Lanz von Liebenfels. Sus miembros debían ser racialmente perfectos. Querían fundar colonias de individuos de pura sangre en el campo, construir castillos donde pudieran desarrollar la nueva raza. Von Liebenfels compró castillos de verdad como centros para sus «héroes arios», empezando por Burg Werfenstein en el Danubio. No fue el primero. Un gran número de gente abandonó Schwabing después de la primera guerra mundial para fundar colonias. Uno de ellos era un profeta llamado Ludwig Derleth. Deseaba construir una ciudad ideal, Rosenburg. La tarea de los habitantes de Rosenburg era educar a los más jóvenes como una élite, la semilla del futuro nuevo orden.

David y Leyla intercambiaron una mirada. Poco a poco, igual que un cuadro empieza a cobrar forma cuando te vas alejando de él, Harry Blandford estaba empezando a tener sentido. Harry les observó sonriendo.

—Hasta ahora os he dado muchas pistas —dijo—. Pero estamos llegando a alguna parte, ¿no? Colonias alejadas de las ciudades, núcleos donde desarrollar una nueva generación racialmente pura, planes para un Reich de mil años.

David interrumpió otra vez.

—Un momento —dijo—, quiero aclarar un cosa. ¿Ha sido todo esto provocado por lo que le he dicho antes sobre Iram? Me da la sensación de que está usted relacionando muchas cosas para que encajen con lo que yo he dicho. Es muy interesante. Explica muchas cosas. Pero no hemos venido para eso, si no le importa que se lo diga. Dijo que los papeles que Abraham le envió eran insignificantes. ¿Podemos hablar de ellos?

Harry suspiró y se mordió suavemente los labios.

—¿Queréis más té? —preguntó.

Ambos sacudieron la cabeza.

—El té ayuda —dijo—. Agudiza la mente. Mantiene los pensamientos claros. —Hizo una pausa—. ¿Creéis que he dragado toda esta información de algún insondable o inagotable almacén de recuerdos? ¿Que llevo todas estas cosas en la cabeza durante toda la vida a la espera de que alguien trajera algo remotamente conectado con ellas para poder escupirlas y demostrar cuanto sé? ¿Como una especie de Memorión de un circo? Por Dios, hombre, no me quedaría sitio para nada importante si me dedicara a almacenar trivialidades como éstas. Ya iba a deciros todo esto incluso antes de que me explicarais lo que habíais encontrado en el Nafud. Simplemente he cambiado el énfasis, he seleccionado algunos puntos dejando de lado otros, eso es todo. Pero yo había investigado todo esto antes de que vosotros llegarais, a causa de lo que leí en esos papeles. ¿Me explico? —Calló de nuevo—. ¿Puedo seguir? —dijo por fin.

Ellos asintieron. Algo parecido al miedo se había apoderado de ambos.

—Lo que estáis esperando —dijo Harry— es que yo establezca algún tipo de relación entre lo que he estado diciendo y los nazis. —Hizo una pausa y respiró profundamente—. Bien —dijo mientras soltaba el aire lentamente—, no es tan fácil. Un montón de gente ha intentado demostrar unos lazos que ni siquiera existen. Ha habido interminables especulaciones y muy pocos hechos. La mayor parte de los especuladores han sido ellos mismos ocultistas, gente que creía en los misteriosos poderes y el conocimiento secreto que nuestros profetas y adivinos reclamaban. Y eso ha contribuido a enturbiar sus mentes.

»Pero hay hechos. En primer lugar, está la atmósfera general. Incluso allí donde no hay conexiones, todos esos grupos e ideas convergen en un punto en forma de una especie de escenario del nazismo. Es muy evidente en Himmler y las SS. Los rituales, los Ordensburgen o castillos del orden como lugares de educación de una élite, la obsesión de la pureza racial. Himmler modeló las SS sobre los jesuitas: ellos serían para el pueblo alemán lo mismo que la compañía de Jesús para la Iglesia católica.

»No obstante, por el momento sólo me interesan los orígenes. Los fragmentos y las piezas otra vez, me temo, pero muy sugestivos. Primero: cuando Adolf Hitler vivía en Viena asistía a conferencias públicas sobre ocultismo. Estaba interesado en astrología, grafología y misticismo numérico. En Munich visitó a Lanz von Liebenfels, ¿le recordáis?, y leía regularmente su revista racista, una cosa llamada *Ostara.* Sin embargo, todo esto es algo vago, bastante circunstancial. Hitler ya no era demasiado ocultista cuando llegó al poder. Lo que sí se sabe con certeza es que en 1919 se unió a una organización llamada Partido de los Trabajadores Alemanes. Como probablemente sabréis, el partido había sido fundado el año anterior por un hombre llamado Anton Drexler. Más tarde se convirtió en el NSDAP, el Partido Nacional Socialista de los Trabajadores Alemanes. El partido nazi. Pero el partido original de Drexler tenía unos orígenes poco corrientes. Comenzó siendo un «círculo de trabajadores» fundado por Drexler y un periodista llamado Harrer, Karl Harrer. Y Harrer a su vez era miembro de una sociedad ocultista conocida como el Thule Bund. Otros varios de los primeros miembros del NSDAP eran afiliados del Bund. La propia Sociedad Thule era una rama de una organización antisemita conocida como la Germanen Order. Círculos dentro de círculos, profesor.

David se encogió de hombros y sacudió la cabeza. Había oído muchas cosas sobre aquello anteriormente.

—Todavía no veo...

—¿Adónde nos conduce esto? —Harry hizo una pausa—. Al centro, profesor. Al centro mismo. ¿Quién crees que era la cabeza, la verdadera cabeza del Thule Bund en Alemania? ¿Te lo digo? Ya le conoces. Incluso le has visto. Su nombre era profesor Ulrich von Meier.

David dio un respingo. Leyla le miró fijamente.

—¿Y quién —prosiguió Harry— era la cabeza en Berlín? Ya he mencionado su nombre. Era un tal Heinrich Lorenz, el hermano de Hermann, fundador de los laurentinos. Heinrich era banquero, un hombre muy rico e influyente. ¿Empieza a interesaros?

David asintió. ¿Qué podía decir?

—Fueron Von Meier y Lorenz los que atrajeron mi atención cuando leí la traducción del diario —continuó el inglés—. Ya sabía algo sobre ellos y quería saber más. Sabía, por ejemplo, que ninguno de los dos se hizo miembro del partido, ni antes ni después de 1933. Ni tuvieron cargos públicos ni ocuparon una posición eminente fuera de la Sociedad Thule, y eso se mantuvo en estricto secreto. Tampoco estaban relacionados con la camarilla del poder nazi. Y sin embargo, sus nombres aparecían. En algunas matinales con el Führer, en visitas de fin de semana a Berchtesgaden, entre los allegados de Himmler, en comidas con diplomáticos de la Cancillería del Reich.

»En 1941 los nazis reunieron a todos los ocultistas del Reich y los enviaron a campos de concentración. Teosofistas, antroposofistas, curadores de la fe, astrólogos, espiritualistas, y allí fueron a parar. Excepto, tal vez, algunos echadores de la buena fortuna, los cuales debieron enterarse de lo que iba a ocurrir y corrieron a esconderse a tiempo. Extrañamente, parecía haber pocos de ésos. Pero Von Meier y Lorenz siguieron como siempre. A menudo me he preguntando sobre eso. El Thule Bund había desaparecido hacía mucho tiempo, naturalmente. Pero en mis archivos tengo suficientes evidencias de que Von Meier y Lorenz mantenían un interés muy indiscreto en asuntos de ocultismo. Hay informes de sesiones de espiritismo que se llevaron a cabo en presencia de Himmler y de otros oficiales de rango de las SS. Von Meier incluso llegó a publicar artículos sobre temas de ocultismo. Y todo esto en la época en que gente como él era deportada a los campos.

»Realmente, me he preguntado también sobre el cambio experimentado por la política oficial. Se remonta a 1936, cuando las sectas mayores y los cultos estaban prohibidos. Jamás entendí por qué ocurrió. No tiene demasiado sentido a menos que se piense en las sectas como competidoras que deben ser aplastadas. Un poco como el gobierno comunista cuando suprimió a sus rivales de izquierdas después de la revolución. La cuestión es: ¿con quién competían esas sectas? Aparentemente, los nazis eran pura y simplemente un partido político. Me he preguntado miles de veces si bajo la superficie no habría algo más.

»Y ahora he empezado a pensar que sí lo había. Siempre supuse que Von Meier murió en 1945. Después de eso no hay informes sobre él, ni rumores, ni historias tipo Mengele. Y ahora me decís que estaba vivo hasta hace pocos días. Eso es inmensamente interesante. Pero no es lo más interesante que me habéis dicho. Dejadme decir algo más sobre Von Meier. Tenía una obsesión. Varios artículos escritos por él desde finales de los años veinte hasta mediados de los treinta vuelven una y otra vez sobre el mismo tópico. Creía que el Arca de la Alianza existía aún en alguna parte y que un examen adecuado de ciertos textos antiguos revelaría su paradero. Algunos de esos artículos aparecieron en revistas académicas serias y eran bastante inocuos. Pero en publicaciones ocultistas, incluyendo el *Ostara* de Von Liebenfels, dijo algo más. Argumentaba que quien hallase el Arca podría destruir para siempre la influencia de los judíos. Los ancianos de Sión, dijo, ejercían aún su poder a través del Arca. Pero si les pudiera ser arrebatada, aquel mismo poder pasaría a los nuevos propietarios. Era esencial para el futuro de la raza aria encontrar el Arca.

»Sus artículos sobre el tema terminaban abruptamente en 1936. El año que encontró Iram. Aquel año los nazis comenzaron a perseguir los cultos mayores. Y también aquel año Hitler envió tropas a Rhineland y empezó a vislumbrarse la guerra.

Harry miró a David, y después a Leyla.

—Creo que sabía, o sospechaba, que el Arca se hallaba en algún lugar de Iram, pero no sabía exactamente dónde. Me atrevería a decir que fue la creencia de que tenían el control sobre el Arca lo que dio al Thule Bund tal influencia. Ellos trajeron al partido nazi a la existencia: entonces podían garantizar su éxito por medios ocultos. Es sólo una conjetura. Pero una cosa es cierta, creo. Desde 1936 Von Meier y su Thule Bund eran el poder real en Alemania, los amos ocultos del Tercer Reich.

David recordó la carta de Himmler refiriéndose a Von Meier. «Fui citado recientemente por el profesor Von Meier... Von Meier transmitió mis recomendaciones al Consejo del Bund... Es allí, a Estados Unidos, donde están siendo enviados la mayoría de los miembros del Bund, o lo serán cuando cesen las hostilidades... Por último, en este asunto no tenemos elección.»

Alzó la vista. Blandford le miraba fijamente. Un inglés se convierte en judío honorario, un viejo con un *yarmulkah* de color rojo sangre, atrapado en la historia igual que una mosca agitándose en una enmarañada tela de araña.

—Hay algo más —dijo. Miró a David con ojos de quien ha visto demasiado—. Algo que yo sospechaba pero no sabía seguro hasta hace muy poco. Parecía irrelevante, pero creo que no lo es. Von Meier tenía un hijo.

CAPÍTULO 56

Se estaba haciendo tarde. Harry Blandford estaba cansado. En cuestión de horas el mundo se había tambaleado y él aún estaba tratando de recuperar el equilibrio. Se levantó y se preparó más té. David le pidió que hiciera un poco más para ellos, flojo y sin leche. Por lo bajo Harry murmuró algo sobre los americanos y los orientales, pero hizo el té y se lo llevó con mirada de pena, la mejor reserva inglesa para el resto de la ignorante humanidad. De una lata informe y abollada con una estropeada fotografía de la reina Isabel II en la tapa, regalo de sus primeros años en Israel, extrajo un trozo de pastel de frutas: cerezas, almendras y pasas sujetas por un medio marrón y temblequeante de origen incierto y aún menos cierto saludable estado. Lo cortó en rebanadas o más exactamente lo deshizo con ayuda de un cuchillo y lo sirvió sobre unos pequeños platos de porcelana floreados con algo que parecían rosas. Se sentó de nuevo con *Sammy* en el regazo. Durante un rato permaneció allí, examinando sus archivos; después los cerró y reemprendió el discurso donde lo había dejado.

—El niño nació en 1940 —dijo—. Su madre era la segunda esposa de Von Meier, una mujer árabe de Beirut. Se llamaba Khadija. Khadija al-Husayni, pariente de alguien de quien hemos estado hablando. Por parte de su madre, Khadija era descendiente directa del Profeta. Y llevaba el nombre de la primera mujer del Profeta. Para una mujer así, casarse con un hombre que no fuera musulmán era algo impensable.

»Khadija murió al poco de nacer el niño —continuó Harry—. En circunstancias muy similares a las que murió la primera esposa de Von Meier. Se ahogó durante una excursión en barca en el lago Starnberg, donde también se ahogó Luis II. Su primera mujer desapareció en el mar en 1937, durante un crucero a Egipto.

»Durante la guerra, el niño, que se llamaba Friedrich, permaneció en Berlín con su padre. Von Meier ya no volvió a casarse, al menos antes de 1945. Después, ¿quién sabe? Se había hablado de ello, claro, pero no sacaron nada en limpio. No creo que le faltara compañía femenina. Su hermana Julie cuidó del niño hasta que ella falleció durante un ataque aéreo en Berlín en 1944. Después de eso, no se conocen con demasiada claridad sus movimientos con la excepción de que, después de la guerra, viajó a Iraq, donde los simpatizantes de Rashid Ali le dieron protección.

David le interrumpió.

—Perdone —dijo—, pero no estoy muy familiarizado con estas cosas. ¿Quién era ese Rashid Ali?

—Al-Ghailani —dijo Harry—. Dirigió un golpe pro-Axis en Bagdad en 1941. No duró más que poco tiempo antes de que los británicos recuperaran el poder, pero dejó a muchos simpatizantes. Al-Husayni estuvo envuelto en el golpe, pero escapó y acabó en Roma antes de que nadie pudiera echarle el guante. La Pimpinela Escarlata no era nadie al lado de nuestro Muftí: siempre sabía cuándo era el momento de desaparecer. —Harry hizo una pausa y se introdujo unas migajas de pastel en la boca, masticándolas con un generoso trago de té. Tragó y prosiguió—. Por supuesto, yo no supe nada del niño hasta hace poco. No tenía interés para nadie... hasta entonces. Se crió en Iraq en una familia emparentada con los al-Husaynis. Tomó un nombre árabe y cortó toda relación con Alemania. Se convirtió en un árabe respetado.

David intervino de nuevo.

—No me ha dicho cómo se llamaba —dijo.

—Oh, perdona. Friedrich, creo. Friedrich von Meier.

—No, eso ya me lo dijo antes. Me refiero a su nombre árabe.

Harry miró a David y sonrió. Alzó la taza hasta los labios y sorbió ruidosamente. Después del pastel, le siguió otro poco de té, para facilitar el camino por sus intestinos.

—Ya llegaremos a eso —dijo—. Todo a su debido tiempo. —Eructó repentinamente—. Perdón —musitó—. A ver, ¿dónde estaba? Ah, sí, le criaron como a un buen pequeño iraquí. Fue a la escuela, aprendió a hablar árabe y a recitar el Corán, leyó historias sobre Abu Bakr y Umar y Saladino y todo lo demás. Tenía el cabello oscuro como sus padres y sus rasgos eran bastante árabes a causa de su madre. Todo transcurrió felizmente hasta que cumplió los dieciocho.

»Eso fue en 1958, cuando el general Kassem se hizo con el control y proclamó la república. La familia a la cual pertenecía el joven Friedrich era monárquica, o por lo menos tenían una estrecha relación con Faisal y la corte. Habían hecho mucho dinero después de la guerra. Cuando Kassem ascendió al poder decidieron que era hora de marcharse. La sangre al-Husayni, supongo, el instinto de Pimpinela. La mayoría de ellos se dirigieron a Arabia Saudí, pero el chico tenía otras ideas. Cruzó la frontera siria y estableció contacto con otra rama de la familia en Damasco.

»Entró en la Universidad de Damasco y comenzó a estudiar ingeniería, aunque me parece que nunca llegó a graduarse. Mientras estuvo allí se relacionó con una rama siria de los Hermanos Musulmanes, una organización política fundamentalista que había surgido en Egipto años antes.

Entonces fue Leyla quien interrumpió.

—¿Se refiere al Ikhwan de al-Banna?

Harry asintió.

—Ascendió dentro del movimiento muy rápidamente y cuando tenía veinticinco años, en 1965, se convirtió en el líder regional del distrito de Hama. Al mismo tiempo iba entrando en conflicto creciente con sus superiores. Estaba menos interesado por la religión que ellos, era más un seglar nacionalista árabe que creía poder utilizar el Islam para ganar el apoyo popular. Hubo algunos incidentes al ser acusado de desacatamiento hacia el Profeta. Progresivamente sus tendencias se fueron decantando hacia la izquierda y quería emprender una acción directa contra los batistas. Por fin, hacia 1969, se marchó o fue expulsado y fundó su propio partido.

Los ojos de Leyla estaban fijos en Harry. El corazón le latía a toda prisa. Conocía la política árabe. Sabía quién era el hijo de Von Meier.

Harry la miró con cierta tristeza.

—Lo has adivinado —dijo.

Ella asintió.

—¿Sabes cómo se llamaba el partido?

—Hizb al-Qawm al-Watani. El Partido Nacional del Pueblo —dijo casi en un susurro. Cerró los ojos.

—Exacto —dijo Harry.

Ella abrió los ojos.

—Mas'ud al-Hashimi —dijo.

Harry asintió.

David se quedó helado; luego reaccionó:

—No puedo creerlo. Yo... no puedo creerlo. —Hizo una pausa como si necesitara más aire—. ¿En serio está tratando de decirnos que Mas'ud al-Hashimi, el presidente de Siria, es el hijo de Von Meier? Lo encuentro terriblemente duro de aceptar.

Harry lanzó un largo y doloroso suspiro.

—Lo comprendo —dijo—. Pero seguramente ya habréis empezado a daros cuenta de que sea lo que sea lo que está en marcha, se sale fuera de las categorías normales. Al principio pensé que al-Hashimi era tan liberal como la gente creía, pero después me enteré de que varios antiguos miembros del grupo de al-Husayni en Siria habían sido vistos con miembros de su gobierno. Su amigo al-Shami fue visto en Damasco hace unos dos meses y al parecer se entrevistó con algunas de las figuras clave del gabinete de al-Hashimi: el general Ahmad Subki e Ibtisam al-Bakri, la mano derecha de al-Hashimi y también la persona que tiene más puntos para sucederle si algo le ocurre al líder. Así pues, me dediqué a hacer preguntas aquí y allá, hablé con amigos... y descubrí lo que os acabo de contar. Me quedé bastante preocupado. Entonces recibí el material que le dejasteis a Abraham. Por favor, no discutamos sobre si todo esto es lógico o cuerdo. Es tal y como os lo he explicado. Al-Hashimi es el hijo de Von Meier. Así de sencillo. Puede ser pura coincidencia o tal vez tenga un significado más profundo. Me gustaría averiguarlo.

David miró a Leyla. Harry tenía razón. En aquella situación, nada tenía mucho sentido; era una especie de locura sobre la que había que insistir, que había que seguir buscando, como si uno pudiera transformar el mundo en un lugar sensato simplemente forzando la razón sobre aquel asunto.

—Creo que ha llegado el momento de que enseñemos a Harry los papeles que encontramos —le dijo a Leyla.

Harry le miró.

—¿Es que hay más?

David asintió.

—Tenga —dijo Leyla sacando de su bolsa el montón de papeles que encontró en el avión del Nafud. Se los entregó a Harry. Estaban arrugados y sucios, deteriorados por los largos años que habían pasado en el avión y por su tratamiento subsiguiente, hechos un guruño entre las ropas de Leyla o en su bolsa.

Harry los cogió y los estiró encima de la carpeta que tenía sobre las rodillas. Los hojeó atentamente y luego miró a Leyla.

—¿Dónde encontraste esto? —preguntó.

—En un avión que se había estrellado cerca de Iram, en el desierto. Llevaban allí desde el final de la guerra. Era un avión alemán. Dentro había varios cadáveres. Reconocimos dos por sus ropas. Uno era el de Hitler y el otro probablemente el de su amante, Eva Braun. Los papeles estaban encima de un escritorio al final del fuselaje. No los cogí todos, sólo unos cuantos. Chaim los leyó cuando estuvimos en Iram, y me tradujo la mayor parte.

—¿Dices que Hitler estaba en aquel avión?

—Sí.
—¿Adolf Hitler?
—Sí.
—¿Estás segura?
—Chaim dijo que iba vestido como Hitler. Pero no era más que un esqueleto. Podríamos habernos equivocado.
Se hizo un prolongado silencio. Cuando Harry volvió a hablar, su voz había cambiado.
—Ya veo.
No dijo nada más y empezó a leer los papeles. Aunque ahora le costaría hablar la lengua, leía alemán con la facilidad nacida del uso prolongado. No hizo ninguna pregunta ni comentario alguno, pero, mientras leía, Leyla vio que su rostro cambiaba de color. Una vez se estremeció como si una ráfaga de viento helado hubiera atravesado la habitación. Los leyó todos y seguidamente volvió a empezar por el principio y los leyó por segunda vez. Cuando terminó, permaneció sentado mirando fijamente los papeles que reposaban en su regazo, como si los fantasmas se hubieran reunido a su alrededor al amparo de las sombras de su destartalada habitación y él se hallara en trance, comunicándose con ellos mientras estaban reunidos. Una mano le colgaba a uno de los costados, acariciando al gato distraídamente aunque con gran ternura. El joven Harry Blandford se hallaba formado en su interior, con ojos que habían visto nubes tempestuosas en horizontes no muy lejanos, con oídos que habían escuchado lo irracional mientras marchaba con las botas enfundadas a través de Europa.
Durante largo rato nadie habló. El aire estaba cargado de una tensión muda. Finalmente, Leyla rompió el silencio.
—Sólo hay una cosa que no vimos clara. Chaim dijo que no tenía significado para él, pero me da la sensación de que ahí había algo que reconoció, algo que le asustó. Me refiero a los papeles de la carpeta azul, los que contienen una lista de nombres y números. ¿Tienen algún sentido para usted?
Él la miró. Y con qué mirada... Ella sintió deseos de esconderse, asustada. Después se dio cuenta de que era algo más que miedo... miedo y una terrible tristeza.
—Sí —dijo—. Creo que sé lo que significa. Si estoy en lo cierto, esos papeles convierten al resto de este asunto en algo casi inocuo. Durante años he oído comentarios y rumores, pero hasta hoy me he negado a darles crédito. Ahora ya no estoy seguro.
Levantó una mano hasta la frente y se quitó un mechón de cabellos que se le había caído sobre los ojos. Leyla reparó en que le temblaba la mano. Lentamente, volvió a bajarla.
—En enero de 1944 —continuó Harry— el Alto Mando de las SS formó un destacamento especial, compuesto por hombres especialmente seleccionados de las mejores unidades que se hallaban estacionadas entonces en Alemania o en el extranjero. Una gran parte

procedían del Einsatzgruppen, las patrullas de asesinos que se empleaban en Europa oriental para llevar a cabo los programas de exterminio. Todos eran hombres jóvenes, ninguno de más de diecinueve años. Formaron un regimiento llamado el Estandarte Valkiria. Himmler les dio su aprobación personal y supervisó su entrenamiento. Desgraciadamente, nadie sabe en qué consistió tal entrenamiento. Después de la guerra no fue capturado ninguno, nadie sabe por qué. Todo lo que sabemos es que se escindieron en cuatro grupos, Valkiria I, Valkiria II, etcétera, y fueron enviados a las cuatro Ordensburgen, los «castillos del orden» de las SS para la educación de la élite, en Sonthofen, Crossinsee, Vogelsang y Marienburg. Eran un poco más jóvenes que el resto de los hombres que había en aquellos lugares, pero se dice que les concedieron privilegios especiales y aposentos separados. Permanecieron en las Ordensburgen bajo estricta seguridad durante al menos unos cuantos meses. Nadie sabe qué ocurrió durante su entrenamiento o lo que fue de ellos cuando se marcharon. Todos los informes cesan en noviembre de 1944.

»Esto —prosiguió Harry recogiendo las hojas grapadas— es, si no me equivoco, una lista completa con los nombres de los miembros del regimiento Valkiria. Sólo eso es ya muy interesante. Lo que me preocupa es lo que hay detrás de los nombres. Los números. Están bastante claros. La primera parte es una fecha: diciembre, 9, 1944, etcétera. La segunda sección comienza con una letra, la abreviatura de un campo de concentración: A para Auschwitz, D para Dachau, BE para Belsen. Las otras figuras no son más que los números de registro de prisioneros del campo, el número que lleva la gente tatuado en el brazo. La V del final se refiere obviamente a Valkiria y, naturalmente, Valk. I, Valk. II, etcétera, son los números originales de la unidad. —Harry hizo una nueva pausa. Cerró los ojos fuertemente, como si le dolieran, y los volvió a abrir—. Creo que aquellos jóvenes desaparecieron en el interior de los campos, pero no como guardias, sino como prisioneros. Supongo que alguien lo quiso así por alguna razón que sólo intuyo.

—¿Cuál sería? —preguntó David.

—Para darles nuevas identidades, identidades impecables. Después del cese de las hostilidades, renacerían en un nuevo mundo, con nuevos nombres y nuevos pasados.

—¿Puede probarlo?

Harry sacudió la cabeza.

—No, no es fácil... Pero hay alguien a quien me gustaría que conocierais. Me habló de esto hace muchos años, pero jamás le di crédito. Había tan pocas evidencias... Pero esto... —Levantó las hojas de nuevo—. Esto nos da algo más que evidencias. Es algo concreto, algo sobre lo que podemos hacer preguntas. Empezaré esta misma noche. Mientras tanto —continuó—, pasemos a asuntos más prácticos. ¿Dónde vais a dormir?

David se encogió de hombros.

—Todavía no lo sabemos. No podemos ir a mi antigua casa ni a la de Leyla; podrían buscarnos allí. Tendremos que ir a un hotel.

—No hay ninguna necesidad —dijo Harry—. Os quedaréis conmigo. Al menos, esta noche. Quiero que estéis en algún sitio donde me pueda poner en contacto con vosotros fácilmente. Tenemos otras muchas cosas de que hablar. Aquí no hay mucho sitio, pero si estáis lo bastante cansados dormiréis sin dificultad. Tengo una vieja cama plegable en algún sitio; podemos montarla en mi dormitorio. Más tarde decidiremos quién se la queda. Rashid puede dormir aquí con *Sammy,* a él no le importará. Aquella cosa de allá —señaló un objeto de aspecto dudoso cubierto de papeles que formaba parte del mobiliario— se llama sofá. Cuando quitemos todo lo que hay encima es tolerablemente cómodo para dormir. Voy a buscar mantas.

Justo cuando Harry se dio la vuelta, David le llamó.

—Harry —dijo—, sólo una cosa. Antes de que nos marcháramos de Jerusalen se rumoreó que al-Hashimi iba a venir. Había planes para una especie de conferencia. Iba a hablar de la firma de un tratado de paz. ¿Qué pasó con eso?

Harry miró a su alrededor.

—¿Quieres decir que no te has enterado?

—¿Enterado de qué?

—Todo el mundo habla de ello. Es inevitable: en los periódicos, en la televisión... Viene a Jerusalén a firmar un tratado tal y como se acordó el tres de marzo. Dentro de cuatro días.

CAPÍTULO 57

Dios llevaba mucho tiempo sin sonreír. Tal vez nunca había sonreído; era difícil de recordar, ya que hacía muchos años. Pero Marcus Bleich seguía esperando. Había nacido paciente, había aprendido toda clase de paciencia que la vida tenía que enseñarle y moriría siendo paciente. Era la única forma que conocía.

Vivía —o sobrevivía— en una habitación individual en el ático de un alto edificio del distrito Romema. Había vivido allí durante más de cuarenta años, casi desde su llegada a Palestina después de la guerra. Tardaba veinte minutos cada mañana en bajar por las escaleras hasta la calle y cuarenta minutos cada noche en volverlas a subir. Sus pulmones eran débiles y su respiración entrecortada y dolorosa. Naturalmente, no había sido siempre así. Algunas mañanas se quedaba en cama, asustado por el descenso y posterior ascenso de las escaleras, y deseaba quedarse para siempre donde estaba. Pero sabía que una vez que cediera a eso, sería el principio del fin para él; se quedaría en la habitación durante todo el día, el siguiente y el otro, hasta que jamás pudiera salir de allí por su propio pie. El Servicio Social le había prometido una nueva casa en la planta baja de un bloque más moderno, pero de aquello ya hacía años y aún estaba esperando. La trató como lo que era: otra lección de paciencia.

La mayor parte de los días iba al *shul,* y después a un centro recreativo cercano donde jugaba al ajedrez o al backgammon y comía, indiferente, un almuerzo preparado. Aquélla era su vida actual, a la cual se había acostumbrado. En eso consistía la vida, después de todo: en acostumbrarse a uno mismo. De otro modo, le veía poco sentido. No tenía parientes, a menos que tuviera en cuenta los pocos que había dejado en Europa y otros que se habían marchado al Goldener Medineh; ninguno de ellos era un pariente cercano, sabía muy poco de sus vidas y le importaban aún menos. Se había casado y había tenido hijos hacía mucho tiempo. Los escasos recuerdos que le quedaban —una fotografía deteriorada, un peine, un mechón de cabellos y una carta hecha trizas por el lugar donde había sido constantemente abierta y cerrada— se hallaban en su mesilla de noche, los únicos tesoros que había traído de Europa. Cada noche antes de dormir los tocaba y cada mañana eran los primeros objetos sobre los que posaba la mirada.

Le encontraron en el centro recreativo jugando al ajedrez con otro anciano, sin peones y sin caballos, con los ojos fijos en las pequeñas piezas como si aquéllas representaran algo más allá de una simple figura: un patrón, una estrategia... o como si simplemente aguardaran a que una mano las cogiera y las moviera por el tablero. Era delgado y cargado de hombros, como el reverso de una vieja cuchara, y parecía esgrimir su cuerpo como si fuera un escudo frente a su propio ser, como si estuviera encorvado tras él, oteando por entre las rendijas de un mundo torcido. Tenía las ropas arrugadas y manchadas, y su barbilla no había visto una navaja de afeitar en varios días. Todo cuanto a él se refería parecía raído. A Leyla le recordó una vieja alfombra o esterilla sobre la que incontables pies han caminado hasta hacer desaparecer el dibujo estampado. Pero también percibió algo más, una dureza, una resistencia, una perdurabilidad que contradecía la debilidad de su apariencia.

Harry se le acercó y se presentó. Habló en alemán con un claro acento inglés.

—Buenos días, Marcus —dijo—. ¿Se acuerda de mí? Harry Blandford, el inglés con quien usted habló varias veces en 1975. Nos presentó Salomon Pinkes. Hablamos sobre... el pasado.

Marcus asintió. Sí, le recordaba. Al menos Harry le había escuchado, lo cual era más de lo que sucedía con la mayoría de la gente. No le había creído, claro, o había supuesto que Marcus había malinterpretado lo que había visto; pero no había sido el primero que no le creyó.

—Me gustaría que habláramos de nuevo, si tiene tiempo —dijo Harry—. He traído a un par de amigos que están muy interesados en oír su historia.

—¿Tiempo? —saltó Marcus—. ¿Qué otra cosa tengo? —Se inclinó hacia su compañero en la partida y le preguntó si le molestaría dejar el juego.

—Por una vez que voy ganando y Bleich tiene que irse —protestó el otro viejo—. Muy bien, váyase, puedo esperar. Le derrotaré más tarde.

Marcus les condujo a una pequeña habitación del centro recreativo donde podrían hablar en privado. La habitación, igual que el centro del cual formaba parte, poseía una alegría gris, endémica en lugares como aquél: brillante pintura amarilla que se acercaba más a lo bilioso que a lo alegre, pósters de lujosos paisajes extranjeros que ninguno de los viejos podría visitar ya, flores de plástico en jarrones de plástico en una mesa cubierta de quemaduras de cigarrillo, sillas rojas recubiertas de vinilo donde uno podía tomar asiento pero en ningún caso relajarse.

Charlaron sin orden ni concierto durante un rato, sin tocar asuntos de importancia, a fin de que Marcus se acostumbrara a sus visitantes. Sus ojos jamás abandonaban a uno u otro, como si estuviera calibrándolos, pesándolos o midiéndolos. Había sido tallador de gemas, primero en Alemania y luego en Eretz Israel, hasta que su vista se había debilitado y sus dedos habían perdido precisión. Desde entonces había vivido de su pequeña pensión, suficiente en la tierra prometida. Pero sus ojos, aunque carentes de la fuerza y agudeza necesarias para la precisión de la talla de diamantes, conservaban su poder de penetración en el arte de evaluar hombres y mujeres. Nadie creyó nunca su relato de lo sucedido en Dachau, pero en el fondo de su ser él sabía que no se había equivocado.

Por fin Harry sacó a relucir el tema que los había llevado allí.

—Marcus —dijo—, cuando hablé con usted hace tiempo, charlamos sobre muchas cosas. Usted me dio gran cantidad de valiosa información: los nombres de los guardias del Wachtruppe, descripciones de oficiales de las SS, detalles sobre diversos incidentes. Jamás se lo agradecí adecuadamente. Pero ahora quiero hacerlo. Lo que me dijo fue de incalculable ayuda. Y ahora necesito su ayuda otra vez. La última vez que nos vimos, me habló de... prisioneros que no eran prisioneros. En aquel entonces le dije que creía que había visto realmente lo que usted decía, pero que lo había interpretado erróneamente. Ahora lamento haber emitido aquel juicio. Tendría que haber sido más cuidadoso, haberlo pensado más detenidamente. Pero estaba demasiado ocupado entonces y dejé aquello de lado.

»Ahora creo tener la evidencia de que usted tenía razón. Leyla y David lo averiguaron recientemente. Por favor, perdóneme si no le digo cómo o dónde. Digamos simplemente que es auténtico y...

inquietante. Me gustaría que les explicara lo mismo que a mí. Leyla no entiende alemán, pero ya le explicaremos después lo que usted nos cuente.

Se hizo un breve silencio mientras Marcus miraba primero a David y luego a Leyla.

—Muy bien —dijo—. Pero puede que aun así no me crean. —Respiró tan profundamente como pudo, preguntándose por enésima vez por qué sus pulmones se negaban a tomar aire con la facilidad de antaño. Aguardó a que entrara el aire, cerró los ojos y se obligó a verlo todo de nuevo: los barracones, las torres, el alambre de púas, los hambrientos pájaros picoteando.

—Hace mucho frío en los campos —dijo—. Incluso en verano, el frío lo invade todo. Viene de dentro, de la falta de comida, de la falta de esperanza. No recuerdo haber estado caliente nunca. Pero aquel invierno fue el peor. El agua se congeló, no sólo la de los charcos de lluvia o la de los grifos, sino cualquier rastro de humedad. Las cabañas eran húmedas, así que las paredes se congelaron, las mantas, la ropa... todo aquello en lo que la humedad se había filtrado. La gente se moría de todas las maneras posibles e imaginables. Lo que no era decretado oficialmente, los guardias se lo inventaban; y lo que no se inventaban, lo hacía el tiempo o la enfermedad.

»Todo esto ya lo sabrán, claro. Todo el mundo lo sabe. Ahí está el error: lo sabemos, y sin embargo no lo sabemos. Sobre todo aquí, en Eretz Israel, donde los recuerdos del holocausto no son algo fuera de lo corriente. Yo lo sé porque estuve allí y lo vi con mis propios ojos: ustedes creen saberlo porque han visto cosas en libros o películas, o porque personas como yo se lo han contado. Tal vez sus padres. —Miró a David.

David asintió. Sus padres, sí. Marcus le miró a los ojos y continuó.

—Pero, naturalmente, no lo saben. No la verdad. Así pues, lo que voy a decirles les resultará difícil de juzgar. A mí, no; para mí no es difícil, ni para los otros que estuvieron allí, ellos lo entienden en seguida. Así, ustedes tendrán que tratar de comprenderlo más despacio.

»Teníamos poca idea del tiempo, por supuesto. Era invierno, eso era todo cuanto sabíamos. La guerra les iba mal, podíamos adivinarlo. Trataban de ocultárnoslo, pero podíamos leerlo en sus rostros. Sin embargo, las matanzas nunca cesaban. Tal vez incluso se incrementaron, es difícil de precisar, mataban a tantos...

»Pero usted quiere que yo les hable de lo que vi aquel invierno, así que intentaré explicárselo. Yo estaba asignado al barracón 19 del bloque 36. Éramos unos cuatrocientos en aquel barracón, aunque estaba previsto sólo para ochenta personas. Más tarde, la cosa empeoró cuando trajeron a los prisioneros del este, de los campos que tuvieron que abandonar en manos de los rusos. Cada día moría gente; y con menos frecuencia, traían a otros nuevos. De cualquier modo, estábamos sobresaturados; pocos más, pocos menos, ¿qué más da? Daba lo mismo hasta que trajeron a los del este.

»Un día, debió de ser en diciembre, trajeron a siete hombres a nuestro barracón. Desde el mismísimo principio me di cuenta de que allí pasaba algo. En la superficie, aquellos hombres eran como nosotros: cabezas afeitadas, uniformes harapientos, números en el antebrazo. Pero había algo en ellos, algo que no era normal. Parecían desorientados, asustados, ansiosos, pero... era como si estuvieran dando una representación, como si actuaran. No les quité el ojo de encima, aunque lo hice discretamente. Estaban diseminados por el barracón, pero no tardé en darme cuenta de que se encontraban unos con otros de vez en cuando. Jamás en grupo, siempre dos o como máximo tres, y raramente los mismos dos, y desde luego nunca los mismos tres que yo viera. Pero siempre era alguna combinación de los siete. ¿Me sigue?

—Sí —dijo David—. Pero no entiendo qué fue lo que atrajo su atención sobre ellos.

—Yo mismo tampoco estoy muy seguro —admitió el viejo—. Ya llevaba en aquel campo más tiempo que la mayoría. Entonces era joven y razonablemente robusto. Aprendí a hacerles el juego, a sobrevivir. Tal vez tenía un instinto para aquel lugar, para la gente que había dentro. Escuche... cuando mira las fotografías, todo el mundo parece igual: caras escuálidas, ojos enormes, brazos y piernas como palos, cabezas rapadas, todos allí en pie, mirando remotamente a la cámara. O los cuerpos tirados en las zanjas, un montón de carne indiscernible. Lo máximo que se podía decir era «esto es un hombre, aquello una mujer», si estaban desnudos. Y aun así, no siempre. De ese modo, sólo podían distinguirse los niños.

»Pero en realidad no era así. Allí había todo tipo de gente. Judíos religiosos y judíos descreídos, judíos ricos y judíos pobres, judíos inteligentes y judíos estúpidos. Ellos no hacían distinciones, por supuesto: todos éramos *untermenschen,* tanto los mejores como los peores de nosotros. Pero nosotros sí que podíamos distinguir, veíamos las diferencias. En cuanto alguien llegaba al campo, yo sabía cuánto iba a durar. Siempre se sabe. Algunos llevaban la muerte a cuestas, como si la desearan. Otros traían otras señales que permitían calarlos. La clave era la cooperación. Si un hombre era egoísta y sólo miraba por sí mismo, no estaba dispuesto a compartir los alimentos, por ejemplo, o una herramienta que hubiera encontrado, ya sabía que no duraría mucho. Si ayudabas a los demás, ellos te ayudaban a ti. Y en el campo siempre había momentos en los que la ayuda era necesaria. No era tanto la fuerza o la debilidad como el humanitarismo lo que le convertía a uno en superviviente.

»Ésa era la única diferencia importante al fin y al cabo, si uno era superviviente o carne para los hornos. En cierto modo, ellos habían agrandado el resto de las diferencias. Unos pocos bastardos ricos podían traficar con ellos, diamantes o a lo mejor números de cuentas bancarias. Compraban unos pocos privilegios: una fortuna por media barra de pan. Pero eso no impedía que finalmente fueran a parar a los hornos si llegaba el momento. En último término, lo importante era esa distinción interior. No se trataba de coraje ni de espíritu ni de desafío, nada de eso; sencillamente la habilidad para perdurar, nada más y nada menos. Y la disposición para compartir.

»Aquellos hombres no parecían tener ninguna de aquellas cualidades. Pero, igualmente, no estaban marcados para una muerte temprana. Su supervivencia parecía estar garantizada. Lo demostraban pequeños detalles. Los supervivientes eran los que se aseguraban los alimentos que les correspondían. No los de otros, ni más de su ración, sino lo que era suyo. Podían compartirla, desde luego, con alguien que estuviera enfermo o que hubiera sido golpeado. Pero lo primero era agenciarse la propia ración. Desde el principio. Si uno dejaba que otro cogiera su ración por la fuerza, los demás lo tomarían como una debilidad. Los Kapos se aprovecharían de ello. Los Blockalteste tomarían nota mentalmente. No había límite: una vez que uno mostraba debilidad, estaba acabado. Tal vez no el primer día, ni la primera semana, pero lo bastante pronto.

»Jamás vi a ninguno de ellos luchar por conseguir comida, ni reclamar su trozo de pan, ni meterse en líos para conseguir una ración extra. Iban perdiendo peso, como todos nosotros, pero aún parecían fuertes, hombres sin grasa, todo músculo. De algún modo, obtenían más comida, alimentos mejores, algo que no les llenaba de grasa, pero que les daba fuerza. Estaba seguro. Eso fue al cabo de unas semanas, claro, tal vez un mes o más, pero yo tenía la certeza.

»Una noche decidí vigilar a uno de ellos para ver lo que hacía. Estaba convencido de que les daban comida extra durante la noche; era el único momento en que alguien lo haría sin ser visto. Aquella noche permanecí despierto hasta la madrugada. Reinaba la oscuridad, era tan oscuro que casi no se veía. Casi me di por vencido; en aquel frío penetrante era muy tentador quedarse dormido. Pero valió la pena. El que yo estaba vigilando salió de su litera (era la de arriba) y se encaminó sigilosamente hacia la puerta. Tropezó con algunas personas varias veces, pero nadie se dio cuenta. Ocurría siempre que alguien se levantaba a orinar durante la noche.

»Decidí seguirle. No sé por qué. No fue sensato; podía haberme visto o bien podía haberme perdido en la oscuridad y no haber encontrado el camino de vuelta a mi litera. Podía haber sido realmente grave. Pero, en cierto modo, parecía no importar, de tan importante que había llegado a ser para mí descubrir lo que estaba pasando.

»Salió fuera, y al cabo de unos momentos, le seguí. Era extremadamente peligroso, ya que había órdenes estrictas de permanecer en los barracones durante la noche. Si me hubieran visto, podían haberme matado: nunca preguntaban. Aunque no tuve que ir muy lejos. El cielo estaba completamente nublado y era difícil seguirle el rastro, pero también servía para ocultarme a mí. Caminó hasta cierta distancia del barracón y silbó dos veces suavemente. Pasó un minuto. Él no se movió, sino que se quedó allí esperando. Yo permanecí a resguardo, fuera de su vista. Lo siguiente que vi fue a un guardia que llegaba por entre los dos barracones de enfrente y se dirigía hacia él. Estaba demasiado oscuro para saber lo que ocurría, pero diría que el guardia le entregó algo y que él se puso a comer y a beber. Hablaron un rato en voz baja, pero no oí nada. Estuvieron allí unos diez minutos, después él devolvió algo al guardia. Supuse que estaría a punto de regresar, así que me deslicé al interior del barracón y volví a mi litera. Él llegó dos minutos después y visitó por turnos a todos sus amigos. Supuse que debía estar repartiendo las provisiones que le había entregado el guardia.

El anciano calló, como si esperara que David le dijera algo.

—¿No le habló a nadie de aquello? —preguntó David. Creía la historia. Desear que no lo fuera no la convertiría en mentira.

Marcus sacudió la cabeza.

—No —dijo—. Entonces no. Ya le he dicho que yo era un superviviente. En eso consistía lo principal de la supervivencia: no atraer nunca la atención. Había que callarse las cosas, sobre todo las que parecían peligrosas. Uno no podía permitirse el lujo de confiar en alguien hasta ese punto. Podría ser fatal. Tampoco podía permitirse el lujo de tener amigos íntimos: eso consumía mucha energía emocional, debilitaba el poder de resistencia. Y no había que hablar bajo ningún concepto. Lo que vi podía haber sido de utilidad para alguien. Podía decir al Kapo que yo sabía algo a cambio de un plato de sopa: la gente era así. El hecho es que le hubieran matado conmigo, pero algunas personas eran muy estúpidas y no pensaban tanto. Sólo los supervivientes pensaban en el futuro... y mantenían la boca bien cerrada.

—¿Y qué hay de la resistencia en el campo? —preguntó David—. ¿No podía habérselo dicho a ellos?

—No sabía quiénes eran. Entonces no sabía ni que existían. Si lo hubiera sabido... sí, lo hubiera dicho a alguno de ellos.

—Después de aquello, ¿ocurrió algo más?

—Sí —dijo Marcus—. Ahora iba a eso. Pero primero hay otras cosas, otras señales de que algo iba mal. Yo estaba en un destacamento de trabajo con dos de ellos. Salíamos cada día a cavar zanjas. Jamás supe para qué. Gandulear se castigaba severamente. Los guardias de nuestro destacamento eran particularmente brutales. La mayoría de los días tenían lugar varias muertes. La gente que no se mataba a trabajar era golpeada hasta la muerte. Yo vi a muchas personas que se derrumbaban o que sencillamente dejaban de trabajar y aguardaban la llegada de los guardias que los aporrearían hasta acabar con ellos. Bien, pues aquellos dos no holgazaneaban exactamente, pero tampoco trabajaban. Vi cómo golpeaban a gente que trabajaba mucho más duro que ellos, pero a aquellos dos jamás los tocaban. Excepto una vez, que un guardia se metió en un grupo de gente y uno de los dos estaba entre ellos. Yo lo observé. El guardia lo derribó de un golpe y empezó a darle patadas. Pero no lo hacía con fuerza, lo juro. He visto a muchos guardias dando patadas a la gente. Patean con saña, descargando fuertemente cada una. Disfrutaban haciéndolo, era una especie de deporte. Pero aquél dejó que el hombre rodara con las patadas. Vi lo suficiente antes de que otro guardia apareciera y me derribara por no atender mi trabajo.

»Después del trapicheo de aquella noche, decidí tratar de conocer al hombre al que había seguido. No fue fácil. Nunca lo era en el campo, pero perseveré. Me dijo que se llamaba Gershon, Gershon Neusner. Era originario de Baden-Baden, dijo, pero su familia había huido a Francia antes de la guerra y había vivivo escondido hasta hacía muy poco. Los demás se habían ido esparciendo, y no sabía dónde estaban. Eso fue todo lo que quiso decirme al principio.

»Pero me las arreglé para que le fuera difícil evitar hablarme. Ingenié situaciones en las que nos expulsaban juntos, e hice preguntas. Sin embargo, obtenía respuestas que a mi modo de ver no decían mucho. Le dije que tenía parientes en Baden-Baden y le pregunté si los conocía. Naturalmente era mentira, yo no conocía a nadie allí. Pero quería hacerle hablar sobre el lugar, pincharle un poco. Y él siempre me decía que no, que nunca había oído hablar de aquel tío o de aquella prima. No obstante, un día le dije que seguro que habría oído hablar de Eli Schumacher, el cantor de la sinagoga principal, el que era tan conocido. Oh, sí, claro que sí, dijo él, le recordaba muy bien; le había oído cantar en el Yom Kippur cuando era niño, el Kol Nidre. No debió haber dicho eso. En Baden-Baden jamás hubo un cantor llamado Schumacher. Eli Schumacher era el nombre del viejo cantor de mi propia sinagoga de Bremen.

»Entonces ya estaba seguro de que Neusner mentía. Le tendí unas pocas trampas más. Hablamos sobre religión, parecía el modo más fácil. Como adivinarán, yo pretendía saber si era judío o no. Hablé del Talmud, refiriéndome a nombres de tratados inexistentes, que me había inventado. Él jamás me contradijo e incluso en una ocasión dijo: «Sí, recuerdo ese pasaje.» Cometí suficientes faltas en hebreo como para que un judío instruido me corrigiera, pero él nunca lo hizo.

David intervino nuevamente.

—¿Nunca le preguntó abiertamente sobre todo esto?

Marcus sacudió la cabeza vigorosamente. Un mechón de cabellos blancos se salió de su sitio cayendo sobre la sien izquierda. Él se lo volvió a colocar en su lugar.

—No —dijo enfáticamente—. Ya corría bastantes riesgos tal y como iban las cosas. Si hubiera insinuado tan sólo que me parecía que era un impostor, me habrían matado. Estoy seguro.

—¿Y por qué no lo hicieron? Si usted hacía tantas preguntas, y se le acercaba tanto, ¿no era ya suficiente para ponerle nervioso?

Marcus sonrió dejando al descubierto unos dientes que habrían hecho encogerse a un dentista.

—No tengo respuesta para eso. En cierto modo, creo que yo le gustaba. Lo he pensado a menudo. Es curioso, pero en cierta manera, creo que para él era mucho más duro el campo que para el resto de nosotros. —Vio la expresión de David y levantó una mano—. No me interprete mal. Podía comer buena comida, nunca le pegaban; eso era fácil para él. Pero a pesar de todo, tenía que vivir en el campo. Y todavía estoy convencido de que él podría haberse marchado de allí por su propio pie cuando hubiese querido. Nosotros no teníamos elección. Sabíamos que estaríamos allí hasta la muerte y tratábamos de aprovecharlo lo más posible. Pero para él y sus amigos era una cuestión de elección diaria. Nosotros nos obligábamos a sobrevivir; ellos se obligaban a seguir allí. Y creo que Neusner necesitaba algún tipo de amistad, aunque fuera de un judío. Tal vez, por alguna extraña razón, especialmente de un judío. Puede que les parezca que no tiene mucho sentido.

David sacudió la cabeza

—No. Creo que lo que dice tiene mucho sentido.

—Gracias. —Hizo una pausa—. Ya no hay gran cosa más que explicar. Después trajeron a la gente de los campos del este. Pocos meses después comenzaron a enloquecer. Mataban y mataban, como si tuvieran que exterminarnos a todos lo antes posible. Sabíamos que algo estaba pasando. Naturalmente, lo que ocurría era el golpe final a Alemania, pero en aquellos momentos no lo sabíamos. Aquélla fue la época más insensata de todas: su obsesión de llevar a cabo todos los programas de exterminación, aunque sabían que estaban acabados, que en cuestión de semanas todo habría terminado irremediablemente.

»Y después se acabó. Los americanos entraron en el campo y pasamos de ser prisioneros a ser personas desplazadas. A mí me enviaron a un campo de PD en Hannover. No sé dónde enviaron a Neusner y a sus amigos. Nunca volví a verle. —Hizo una breve pausa y añadió en un tono más grave—: Hasta hace unos pocos años.

Harry dio un respingo. Aquello era nuevo

—A mí no me lo dijo —exclamó—. Que había vuelto a ver a Neusner.

Marcus sonrió mostrando su dentadura cariada.

—No, fue después de verle a usted, pocos años más tarde.

—¿Por qué no se puso en contacto conmigo y me lo hizo saber?

—No lo sé muy bien. Hacía tanto tiempo, que no estaba seguro.

—¿De que fuera él?
Marcus sacudió la cabeza.
—No, era él. No estaba seguro de haber comprendido. No tenía sentido verle como le vi.
—¿Dónde le vio? ¿Fue aquí en Jerusalén?
Marcus asintió.
—En Jabotinsky. Yo iba andando. Entonces caminaba mucho mejor, este problema del pecho es más reciente. Era verano.
—¿Era de día? ¿Le vio a la luz del día?
—Oh, sí. Era él. Al principio no estaba muy seguro, pero no había cambiado demasiado.
—¿Qué hizo usted? ¿Le habló, se dejó ver?
Marcus sacudió la cabeza.
—No, él... yo no estaba seguro y quería estarlo. Así que le seguí. Creo que no me vio. No fue muy lejos, sólo a Giv'at Oren, a una casa. Era su casa.
—¿Cómo lo supo?
—Tenía su nombre en la puerta, en una pequeña placa. Cuando lo leí, comprendí que no me había equivocado. Era él sin duda.
—¿Gershon Neusner? ¿Tenía ese nombre?
—Sí —dijo Marcus—. Gershon Neusner. —Miró directamente a Harry. Al principio pareció que les gastaba una broma, como si aquel nombre fuera divertido. Después se le nublaron los ojos con una incertidumbre interior, algo profundamente imperdonable. Abrió la boca para decir algo, y la cerró.
—¿Sí? —preguntó Harry presintiendo que aún había más.
—Su nombre —dijo Marcus—. Eso no era todo. Había adquirido un título. Ya no se llamaba Gershon Neusner a secas. Era el general Gershon Neusner.
Todas las miradas convergieron sobre él. Reconocían el nombre.
—¡Dios mío! —dijo Harry casi imperceptiblemente. Eso fue todo.

CAPÍTULO 58

Los perdidos, están perdidos para siempre, y los silenciosos permanecen en silencio todavía. David se hallaba en pie con Leyla y Harry en la difusa luz de Yad Vashem en Har Hazikkaron, la montaña del recuerdo. Se encontraban en el Ohel Yiskor, un edificio cuadrado con el techo de punta y los muros recubiertos de piedras de forma circular. Entre las paredes y el techo, una estrecha abertura dejaba pasar al interior la suave luz del día. En el extremo del fondo del edificio ardía una llama tras una peana, a los pies de la cual se hallaban depositadas cuatro coronas. Pero sus ojos no se hallaban fijos sobre las flores o las vacilantes llamas. Dispuestas a intervalos sobre el suelo había unas losas negras en las cuales se leían unas enormes letras en escritura hebrea y romana, con los nombres de veintiuna localidades de Alemania y Polonia. Sencillos nombres pertenecientes a sencillos lugares, sitios donde hombres y mujeres corrientes habían vivido, donde aún vivían. Pueblos, pequeñas ciudades, municipios decentes... convertidos en las fábricas de la muerte del Tercer Reich. Los nombres se hallaban escritos sobre las losas, rígidos e inflexibles, las declaraciones más tristes para los más tristes recuerdos: Belsen, Chelmno, Auschwitz, Majdanek, Bergen-Belsen, Dachau...

En todos los años que había vivido en Jerusalén, Leyla jamás había estado allí. Los palestinos no iban a Yad Vashem. ¿No tenían ellos sus propios memoriales en los campos de refugiados, sus propios nombres que recordar? Deir Yasin, Tell al-Zatar, Sabra, Chatilla. Mientras permanecía allí en pie, no lo olvidaba. Si acaso, aquello la hacía ser más conciente de lo que su propio pueblo había sufrido y sufría aún. Pero en la desnuda sencillez del edificio, en el comedimiento de las oscuras piedras cinceladas, halló algo que no buscaba: un sentido de la magnitud del acto diabólico que había sido cometido, la conciencia de que la mente no puede asimilar el sufrimiento a una escala tan monumental. Lo que al fin y al cabo importa es el individuo, su sufrimiento y su muerte. En otro lugar estaban inscritos los nombres de dos millones de víctimas, pero aquello no había significado nada en absoluto. Sin embargo, allá por vez primera Leyla se había enfrentado cara a cara con el chorro caliente de los hornos, había sentido la angustia en su estómago, había comprendido a la gente que le había arrebatado su país. No podía perdonarlos. Jamás podría. Pero no podía seguir condenándolos. Ahora sabía que estaban destinados a vivir así para siempre, codo a codo, incapaces de perdonarse mutuamente, condenando a un mundo que había colocado a sus víctimas en la garganta del otro. Tomó la mano de David y contempló la débil y exhausta luz solar que bañaba las losas.

Marcus Bleich les había pedido que fueran allá en su nombre, antes de comenzar su tarea en el Instituto de Estudios sobre el Holocausto, también en Yad Vashem. Él nunca iba al memorial. Igual que otros muchos supervivientes, llevaba el memorial en su interior durante todos los días de su vida. Y la fotografía, el mechón de cabellos y el peine roto eran mucho más evocadores que cualquier otra cosa que pudiera albergar Yad Vashem. Sin embargo, no por eso despreciaba el memorial. Si alguien iba allí, le pedía que recordara a su familia, que buscara sus nombres en la Sala de los Nombres.

David miró a Harry, que meditaba en el Ohel Yiskor, y le oyó recitar el Kaddish para los muertos. Al dar la vuelta para marcharse, le miró otra vez. Sus miradas se encontraron.

—Quieres saber por qué, ¿verdad? Por qué vine aquí, por qué me convertí.

David no dijo nada.

—¿No lo entiendes? —preguntó Harry—. Aquí de entre todos los lugares. ¿Necesitas una explicación? Ahora todos somos judíos, David, cada uno de nosotros. No sólo tú y tu gente, eso no es más que en la sangre. Pero hay mucho más. Cuando mataron a tanta gente, convirtieron a todo el mundo en judíos. Lo quisieran o no, todos nos convertimos en hijos de Abraham por el Holocausto. Es así de sencillo, David. Seguro que lo comprendes. Una vez que lo hacen contigo, pueden hacerlo con todo el mundo. ¿A cuántos masacró Stalin en Rusia? ¿Y los camboyanos después del Año Cero? ¿Cuánta gente hay hoy en día en los campos, o en cámaras de tortura? Dios ha quitado el prepucio a todos los hombres del planeta. Tardé mucho tiempo en comprenderlo, David, pero al final lo conseguí.

Cuando abandonaron el Ohel Yiskor, aún era temprano por la tarde, y se encaminaron al Instituto, un edificio bajo de caliza situado unos quinientos metros más abajo por la colina. Ya les esperaban: Harry había telefoneado a primera hora de la mañana para pedir ayuda sobre un asunto urgente. Él mismo era un asiduo visitante del Instituto, querido y respetado por el personal. Pero sus visitas al lugar nunca formaban parte de los informes oficiales, así que no era conocido formalmente. Si alguien preguntara por él, le responderían que jamás había estado allí, y que nunca había ayudado al trabajo del Instituto ni al personal.

En el vestíbulo fueron recibidos por una mujer delgada y pequeña que debía estar próxima a los setenta. Katje Horowicz era la segunda superviviente que conocían en el curso de aquella mañana. Sobrevivió gracias a la belleza que había poseído en su juventud y de la cual aún se podían apreciar algunos rastros. Leyla se percató casi inmediatamente del número que llevaba tatuado en el brazo izquierdo, visible justo donde llegaba la manga de su rebeca de lana.

Katje extendió una mano y estrechó fuertemente la de Leyla sin esperar a que Harry iniciara las presentaciones. Siempre había sido una mujer impaciente y cuanto mayor se hacía más lo era. Desde que salió del campo había vivido como si no tuviera suficiente tiempo. Cada día parecía el último para ella. Y cada día desde entonces había sido igual. Era el único modo de vivir que conocía.

—Soy Katje Horowicz —dijo. Su inglés era bueno, pero con un marcado acento—. Directora adjunta del Instituto. Usted debe de ser la señorita Rashid. Tengo entendido que fue alumna de Abraham Steinhardt. Vaya. Excelente. Me gustaba Abraham; no se andaba con tonterías. Y, por lo que veo, usted tampoco.

Leyla se sintió un tanto incómoda bajo aquella mirada tan directa, como si la estuvieran escudriñando y juzgando. Y aunque no lo sabía, Katje la estaba observando muy atentamente. Era la primera palestina que visitaba el Instituto: su presencia inquietaba a la anciana mujer, a pesar de su aparente fortaleza y confianza. Seguidamente, Katje se volvió y estrechó la mano de David.

—¿Profesor Rosen? ¿Cómo está? ¿Qué trae a un arqueólogo a un sitio como éste? Seguro que no somos tan viejos todavía. ¿O es que tanto excavar le ha hecho un poco morboso?

David echó una ojeada por el vestíbulo pintado.

—Éste no parece un lugar morboso.

Katje sacudió la cabeza.

—No. El lugar es alegre. Tiene que serlo para mantener nuestra moral alta y trabajar aquí cada día. La morbosidad reside en lo que encierra... en el propio hecho de su existencia. Pero dejemos eso. No le digo hola a Harry, porque le veo muy a menudo.

Tras una puerta gris cerrada se abrió un pasillo brillantemente iluminado. Se oía un suave zumbido de máquinas por detrás de los muros. Alguien salió por una puerta que había al otro extremo del pasillo y entró por otra que había enfrente. Katje los condujo por el pasillo charlando con Harry sobre un amigo común.

La habitación a la que les condujo Katje era de disposición moderna, equipada con los últimos modelos de computadoras y pantallas VDU. Todo parecía estar muy limpio y reluciente, a millones de kilómetros de distancia de los campos de la muerte cuyas obscenidades de hallaban codificadas y almacenadas en los bancos de memoria de los ordenadores.

—¿Qué hay entonces, Harry? —preguntó Katje cuando se sentaron ante una mesa que había en el centro de la habitación.

—Algunos números —dijo Harry extrayendo unas cuantas hojas de su maletín. No eran los originales de los papeles que habían encontrado en el avión, no quería enseñárselos a nadie todavía, sino fotocopias de los números que había preparado la noche anterior.

—¿Números? Vaya, eso es un cambio. —Normalmente se trataba de nombres. Katje cogió los papeles—. ¡Hombre! —prosiguió—. ¿Pero qué tienes aquí? Esto no es precisamente una lista de la compra, Harry, más bien es un manual de mantenimiento. Tardaré días.

Harry sacudió la cabeza.

—No, no creo. O salen en seguida o no encontrarás nada. Por favor, prueba unos cuantos. A ver lo que sacas. ¿Te haría perder el tiempo, Katje?

Katje hizo una mueca y se volvió hacia David y Leyla que estaban juntos en el otro extremo de la mesa.

—¿Les ha explicado Harry lo que supone todo esto?

Ambos sacudieron la cabeza.

La mujer resopló.

—¡Típico! El muy tonto se cree que estas máquinas son mágicas. Apretar un botón... y ya sale la información requerida. —Volvió su rostro nuevamente hacia Harry. Él trató de desviar la mirada.

Ya habían tenido aquella conversación otras veces—. Mira, Harry, no es así de sencillo. Para sacar algo, primero hay que haber metido algo. Es así de fácil. Mira estos números. ¿Qué significa esta V al final? ¿Desde cuándo ha habido uves? Has encontrado una nueva categoría de números. ¿O es que yo soy idiota? ¿Son éstos lo que parecen o es que se trata de algo con lo cual no hemos tratado aún?

—Son lo que parecen. Estoy seguro. Ignora las uves, limítate a introducir los números. Por favor, es importante.

—¿Para quién? Escucha, Harry, te aprecio. Te ayudo siempre que puedo. Eres un hombre tan agradable, nos encanta ayudarte siempre que sea posible. Pero llegas aquí con cientos y cientos de números y te sientas a esperar que yo saque un montón de nombres de un sombrero. —Se giró de nuevo hacia David y Leyla—. Déjenme explicárselo —dijo—. Tal vez lo entiendan. Aquí tenemos archivos de los campos: campos de concentración, campos de personas desplazadas, campos de prisioneros de guerra. Tenemos nombres, números, datos personales de los guardias, personal de las SS y prisioneros. Normalmente Harry se interesa por los guardias. ¿Saben lo que eso implica? Tenemos los archivos completos de la CROWCASS, JAG, ACID, el UNWCC, la UNRRA, el She'erit ha-Peletah, la Misión de Agencia Judía, el IRO, el Comité de Distribución Judeo-Americano, y docenas de pequeñas agencias y comités. Están todas las agencias que se han dedicado a investigar los crímenes de guerra o a ayudar a los refugiados. Eso supone un montón de archivos. Pero hasta Harry sabe que no están completos. Por añadidura, tenemos una colección de las Fragebogen completa, los cuestionarios que rellenaban todos los adultos en la zona estadounidense de Alemania después de la guerra. Sólo en 1945 hay más de trece millones. —Hizo una pausa—. ¿Les estoy confundiendo? —preguntó.

—Sí, pero continúe —sonrió David—. La escuchamos.

—Ojalá me escuchara Harry. En fin, ésa es la parte menos complicada. Tener archivos sobre los nazis o los supervivientes no es nada comparado con tener una lista de las víctimas. Tenemos dos millones de nombres de víctimas identificadas en Yad Vashem. Pero sabemos que por lo menos mataron a cinco millones de judíos, algunos en los campos, otros en los Einsatzgruppen de las SS. Sólo tres millones de éstos eran polacos. Muchas familias enteras fueron barridas y no tenemos modo de conocer sus nombres o su identidad.

»Después de la guerra, los aliados obtuvieron informes de los campos, pero muy pocos estaban completos. Las SS destruyeron todo lo que pudieron antes de rendirse. Tenemos registros de campos y *Totenbuche,* los «libros de la muerte», pero no en conjunto; no es más que un rompecabezas donde faltan la mayoría de las piezas. Generalmente los prisioneros eran trasladados a campos de PD, de «personas desplazadas», cuando ya estaban en condiciones de moverse, y de todos ésos tenemos informes, como digo. Pero la gente se movía por Europa, entraban y salían de los campos de PD en gran número. Al final de la guerra había ocho millones de PD. Hacia finales de 1945 habían sido repatriados seis millones. Después la cosa se complicó mucho. Los supervivientes judíos empezaron a dirigirse a los campos de PD en Alemania. Algunos habían estado escondidos, otros habían estado con los partisanos y unos pocos habían conseguido hacerse pasar por arios. ¿Quién era quién? ¿Qué clase de control podíamos tener en una confusión tal? Desde aquí se puede seguir la pista a alguien, luego aparece en otro sitio, y después desaparece y ya no hay más noticias suyas. Los aliados sabían que entre las PD había nazis que trataban de evitar ser descubiertos. La gente utilizaba nombres falsos, olvidaba su verdadero nombre, deletreaba su nombre de forma rara para camuflar los nombres europeos del este.

»Miren, nadie podrá recoger jamás todos los fragmentos dejados por esta guerra: son demasiados, incluso con los ordenadores. Y ahora Harry me viene con unos números y espera que yo haga milagros. ¿Quién está loco, él o yo?

—Katje —dijo Harry con voz apagada—, no hables tanto. Ya lo han comprendido. Y yo también. Todos lo comprendemos. Pero, por favor, haz lo que puedas. Te juro que es muy importante. Introduce esos números en tu máquina a ver qué sale.

Ella suspiró, cogió los papeles y se dirigió hacia uno de los ordenadores. Ignorando a Harry, tecleó las instrucciones e introdujo el primer número. En menos de un segundo se iluminó un mensaje en la pantalla.

INFORMACIÓN RESTRINGIDA
POR FAVOR, TECLEAR CÓDIGO EN CLAVE

Katje lanzó una mirada a Harry, arrugó la frente y se volvió hacia la pantalla. Parecía un tanto molesta. Introdujo su código personal de usuario. De nuevo apareció un mensaje.

CLAVE INADMISIBLE

—¿Pero qué pasa? —exclamó—. ¿Restringida? No existe tal cosa. Yo tengo acceso a todo en este lugar.

—Prueba con el número siguiente —sugirió Harry.

Katje miró la lista, borró la pantalla y entró las instrucciones originales seguidas del número. La pantalla se iluminó otra vez.

INFORMACIÓN RESTRINGIDA
POR FAVOR, TECLEAR CÓDIGO EN CLAVE

Enfadada del todo, Katje procedió a teclear una ristra de números, uno tras otro. Y cada vez aparecía el mismo mensaje en la pantalla. Cuando llegó al décimo nombre, empujó la silla hacia atrás y maldijo en voz alta.

Se levantó y dio la vuelta hacia los demás.

—Aquí pasa algo —dijo—. Bueno, ya lo veis. Se me niega el acceso a los bancos de datos. No hay ninguna razón para que esto ocurra. No hay más que dos categorías de acceso en el Instituto. El personal tiene libre acceso a todo el material. Los visitantes que vienen en busca de información son los que tienen acceso restringido, y aun así es muy escaso. Pero he tecleado para obtener la información para mí misma, como hago siempre para Harry. Esto jamás había ocurrido.

—¿Qué tipo de material está restringido normalmente? —preguntó David.

Katje se encogió de hombros.

—Depende. Los detalles personales sobre los supervivientes o sus familias, informes especulativos, algunas pruebas del Spruchkammern, los tribunales alemanes de desnazificación. Naturalmente, somos discretos. Si conocemos a alguien como Harry o tenemos razones para creer que son de confianza, extendemos el acceso. Normalmente actúan a través de alguno de nosotros, pero hay casos en que los investigadores obtienen información no restringida por sí mismos.

—¿Es posible que esto implique la clase de información que normalmente se encuentra bajo acceso restringido y que alguien la haya programado incorrectamente, de forma que haya una especie de restricción en blanco?

—Eso no debería ocurrir. Si fuese así, nadie podría volver a retirar la información. No, lo que espera el ordenador es recibir algún tipo de código en clave. Le pediré a Saul que baje. Tal vez él pueda lograrlo.

Saul Bernstein era el director del Instituto, un germano-americano ya mayor que había luchado con las fuerzas aliadas después de escapar de la Europa ocupada y había llegado a Israel diez años antes de hacerse cargo de la investigación en Yad Vashem.

Harry sacudió la cabeza.

—No, Katje. Aún no. Creo que es mucho mejor que se enteren de esto las menos personas posibles por el momento.

Ella le miró con sospecha.

—Ya veo —dijo finalmente—. Creo —continuó en tono abrasivo— que será mejor que nos sentemos. Y después será mejor que uno de ustedes empiece a explicarme lo que pasa.

—Preferiría que no lo supieras, Katje. Por tu propio bien —musitó Harry.

—Estoy segura de que lo prefieres. Y sabes que no pienso escucharte. Soy una vieja. Ya me hicieron todo lo que pudieron cuando era joven, así que ya no pueden hacer nada. En absoluto. Sentémonos.

Tomaron asiento y David comenzó a explicárselo. Le llevó bastante tiempo.

CAPÍTULO 59

En la reducida estancia hacía frío. Y además era incómoda. Marcus Bleich estaba sentado en una silla contemplando la pared que tenía delante. Fuera era de noche, y un grupo de minúsculas estrellas escuchaban en la oscuridad en lo remoto del espacio. Marcus no les prestaba ninguna atención, ni tampoco a lo que le rodeaba. Llevaba varias horas sentado en aquella posición, con los ojos fijos en un punto, como si una niebla que emergiera de su alma lo hubiera congelado allí. Su silencio se asemejaba a la mudez de la muerte.

Estaba de vuelta en el campo, sudando, recibiendo daño, sufriendo, sobreviviendo. A su alrededor, unos alambres espinosos colgaban de forma complicada, retorciéndose en cada uno de los fragmentos de su extensión. Los barracones formaban una fila parecida a los raíles de un tren, apestaban a excrementos y estaban inundados de un aire fétido e irrespirable. Las torres vigía y las chimeneas se alzaban en el horizonte como agujas de bayoneta apuntando al cielo. Todos los hombres, mujeres y niños caminaban o se arrastraban, unidos en un único viaje cuyo término eran los hornos.

Él se refugiaba en su silencio contra el frío y la oscuridad. Una pequeña luz ardía en una mesita baja cercana a la ventana, poblando la oscuridad con un resplandor apagado y etéreo. No prestaba atención en absoluto a todo lo demás. Entonces sólo parecía importar la oscuridad, la oscuridad y el hombre del campo. Neusner. De algún modo, sin que él lo supiera realmente, Neusner había estado enterrado en su interior durante todos aquellos años como un cadáver viviente, a la espera de ser revivido, de ser revestido nuevamente de carne fresca. Verle había sido el primer estadio del proceso alquímico. La conversación que había sostenido aquella mañana había sido el elixir, destilado y poderoso finalmente. Neusner había vuelto a la vida y era peligroso. Su simple existencia amenazaba a Bleich. En un sentido remoto, Neusner se había convertido en el campo entero, y estaba allá fuera, al acecho, aguardando a que saliera para atraparle con sus rollos de alambre espinoso y sus monstruosos y abismales hornos.

El inglés no había dado ninguna explicación en absoluto de su visita, pero Marcus sabía quién era, y a qué se dedicaba. Marcus había adivinado lo que estaba ocurriendo, a pesar de no saber qué había detrás de aquello. Había ido a Tierra Santa en busca de algún tipo de promesa y no había encontrado más que cenizas secas, como las manzanas del mar Muerto. Un genio perseguía a los asesinos del pueblo de Marcus. Blandford se había convertido, pero a ojos de Marcus, todavía era un goy. No había sufrido la circuncisión de los campos ni había realizado la filacteria de la muerte.

Marcus se estremeció. Ya no tardaría mucho en reunirse con Marta y los niños, los pobres. En todos aquellos años no había buscado la venganza ni reparar los errores. Había habido tantos errores que no habría sabido por dónde empezar. Nadie lo hubiera sabido. Y ahora, en Jerusalén, un inglés se dedicaba a escarbar entre sus recuerdos; en Jerusalén andaba suelto el diablo.

Recordó un incidente en el campo, la ejecución de un niño de diez años que había robado unos alimentos durante una incursión aérea. Habían colocado a los demás prisioneros en filas, quietos y silenciosos para que lo presenciaran. Nadie quería ir a verlo, pero los guardias de las SS y los Kapos les habían rodeado, armados los primeros con ametralladoras que les apuntaban.

La horca era elevada y estaba pintada de negro; recordó que en un principio la cuerda era demasiado corta, y se vieron obligados a enviar a alguien en busca de una caja para colocarla debajo de la silla y conseguir que fuera lo suficientemente alta. Tuvieron que subir al niño en brazos hasta arriba, y allí lo dejaron, balanceándose precariamente, no exactamente de puntillas, pero más suspendido que de pie, como un bailarín o un acróbata, mientras los pequeños pies le temblaban entre la vida y la muerte, listos para perderse en la oscuridad.

De repente, Marcus recordó, como si fuera muy importante, que aquel día, Neusner estaba muy cerca de él, en la fila de delante, a unas cinco filas de la horca. Veía la nuca de Neusner y... sí, ahora lo recordaba, quería verle la cara, mirar dentro de sus ojos cuando asesinaran al niño. El pobre chiquillo escuchó temblando al comandante cuando leía la sentencia, citando la ley por números y párrafos. Durante aquel momento, el Kapo mantenía al niño sujeto para evitar que cayera prematuramente, por temor a que muriera sin oír la sanción de la ley. La plataforma, la silla y la caja de madera formaban una especie de torre, en cuya cúspide se alzaba el niño con la cara blanca en medio de un frío espantoso, vestido con una delgada camisa, estremeciéndose durante sus últimos instantes de vida en el aire penetrante. Marcus deseaba ver el rostro de Neusner, sus ojos, pero, igual que todos los demás, los suyos estaban fijos en el niño, deseando que todo fuera rápido.

En el preciso instante en que daban una patada a la silla, sintió tal ira y piedad que estuvo a punto de soltar un grito de dolor. Hacer tal cosa hubiese sido fatal, pero consumió toda su fuerza de voluntad, todo su instinto de supervivencia adquirido para tragarse las palabras que ya se hallaban en su lengua. La caja cayó rodando y el chiquillo quedó colgando de la cuerda sobre la plataforma como si fuera una piedra, después se agitó como un mono de juguete al tiempo que la cuerda le mordía el cuello e iniciaba su lenta tarea de estrangulación. Tardó mucho. Su cuerpo, estragado por el hambre que le había dejado en los huesos, era como una pluma en la soga. Mientras aún estaba con vida, les hicieron desfilar junto a él, y Marcus juró mientras contemplaba los agonizantes ojos destrozados por el dolor que se vengaría. Siempre había habido muerte a su alrededor, había sido testigo de muertes de miles de personas, pero era aquella muerte la que clamaba venganza. Ninguna otra cosa tenía sentido. Una muerte o diez millones, era lo mismo.

Sin embargo, al abandonar el campo y llegar a Palestina, su sed de venganza se convirtió en una sequedad de garganta y más tarde en un gusto ocasional en el paladar que se iba haciendo menos y menos irritante a medida que transcurrían los años. No había hecho ni dicho nada. Había llegado de Dachau con lágrimas en los ojos y mucho dolor en su corazón, pero las lágrimas se habían secado y su corazón se había acostumbrado a convivir con el dolor, formando una cicatriz para recubrirlo. Se dijo a sí mismo que la venganza no sería dulce. Le parecía tan abstracto y remoto... Había habido reportajes sobre los juicios de Nuremberg y mucha excitación cuando llevaron a Eichmann a Jerusalén. Pero él había permanecido intocado por todo aquello, no tuvo ningún significado para él. Nunca conoció a Streicher, ni a Ribbentrop, ni a Eichmann, nunca sufrió en sus manos, y no halló satisfacción ni consuelo algunos en los juicios ni en las sentencias que se dictaron.

Pero aquel día... aquel día era diferente. Se sentía avergonzado. Había visto a Neusner en Jerusalén y no había dicho una palabra. Se había encerrado en su habitación y había cerrado los ojos y los oídos. Todavía no sabía quién era Neusner ni qué había hecho, pero sabía que el inglés iba tras él. Durante todo el día había estado viendo mentalmente la nuca de Neusner. ¿Qué fue? ¿El ángulo de la cabeza, la postura o la actitud? Había habido algo implacable en Neusner, y Marcus sentía que aquella implacabilidad había estado presente aquel día, que si hubiera podido mirarle a los ojos...

Se levantó y atravesó la habitación hasta la cama. Agachándose, palpó por debajo de ella unos momentos y extrajo un pequeño bulto, que había permanecido durante años reuniendo polvo y telarañas. Se enderezó lentamente y depositó el fardo sobre la cama. Seguidamente comenzó a desenvolverlo. El trapo que lo cubría era una vieja bandera israelí, con la estrella de David medio desvaída y carcomida por las polillas. Era una bandera de Palmach que había volado por encima de Hebrón en 1949. Pertenecía a Yaakov, un amigo que había llegado a Israel con Marcus desde el campo de PD donde se habían conocido. Ambos habían formado parte del Aliyah Bet, el movimiento clandestino de inmigración a Palestina. Yaakov había muerto en la batalla de Hebrón y la bandera había sido retirada y entregada a Marcus por otro miembro de la brigada de Palmach con el cual luchó.

De los pliegues de la bandera extrajo la pistola de Yaakov. También se la habían dado en recuerdo de su amigo. Era una Webley del 45, pesada y poco manejable en sus inexpertas manos. Sabía que aún contenía seis balas. Habría más que suficientes para el asunto que tenía en la cabeza.

Se puso el abrigo y una bufanda y se metió el revólver en el bolsillo. Era extraño, pero no podía recordar la cara de Yaakov. Había tantas cosas que se le iban de la cabeza... Sin embargo, el revólver parecía sólido y protector, como si de algún modo Yaakov volviera a estar presente después de tantos años. Echó una ojeada a la habitación y sus ojos se posaron sobre la fotografía que había junto a la cama. Sin pensarlo, caminó hasta la cama, cogió la foto y se la acercó a los labios. Parecía pesada, tanto como el revólver, pero cargada de recuerdos. Los recuerdos podían sin duda matar también a un hombre. Dejó la fotografía y respiró profundamente, como quien ha estado corriendo y necesita descanso.

Fuera hacía frío, un frío profundo y penetrante que le entraba en los pulmones y parecía llegar más allá, hasta las venas. Marcus caminó con la bufanda enrollada sobre la boca. Calentaba un poco el aire, pero al mismo tiempo parecía prieta y sofocante. Las calles estaban casi desiertas, aunque no eran más que las nueve. Se dirigió a la plaza Nordau, y después a la esquina de Nordau y Zalman Shazar, donde se detuvo a refugiarse en una parada de autobús. No había nadie a la vista. Sus manos acariciaban el revólver que llevaba en el bolsillo. Sí, parecía sólido, como la ira que había comenzado a revivir de nuevo en su interior.

El autobús tardó media hora en llegar, pero ya apenas sentía el frío. Estaba en otro mundo, el del campo, y allí era inmune al invierno. Cuando por fin el autobús se detuvo junto a él, no se movió. Bajaron dos personas, pero él permaneció allí.

—¿Va a subir, abuelo? —gritó el conductor. Las puertas estaban abiertas de par en par y el frío entraba dentro.

Marcus alzó la vista como si hubiera estado a kilómetros de distancia. Asintió y comenzó a subir la escalerilla. En el interior, alguien murmuró con tono impaciente y disgustado. Marcus no reparó en ello. Pagó y buscó un asiento mientras las puertas se cerraban con un chirrido y el autobús se ponía de nuevo en marcha, girando por Yitzhak ben Zvi. No era un trayecto largo y había poco tráfico en la carretera que pudiera retrasarles. Al cabo de quince minutos, Marcus bajó en la primera parada de Tchernichovsky, en el lado oeste de Giv'at Oren, un barrio moderno al sudeste de la universidad. Ha-Poretzim sólo estaba a unas cuantas calles de distancia, pero Marcus caminó lentamente, como de costumbre. Algo le decía que no había necesidad de apresurarse, que Neusner estaría allí, como si aguardara la llegada de Marcus.

La casa era baja, al final de la calle, tranquila. Las luces de una habitación del piso de arriba estaban encendidas. Pero, en cierto modo, Marcus no veía la casa. Su visión se focalizaba hacia dentro y veía una baja barraca en concreto de la cual salía una luz débil que brillaba sobre la nieve. Sintió unas punzadas de temor mientras su mano abría la verja. Con toda seguridad habría alarmas, faros vigía, voces. Tras él, un coche pasó por la calle y se perdió en la noche: cuando sus faros le enfocaron al pasar se quedó helado, pero cuando volvió a hacerse la oscuridad se relajó. Empujó la verja y entró. Hasta el momento no había pensado cómo iba a entrar en la casa. Pero entonces todo le pareció sencillo y obvio.

Se encaminó a la puerta principal. Junto a un pequeño *mezuzah* colocado en el vano, había un timbre. Lo apretó con fuerza. Oyó que resonaba en la distancia, produciendo un sonido aflautado y musical. Recordó la campana del campo, dirigiendo, ordenando, controlando sus existencias. Había en particular una campana que señalaba el fin de la selección, cuando los oficiales de las SS han escogido a los prisioneros, señalando a los Muselmanner, los irremediablemente débiles, anotando sus números para la exterminación: «Éstos para los hornos, éstos para otra semana u otro mes.» Apretó el timbre de nuevo. Sonaron unos pasos. Se encendió una luz.

Gershon Neusner no había cambiado visiblemente desde la última vez que Marcus le vio, el día en que le siguió hasta allí.

—¿Sí? —inquirió Neusner atónito ante el viejo que llamaba a su puerta con un abrigo raído como un vagabundo.

Marcus miró a Neusner sin pronunciar palabra. No se había equivocado: era el mismo hombre, aunque había cambiado bastante desde el campo.

—Gershon —dijo por fin—. Quiero hablarle. Déjeme entrar.

Neusner se mostró ceñudo. ¿Por qué le hablaba aquel viejo en alemán? ¿Y quién era?

—Estoy en desventaja —dijo—. Usted conoce mi nombre, pero me temo que yo el suyo no.

El general iba vestido con una bata de seda bien cosida, bajo la cual se vislumbraban una camisa con el cuello desabrochado y los pantalones. Parecía muy robusto para su edad. Tenía ojos claros, su piel era firme e incluso un tanto morena, y su postura bien erguida. Dos hombres del mismo campo, del mismo barracón... pero con un mundo de diferencia por medio.

Marcus se estaba helando. A pesar de la bufanda, no podía evitar que el frío penetrara en sus débiles pulmones.

—Usted me conoce —dijo y aspiró una bocanada de aire helado con gran dolor. Hablar le resultaba una tortura.

Algo parecido al miedo atenazó el pecho de Neusner. ¿Quién era aquel viejo? ¿Qué querría? Miró su cara arrugada, sus ojos reumáticos y sus mejillas hundidas. Al hacerlo, un fantasma resurgió durante un instante en el fondo de su mente y desapareció de nuevo.

—Usted —musitó. Bleich el inquisidor, Bleich el curioso. Quería haberle enviado a los hornos, pero Schultz le había disuadido. Bleich podía serles útil, había dicho, su amistad demostraría una credibilidad adicional. Gánate su confianza, le había dicho Schultz, haz que te crea, y si después hacen preguntas, él te secundará. Era extraño, pensó Neusner, que el joven Bleich y el viejo Bleich no fueran demasiado diferentes en realidad. Lo que se interponía entre ellos no era más que la edad, y no el dolor, el hambre o la demacración.

—¿Está solo? —siseó Marcus sujetando fuertemente el revólver en el bolsillo.

Sin pensarlo, hipnotizado por aquel fantasma del pasado, Neusner asintió.

—¿No tiene... esposa, ni hijos?

—Excepto uno, mis hijos ya tienen su propia casa. Mi mujer está con el más pequeño, en Alemania, visitando a unos parientes. —Neusner hizo una pausa. ¿Qué debía hacer? ¿Qué significaba aquella reaparición?— Será mejor que entre —dijo—. Hace mucho frío.

Tal vez no tenía importancia y era pura coincidencia. Puede que el viejo hubiera averiguado hacía poco que él vivía allí, que se hubiera acordado de que era su viejo amigo del campo y hubiera decidido visitarle. O tal vez a Bleich le iban mal las cosas y necesitaba ayuda, la cual, habría pensado, podría obtener de un general. Incluso un general israelí mal pagado.

Marcus traspuso el umbral y entró en el vestíbulo, aguardando a que Neusner cerrara la puerta. Recordó su primer día en el campo. La puerta de acero cerrándose a sus espaldas, el sonido concluyente. Neusner se dio la vuelta y sonrió, como si aquélla fuera, en verdad, una visita social de un viejo amigo.

—Por favor... Marcus —dijo Neusner—. Pasemos a mi estudio. Está en esta planta. —Tenía ciertas dificultades para recordar el apellido de Bleich.

Abrió la marcha hacia el estudio, una reducida estancia repleta de libros y fotografías, una habitación íntima con asientos de piel y decantadores de licor de fino cristal. Marcus pensó en su propia habitación, no más grande que aquélla, la baja e incómoda cama, la única silla, y la única y desteñida fotografía.

—Permítame su abrigo —dijo Neusner alargando una mano.

—No, gracias —dijo Marcus sin sacar la mano del bolsillo.

—Como guste —respondió Neusner—. Al menos, siéntese. Debe de tener frío. Una copa le hará entrar en calor. ¿Qué quiere tomar?

—No, gracias —repitió Marcus. El cálido aire había comenzado a entrarle en los pulmones suavizándolos, haciéndole posible respirar.

—Si no le importa —dijo Neusner—, yo sí tomaré una. Ha sido un shock verle ahí fuera. Parecía un fantasma. —Trató de sonreír, pero no pudo. Aquello apenas se parecía a un encuentro de viejos camaradas, pensó. La mano le temblaba ligeramente al destapar uno de los decantadores de brandy, tras lo cual se sirvió una generosa copa. Cuando se dio la vuelta, Bleich seguía exactamente en el mismo lugar que antes, mirándole fijamente.

—Bueno —dijo Neusner—. Realmente me ha cogido por sorpresa. No sabía que estuviera usted en Eretz Israel. ¿Desde cuándo?

—Desde mil novecientos cuarenta y seis —respondió Marcus—. Oír las palabras «Eretz Israel» en boca de aquel hombre...

—Eso es increíble —dijo Neusner—. Yo también llevo aquí desde entonces. Vine en las Hannah Szenes a finales del cuarenta y cinco y me uní al Haganah inmediatamente. Vivo en Jerusalén desde mil novecientos cincuenta y cinco. No tenía idea de que estuviera usted aquí. Y todo este tiempo hemos estado tan cerca. ¿Desde cuándo vive en Jerusalén?

—Casi lo mismo. Llegué en el cincuenta y siete, desde Rosh Pina.

Aquello estaba empezando a parecer asquerosamente cordial, como una reunión de colegas: «¿Dónde has vivido? ¿Qué has estado haciendo?» Marcus acarició el revólver que llevaba en el bolsillo.

—¿Cuándo se enteró de que yo estaba aquí? —preguntó Neusner.

—Hace unos pocos años. Le vi por la calle. Le reconocí, pero usted no me vio. Le seguí hasta aquí, hasta su casa. Su nombre estaba en la puerta, así que estuve seguro de que era usted.

—¿Por qué no llamó? ¿Por qué ha esperado tanto?

¿Qué quería aquel anciano vestido con un abrigo andrajoso y unos zapatos hechos trizas? ¿Dinero? ¿Un trabajo? ¿Por qué permanecía allí clavado con las manos en los bolsillos? Debería haberle enviado a la cámara de gas mientras pudo. Ahora ya no había cámaras, ni hornos ni chimeneas. Algún día tal vez, pero en aquel momento no, ni él llegaría a verlo.

—No tenía nada que decirle —dijo Bleich.

—¿Y ahora sí?

Marcus sintió deseos de gritar «¡No!» y de acabar con aquello. No había ido allí para charlar, sino para actuar. Pero su mano se resistió a moverse. El revólver aún era como una piedra en su bolsillo.

—¿Quién es usted? —preguntó. Su propia voz le sonó fina y remota, como si llegara de gran distancia. Podía ver al pequeño muchacho estremeciéndose en la plataforma... ¿qué lo había hecho temblar más, el frío o el miedo?... y a su lado Neusner con su traje estropeado, con una calavera prendida en el pecho, empujando la silla.

—¿Quién soy yo? —En todos los años que llevaba allí, nadie le había hecho jamás aquella pregunta—. Ya sabe quién soy —dijo—. Soy Gershon Neusner. Usted me reconoció. Soy el mismo Gershon que convivió con usted en el barracón 19. ¿Para qué me lo pregunta?

Marcus sacudió la cabeza.

—Su nombre no es Neusner —musitó—. ¿Cuál es? Ahora ya

puede decírmelo, el pasado queda muy lejos. Estamos solos, y nadie lo sabrá.

—¿Qué significa esto? —protestó Neusner. Con las prisas casi tartamudeó. Así que Bleich lo había adivinado todo. Él ya lo había sospechado. Su negligencia al no matarlo se había vuelto contra él después de todos aquellos años. Pero ¿qué le habría llevado allí esa noche? ¿Y por qué seguía con las manos hundidas en los bolsillos? ¿Qué estaba ocultando?

—Esto no es ninguna broma —dijo Marcus, despacio—. Aquí todo es muy serio. Todas las bromas ya se hicieron antes, hace mucho tiempo. No éramos más que unos muchachos, ¿se acuerda? Muchachos con cuerpos de hombre. Pero usted sabía cosas que el resto de nosotros jamás sabíamos. Usted no era uno de nosotros, en absoluto. Ni usted ni sus amigos. Todos se marcharon con usted, ¿verdad? Cada uno de ellos. Ninguno murió en el campo. ¿Cuántos eran en total?

—No sé de qué me está usted hablando —gritó Neusner con voz cada vez más alta. Estaba temblando. ¿Quién más lo sabía? ¿Con quién habría hablado Bleich?

—No importa —dijo Marcus sacando el revólver del bolsillo como si hubiera sido liberado de forma mágica. Era pesado, pero ya no era insostenible. Lo levantó despacio, apuntando al otro hombre. Neusner dio un paso atrás, instintivamente, hacia la mesa que contenía los decantadores. Al temblar la mesa, los cristales tintinearon.

—Marcus... por favor... ¿Qué está usted haciendo? Explíqueme lo que pasa, pero por el amor de Dios, baje ese revólver. —Por primera vez, Neusner miró a Bleich directamente a los ojos. Sin embargo, allí no encontró nada tranquilizador.

—¿Recuerda al niño que colgaron? —inquirió Marcus—. Tenía diez años. Le colocaron sobre una caja, a la que dieron una patada. Dicen que tardó media hora en morir.

Neusner sacudió la cabeza. Con tantas muertes, ¿cómo iba a recordar una en particular?

—Usted estaba delante de mí. Usted lo vio.

—No lo recuerdo. Lo siento. Hubo tantas...

—Pero no como aquélla —dijo Marcus sacudiendo la cabeza—. No como aquélla. —Miró a Neusner a los ojos. Eran azules y suavemente amenazadores y entonces supo que tenía que apretar el gatillo. Por el chiquillo. Sujetó con firmeza la pistola. Estaba tranquilo, más de lo que nunca había estado en su vida. La pistola pareció perder todo su peso y volverse muy ligera. Apretó el gatillo.

No sucedió nada. Neusner había cerrado los ojos. Se oyó un clic, pero el revólver se negó a disparar. Marcus volvió a apretar el gatillo, pero nada. Frenéticamente, apretó el gatillo una y otra vez. Sin embargo, no se oía más que el sonido del metal golpeando sobre metal. La sangre fluyó por su cabeza como un torrente, mareándole.

Neusner abrió los ojos. Vio al viejo frente a él, tratanto desesperadamente de disparar su inútil revólver. Respiró profundamente y caminó hacia él, directamente hacia el revólver, y puso su mano sobre el cañón con firmeza.

—Por favor, Marcus —dijo—. Deme el revólver.

Los dedos de Marcus se agarrotaron. Neusner le quitó el revólver de la mano como si fuera un profesor que confisca un juguete prohibido a un alumno. En los ojos de Marcus se formaron enormes lágrimas. Miró a Neusner a través de ellas, le vio andar frente a él, vio al niño dando vueltas colgado de la cuerda, sintió que la sangre se agolpaba en su cerebro, la habitación también comenzó a dar vueltas, la oscuridad se cerró sobre él y la caja y la silla cayeron bajo sus pies.

Neusner le cogió y le llevó a un asiento. Desabrochó el abrigo de Marcus y le tomó el pulso. Era anormalmente acelerado, aunque muy débil. Se puso en pie y caminó por el estudio hacia el escritorio. Como si no fuera más que una copa vacía, depositó el revólver encima de un montón de papeles y cogió el teléfono. Marcó un número corto y acercó el auricular a su oreja, escuchando el timbre. Alguien contestó.

—¿Heinrich? —dijo—. Soy Walther. Oye. Puede que tengamos problemas. Ahora no te lo puedo explicar. Ven en seguida... y trae a Paul. Procurad estar aquí dentro de media hora.

Sin esperar respuesta, colgó el auricular, dio media vuelta y regresó junto al viejo. Le contempló durante largo rato, cavilando, tratando de recordar. Finalmente, le vino a la memoria aquel niño encima de la caja. Él y los demás habían hecho apuestas sobre lo que iba a durar. Aquel día ganó un cigarrillo a cada uno.

CAPÍTULO 60

Aquella noche regresaron al Instituto bastante tarde. Katje pensaba que podría abrirse paso en el ordenador si tenía tiempo suficiente, pero quería hacerlo cuando no hubiese nadie. A menudo se quedaba a trabajar en el laboratorio de computadores hasta tarde y el guardia de seguridad aceptaba su presencia como algo normal. Mientras aquél hacía la ronda, dejó pasar a Harry, David y Leyla al edificio por la puerta trasera. Se dirigieron directamente a la habitación de los ordenadores. Katje tomó asiento frente a un terminal y comprobó los sistemas.

—No hay problema —dijo—. Denme la lista.

Tecleó el primer número:

D7139-V

De inmediato, la pantalla se iluminó igual que lo había hecho las otras veces:

INFORMACIÓN RESTRINGIDA
POR FAVOR, TECLEAR CÓDIGO EN CLAVE

Ella tecleó su propio código.

CÓDIGO INADMISIBLE

—Vale más que se sienten —dijo mirándolos—. Puede que tarde.

—¿Es muy arriesgado? —preguntó David—. ¿No habrá alguna trampa en el sistema?

—Sí, eso espero. ¿Qué sentido tendría crear un bloque de datos y no ponerle alarmas?

—¿Qué hay de este último intento? ¿No habrá puesto en marcha una alarma?

Katje sacudió la cabeza.

—No creo. Lo más probable es que el ordenador registre cada petición y el código, pero eso no tendrá importancia a menos que alguien se dedique a comprobar cada entrada. Por favor, siéntese. Me está poniendo nerviosa.

El tiempo parecía transcurrir muy despacio. Katje estaba sentada en el terminal tecleando claves, leyendo mensajes y tecleando más órdenes. Al cabo de cuarenta minutos se echó hacia atrás en la silla y suspiró profundamente.

—He tratado de engañar al ordenador para que me proporcionara todas sus claves más corrientes. Hay ciento veintiocho, y ninguna funciona. He tratado de tener acceso al bloque dando un rodeo y no yendo directamente, pero todo lo que he conseguido es disparar un par de alarmas en alguna parte. Probablemente no están en este edificio. Pero si hay alguien que tiene las alarmas en un monitor, es mejor que salgamos de aquí cuanto antes.

—¿Cuánto tiempo cree que nos queda? —preguntó David.

—Es imposible decirlo. Depende de lo alerta que esté esa gente. Pero alguien podría estar aquí en cinco minutos... o menos.

—¿No hay otro modo de penetrar en el bloque?

Katje sacudió la cabeza.

—Lo he intentado de todas las maneras que conozco. Éste es uno de los sistemas mejor guardados con los que me he tropezado. Realmente, alguien quiere mantenernos alejados.

—¿Qué hay de los nombres? —dijo Leyla—. Los nombres de la lista original. ¿No servirían?

—Déjeme ver —pidió Katje.

David le dio la lista. Ella se volvió hacia el tablero de teclas y tecleó el primer nombre:

ADLER, F.

La pantalla se iluminó:

A ESTA ENTRADA NO CORRESPONDE NADA

Tecleó entonces el nombre seguido del código entre paréntesis:

ADLER, F. (VALK. III)

La pantalla se iluminó:

A ESTA ENTRADA NO CORRESPONDE NADA

Después lo intentó con la línea entera:

ADLER, F. (VALK. III) : 12944/D7139-V

La pantalla se iluminó:

A ESTA ENTRADA NO CORRESPONDE NADA

Seguidamente, invirtió el orden, tecleando primero el número y utilizando el nombre como clave, pero fue rechazado como inadmisible.

—Acabamos de hacer saltar otra alarma —dijo Katje. Parecía no estar afectada en absoluto por la tensión que flotaba en la habitación, como si todo aquello no fuera para ella más que un juego que no le importaba ganar o perder.

—¿Hay algún otro modo de encontrar la clave? —preguntó Leyla.

—En el tiempo de que disponemos, no. Probablemente se trata de algo arbitrario, tan arbitrario como los propios números.

—¿Qué ha dicho? —preguntó Leyla con voz tensa.

—He dicho que probablemente será algo arbitrario.

—No, después de eso.

—Arbitrario... como los números.

—Pero si no son arbitrarios —dijo—. La primera mitad se refiere a una fecha, después una letra de un campo y después el número actual... Y una V al final. Nunca cambia; es lo único que es constante. —Respiró profundamente. Acababa de caer en la cuenta de lo que había dicho.

—Teclee la palabra «Valkiria» —dijo en voz baja.

Katje se volvió de nuevo hacia la pantalla y tecleó la palabra. La pantalla se iluminó:

TIENE ACCESO TOTAL
POR FAVOR, TECLEE LOS DATOS DESEADOS

Katje se echó hacia atrás.

—Nosotros tenemos nuestra contraseña —dijo.

Parte de la tensión pareció desvanecerse. Harry apretó el brazo de Leyla y ella le sonrió. Ya estaban dentro.

—Teclea el primer número —dijo Harry.

Katje lo hizo. Esta vez la respuesta fue totalmente diferente. En la pantalla apareció línea tras línea de la información deseada quedando allá iluminadas, cada letra como un pequeño fantasma verde devuelto a la vida del extraño mundo interior de los microcircuitos del ordenador. Lo que iba apareciendo era totalmente consistente, un fantasma del distante pasado, haciéndose corpóreo por momentos:

ADLER, FRIEDRICH ARTHUR
NACIDO: DUSSELDORF, 7/12/26
JUNGVOLK: 1936-40
HITLERJUGEND: 1940-42
SS-STANDARTE VALKYRIE III: 1942
ORDENSBURG SONTHOFEN 1943
DACHAU KL 12/9/44
NOMBRE OPERACIONAL: MOSHE ABRAMS
NÚMERO DE KL: D7139-V
CAMPO DE DP MAUTENDORF: 1945-46
LLEGADA A HAIFA, PALESTINA: 2/11/46
HAGANAH: 1947-49
APERTURA NEGOCIO IMPORTACIÓN/EXPORTACIÓN, TEL AVIV, 1949
MIEMBRO DE LA RAMA DE HISTADRUT (FEDERACIÓN DEL TRABAJO) DE TEL AVIV, 1955
SECRETARIO DEL HISTADRUT DE TEL AVIV 1957
MIEMBRO DEL PARTIDO MAPAI 1958-68
MIEMBRO DEL PARTIDO LABORISTA DE ISRAEL 1968
ELEGIDO PARA KNESSET 1970

Había mucho más.

—¿No nos puede sacar una copia de todo esto? —pidió David.

—Claro que sí. —Katje apretó un botón e inmediatamente una fotocopiadora que había a su izquierda comenzó a funcionar, llenando hojas y hojas de papeles de líneas de datos.

En el exterior se oyó un sonido de coches que se detenían, y después de puertas que se abrían y cerraban. Resonaron unos pasos por la gravilla.

—Tendremos que irnos —gritó Katje.

—No podemos irnos —protestó David sintiendo que la desesperación le atenazaba con sus poderosas garras—. Apenas hemos empezado. Por el amor de Dios, tenemos que obtener más información.

—Haced lo que podáis para contenerlos —dijo Katje—. Haced una barricada en la puerta. Saldremos por la ventana cuando hayamos terminado. ¡Rápido!

David y Leyla comenzaron a mover un archivo hacia la puerta.

Katje se volvió hacia el ordenador y tecleó rápidamente. La máquina respondió instantáneamente:

ARCHIVO VALKIRIA DISPONIBLE A PETICIÓN
POR FAVOR, TECLEE INSTRUCCIONES

—Hay un archivo —dijo Katje—. Pero aunque tuviéramos una copiadora de alta velocidad no hay tiempo.

Oían los pasos que se acercaban corriendo por el pasillo. El archivo ya estaba tras la puerta. David y Leyla procedieron a empujar un segundo archivo junto al primero.

—¿Es necesario imprimirlo? —urgió Harry—. ¿No hay otro modo de sacarlo del sistema?

—Podría cargarlo en un disco o... —Katje giró su asiento en redondo—. ¡Rápido! —gritó—. Tráigame una cinta magnética del estante que tiene detrás.

Detrás de la puerta se oían voces. Alguien la golpeó con fuerza.

Los dedos de Katje volaban sobre el teclado. La pantalla mostró un mensaje:

TRANSMITE 5 y 7
RESPONDER AL NÚMERO DE TRANSMISIÓN
GRABAR EN CINTA

Apretó el número 5, se levantó y cogió la cinta que le daba Harry. ¿Cuál era la transmisión número 5?

Uno de los cristales de la puerta fue golpeado. Una voz gritó:

—¡Abran! ¡Es la policía! ¡Abran esta puerta en seguida!

Katje encontró la transmisión. Estaba muy nerviosa y la cinta se le escurría de los dedos mientras trataba de introducirla.

Se oyó un disparo, a gran altura, a través del panel de cristal que se había roto. David corrió hacia un rincón donde había un enorme archivo de metal, lo levantó y con ayuda de Leyla lo alzó hasta arriba del archivo que había junto a la puerta para tapar el agujero.

Finalmente, la cinta encajó en su sitio. Katje se apresuró de nuevo hacia el teclado y dio una orden final:

COPIAR ARCHIVO VALKIRIA EN CINTA DE TRANSMISIÓN 5

La cinta comenzó a girar con un suave chirrido. Segundos después, ya estaba terminado. Dio instrucciones al ordenador para que la rebobinara, se levantó y extrajo la cinta.

En la puerta se oyeron varios sonidos estrepitosos al tiempo que los hombres se lanzaban contra la barricada. La cerradura cedió y los archivos se movieron ligeramente. Alguien introdujo el cañón de una ametralladora por la rendija y disparó salvajemente. Varias luces y accesorios quedaron pulverizados, pero los disparos no los alcanzaron.

—Aquí tienen —dijo Katje sin aliento, apretando la cinta en las manos de Harry.

—¡Y ahora, salgan de aquí! —gritó—. Les entretendré todo lo que pueda.

—No seas tonta, Katje —protestó Harry, pero ella le hizo callar, enfadada.

—¡Por favor, Harry! Ya sé lo que me hago. Saben que estoy aquí. Soy la ayudante del director. Los entretendré hablando hasta que hayáis tenido tiempo de alejaros con la cinta. ¡Por el amor de Dios, no discutas conmigo! ¡No hay tiempo!

De mala gana, David salió el primero, sacando el revólver del bolsillo, dispuesto a disparar si había alguien fuera. Se aupó hasta el alféizar de la ventana y saltó fuera.

Detrás de ellos se oyó un estruendo. Los archivos se movieron. Una voz ronca gritaba incoherentemente. Harry subió a la ventana. David le ayudó a pasar, y seguidamente se estiró en el alféizar y miró al interior de la habitación.

—Leyla —gritó—. ¡Venga!

Levantó el revólver y disparó hacia la puerta.

—¡Ahora, Leyla! ¡Rápido!

Ella corrió hacia la ventana. David la agarró por las muñecas y la levantó a pulso hasta el alféizar.

Se oyó un estrépito. Los archivos se habían venido abajo. Sin esperar a ver qué ocurría, dieron media vuelta y echaron a correr en la oscuridad.

CAPÍTULO 61

Volvía a estar en el infierno, o el infierno estaba en él, ya no sabría decir cuál de las dos cosas. El infierno era un lugar, y no una condición, una abstracción o un sueño: tenía tamaño, forma y dimensiones, y poseía color, luz y sonido. La primera vez ya había aprendido todo aquello, la verdad, y ahora estaba aprendiéndolo de nuevo: el infierno es un lugar definido con su arriba y abajo, su derecha e izquierda, su delante y detrás, las únicas direcciones que existían en un universo que de otro modo sería demente y carente de direcciones. Pero, sobre todo, poseía dolor, un dolor rojo e inconmensurable. En aquel lugar, él era el centro del infierno, como si existiera para su único tormento y él mismo para su mayor gloria.

Le habían devuelto al campo. No creía que eso fuera posible, pero volvía a estar allí, no había duda. Los mismos viejos olores, los viejos sonidos, y sin embargo, se sentía solo, terriblemente solo. En el campo había habido más gente, otras personas, y era a través de ellas que había logrado sobrevivir. Era el principio básico del lugar, que nadie lo consigue solo. No obstante, allí estaba, como si el campo existiera para su destrucción individual. Habían quemado a seis millones de personas, pero aún no habían terminado, necesitaban tenerle a él también, tenían que incluir su muerte en su haber, como si les molestara no hacerlo. ¿Les había vendido su alma alguna vez? ¿Era posible que, como Fausto, él se hallara finalmente en presencia de su Mefistófeles vestido de negro? Gritó, pero no oyó nada. Ni un triste sonido.

Neusner se inclinó sobre la forma postrada de Marcus Bleich. El viejo yacía retorcidamente sobre una cama de sábanas blancas en el sótano de la casa de Schultz. Éste había insistido en sacarla de casa de Neusner en seguida y Neusner estuvo de acuerdo. Tal vez otros supieran adónde había ido Bleich, o le habían seguido hasta allí. Necesitaban tiempo y espacio para trabajar con el viejo, para arrancarle todo lo que supiera. Schultz había preparado aquella habitación en el sótano de su casa hacía tiempo, por si alguna vez necesitaban de aquellas condiciones. De vez en cuando les había sido útil. Insonorizada, oculta, bien provista, ofrecía unas condiciones ideales para el desarrollo adecuado tanto del interrogador como de la víctima. Había herramientas y medicinas a mano, una palangana con agua fría, toallas limpias, e incluso una ducha, por si las cosas se complicaban más de lo previsto.

Bleich había entrado en una especie de coma, aunque daba la total impresión de estar consciente. Parecía insensible a golpes y preguntas, como si su mente se hallara atrapada en algún mundo propio. Pero ellos tenían que hacerle hablar. Él solo jamás se habría enfrentado a Neusner, o al menos eso creía Neusner. Bleich sabía que algo no iba bien desde que estuvieron en el campo y también sabía que Neusner vivía en Jerusalén desde hacía varios años, y sin embargo nunca había hecho nada. Por tanto algo debía haber servido como detonante para que efectuara aquella visita. Y en el Instituto Yad Vashem había sonado aquella alarma. Alguien había tratado de penetrar en el archivo Valkiria. Justo entonces, a pocos días del Ragnarok. Había rumores —ya que todavía no eran más que eso— de que algo había sucedido en Iram. Aquel viejo no era nada más que una simple cifra... pero, ¿y si había otros, personas armadas que disparasen?

Heinrich Schultz se levantó de la cama y fue junto a Neusner.

—Ha recobrado el conocimiento, pero no sabe dónde está. Masculla cosas en alemán. Está desconectado, pero creo que está hablando sobre el campo, de Dachau. Me parece que imagina estar de vuelta. Puede que esté recordando cuando le liberaron la primera vez, o que le han metido de nuevo y que todo ha vuelto a empezar.

—Bien —dijo Neusner. Si Bleich creía estar en el campo, podría aprovecharse del hecho. Haría que el viejo lo creyera, le transportaría de nuevo entre el fango, la mierda y los cadáveres, le haría probar el infierno. Entonces le haría hablar. Se dirigió a la cama.

—Wie ist ihr Name?

No hubo respuesta.

—Wie ist ihr Name?

Tampoco hubo respuesta.

Neusner levantó una mano y se la estampó al viejo en la cara. Repitió la pregunta.

—¿Cómo se llama?

No obtuvo respuesta. La mano se alzó de nuevo.

—Antworten Sie mir!

No respondió. Le dio otra bofetada. Bleich lo recordaría. Las preguntas, las bofetadas. Neusner llamó a Heinrich, el cual estaba a un lado observando. Observando y recordando.

—Ayúdame a ponerle de pie —pidió Neusner.

Schultz se acercó y le echó una mano. Pusieron a Bleich derecho y le arrastraron fuera de la cama sobre sus pies. El hombre se tambaleó incapaz de sostenerse.

—Sujétale —ordenó Neusner.

Schultz sujetó al hombre por detrás. Bleich acabaría por recordar. Neusner comenzó a recitar números, una larga retahíla de números que se inventaba sobre la marcha. El hombre empezó a recordar.

Era el Appel, la revista de la mañana, ¿o tal vez era la de la noche? No sabría decirlo, pero tal vez fuera por la mañana; él había estado en la cama. Debía de estar enfermo, pensó, o no le estarían sosteniendo. Aquél era el momento más peligroso del día. Durante el Appel, la gente tenía que permanecer alineada durante horas sobre el terreno de marcha, dispuestos en filas de mudos silenciosos, aguardando a que dijeran sus números. Los guardias de las SS patrullaban por entre las filas, buscando a los que estuvieran enfermos, esperando para cazar a los que cayeran al suelo, para llevarlos a los hornos o pegarles un tiro allí mismo. Cada día morían cientos de personas allí. Pero los demás te ayudarían si dabas señales de irte a desmayar. El mayor peligro era un desvanecimiento repentino e impredecible. Pero él estaba bien, alguien le sujetaba. Notaba las piernas como si fueran de gelatina.

—Siebentausendachthundertsechsundfunfzig.

Aquél era su número, el que llevaba en el brazo. Tenía que responder o pensarían que había desaparecido. Si no respondía inmediatamente, era hombre muerto.

—*Hier!* —gritó.

El hombre que estaba detrás de él le soltó. No tenía fuerzas, estaba a punto de caerse. Se desplomó sobre el suelo como un muñeco roto, rígido y frío.

—Vuelve a ponerlo en la cama —ordenó Neusner.

«¿Cómo se puede intensificar un infierno?», se preguntó a sí mismo. Bleich ya lo llevaba en su cabeza, eso lo sabía. Todos lo llevaban. Incluso él, y todos los de la misión Valkiria, nadie había escapado. Bleich y los demás habían tenido suerte. Los habían liberado, les habían entregado una tierra y la libertad. Pero, ¿y todos los que habían dado sus vidas por un encarcelamiento permanente? Walther Nebel había sido Gershon Neusner durante casi cincuenta años, como un hombre que se ve atrapado en el cuerpo de otro, incapaz de escapar. Su pureza aria había sido envuelta en una sucia cáscara judía durante hacía tanto tiempo ya que sabía que jamás podría librarse de aquel olor. Cada vez que iba a orinar, cada vez que se bañaba, cada vez que le hacía el amor a su mujer, tenía que ver la prueba de su sacrificio.

Además, nunca había olvidado el campo. Su entrenamiento no le había preparado para aquello: nada podría haberles preparado. El hedor persistía en su nariz. Nadie había sido inmune a él, ni siquiera los guardias. Pero ellos al menos tenían permisos y sus propios cuarteles para dormir. Él había sido arrojado allá dentro, obligado a compartir las letrinas, forzado a dormir con los enfermos y los moribundos, a comer de sucios platos con los dedos. No todos habían sobrevivido, y sin embargo, para ellos no había memoriales, ni Yad Vashems, ni libros famosos. Ya sabían que no habría nada de eso, al menos por el momento, pero de todos modos dolía. Por ahora, su odio debía ser un monumento.

Escupió a Bleich en la cara.

—*Stehen Sie auf!* —bramó.

Bleich se encogió pero no hizo nada. No podía moverse. Quería hacerlo, deseaba desesperadamente levantarse, pero los miembros no le obedecían. Su cuerpo parecía desprovisto de toda energía, y no podía hacer otra cosa que yacer allí destrozado.

—¡Levántese! —restalló la voz en sus oídos como una bocina. Algo le golpeó en la cara con una fuerza increíble, y luego otra vez y otra. No podía creer en la brutalidad de aquellos golpes y lo salvajemente que le dolían. Tenía que levantarse. Su vida dependía de ello. Los que no podían levantarse eran cogidos por los Kapos. Trató de obligar a sus piernas a moverse. Ya no eran sus piernas. Y su cuerpo tampoco era su cuerpo. Y sin embargo, lo era: podía sentirlo, en cada punzada de dolor, en las heces y en la orina que estaban pegadas a su cuerpo, en el hedor que le llegaba a la nariz. Sintió que unas manos le cogían y le ponían de nuevo en pie. Quería dormir, quería hallar algún tipo de alivio, pero no le dejaban.

Neusner se inclinó por delante del viejo y le gritó a Schultz:

—¿Hasta dónde puede subir la temperatura de ese calentador?

—Alta. Muy alta.

—Pues venga, súbela. Pero deja la compuerta abierta.

En voz aún más alta, le gritó a Bleich:

—Es usted un viejo enfermo. Y aquí en Dachau no tenemos sitio para los enfermos. Esto no es una casa de reposo, sino un campo de trabajo. Si usted ya no puede trabajar, no puede ocupar un espacio valioso. Es usted un exceso de equipaje, abuelo. Tendremos que aligerarlo librándonos de usted.

Schultz ya había abierto la puerta del viejo calentador de carbón que había en la esquina más alejada del sótano. Añadió más combustible y manipuló los mandos. Unas llamas rojas y amarillas crepitaban en el interior. El calor comenzó a elevarse.

Neusner hizo caminar al viejo alrededor de la habitación varias veces, arrastrándole como algo que ya está muerto. Bleich jamás se había sentido tan enfermo. No se trataba simplemente de la usual debilidad y falta de aire, sino que era algo más grave que eso, como si su corazón hubiera dejado de funcionar. La cabeza le daba vueltas y quería vomitar, pero creía recordar haberlo hecho ya; le dolía el estómago, y sin embargo lo tenía vacío: no tenía nada que expulsar ya. El infierno dura siempre, pero aquello no podía durar tanto, era imposible. Tenía que haber un final, nada podía durar tanto.

En el sótano, la atmósfera se estaba poniendo insoportablemente caliente. Las cañerías que conducían el calor al resto de la casa parecían palpitar con el calor. La puertecilla del calentador se abría como la boca de un horno de panadero, ansiosa de cocer el pan.

Entonces recordó los hornos. Había pasado junto a ellos más de una vez, sintiendo un estremecimiento. En invierno, los guardias bromeaban con los prisioneros sobre ellos: «Si tenéis frío, siempre podremos calentaros ahí dentro.» Aquél era más pequeño que los que él recordaba, pero todos eran igualmente un infierno. Había presenciado cómo arrojaban bebés al fuego, bebés aún vivos, y también a sus madres. La carne convertida en pan, igual que el Dios cristiano. Se habían convertido en humo, un espeso humo gris. Se orinó encima de nuevo, sintiendo el chorro caliente resbalar por sus piernas y recordando su niñez.

Tenía un hombre delante. Le recordaba. Era Gershon. Pero no podía ser él, tenía que ser otro, alguien que se había apoderado del cuerpo de Gershon. Un espíritu de los muertos del infierno había penetrado en su cuerpo y actuaba como si fuera él. Pero Gershon era el espíritu, recordó en aquel momento.

El espíritu le agarró por los hombros. Sentía un terrible calor a sus espaldas y un gusto raro en la lengua. Apenas podía respirar. El peso del calor le resultaba insoportable.

—No podrás escapar del horno —dijo el espíritu—. Dime quién te ha enviado, quién más sabe algo de mí. Es todo cuanto necesito saber. Después podrás irte y podrás dormir tanto como gustes. Dime sólo el nombre. Un solo nombre, es todo lo que quiero.

Nunca era tan sencillo, pensó Marcus. Querían tenderle una trampa, querían que les diera su propio nombre. Por supuesto sabían su número, pero su nombre permitiría al espíritu poseerle a él también. Sin el nombre, el espíritu no podría hacer nada, era impotente. Miró fijamente a la figura que le tenía agarrado.

—¡Walther! —Aquél era Schultz—. ¡Le vas a matar! —gritó Schultz—. Se está debilitando por momentos. Su respiración es muy pesada. No durará mucho y lo habrás tirado todo por la borda. Si quieres obtener información, manténle con vida, por el amor de Dios.

—¿No ves que está a punto de soltarlo todo? Sabe que estoy aquí, me oye y me entiende. No tardará más de un minuto. ¡Sólo un minuto más!

—Déjale, Walther. Vuelve a llevarlo a la cama o le perderemos.

Los espíritus discutían a su alrededor. Oía sus voces cantarinas como las de los pájaros en las profundidades de un bosque. Cuando era joven había habido un bosque. Uno con pájaros que cantaban y una fina alfombra de pinaza sobre la tierra. Y cuando fue un poco mayor, otro, donde habían llevado a la gente a morir, un lugar siniestro, con pájaros también. ¿O eran espíritus?

—¿Cómo se llama? ¿Quién me está buscando?

El espíritu-Gershon le sacudió. Después, él mismo empezó a agitarse sin ayuda. Todo su cuerpo comenzó a temblar, como si el espíritu ya hubiera entrado en él. Fuertes espasmos recorrían su cuerpo. Estaba ardiendo, notaba cómo las llamas devoraban su carne. Le ardía el estómago. Pensaba que sería imposible, pero arrojó un océano de bilis por la boca, seguido de coágulos ininterrumpidos de sangre. La habitación empezó a dar vueltas, más y más rápido, como si se hubiera separado del mundo. Su cuerpo temblaba violentamente. Se había vuelto de cristal, frágil y quebradizo, transparente como la luz del bosque. Estaba cayendo. Se rompería, se convertiría en polvo. El espíritu se había apartado de él.

Se desplomó en el suelo sin ni siquiera tratar de evitarlo. La brillante sangre continuaba manando de su boca.

—Está muerto —dijo Schultz en voz baja—. Te dije que le matarías.

Neusner no dijo nada. Un chorro de bilis mezclada con sangre le manchaba la parte delantera de la camisa. Tendrían que quemar el cuerpo, pensó, deshacerse de cualquier rastro de él. Miró a Schultz.

—Quiero a la mujer —dijo—. Diles que la traigan aquí en cuanto se haya despejado el Instituto. Ella hablará.

CAPÍTULO 62

Encontraron el coche donde lo habían dejado, en Ha-Zikkaron, cerca de la entrada de Yad Vashem. David lo había alquilado a primera hora del día en Kopel, en la calle del Rey David. Era un Citroën BX nuevo, rápido y enérgico, con buena suspensión, muy indicado para las carreteras israelíes. Partieron en seguida, sin esperar a ver quién salía del edificio. Quienes quiera que fuesen los que habían ido a buscarlos, estaban seguros de que no sería ninguna de las personas que ellos buscaban. Neusner y el resto, fueran quienes fuesen, habían estado muy bien escondidos durante demasiado tiempo como para arriesgarse a salir ahora de su escondite. Estaban en alguna parte, observando y esperando. Los hombres que habían irrumpido en el Instituto serían, sin duda, matones a sueldo. O tal vez policías de verdad actuando bajo las órdenes de alguien para prevenir una posible brecha en el sistema de seguridad.

Mientras regresaban nadie habló. Harry sostenía la cinta en su regazo, como si fuera el disco de un atleta derrotado. Rogó porque Katje no hubiera cometido ningún error con las prisas de los últimos minutos, que hubiera transcrito correctamente el archivo a la cinta, que hubiera acertado con la cinta y la transmisión correctas al final.

Pero, sobre todo, rogaba porque Katje estuviera a salvo. La conocía hacía tanto tiempo y había discutido con ella tan a menudo, que casi había olvidado cuánto significaba para él. Se dio cuenta de que en cierta inexplicable y extraña manera la quería. Toda una vida de autosuficiencia le había hecho amordazar sus emociones por temor a encontrar demasiado fuerte al animal, y la cabalgata demasiado dolorosa. Por su parte, Katje había aprendido lecciones mucho más difíciles que sostener fuertemente las riendas. Sin embargo, ahora que sentía que ella corría un grave peligro, sintió que perdía el control de la brida. Quería obligar a David a detener el coche y dar media vuelta. Pero la cinta se hallaba en su regazo, la cinta y su contenido.

Leyla miró por la ventana mientras el coche se movía, al vacío que se extendía a ambos lados de la oscura carretera. David había tomado a propósito una ruta fuera del camino habitual a fin de evitar las zonas muy pobladas hasta que volvieron a entrar en la ciudad, en Kiryat Shmuel. La Universidad Hebrea se hallaba en algún punto a su izquierda, oculta en la distancia y la oscuridad; a su derecha, Bayit We-Gan formaba una franja de luces trémulas fuera de su alcance. Parecían hallarse tan lejos como la luna y las estrellas, brillando en el silencio. La carretera estaba desierta. Nadie los seguía. Por el rabillo del ojo, Leyla vislumbró de pronto una fría silueta blanca, que fue inmediatamente seguida de otra. Había comenzado a nevar.

Cuando llegaron a Makhane Yehuda, la nieve caía en abundancia. Gruesos copos de nieve cubrían el coche, al tiempo que otros no tan condensados caían a la luz de los faros como si fueran polillas en una tormenta luminosa. Las calles habían perdido su aspecto gris y descuidado para adquirir una gloria repentina, igual que si hubiera descendido sobre ellas un velo grueso y maravilloso. De pronto, la primavera parecía más lejana que nunca. Leyla se preguntó si alguna vez volvería a hacer calor en la ciudad. Se estremeció ligeramente mientras conducían por el último tramo antes de llegar al apartamento de Harry. La nieve era hermosa, pero no podía cubrir con su velo ni sus pensamientos ni sus sentimientos. Se sentía sucia por dentro, igual que las viejas calles por donde circulaban.

Cuando llegaron al apartamento de Harry, David estaba de mal humor y poco comunicativo. Harry hizo té como siempre, pero lo hizo de forma mecánica y no hizo comentario alguno sobre poner leche en las tazas de sus invitados. *Sammy* se enroscó sobre su regazo como de costumbre, pero el hombre no parecía prestarle demasiada atención. Leyla bebió su té en silencio. David no quiso sentarse ni tomar té. No podía permanecer quieto. Los acontecimientos de la noche hervían en su interior igual que un veneno de acción lenta, llenando sus células hasta agotarlas. Se sentía irritable y taciturno al mismo tiempo, reprimiendo una necesidad urgente de enfrentarse a aquella gente. Pero ¿cómo se enfrenta uno a simples sombras?

—Voy a salir —dijo abruptamente dirigiéndose hacia la puerta.

—David... —Leyla se levantó.

—Por favor —dijo él—, quiero estar solo un rato. —Abrió la puerta y salió.

Aún nevaba con fuerza. En menos de un minuto quedó cubierto de una capa blanca. Al mirar hacia el cielo, todo cuanto vio fue un ejército de copos grises que volaban hacia abajo. Caminó hacia la calle principal, al oeste de Makhane Yehuda. Más allá se extendía el parque Sacher, una oscura explanada sobre la cual caía la nieve pura, ligera aunque inexorable.

Cruzó la calle y entró en el parque. Sabía que en algunos puntos había centinelas: el Knesset y otros edificios gubernamentales se alzaban a su izquierda, fuera de la vista. Pero él necesitaba un lugar para pasear. La nieve había borrado los senderos, barriendo al mismo tiempo toda noción de dirección. Caminó en línea recta sin preocuparse de adónde iba. En aquella ceguera blanca, daba lo mismo. Ardía en deseos de echar a correr, de perder el control y arrojarse a la confusión de copos de nieve, de perderse en ella hasta que se volviera a tranquilizar. Tenía el cerebro igual que si soplara una fuerte ventisca en su interior, independiente de la que soplaba a su alrededor. Las imágenes se encendían y apagaban igual que los blancos y brillantes copos: el hombre de Tell Mardikh aullando de dolor, la explosión en el apartamento de sus padres, los cadáveres de San Nilo, al-Shami, Von Meier, Talal en las sombras de Iram, Abraham cayendo por la escalera, Chaim Scholem tirado en los escalones junto al Arca. Copo tras copo, las imágenes se precipitaban formando una tormenta en su cabeza.

Una voz gritó su nombre, y después alguien le tocó en el hombro. Dio un respingo y se percató de que estaba en medio de una tormenta de nieve con la mirada perdida en el espacio.

—David —Leyla le tendía algo—. Toma, ponte esto. Te vas a quedar helado con la nieve.

Era una gabardina propiedad de Harry. Leyla le quitó la capa de nieve que se había formado sobre él y le echó la gabardina por los hombros. En aquella oscuridad, apenas la veía. La nieve que caía ocultaba su rostro. Se sintió perplejo, como si girara en un torbellino sin centro. Se aplastó contra ella.

—Tengo frío —dijo.

Ella no dijo nada, le tocó suavemente y le atrajo hacia sí. Miró hacia la oscuridad que había tras él, mientras le abrazaba torpemente. Sus helados dedos tocaron sus manos ateridas. Era como si aquello se hubiera convertido en su pequeño mundo, formando un capullo que los envolvía a ambos protegiéndolos de la noche y el frío. Él besó su frente con labios helados y después bajó los labios hasta encontrar los de ella. Durante un instante, sus labios fueron como dos trozos de hielo tocándose. Ella le acarició la cabeza, atrayéndola hacia sí; luego su boca se abrió, cálida y húmeda. Como si su aliento le hubiera descongelado, él también entreabrió los labios y aspiró el aliento de ella. Su delgado abrigo estaba aún sin abrochar. Lo apartó ligeramente hacia un lado y la atrajo hacia su cuerpo notando cómo la gabardina de Harry resbalaba de sus hombros, atendiendo tan sólo a su cuerpo que tocaba el suyo por vez primera. Sus manos se deslizaron por su espalda y la abrazó más fuertemente. Despegó los labios y besó su cara, cubriendo sus mejillas y ojos de pequeñas caricias.

—Casi te perdí —dijo ella—. Cuando llegaste al parque. Hasta entonces había luz. —Ella levantó ambas manos y tomó su rostro—. ¿Qué habrías hecho si no llego a encontrarte?

Por toda respuesta, él la abrazó aún más fuerte, contemplando la oscuridad, aunque no vio más que la nieve formando una cascada en el aire helado. Leyla era lo mismo que la oscuridad en sus manos, la noche hecha carne, el aire y la nieve hechos sangre. En medio de aquel frío, él se sentía caliente. Permanecieron allí en un abrazo que parecía eterno, como si la noche hubiera formado una cúpula sobre la ciudad para siempre. No se oía ningún ruido, ni llantos, ni susurros... nada más que su respiración lenta y más suave que la nieve. Pero incluso en aquel pequeño mundo, los elementos acabaron por interponerse. Leyla se estremeció. El frío estaba empezando a calarle los huesos.

—Será mejor que nos vayamos —dijo—. Harry lleva demasiado tiempo solo.

David recogió la gabardina, sacudió la nieve y volvió a echársela sobre los hombros. Regresaron cogidos del brazo hasta la calle principal, y después se dirigieron lentamente hacia la calle Nissim Behar. La nieve no había cesado, pero era muy débil, más en armonía con su humor. Se arrimaban el uno al otro como si temieran perderse y separarse en la oscuridad, como los nadadores que conocen y temen las corrientes que pueden arrastrarles a las profundidades del océano. No sentían ninguna necesidad de hablar: cada uno llenaba el silencio del otro. David se sentía como si pudiera alargar la mano y encontrar a Leyla en cualquier punto de la oscuridad, como si pudiera atraparla entre los copos de nieve y atraerla hacia sí, como un mago que extrae materia del viento y de las estrellas.

Harry aguardaba su regreso. Los obligó a cambiarse inmediatamente, sacando unas viejas y desgastadas toallas de un cajón de su dormitorio. Cuando se secaron, los hizo sentar junto al fuego y les sirvió té caliente hasta que ya no pudieron tragar más. Era ya cerca del alba y estaban muy cansados. *Sammy* se había retirado a dormir a su cama gatuna, claramente asqueado por las bufonadas de los humanos con los que tenía que compartir la casa.

—Tendremos que partir a primera hora —dijo Harry—. Katje no hablará, estoy seguro. Pero a mí me vieron ayer por allí, así que pronto empezarán a atar cabos y los tendremos aquí. Y no creo que mis pólizas de seguros vayan a servir con esta gente, sean quienes sean.

—¿Adónde podemos ir? —preguntó David; estaba cansado, se sentía igual que si llevara corriendo desde noviembre.

—Tenemos que quedarnos en Jerusalén, a ser posible —dijo Harry—. Mañana llevaré esta cinta para que saquen una copia e impriman su contenido. Después guardaré la copia con el resto de mis recuerdos. En sí misma, no es una prueba de nada, pero la gente que cree en mí también creerá en su autenticidad. —Hizo una pausa. Sabía que el problema era que aquellos que podían creerle eran precisamente los que no tenían poder para hacer nada.

El comentario de Harry sobre que sólo ciertas personas creerían en la prueba que había obtenido hizo pensar a David en alguien que estaba seguro que les daría cobijo. Su más antiguo amigo en Israel era un colega arqueólogo llamado Etan Benabu. Se había casado con una compañera de clase de David, en Chicago, Beth Isaacs. En la actualidad enseñaba en la Universidad Hebrea, entre sus tareas de padre y de escritor. Etan era uno de los arqueólogos más extraños que David jamás había conocido, y uno de los más agradables. Era más humano que académico: nunca se ataba los cordones de los zapatos sin consultar un manual.

—Harry —dijo David—. Creo que conozco a alguien que está lo suficientemente loco como para creer nuestra historia.

—¿Le gustan los gatos? —preguntó Harry.

—Los odia —respondió David—. Pero a su mujer le encantan. Tienen media docena.

—¿Cómo se llama?

David calló un momento y respondió con una sonrisa:

—Damien, Damien Wise.

Harry alzó las cejas.

—He oído hablar de él —dijo.

—Estaba casi seguro.

Etan Benabu había tramado una de las actividades suplementarias más extraordinarias de las que David había oído hablar. Con el seudónimo de «Damien Wise», había escrito tres o cuatro libros y sólo Dios sabía cuántos artículos sobre «las naves espaciales de los dioses», utilizando pruebas arqueológicas para «demostrar» que los hombres del espacio habían visitado la tierra hacía miles de años y que eran los responsables de cada artefacto extraño o leyenda inexplicable que existía. Paralelamente, con su verdadero nombre, había publicado aún más artículos refutando sus propios libros y demostrando la arrogancia de Damien Wise con todas las pruebas de que disponía. Sólo dos o tres personas, incluyendo a David, sabían de Damien Wise y Etan Benabu era uno solo y guardaban el secreto celosamente, riendo la broma que proseguía en cada nueva publicación.

Pasaron el resto de la mañana haciendo las maletas y revisando los papeles de Harry. Sabía que muy pronto iría alguien y pondría la casa patas arriba en busca de la cinta desaparecida. Había demasiados documentos delicados por toda la casa para que gente así los leyera. Pero cuanto más arreglaban sus archivos, más se irritaba Harry. Vivía en medio de un caos, pero odiaba las interferencias de cualquier tipo. El caos más perfecto requiere mucho tiempo y planificación; se trata del trabajo de años de elaborada desorganización. El de Harry era un trabajo de artista. Pero ahora veía llegar varios hombres rudos y torpes a su apartamento para destrozarlo todo, lo cual, al fin y al cabo, no tendría ninguna utilidad ya que los objetos buscados habrían sido retirados. Después tardaría años en volver a recuperar el desorden primitivo.

Justo antes de las ocho, David telefoneó a Etan. Habló con él unos cinco minutos y colgó. No había ninguna pega: los Benabu les alojarían tanto tiempo como necesitaran.

Diez minutos más tarde llevaron el equipaje al coche, comprobaron que *Sammy* estuviera instalado en su cesta y partieron.

CAPÍTULO 63

Los Benabu vivían en el barrio de los artistas de Yemin Moshe, justo al oeste del barrio antiguo. David condujo directamente allí por Yafo. Jerusalén era como cualquier otra ciudad, tiesa, blanca y silenciosa, y los edificios resultaban muy acicalados y adecuados cubiertos por su manto de nieve. A su izquierda, el barrio antiguo se alzaba con sus muros almenados blancos y resplandecientes; más allá, el monte Sión se hallaba coronado de hielo.

Fueron recibidos a la puerta de la casa de los Benabu por la mujer de Etan, Beth. Era una mujer menuda, con rasgos compactos y refinados, y un aire de tranquila reflexión. Unos ojos verdes y profundos contemplaban el mundo que se abría ante ellos. Incluso en aquella hora tan temprana, sin estar del todo arreglada ni maquillada, daba la impresión de una gran serenidad, combinada con una conciencia sensual que en muchas mujeres es su mejor arma por la noche. Mientras estrechaba la mano a David hubo un largo silencio, y una media sonrisa flotaba en su rostro como si casi no pudiera creer en su repentina aparición.

—¿Cuánto tiempo hace, David? —preguntó finalmente.

—Tres años.

—¿Tanto? —Suspiró.

Con algunos amigos, las ausencias resultan más largas que los cortos lapsos intermedios. Pero en seguida los ánimos se levantaron y ella sonrió esta vez sin reservas.

—¿No me presentas a tus amigos, David? —preguntó.

—Pues claro. Ésta es Leyla Rashid, Harry Blandford. Y éste es *Sammy.*

—¡Hola! —dijo Beth alargando la mano para estrechar las de ellos. *Sammy* la miró de un modo siniestro—. Soy Beth. Entremos, Etan está esperando.

Etan Benabu tenía cuarenta años, aparentaba treinta y actuaba como si aún tratara de colarse en las películas X. Era un académico serio y padre de tres hijos que quería conservarse como un niño. Damien Wise era su alter ego, el romántico de grandes ojos que secretamente deseaba ser pero que sus credenciales académicas y su rigor escolar siempre le habían evitado ser, excepto en las páginas de ridículas publicaciones baratas. «¡Antiguos misterios resueltos!», parecía gritar su polvorienta chaqueta. Pero, por cada misterio que Damien «resolvía», Etan planteaba otros diez. También era poco común en otros aspectos. Era un israelí de la tercera generación, con el pelo rubio y ojos azules, y una piel sonrosada que le había conferido una imagen de turista durante toda su vida. Un judío que decía recordar que había sido asociado del Dalai Lama en una vida anterior; sus padres aún trataban de discutirle este punto. Él les decía que sus padres tibetanos habían tenido problemas parecidos.

Después de hacer las presentaciones, Beth los condujo a la cocina, donde había preparado un sencillo almuerzo de crema, huevos cocidos, pan tierno con mermelada y café caliente. Incluso había un poco de pescado en un cacharro para *Sammy,* pero éste se negó a comer: Harry sabía que estaría de mal humor durante los días siguientes.

La atmósfera familiar del apartamento fue como un soplo de aire fresco para David. Era tan confraternal y animada, tan llena de buenos recuerdos de los viejos tiempos, que no podía creer la razón por la que estaban allí. Los escenarios para las monstruosidades en las que se habían visto complicados eran calles oscuras o desiertos barridos por el viento y no los cálidos hogares de los amigos. Comenzó a dudar si habría sido sensato ir allí.

Los hijos de los Benabu se habían ido al colegio, así que tenían completa libertad para hablar. Después de una charla general durante la cual todos se conocieron un poco, la conversación dio un giro hacia la breve y críptica petición de cobijo por parte de David. Lentamente, muerte tras muerte, David describió en lenguaje llano los acontecimientos de los meses pasados. Mientras hablaba, le sonaba como si su voz se perdiera por túneles oscuros donde soplaba el viento. Sin embargo, explicarlo todo pareció ayudarle. El túnel se fue encogiendo hasta desaparecer. Se hallaba solo en un paraje desolado, explicándoselo todo a sí mismo una vez más. Cuando terminó, nadie dijo nada durante mucho rato. Finalmente fue Beth quien rompió el silencio.

—Creo que será mejor que os enseñe vuestras habitaciones —dijo—. Esta noche me llevaré a los niños a casa de mi madre. Hay mucho sitio.

Se levantó y fue hacia la puerta. Al llegar, dio la vuelta y miró a David. Tenía lágrimas en los ojos.

—Lo siento, David —dijo—. Lo de tus padres. Lo siento por todo el mundo. No os preocupéis; podéis quedaros aquí todo el tiempo que haga falta.

Leyla tenía el código de usuario registrado en el ordenador central de la Universidad Hebrea. Utilizarlo significaba correr algún riesgo, pero haciendo un balance, el riesgo parecía mínimo; valía la pena. Mientras Harry se quedaba en casa de los Benabu arreglando sus papeles en forma de un desorden más aceptable y habituando a *Sammy* a su nueva casa, David acompañó a Leyla al campus.

Después de un ligero retraso, quedaron vacíos un terminal y una impresora, y se dispusieron a trabajar. Leyla introdujo su número y se sintió aliviada al ver que aún era válido. David colocó la cinta en la primera transmisión disponible y Leyla dio instrucciones al ordenador para que les hiciera una copia del contenido.

Como si fueran doctores presidiendo el nacimiento de un ser deforme, observaron cómo se imprimían los nombres y biografías de los componentes del archivo Valkiria. Tardó más de una hora. Nombre tras nombre, salía de la máquina un interminable catálogo diabólico. Entre un veinte y un veinticinco por ciento estaban muertos, algunos en los campos, otros de diversos modos desde entonces. Unos pocos habían fallado en la tarea de hacer algo útil con sus vidas y tenían poca importancia para David y Leyla. Pero los nombres e identidades de los restantes hicieron parecer trivial en extremo todo lo sucedido hasta el momento. Mientras la rueda se movía adelante y atrás sobre el papel, la magnitud y profundidad de una espantosa conspiración comenzó a revelarse por vez primera.

La mayoría de los nombres eran de hombres que vivían en Israel. Neusner no era el único militar de alto rango, ni Abrams el único político. No menos de diez ocupaban puestos de confianza en el servicio de información israelí, seis en el MOSSAD, y cuatro en el Shin Beth. Tres eran académicos de gran influencia, hombres cuyas opiniones tenían peso en el marco de la política nacional. Cinco ocupaban puestos de importancia en la policía, dos en el servicio de aduanas. Más de una docena estaban metidos en la industria y el comercio, ocho en la banca, quince en servicios civiles, y todos con cargos de poder.

Muchos de ellos habían estado en activo para asegurar no sólo que llegarían a Palestina, sino también en el arreglo de un futuro garantizado. Varios habían pertenecido a comités ejecutivos del She'erit ha-Peletah, la organización principal de judíos refugiados en la zona americana de Alemania después de 1946. Otros habían destacado en el movimiento de inmigración clandestina ayudando a otros refugiados y de paso a ellos mismos a abandonar Europa hacia la Palestina ocupada. Unos pocos se habían sumado a la lucha por la independencia. Después de aquello, nadie habría puesto en duda sus credenciales ni cuestionado su lugar en la sociedad israelí.

Pero los nombres no acababan allí. Cuando, en 1948, el Gobierno de Estados Unidos aprobó, tras largas disputas, el Acta de Personas Desplazadas, permitiendo a los refugiados procedentes de la Europa devastada por la guerra entrar en América, casi cincuenta miembros del regimiento Valkiria se habían unido a ellos. David no reconoció más que un puñado de los nombres americanos que reprodujo el ordenador, pero aquel puñado fue suficiente para casi hacerle vomitar. Donde quiera que hubiesen ido a parar, los hombres del regimiento Valkiria habían realizado a conciencia su labor de infiltrarse en las sociedades que los habían acogido en los más profundos y delicados niveles.

Cuando el ordenador terminó de imprimir los nombres, llevaron las hojas a una fotocopiadora y sacaron tres copias más antes de irse del laboratorio. Asimismo hicieron fotocopias de todos los materiales que Scholem y Leyla habían hallado en el avión siniestrado, las cuales juntaron con el resto. Aunque en sí mismos eran ligeros, los papeles parecían pesarles en las bolsas como plomo. Ni siquiera cuando le llevaron a Iram se dio cuenta David de las inconmensurables proporciones del asunto en que se veían envueltos. Fue en la austeridad clínica del laboratorio, un templo a la razón humana más perfecta, cuando se enfrentó cara a cara con las verdaderas dimensiones de la irracionalidad moderna. Haber derrochado tanto talento y tantos recursos en lo que finalmente podría revelarse como un proyecto atolondrado para destruir lo que se había podido construir de las cenizas de un conflicto demente, le parecía el mayor acto de locura de que había tenido conocimiento.

En el camino de regreso a Yemin Moshe hicieron dos paradas. La primera fue en el despacho de un notario, Van Leer y Wassermann, en King George, y la segunda en la principal sucursal del Banco Leumi, en la calle Yafo. Depositaron una copia sellada de la lista junto con el resto de los materiales en cada sitio y dieron instrucciones a los notarios para que, si David, Leyla o Harry Blandford no se presentaban personalmente en el despacho cada tres días, el contenido del paquete sería enviado simultáneamente a los jefes del Shin Beth y el MOSSAD. Cuando acabaron era casi mediodía. Viajaron siguiendo una ruta circundante hasta casa de los Benabu, teniendo cuidado de que no los siguieran.

Cuando Leyla salió del coche, David se inclinó sobre el asiento delantero y le alargó la bolsa que contenía la copia original y los materiales procedentes del avión.

—Guarda bien esto hasta que yo vuelva, ¿de acuerdo, Leyla? —pidió

—No te comprendo —dijo ella—. ¿Adónde has pensado ir?

—Voy a llevar los papeles a alguien que tal vez pueda hacer algo. Tenemos que actuar pronto. La conferencia de paz se celebra dentro de dos días. Tenemos que advertir a los que se hallan implicados para que estén en guardia por si planean algo.

—¿A quién vas a ver? ¿Quién te va a escuchar?

—Me escucharán... cuando vean esto. —Dio unos golpecitos a la bolsa que contenía el tercer grupo de copias.

—Me gustaría ir contigo, David. No deberías ir solo. Puedo secundar tu historia, apoyarte.

Él sacudió la cabeza.

—Me temo que no, cariño. —Era la primera vez que la llamaba así—. Quiero ver a una persona en el MOSSAD, a uno de los colegas de Chaim. Me conoce y creo que me creerá. Por lo menos lo suficiente como para investigar esto. Si tú estás allí, las cosas podrían ser más complicadas. Me gustaría que no fuera así, pero sabes muy bien que estás en sus archivos. Y la última noticia que tienen de ti es probablemente tu encuentro con Chaim la noche anterior a su desaparición.

Él la miró. La necesidad que sentía de tocarla era casi irreprimible.

—Por favor, déjame hacer esto solo —dijo—. No tardaré mucho. Volveré pronto, te lo prometo.

Ella no dijo nada. Recordó la otra vez que le había hablado así, cuando la dejó en al-Arish y se marchó hacia Jerusalén. Parecía que hacía muchísimo tiempo, como si hubiera sucedido en su infancia. El coche partió, mezclándose con el tráfico procedente de la estación de ferrocarril. Recogió la bolsa del suelo y dio la vuelta para entrar en casa de los Benabu.

David conducía lentamente, como si ahora que había comenzado a actuar se sintiera incapaz de seguir adelante. Deseaba retirarse de la posición en la que se encontraba, pero se sentía como en un camino móvil en el cual no había lugar para descansar ni para dar la vuelta, que le acercaba inexorablemente más y más a la oscura consumación de su final. Porque ahora estaba seguro de que había un desenlace, de que llegaría el fin, no sabía si a causa de su búsqueda o no. Deseaba ardientemente verse libre de todo aquello, caminar sobre sus propios pies de nuevo en la dirección que él mismo escogiera, y no ser arrastrado de aquella forma, quisiera o no.

Aparcó el coche cerca de las oficinas del MOSSAD, donde Scholem operaba. El hombre que quería ver era Arieh Kahan de la sección D, el segundo comandante a las órdenes de Scholem, un hombre que David conocía y en quien confiaba. En el vestíbulo del pequeño bloque de despachos se acercó al oficial de servicio que había en el mostrador principal. La seguridad parecía muy relajada, pero David sabía que eso no era más que una falsa impresión, que nadie pasaba junto a aquel mostrador sin las más estrictas comprobaciones. Cualquiera que intentara pasarlo corriendo, un terrorista de la OLP, por ejemplo, no llegaría ni al pie de las escaleras. Ocultos en las sombras había varios guardias armados, de ojos vigilantes.

David preguntó por Arieh Kahan, pero le dijeron que no estaba de servicio. ¿Querría hablar con alguna otra persona?

Dudaba. Había contado con que Arieh estuviera ahí. Arieh le conocía, aceptaría su historia sin reservas. No conocía a nadie más allí a quien se arriesgaría a explicárselo.

—¿No puede llamarle a su casa? —suplicó—. Es importante. Dígale que es de parte de David Rosen, que tengo noticias del coronel Scholem. Vendrá.

—Lo siento, señor —respondió el oficial de servicio del mostrador—, pero el capitán Kahan se ha marchado. Está en alguna parte de Galilea y no creo que podamos ponernos en contacto con él. No tiene que volver hasta el fin de semana.

Alguien habló a la espalda de David.

—Perdone. —Era un hombre de unos cincuenta años, alguien que le resultaba ligeramente familiar de haberle visto por allí en sus anteriores visitas.

—No he podido evitar oírle —dijo el hombre—. Le he oído mencionar al coronel Scholem. ¿Se refería a Scholem de la sección D?

David asintió.

—¿Tiene noticias de él?

—Sí, pero me temo que no son buenas.

El rostro del hombre se ensombreció. Tenía unos ojos grandes, con bolsas debajo.

—Ya veo —dijo—. Escuche, ¿le importaría decirme lo que sepa? Me llamo Rabin, mayor Rabin. Me han asignado a la sección D desde que Scholem desapareció. Hemos estado extremadamente preocupados por él. Pero... aguarde un minuto. ¿No ha dicho que su nombre era Rosen?

—Sí, David Rosen

—¿No es usted el profesor americano que tuvo tantos problemas en Siria?

David asintió.

—Bueno, en ese caso debemos hablar. He trabajado en su caso y creo haber descubierto un par de cosas. Si puedo serle de alguna utilidad respecto a lo que quería hablar con Kahan, me encantará poder echarle una mano. ¿Por qué no subimos a mi despacho?

David se rindió. ¿Qué otra cosa podía hacer? Ahora que lo pensaba, creía haber oído mencionar el nombre de Rabin más de una vez en el pasado. Si aquel hombre ya sabía algo de lo que estaba sucediendo, podría convencerlo fácilmente sobre la verdad de la suerte que había corrido Scholem, y tal vez le creería, al menos, para prestar atención a los papeles que David traía.

David fue registrado concienzudamente por el oficial del mostrador, quien tomó nota de la hora de su llegada. Rabin le condujo por un tramo ascendente de escalera y luego por un lóbrego pasillo pintado de verde oliva que sólo llegaba hasta la mitad de la pared. Su despacho estaba al final, al fondo sin salida, como si fuera un añadido temporal. David recordó que el despacho de Scholem estaba cerca. De alguna parte procedía un olor a pescado, un olor que no tenía sentido para David.

El despacho era pequeño, con espacio para una mesa y un par de sillas. La ventana daba a un desnudo muro; estaba rota por un sitio y el polvo se había acumulado encima hasta convertir cada día en un día gris y nublado y aquél en particular en uno insoportablemente tétrico. Rabin encendió una vieja lámpara metálica que había sobre una caja circular junto a la puerta. Un bulbo de luz amarilla se desparramó por la mesa.

—Siéntese, profesor —dijo Rabin hablando esta vez en inglés.

David tomó asiento. Estaba cansado. Todo lo que quería era dejar aquel asunto en manos de alguien y que le dijeran que descansara mientras se arreglaban las cosas.

—Bien —dijo Rabin—, explíqueme lo que sabe. Tenemos información de que Scholem era seguido por un terrorista árabe, una mujer llamada Leyla Rashid. Hizo una llamada a su ayudante, Kahan, el hombre a quien usted quería ver, y después acudió aquí para interrogar a un sospechoso llamado Hassan Bey. Se marchó justo antes de medianoche. Ésa fue la última vez que le vieron.

David respiró profundamente y comenzó a explicar todo lo sucedido después de aquello. Habló con cuidado, proporcionando los detalles tal y como los había oído de boca de Leyla. Rabin le escuchaba con creciente atención, interrumpiendo de vez en cuando para hacer alguna pregunta, para aclarar algún punto oscuro.

—Pero usted dice que Iram ha sido destruida —dijo Rabin cuando David terminó la primera parte de su relato.

—Sí. No creo que hubiera supervivientes. No podría haberlos, a excepción de unos pocos que se hallaban fuera de la ciudad, y de Leyla y yo mismo.

—Gracias a Dios —dijo Rabin, aunque a David le parecía que estaba nervioso por alguna razón—. Al menos se acabaron, esas personas del Nafud. Me apena oír lo de Chaim. Pero su muerte... sirvió a una causa, ¿no cree?

David asintió. Si las muertes podían servir a una causa, sí. Scholem había servido a una. Pero si estuviese vivo, pensó, aún estaría sirviendo a la misma causa.

—Sí —dijo—. Pero me temo que ése no es el fin del asunto. La gente del Nafud se acabó, pero tenían asociados en diversos lugares. Y tales asociados son, si cabe, mucho más peligrosos que lo fue nunca el grupo de Iram.

David levantó el montón de papeles que había llevado y los depositó en la mesa que tenía delante. Rabin se enderezó en su asiento. David reparó en que tenía los ojos verdes. Su rostro de suave complexión revelaba poca emoción, pero en un punto, justo debajo del ojo izquierdo, un tic traicionaba su ansiedad.

—¿Cree todo lo que acabo de decirle? —preguntó David. En aquel momento, una vez terminado el argumento general de la historia, se dio cuenta de que sonaba inverosímil. Tal vez Rabin pensaría que se lo había inventado todo o que había perdido el contacto con la realidad.

Rabin asintió.

—Sí —dijo—. Le creo. He trabajado para el MOSSAD durante la mayor parte de mi vida adulta. He oído historias casi tan extrañas como la suya anteriormente, créame. Y más de una vez. Nazis, ex nazis, neonazis. Para la mayoría de la gente no son más que recuerdos de personajes ficticios, pero le aseguro que para nosotros no. Son personas reales, de carne y hueso, y a menudo muy peligrosos. Muchos de nosotros creemos que perdieron la guerra y que su perversidad quedó demostrada. Cualquier hombre razonable admitiría la derrota, confesaría haberse equivocado y que todos los sacrificios perpetrados fueron en vano. Buscaría una explicación, una justificación. Llevo toda la vida oyendo cosas así. Su historia no es la primera, profesor, créame. Y ahora, déjeme ver lo que ha traído.

David le habló brevemente de la lista de las Valkirias y cómo la había encontrado. Mostró a Rabin la copia impresa, y seguidamente se inclinó hacia delante y comenzó a buscar los nombres de los hombres pertenecientes al MOSSAD. En silencio, uno tras otro, se los enseñó a Rabin.

El mayor no dijo nada. Tampoco hacía falta. Sus ojos dejaban traslucir perplejidad y horror. El tic que tenía debajo del ojo se disparó a toda velocidad. Examinó el archivo página por página, y después el resto de los papeles que había llevado David. Su rostro era serio y meditabundo.

—¿Puedo quedarme todo esto, profesor?

David dudaba.

—Le aseguro —urgió Rabin— que conmigo estarán del todo seguros. No se los enseñaré a nadie de esta oficina. Pero necesito estudiarlos con más cuidado. ¿Tiene los originales?

—Están en... un sitio seguro —dijo David. Incluso ahora quería ser cauteloso. Los originales eran toda la seguridad que poseían. Confiaba en Rabin, pero sabía que trabajaba para el MOSSAD, una agencia de información. No estaban por encima del robo de los originales si pensaban que podían ser útiles.

—No quiero presionarle, profesor, pero ¿no cree que estarían mucho más seguros con nosotros?

David sacudió la cabeza.

—No puedo traerlos ahora —mintió—, pero los tendrá cuando llegue la hora.

—Eso espero —dijo Rabin claramente molesto por el rechazo de David a cooperar—. Si vamos a abrir un caso, los necesitaremos. Pero antes necesitaremos algo más que todo esto, pruebas más evidentes. Lo que tiene hasta ahora es circunstancial. Nada de ello serviría en un juzgado.

—¿Ni el archivo Valkiria?

Rabin sacudió la cabeza.

—Una falsificación. Lo programó usted mismo.

—Pero, ¿y el archivo original del ordenador del Instituto?

—Creo que si va a mirarlo, no encontrará ya ningún archivo registrado allí. Ni tampoco evidencia alguna de que estuviera antes.

—Pero, ¿por qué iba a hacer eso? ¿Por qué iba yo a maquinar una historia así?

—Fantasías desencadenadas por la muerte de sus padres. Tal vez Iram existió realmente. En ese caso, eso aumentó sus fantasías, las canalizó.

—¿Es eso lo que usted piensa? —preguntó David.

Rabin sacudió de nuevo la cabeza.

—No. Yo le creo. Pero creo que un abogado inteligente podría darle la vuelta a su historia tal y como ahora se plantea. No poseemos ninguna prueba evidente de nada, a excepción de los papeles que encontró usted en el avión. Pero ellos sólo nos conducen hasta Iram, y no a personas que actualmente ocupan posiciones de importancia en este país o en Estados Unidos. Nos hallamos frente a personas poderosas, profesor Rosen. No sé si entiende lo que eso significa. Los académicos viven vidas bastante retiradas. No quiero resultarle tópico, pero hay... ciertas realidades que raramente rozan la vida académica, ciertas verdades políticas que la gente de otras profesiones de la vida comprende más que de sobras. Le garantizo que si usted se presentase en un juzgado con las pruebas que me ha mostrado hoy, y nada más, el que se encontraría con una sentencia de prisión al final de la sesión sería usted. Por difamación o calumnia... le colgarían en la pared. Es decir, si consiguiera llegar a un juzgado. Si desea saber mi opinión, a menos que lleve este asunto por buen camino, esta información que me ha traído jamás verá la luz del día.

—¿Y la prensa? —preguntó David—. ¿No podría enseñarles todo esto? Seguro que estarían interesados.

—Claro que estarían interesados. Pero cuando descubrieran la escasez de pruebas reales que tiene se negarían a publicar ni siquiera una línea. Quizá un periodista independiente quisiera investigar en el caso. Incluso tal vez su editor estaría interesado: venderían muchos ejemplares, no hay duda. Pero los periódicos tienen propietarios, y los propietarios tienen a su vez amigos, y algunos ocupan posiciones importantes. Ningún director de un periódico publicará alegatos sobre personas que son compañeros de partida o sobre otras que son las que garantizan su propio puesto en la sociedad. Y no sólo eso, sino que los periódicos confían enormemente en la publicidad, y los grandes de la publicidad tendrán amigos en esa lista. Si en su lista hubiera maestros de colegio y oficiales de bajo rango, no dude de que los periódicos publicarían cualquier cosa que usted les dijera. Pero lo que usted posee podría arruinar a cualquier periódico que se atreviera a lanzar la historia.

Rabin calló y cerró la carpeta. Esperaba haber logrado lo que quería.

—Así que —prosiguió— sea sincero conmigo. ¿Hay algo más que se esté callando por alguna razón? Si lo hay, es mejor que me lo diga. Yo seré el responsable de la investigación. Y puedo decirle ya que será complicado, complicado y peligroso. Necesito cada granito de evidencia sobre el que pueda poner las manos. Cualquier cosa por muy insignificante que a usted pueda parecerle.

David sacudió firmemente la cabeza.

—Le aseguro que no hay nada más.

—Entonces tendremos que averiguarlo —sonrió Rabin.
—Excepto... —comenzó David.
Rabin se inclinó hacia delante.
—¿Sí?
—Bueno, no iba a decírselo. Todavía no. No tengo ninguna prueba en absoluto, y aún parece más increíble que lo demás...
—Continúe
—El... el nuevo presidente de Siria, Mas'ud al-Hashimi, sólo es medio árabe. Su padre era alemán. —Respiró profundamente—. El nombre de su padre era Ulrich von Meier.
Rabin no dijo nada. Varias gotitas de sudor se condensaron sobre su frente.
—Continúe —dijo con voz tensa y dura.
David le dijo lo que sabía. Deseó saber más sobre la fuente informadora de Harry.
—¿Cómo supo todo eso, profesor? —preguntó Rabin cuando David concluyó.
—Por Harry. Harry Blandford, pero no me dijo cuáles eran sus fuentes; sólo que eran de toda confianza. Y yo le creo.
—Sí, sí, naturalmente. Parece tan difícil de digerir como todo lo demás.
—Lo que me preocupa —dijo David— es la firma del tratado de paz que tendrá lugar dentro de dos días. Creo que allí va a pasar algo. Al-Shami dijo que estaban listos para hacer algo aquí en Jerusalén. ¿No puede usted hacer nada para impedirlo? ¿No es posible posponerlo hasta que sepamos algo más?
—Tiene usted mucha razón —dijo Rabin, que seguía sudando—. Haré lo que pueda. Pero no tenga muchas esperanzas. La conferencia es todo un acontecimiento. No van a suspenderla sólo porque yo lo diga, sin pruebas concluyentes, que es justamente lo que no tenemos. Y si les digo lo que sé, puedo echarlo todo a rodar. Tendré que inventar sencillamente algún tipo de amenaza para la conferencia, algo que justifique la presencia de seguridad extra. Eso no será difícil; pero usted, profesor, tiene que prometerme que no intentará ninguna locura. No podemos permitirnos el lujo de poner en peligro toda la operación a estas alturas. ¿Comprende?
David asintió.
—Perfecto —dijo Rabin—. Bueno, y ahora dígame dónde se hospeda para que pueda ponerme en contacto con usted.
—Estoy en... —David vaciló. Casi le dijo a Rabin que se alojaba en casa de los Benabu. Pero entonces sabrían que Leyla estaba también allí, y Harry. Leyla todavía estaba en su lista de personas buscadas. Y podrían muy bien decidir que sus actividades inconformistas todavía eran una amenaza de cualquier tipo. Aún no conocía lo suficientemente bien a Rabin como para confiar en él ni para quererle de perro guardián. Así operaban los agentes del servicio de información.

— Estoy en la universidad —dijo—. Puede ponerse en contacto conmigo allí, en la residencia del rabino Aqiva.

—Estupendo. Le llamaré en cuanto haya tenido tiempo de examinar con mayor atención sus papeles. Tendré cuidado con ellos, no se preocupe. Pero en un momento dado me gustaría que trajera los originales que halló en el avión para que los examine el forense.

David asintió. Cada cosa a su debido tiempo, pensó.

Rabin le acompañó hasta el mostrador de la planta baja y le observó mientras firmaba. Cuando se marchó, se volvió hacia el oficial de guardia y le dijo:

—Hagan el favor de seguir al profesor Rosen. Quiero saber lo antes posible dónde se hospeda.

Dio media vuelta y se dirigió al piso de arriba de nuevo. En el pasillo flotaba un olor a pescado.

CAPÍTULO 64

David aguardó lo suficiente para asegurarse de que le seguían antes de partir. Le hubiera sorprendido que Rabin no hubiese enviado a alguien tras él. De acuerdo que había vivido la vida retirada de un académico, pero los últimos meses habían borrado por lo menos parte de su inocencia. Afortunadamente, Jerusalén es una de las peores ciudades del mundo para seguir a alguien, sólo aventajada por Fez, El Cairo, Estambul y Bombay. David conocía una docena de sitios donde despistaría a su perseguidor sin grandes dificultades. Dejó el coche en la Puerta de Damasco y se internó en el casco antiguo, a través de los retorcidos *suqs* del barrio árabe. Media hora más tarde estaba seguro de que su perseguidor le había perdido. Salió por la Puerta de Jaffa y caminó hacia la oficina de Inter-Rent de Shlomzion Ha-Malka, donde alquiló otro vehículo, un Volkswagen.

Condujo en dirección oeste, por la ancha carretera de Tel Aviv, durante más de ocho kilómetros. No había duda: nadie le seguía. Volvió a la ciudad y se dirigió directamente a casa de los Benabu. Leyla le esperaba. Harry se había ido a la cama, incapaz de mantenerse despierto más tiempo. Beth había ido a recoger a los niños al colegio para llevarlos a casa de su madre, en Petah Tikva. Etan estaba en su estudio leyendo los papeles que David le había dejado. El espacioso apartamento estaba tranquilo, como si el silencio de la mañana aún pesara sobre él. Sin intercambiar una palabra, sabiendo instintivamente que ya era hora, David y Leyla se dirigieron hacia el dormitorio de ésta.

Se quedaron unos instantes sentados al borde de la cama, tensos, temerosos de tocarse. Fuera sonaba una radio. Ni muy alta, ni muy baja. El sonido subía y bajaba intermitentemente, como si una tormenta que se hallara a gran distancia interfiriera en las ondas de radio. David reconoció la canción y recordó la letra. Tocaba una banda inglesa.

Alargó una mano para tomar la de Leyla. Los postigos estaban entreabiertos, y unas sombras de luz nocturna se filtraban en el interior decorando la cama con rayas y motas. Una barra de luz atravesaba el rostro de Leyla. Ella miró a David y la luz cayó en forma de cono sobre su cuerpo. Finísimas motas de polvo bailoteaban en la franja de luz que penetraba por el postigo. Leyla soltó la mano de David y se quitó lentamente el jersey. La luz bañó suavemente su repentina desnudez. Uno de sus pechos se hallaba oculto en las sombras, mientras que el otro era bañado por la luz. Dejó el jersey en el suelo y miró a David.

Se sentía un poco asustada ante su propia desnudez después de tanto tiempo. Aunque deseaba sus caricias, sintió temor ante el estallido de la pasión. De pronto, sintió que ella y David volvían a ser extraños, ya que aún tenían que encontrarse desnudos, sintiendo la piel del otro, y aunque se inclinó hacia él, una parte de ella se mantenía retraída. Él se sentó a su lado observándola, como si eso fuera suficiente, como si contemplar la luz que la tocaba fuera bastante. Leyla se puso en pie y se quitó el resto de la ropa, mientras los rayos de luz se convertían en fuego al tocar su piel a los ojos de David.

—Deseaba enormemente esto —dijo él—, pero ahora que ha llegado el momento, tengo miedo.

Leyla asintió, cogiéndole de las manos.

—Yo también tengo miedo —musitó pasando los brazos de él a su alrededor y apoyando su mejilla contra su estómago. Su piel era suave y perfumada, delicada al tacto.

La música había cesado. El silencio reinaba en la habitación mientras David tendía a Leyla en la cama, echándose junto a ella entre la suavidad y la luz. Sus labios se encontraron y la habitación se disolvió en fragmentos de luz y oscuridad. Ella le ayudó a desnudarse y le atrajo hacia su pecho, sintiendo cómo la penetraba en silencio. David sintió que todo le abandonaba y que su cuerpo se fundía con el de ella.

David se despertó en medio de la oscuridad. La luz había desaparecido entre la vigilia y el sueño, abandonando la habitación en manos de las sombras. Los rayos de luz que habían lamido el cuerpo de Leyla ya no estaban, como si se hubieran ido para siempre. David se estremeció y alargó la mano para tocar a Leyla, pero no encontró más que un hueco vacío y una olorosa fragancia en la cama donde había estado. La llamó suavemente:

—Leyla, ¿estás ahí?

Su voz le llegó a través de la oscuridad.

—Estoy bien, David, estoy aquí. Junto a la ventana.

Estaba sentada, envuelta en una sábana mirando por la rendija del postigo las luces de la vieja ciudad. Se acercó a su lado silenciosamente y se sentó. Ella le envolvió con parte de la sábana, y ambos se acurrucaron allí dentro como dos niños que acaban de salir del baño.

—Nunca había visto la ciudad tan tranquila como ahora —susurró ella. Fuera, el cielo estaba despejado. Una luna llena colgaba en el cielo como un inmenso globo de luz sobre la Cúpula de la Roca, rodeada por cientos de brillantes estrellas. La luz de la luna caía solemne y nebulosa sobre los desnudos campos cubiertos de nieve y niebla, de la cual emergían como estalagmitas las torres, las cúpulas, las agujas y los minaretes en medio de un aire helado. Era como si un soplo de aliento glaciar hubiera cambiado la sustancia esencial de la ciudad, como cuando la mujer de Lot se transformó en una columna de sal.

David abrazó con fuerza a Leyla, mientras su cuerpo se reconfortaba al contacto de su desnudez. Observando cómo contemplaba la ciudad, comprendió por primera vez lo que Jerusalén significaba para ella. Él siempre había sentido que aquella ciudad le pertenecía exclusivamente a él y a su pueblo, pero, de algún modo, aquella noche se le hacía difícil sentir tal exclusividad más que como una mera ilusión.

Aunque sólo pudieran compartir las piedras que había allí fuera tan fácil y felizmente como habían compartido los cuerpos aquella noche... pensó.

—Será mejor que nos reunamos con los demás —dijo.

Ella bostezó y asintió.

—¿Llevas mucho rato despierta? —preguntó.

—No, no mucho. Miré cómo dormías durante un rato; parecías muy cansado.

—Estaba soñando contigo —dijo él.

—Mientes —protestó ella, complacida con lo que le había dicho.

—No, es verdad —dijo él.

Pero no le explicó lo que había soñado. No lo recordaba con mucha exactitud, pero no había sido un sueño agradable. Se había despertado inquieto y bañado en sudor.

Después de una abundante comida guisada por Beth, la cual había regresado hacía casi una hora, se acomodaron en la sala de estar para discutir lo que debían hacer. Harry recogió la copia impresa que David y Leyla habían traído de la biblioteca.

—¿Es ésta la única copia? —preguntó.

David sacudió la cabeza y le habló de las copias que había sacado. Continuó su explicación con la visita al MOSSAD y la conversación con Rabin.

Harry no dijo nada durante un rato; luego asintió.

—Hiciste lo correcto —dijo finalmente—. Era demasiado arriesgado callarnos todo esto. Pero me temo que Rabin tiene razón. Los papeles que tenemos no valdrán demasiado, solos. A estas alturas habrán suprimido cualquier rastro del archivo Valkiria del ordenador del Instituto. Apuesto que nadie del Instituto sabía que estaba almacenado en su banco de datos.

—Entonces, ¿por qué lo conservaban allí? —preguntó Leyla.

—Yo también me lo he estado preguntando —respondió Harry—. Creo que la respuesta es obvia. Los números tenían que estar archivados en los informes del Instituto ya que fueron recopilados de las listas oficiales que tenían los aliados y las organizaciones de refugiados, las que Katje mencionó. Haber tratado de sacar los números habría atraído la atención sobre ellos. Era más fácil almacenar todos los números de código V en archivos separados y mantener éstos bajo acceso restringido. Ellos sabían que había una posibilidad entre mil de que alguien fuera alguna vez en busca de todos los números V como grupo, pero había posibilidades de que una investigación casual destapara demasiadas coincidencias. Y dado que el archivo era inaccesible para todo el mundo excepto para ellos, lo utilizaban para guardar su información.

—¿Y cree que Rabin tenía razón, que la lista no será suficiente para convencer a alguien de lo que está pasando? —intervino David.

—Exacto. Podías haberlo falsificado todo. Tenemos los papeles del avión, claro, y creo que con un poco de tiempo podríamos convencer a algún superior de Rabin. Pero no podemos suponer que tenemos tiempo. Incluso suponiendo que Rabin convenciera a una o dos personas adecuadas, ellas tendrían que convencer a otros si es que pretendieran hacer algo serio. Estamos hablando de personas importantes: no te engañes pensando otra cosa. Hemos perdido el elemento sorpresa, desde ayer por la noche saben que alguien anda tras ellos. Ya estarán tomando medidas, y no puedo creer que no tengan toda clase de recursos para una emergencia así. En cuanto se enteran de que alguien sospecha algo sobre el archivo Valkiria, las cosas se desencadenan. No hace falta que os diga cuán implacables pueden llegar a ser. A estas alturas de la operación, todavía pueden permitirse el lujo de suprimir gente temerariamente. Mientras no se aten los cabos adecuados, pueden ir matando gente sin parar a fin de tapar las cosas. Aunque nos dirigiéramos a las altas esferas con estos papeles, no tenemos garantías de que diera resultado.

—¿Por qué no? —interrumpió Etan. Durante el día, las consecuencias reales de lo que estaba sucediendo le habían ido abrumando. Había pasado del desconcierto a la ira—. Tengo amigos que pueden ayudarnos, gente en círculos gubernamentales, en la policía. Mi primo Ben es uno de los principales abogados del país. Tiene acceso a los más altos jueces, a los fiscales, a personas de ésas.

Harry sacudió la cabeza.

—No hay tiempo, Etan. Si esta gente tiene algún plan, lo llevarán adelante. David, Leyla y yo somos los únicos testigos que pueden atar los cabos sueltos: antes de que el caso llegara al juzgado estaríamos muertos. Cualquiera que amenazara su plan correría la misma suerte.

—Pero ustedes tienen los papeles —protestó Etan.

—No bastan. Soy un cazador de nazis, soy un inconformista. Si aparezco con una lista que acusa a las personas más importantes del país, estaré pidiendo a gente como su primo que vaya contra sus propios amigos: gente que conocieron en los campos o durante la guerra de independencia. Hombres buenos, buenos judíos y buenos maridos y padres de familia.

»Escúcheme, Etan. El proyecto Valkiria era la cosa más inteligente que jamás soñaron los nazis, ya que transformaba a sus víctimas en ayudantes y protectores. Si señalo a los hombres que figuran en esta lista, por cada uno de ellos que yo acuse, una docena, dos docenas de auténticos y honrados israelíes vendrán a testificar que yo no soy más que un viejo loco cuyas obsesiones le han enajenado. Soy británico, y ya sabe lo que eso significa aquí. Nosotros hicimos algunas cosas repugnantes a los judíos y no lo han olvidado del todo, ¿no es cierto? Algunos de los personajes de esta lista llegaron a Israel huyendo de los británicos. Probablemente incluso ayudaron a verdaderos refugiados a entrar en el país cuando los británicos trataban de mantenerlos fuera o de volver a internarlos en campos. Y ahora yo voy y les acuso de ser nazis.

Calló. Esta vez fue Beth la que interrumpió.

—Pero, si pudiera conseguir pruebas, evidencias suficientemente aplastantes como para convencer al más escéptico, ¿iría a ver a Ben?

Harry la miró un instante antes de responder.

—Si fueran pruebas de hierro forjado, sí. Pero ¿dónde se imagina que puedo conseguir tales pruebas? ¿Y en el tiempo que nos queda?

—Bueno, antes dijo que le irían a buscar a su apartamento. Pues espere allí, sígalos. Deje que ellos le conduzcan a las pruebas.

CAPÍTULO 65

Los hombres vacilaron al salir del edificio de apartamentos, dieron la vuelta abruptamente hacia la izquierda y caminaron lentamente por la calle. David los observó hasta que llegaron al Volvo negro que había aparcado a cien metros de distancia. Se hallaba en su propio coche al otro lado de la calle, un tanto alejado de la entrada de la casa. En cuanto los hombres se metieron en su coche dándole la espalda, puso el motor en marcha. Les dejó mezclarse en el escaso tráfico de la mañana y se puso en marcha, dejando unos seis coches por medio.

Había ido directamente al apartamento de Harry y había comprobado que nadie había estado allí. Había pasado la noche vigilando desde el coche la entrada del bloque de apartamentos. Los hombres llegaron justo después de las cinco. Eran dos, uno alto y otro de estatura media, pero David no pudo dintinguir sus rasgos en la oscuridad. Se pasaron casi tres horas dentro. En aquel momento, faltaban pocos minutos para las ocho.

Por lo visto no tenían ninguna prisa por llegar a su destino y David tuvo que cuidar mucho de que no le vieran. Se dirigieron durante un corto trecho hacia el norte, después giraron en Nordau hacia Herzl y condujeron en dirección sur hacia Yefe Nof. El tráfico allí era aún más escaso y ocultar el Volvo se hizo más difícil. David tenía que rezagarse tanto que varias veces temió haberlos perdido, pero siempre volvía a verlos reaparecer en algún punto de la carretera principal. A pesar de que el sol brillaba con fuerza, la nieve no se había derretido. Los neumáticos parecían quemar la superficie asfaltada. Poco a poco, la ciudad desapareció de ambos lados. Estaban llegando a Yad Vashem. ¿Tal vez se dirigían allí? David miró a la derecha. La niebla rodeaba el monte Herzl como algo precioso que se desparrama sobre la hierba. El Volvo giró hacia la izquierda tomando la carretera de Kiryat Ha-Yovel. Él lo siguió.

Se detuvieron frente a una enorme casa en Zangwill, no lejos del club deportivo de Jerusalén. David pasó por su lado sin mirarlo y torció por la entrada del club. Si habían visto que les seguía, al verle entrar allí habrían desaparecido todas sus sospechas. Observó por el espejo retrovisor que los hombres entraban en la casa. Una vez estuvieron dentro, condujo el coche fuera del club, torció y lo aparcó un poco más abajo en la calle. Era un barrio moderno, tranquilo y respetable. En aquella casa debía de vivir alguien importante. David se preguntó cuál de los nombres de la lista sería.

Caminó junto a la casa, observándola. Estaba un poco apartada de la calle y tenía un pequeño jardín delante. Un estrecho sendero discurría hasta la puerta principal, continuando por el costado de la casa hacia la parte trasera. Aproximarse por la fachada sería difícil: había demasiadas ventanas y ningún sitio para resguardarse. Regresó hasta Tora wa-Avoda. Otro camino conducía a un gran colegio y junto a él había un estrecho espacio que se extendía entre el colegio y la parte trasera de una hilera de casas que incluía la que le interesaba.

No había nadie en la calle. Los niños estaban en el colegio; sus padres les habían dejado allí y habían continuado su camino hacia el trabajo o de vuelta a casa. David se deslizó por el boquete de una alambrada que había y caminó despacio hacia la pared. Sabía cuál era la que buscaba: la única casa con tejado verde y doble antena de televisión. No había señales externas de sistemas de alarma. Tendría que correr el riesgo.

Pasar por encima de la pared fue fácil. Al otro lado había un extenso jardín repleto de arbustos. David saltó al suelo, quedándose instantáneamente inmóvil a la escucha de la más leve indicación de alarma. Un perro ladró cerca y luego calló. En la parte trasera de la casa, las cortinas de todas las ventanas estaban echadas. Moviéndose de arbusto en arbusto, David se aproximó a la casa. Seguía preguntándose qué debía hacer. Pensó que sería mejor entrar en ella cuando anocheciera. Pero debería, al menos, inspeccionarla a la luz.

Observó la parte trasera de la casa durante un buen rato, pero no vio ningún movimiento en las ventanas, ni nadie entró o salió por la puerta trasera que estaba a su izquierda. No había rastro de alarmas de ningún tipo y pensó que no le sería difícil entrar en la casa.

Entonces vislumbró una luz que no había visto antes, justo al nivel de la planta baja, en lo que parecía ser la ventana de un sótano. Se tendió en el suelo y miró al interior.

Una bombilla desnuda iluminaba una escalofriante escena. El sótano era espacioso, y ocupaba casi la mitad del área de la propia casa. Las paredes eran blancas y desnudas y el suelo liso; aquí y allá, manchas de humedad mancillaban la pureza de las paredes, como las imperfecciones de un suave cutis. La luz de la bombilla no alcanzaba las esquinas, de las cuales se habían adueñado las sombras. Había un gran calentador a un lado y algo que David tomó por el motor de un sistema de aire acondicionado.

Cinco hombres se hallaban reunidos bajo la luz, los dos que había seguido hasta allí y otros tres. Reconoció al hombre del abrigo de tweed como uno de los que habían estado en el apartamento de Harry. Tenía unos sesenta años y un rostro inexpresivo, con ojos y labios que no mostraban nada, mejillas rojas y ligeramente protuberantes y una sonrisa nerviosa que iba y venía de su rostro como una luz intermitente. El que estaba junto a él daba la espalda a David, pero le reconoció por su gabardina. El tercer hombre era delgado, con el pelo gris y sucio, peinado hacia atrás para cubrir la cabeza calva, con un cuello venoso y tenso y oscuros ojos vigilantes bajo los cuales unas gruesas líneas se sumergían en las mejillas descarnadas. Junto a él estaba el general Gershon Neusner. David le reconoció por las fotografías que había visto durante años en el *Post* de Jerusalén. El quinto hombre se hallaba, igual que el que iba de negro, de espaldas a David, pero en él había algo inquietantemente familiar.

Hablaban entre ellos con los rostros graves. Aunque parecían estar en calma, el hombre delgado parecía ponerse nervioso por momentos, presumiblemente por las noticias de que sus dos amigos habían ido al apartamento de Harry sólo para descubrir que el pájaro había volado. David oía las voces de los hombres alzándose y bajando de tono mientras discutían sobre lo que debían hacer, pero no distinguía lo que decían. Neusner parecía ser el menos hablador, pero cuando lo hacía parecía atraer la máxima atención. David sabía que estaban debatiendo su siguiente movimiento, y deseó ardientemente poder escuchar lo que decían, pero le era imposible desde donde se hallaba. ¿Y si tratara de colarse en la casa y de escuchar lo que se discutía en aquel sótano sin que le vieran? Rechazó la idea por lo impracticable y peligrosa y continuó observando la escena.

De pronto, las figuras se separaron como si ya se hubiese tomado una decisión. Los dos hombres a quienes David había seguido se dirigieron hacia la escalera que conducía a la planta baja de la casa. Justo detrás de donde habían estado en pie discutiendo apareció algo que tenía todo el aspecto de ser una especie de blanca cama de hospital con una cabecera de hierro forjado y una ropa limpia y casi crujiente. Y así era, excepto por una masa que había en el centro, algo rojo y deforme. Al principio, David no acertaba a distinguir qué era, pero por lo que podía ver, sabía que fuera lo que fuese, no era humano. Lo observó más atentamente y al punto deseó no haberlo hecho. La cosa que yacía sobre la cama —se dio cuenta sintiendo una incontenible y repentina náusea— había sido Katje Horowicz. Sintió que una ola de mareo le recorría de arriba abajo; el vómito asomó a su garganta, espeso e incontrolable, y desvió el rostro para arrojarlo. Se arrodilló sobre la nieve junto a la ventana, temblando de pies a cabeza y sintiendo el estómago fuera de su sitio. Tan sólo podía adivinar vagamente lo que le habían hecho, pero rogó porque hubiera estado inconsciente la mayor parte del tiempo. Incluso después de todo lo que había visto en San Nilo y en Iram, le costó creer que un ser humano pudiera hacerle una cosa así a otro.

Cuando terminó, se volvió de nuevo hacia la ventana y miró. Quería ver el rostro del último hombre, el que le había dado la espalda todo el tiempo. Mantuvo los ojos apartados del bulto de la cama tanto como le fue posible. ¿Por qué no lo tapaban? Entonces vio por el rabillo del ojo que se movía, y se dio cuenta horrorizado de que aún estaba viva, aunque sabía que lo que vivía en aquel... cuerpo, ya no era Katje Horowicz.

Mientras la miraba, el hombre que se hallaba de espaldas a David sacó algo del bolsillo y se acercó a la cama. Era un revólver. Lo levantó a lo que había sido la cabeza de Katje y apretó el gatillo. David oyó una ligera descarga, vio cómo la cosa de la cama sufría un espasmo y quedaba inmóvil. El hombre se guardó el revólver en el bolsillo y se dio la vuelta para mirar a sus cómplices. David había visto aquella cara antes, el día anterior precisamente. Era Rabin, el mayor del MOSSAD a quien David había entregado la copia del archivo Valkiria y el resto de los papeles.

La lista de nombres del archivo Valkiria no estaba completa. Había otros. El embrión de Iram no había muerto con la ciudad.

CAPÍTULO 66

David apenas si recordaba haber corrido alejándose de la casa, saltar por el muro y regresar a su coche. Todo era turbio mientras apretaba el acelerador y se deslizaba por la calle, casi atropellando a un niño en bicicleta que se le cruzó en dirección contraria. Se alejó rugiendo a toda velocidad como si estuviera poseído por los demonios. Pero nadie le seguía. La calle que había dejado atrás estaba en calma, casi vacía. Cuando llegó a Giv'at Oren sus nervios se habían calmado. Cinco minutos después detuvo el vehículo frente al domicilio de los Benabu y paró el motor. Ya había decidido lo que iba a hacer.

Etan le abrió la puerta. Una simple mirada a David le bastó para comprender que algo andaba mal y le acompañó adentro. Fueron derechos a la sala de estar. Beth y Harry estaban sentados frente a una mesita baja tomando el té. Harry se levantó en cuanto vio entrar a David.

—David. Estábamos preocupados por ti.

—Ya lo veo —dijo David, cortante.

—Por favor, David, eso no es justo —dijo Beth enfadándose—. Harry ha estado preocupado de veras y yo también. Pero no podíamos hacer nada.

—Lo siento —dijo David—. Estoy muy nervioso. ¿Puedo beber algo, por favor? Algo fuerte.

Beth le miró. Las manos le temblaban.

—Sí, claro —dijo. Miró a Harry y a Etan y fue hacia una mesa que había en una esquina; sirvió un generoso trago de whisky en un vaso de cristal finamente tallado.

—¿Dónde está Leyla? —preguntó David.

—Está bien, David —dijo Harry—. No pasa nada. Te lo explicaré dentro de un minuto. Pero primero dinos lo que ha ocurrido. ¿Por qué estás tan excitado? Y siéntate, por el amor de Dios, antes de que acabes poniéndonos nerviosos a todos.

David se sentó. Beth le trajo el vaso. Lo cogió con una mano muy poco firme, alegrándose de que no le hubiera puesto hielo. Les explicó los detalles principales de lo que había encontrado, ahorrándole a Harry la verdad de la suerte que había corrido Katje, aunque, por supuesto, se daba cuenta de que ni él mismo se imaginaba la completa y enorme dimensión de lo que le habían hecho. Harry no dijo nada cuando David terminó. Quería preguntarle qué había pasado, pero algo en la postura de David se lo impidió.

—¿Y qué hay de Leyla? —preguntó David.

—Después de marcharte tú —dijo Harry— tuvo una idea. Estábamos hablando sobre mañana, sobre la firma del tratado. En el *Post* de Jerusalén de esta mañana había un artículo sobre ello. Por lo que se ve han planeado que al-Hashimi se quede en Jerusalén esta noche. Le han proporcionado una residencia privada en algún punto de la ciudad, las autoridades no han revelado dónde, claro. Por la mañana a las once irá a la Cúpula de la Roca para orar y encontrarse con la delegación egipcia y los líderes árabes locales. Después de un breve discurso lo llevarán al Knesset donde realizará una alocución ante los parlamentarios israelíes y otros dignatarios invitados, la mayoría diplomáticos. Después se espera que firmará el tratado, estrechará la mano de todo el mundo y regresará a Damasco. Parece sencillo. Ni siquiera hay un banquete. Todo directo al grano.

—¿Y?

—Y Leyla pensó que alguien debería tratar de acercarse a él esta noche, por si puede oír algo. Ella trabajaba para el departamento gubernamental de traductores como intérprete árabe-hebreo. Cree poder averiguar quién será el intérprete de al-Hashimi y si se trata de algún viejo amigo suyo podrá cambiarle el puesto.

—Pero, ¿y eso para qué? No podrá acercarse a su residencia.

Harry sacudió la cabeza.

—Ella cree que sí. Dice que es el procedimiento normal en estos casos. Ya había hecho cosas parecidas antes. Él hablará en árabe, pero en el Knesset son hebreoparlantes. Querrá ensayar su discurso con antelación junto con su intérprete para evitar cualquier posibilidad de que haya mal entendidos. Y dado que no llega hasta esta noche, probablemente querrá tener al intérprete antes de la comida.

David se puso nervioso. Leyla correría un gran riesgo.

—¿Y qué pasará si alguien la reconoce? —preguntó.

—También lo ha pensado. Salió a comprarse una peluca y unas gafas. Las posibilidades de que allí haya alguien que la conozca son muy exiguas, de todos modos.

—Ojalá hubiera esperado hasta mi regreso —protestó David. Tenía una premonición, como si jamás fuera a verla de nuevo.

—Si vuelve —dijo levantándose—, decidle que me espere aquí. Me gustaría verla.

—¿Adónde vas? —preguntó Beth.

—A casa de Neusner —dijo David—. Cuando me iba de la otra casa caí en la cuenta de que, si Neusner estaba allí, sería un buen momento para registrar su domicilio. Si puedo ponerle las manos encima a la más mínima prueba que le relacione con el equipo Valkiria, puede que podamos hacer algo esta misma noche antes de la conferencia. —Se volvió hacia Harry—. ¿Tienes la copia del archivo Valkiria? Necesito la dirección de Neusner.

Etan se levantó:

—Yo la traeré —dijo, y salió del estudio.

David estaba nerviosísimo y era incapaz de sentarse o descansar. La inesperada ausencia de Leyla acabó por crisparle del todo los nervios, sobre todo después de lo que había presenciado aquella mañana.

—Siento haber sido tan desagradable cuando entré, Harry —dijo—, pero la muerte de Katje me ha trastornado. No había ninguna necesidad de que ella se viera envuelta en todo esto. Ya ha muerto demasiada gente que nada tenía que ver.

Harry sacudió la cabeza suavemente.

—Eso no es cierto, David. Aquí no hay espectadores inocentes. Nadie puede mantenerse al margen de un asunto como éste. Simplemente decir «No quiero verme complicado» es una especie de declaración de culpabilidad.

—Tiene razón, David —intervino Beth—. Yo preferiría no verme complicada en todo esto. Tengo hijos y padres, y temo por Etan. Pero no veo cómo iba a poder mantenerme al margen.

Etan regresó con la carpeta. David la cogió y buscó la entrada de Neusner. La dirección en Ha-Poretzim estaba muy clara. La anotó junto con el número de teléfono y cerró la carpeta.

—Harry —dijo—, mientras estoy fuera, hágame el favor de buscar en el archivo la casa de Zangwill y mirar a quién pertenece. Era el número setenta y tres.

Harry asintió y cogió la carpeta.

—Cuídate, David —dijo. Pero sus pensamientos estaban con Katje Horowicz.

Beth acompañó a David a la puerta.

—Ten cuidado, David —dijo—. No corras riesgos innecesarios.

Caminó hacia el coche y luego se volvió para mirar a Beth, que estaba en la puerta. «No hay espectadores inocentes», había dicho Harry. Pero ¿qué otra cosa sería ella si iban allí y la mataban igual que habían hecho con todos los demás? Abrió la puerta y se sentó al volante.

CAPÍTULO 67

La casa de Neusner se hallaba sumida en el silencio. David la vigiló durante un rato pero no observó ningún movimiento. El periódico de la mañana había sido repartido, pero nadie lo había recogido. Condujo hasta un poco más abajo de la calle y aparcó el coche. En la esquina con Kovshe Qatamon había una tienda de ultramarinos. Entró, buscó el teléfono y marcó el número. El teléfono sonaba y sonaba en el otro extremo, pero nadie lo cogía. Para asegurarse, volvió a marcar el número de Neusner y siguió sin obtener respuesta. Colgó el teléfono y salió. La nieve se estaba derritiendo y formaba parches por el suelo, pero aún resbalaba traicioneramente.

O bien Neusner había vuelto a casa de Harry, pensó, o bien había vuelto a pedir a los dos hombres que David había visto allá que regresaran y le llevaran el archivo. Mientras se quedaran en Zangwill, él estaría razonablemente seguro.

Entrar le fue más fácil de lo que esperaba. Tal vez los generales israelíes contaban con la estima pública para mantener alejados a los ladrones. Habían dejado abierta una de las ventanas traseras del piso de arriba, lo cual permitió a David trepar por ella sin gran dificultad. Se encontró en un enorme dormitorio amueblado ostentosamente, aunque con gusto, con una amplia cama que parecía tentadoramente suave. Esperaba algo más espartano, algo más acorde con el *ethos* de las SS. Una mullida alfombra amortiguaba sus pasos, acrecentando su sensación de ser un intruso al imponer silencio en cada uno de sus movimientos.

Se dirigió lentamente a la puerta y echó una mirada por el oscuro pasillo. En la casa reinaba el silencio. En la pared junto a la puerta había un interruptor. Lo apretó y una suave luz rosácea inundó el pasillo. Justo enfrente de donde se hallaba, colgaba un enorme cuadro impresionista, una escena de lo que le pareció un parque parisino en una tarde de verano. Se aproximó a la pintura: era un original y, a juzgar por la firma, debió de costar una fortuna. Neusner no se privaba a todas luces de las cosas buenas de la vida. ¿Qué clase de sueldo debía cobrar además del salario corriente de un general israelí?

David examinó una por una todas las habitaciones de la planta superior. Había cinco dormitorios, dos cuartos de baño, una pequeña habitación para la televisión y un enorme armario con ropa blanca. Neusner tenía hijos, dos chicas y un chico, o eso le pareció a David. Obviamente, dos ya no vivían en casa, pero David adivinó que la tercera, una niña de diez años por el aspecto de la habitación, todavía vivía allí.

Había estado en el cuarto de la niña, repleto de muñecas, juguetes, bonitos vestidos y pósters de estrellas del pop, pensando en aquella cosa que vio sobre la cama de la otra casa, lo que había sido Katje Horowicz. Pensó en las manos de Neusner, las mismas manos que debieron de torturar a Katje, acariciando el cabello de su pequeña, besándola en la mejilla por las noches. Las manos ardientes y los labios helados. Y entonces se le ocurrió que había muchos niños con padres así: los hijos de los hombres de las SS, los de los torturadores de Sudamérica, los de los verdugos, los de los policías secretas, los de los gángsters de la Mafia. Les acariciaban el suave rostro y los cabellos, les cerraban los ojos con un beso, y el domingo en el parque caminaban cogidos de la mano grande y segura de papá, la misma que se había lavado de sangre y sudor el sábado por la noche.

Se estremeció y bajó a la otra planta. La segunda habitación en la que entró era un estudio, una cálida y tranquila habitación con estanterías repletas de libros bien alineados, con asientos de piel reluciente y decorada con objetos de bronce lustroso. David encendió la lámpara que había sobre el escritorio y se acercó a la pared del fondo. Todos los libros trataban de historia militar e incluían volúmenes en hebreo, inglés, alemán y francés. Habían sido encuadernados en piel fina y estampados con letras de oro, hilera tras hilera; cada uno era la antítesis de su asunto, la voz muda de una carnicería.

Con gran cuidado, David comenzó a repasar los documentos que había sobre el escritorio y después los que se hallaban contenidos en los archivos adyacentes. Cuanto más miraba, más inútil le parecía que iba a ser aquello. «¿Por qué iba a guardar Neusner aquí algo que le comprometiera?», se preguntó. «Pero, ¿dónde si no iba a guardar las cosas que podría necesitar?» El tiempo iba pasando, y David se iba poniendo nervioso, pero todo cuanto leía parecía de lo más inofensivo.

Finalmente decidió que debía de haber algún escondite seguro, pero no había rastro de nada parecido en las paredes. Miró detrás de los cuadros y fotografías de la pared que había frente al escritorio. Ninguna ocultaba un escondite secreto. Se sintió al borde de la desesperación, ya que sabía que no tenía suficiente tiempo para explorar la casa en busca de algo que o estaba muy bien escondido o a lo mejor ni siquiera estaba allí. Pero en aquel momento recordó un truismo básico en arqueología: que los escondites de tesoros se encuentran preferentemente en el suelo y no en las paredes, pues si hay un derrumbamiento las paredes caen, pero el suelo permanece más o menos intacto. Comenzó a enrollar los bordes de la alfombra persa.

El escondrijo se hallaba cerca del escritorio. Levantó un trozo del suelo, que dejó al descubierto una tapa escondida, en el centro de la cual había un disco con números y letras en círculos concéntricos. Fue de nuevo al escritorio y empezó a buscar un diario o un cuaderno de notas donde pudiera estar la combinación, pero no había nada. Sabía que no existía modo alguno de adivinar los números, alguna manera de deducirlos lógicamente. Para ser un ladrón iba patéticamente mal equipado. ¿Realmente esperaba encontrar el tipo de prueba que buscaba esperando tranquilamente allí a que él u otra persona fuera y lo cogiera? Dio un puñetazo sobre la mesa, frustrado, volcando una fotografía de Neusner.

Era inútil. Tendría que irse, conseguir explosivos y regresar lo antes posible, lo cual significaba que se vería impotente para hacer alguna cosa acerca de la conferencia del día siguiente, pero tendría que correr el riesgo. Tal vez no fuera a ocurrir nada, tal vez el propósito de la visita no era más que poner algo en marcha. El lazo comenzaría a caer. Ojalá pudiera estar seguro.

Comenzó a recoger el estudio lo más rápidamente que pudo, enderezando los archivos y los papeles, colocando la alfombra y poniendo las sillas como estaban. Actuaba torpe y desganadamente, igual que un hombre derrotado que sigue moviéndose porque no le queda nada más que hacer. Acabó de arreglar el escritorio de Neusner y puso la fotografía de pie. Unos ojos fríos le miraban, como si se mofaran de su fracaso. El general iba vestido con una camisa caqui y tenía los brazos cruzados por delante, sonriente y seguro de sí mismo. David trató de imaginárselo cuando era joven, pronunciando el juramento de lealtad de las SS:

Ich schwöre Dir, Adolf Hitler, als Führer und Kanzler des Deutschen Reiches, Treue und Tapferkeit. Ich gelobe Dir und den von Dir bestimmten Vorgesetzten Gehorsham bis in den Tod, So wahr mir Gott helfe [Juro a ti, Adolfo Hilter, como Führer y Canciller del Reich alemán, lealtad y bravura. Juro a ti y a los superiores que tú señales, obediencia hasta la muerte, para lo cual pido a Dios que me ayude].

Y después en Dachau, un señor haciendo de esclavo, pretendiendo expresar con sus ojos azules una humildad de corazón que jamás sintió. Los números del antebrazo eran una farsa, como los tatuajes baratos de feria jurando un amor eterno. Apagó la lámpara y el rostro se desvaneció.

Cuando llegó a la puerta, un pensamiento había cobrado forma en su mente. Pasaron unos segundos, luego dio media vuelta y volvió al escritorio. Encendió otra vez la lámpara y miró la fotografía. Los números eran demasiado pequeños y casi imposibles de distinguir. Recordó haber visto una lupa en uno de los cajones. A toda prisa comenzó a abrirlos y cerrarlos. La lupa estaba en el cuarto. La acercó a la fotografía.

D7932-V, leyó.

Se agachó, volvió a enrollar la alfombra y levantó la pieza suelta del suelo. Conteniendo la respiración, marcó la letra, los cuatro dígitos y finalmente la V. Después tiró del pomo, pero la tapa no se movió. David se echó hacia atrás. Le había parecido una idea tan obvia, tan limpia y satisfactoria... Entonces recordó el modo en que los números habían sido escritos en las páginas de la lista original de las Valkirias. No recordaba el número exacto de Neusner, claro, pero sabía que había llegado a Dachau en diciembre de 1944. Todo cuanto tenía que hacer era ir probando las posibles fechas una por una. Comenzó con 12144-D7932-V.

Gershon Neusner llegó a Dachau el 12 de diciembre. Al duodécimo intento de David, la tapa se abrió igual que si hubiera pronunciado «ábrete, sésamo». Alargó una mano y extrajo un montón de papeles, luego otro y otro más. Cogió los papeles y los colocó sobre el escritorio. Con las manos temblorosas, desató la cuerdecilla que sujetaba el primer montón.

Una carta de recomendación de Heinrich Himmler, escrita de su puño y letra. Cartas de Ulrich von Meier, desde Iram. Una foto de una veintena de hombres de las SS entre los cuales podía distinguirse a Neusner sin grandes dificultades. Una grotesca y en cierto modo obscena foto del joven Neusner mientras era circuncidado por un cirujano de las SS, con una mueca en el rostro bajo una pancarta donde se veía un chiste antisemita dibujado y un pie de foto. Cartas de otros miembros del regimiento Valkiria, presumiblemente enviadas a través de una agencia distribuidora central situada en algún punto, notificando a Neusner su paradero, sus progresos o sus planes, o pidiendo información sobre sus actividades. Una lista de los operativos Valkiria vivos y residentes en Jerusalén. Insignias de las SS, algunas viejas, otras de un origen evidentemente más reciente, las hojas de roble y la estrella de un Oberstgruppenführer, correspondiente a su rango de general en el ejército israelí. Medallas de nuevo, tanto viejas como nuevas, en arrugados paquetes de cartón.

Neusner había firmado su propia sentencia de muerte. Por alguna razón —orgullo, nostalgia, pura y simple bravatería, un sentido histórico— había corrido un inconmensurable riesgo llevando tales objetos a Israel. Si David lograba hacer llegar unos pocos de ellos a manos adecuadas, Neusner y todos sus asociados estaban listos. No era probable que nadie llegara a saber jamás lo que había ocurrido: revelar las dimensiones totales de la conspiración sólo serviría para deteriorar gravemente la confianza de la gente. Por el momento, lo que necesitaban los israelíes era una inyección de moral, y no un incremento de inseguridad.

Abrió el segundo montón. Contenía más cartas, escritas a mano con caracteres árabes, y tenían la traducción alemana sujeta con un clip. David las hojeó rápidamente. Se remontaban a varios años atrás y todas estaban firmadas por la misma persona: 'Abd al-Jabbar al-Shami. Cogió la más reciente, datada hacía unos dos meses, y comenzó a leerla:

Querido Walther:

La última vez que nos vimos acordamos que yo debía comprobar la situación en Damasco. He pasado allí dos semanas y me siento satisfecho de comprobar que todo está en orden. Al-Hashimi es popular y hay pocos detractores de su liderato, y por supuesto ninguno que no se pueda manejar. El plan de paz continúa adelante sin interrupción. Naturalmente, hay varios elementos que se oponen violentamente, pero cuando hablé con al-Hashimi me aseguró que pueden contenerlos.

Me he entrevistado con el general Subki y con Ibtisam al-Bakri. Subki ha sido nombrado general encargado del sector del Golán tal y como estaba planeado y actualmente tiene tres divisiones bajo su mando. Hazme el favor de informar a Heinrich Schultz de que debe asegurarse de que el servicio de información israelí entienda que son las divisiones quinta, novena y decimocuarta que normalmente se hallan situadas en la línea que une Quneitra y Butmiya. El 1 de marzo, Subki habrá sustituido éstas por otras tres divisiones nuevas compuestas por hombres de los excelentes regimientos de la frontera iraquí, incluidos los regimientos de Intisar, 'Anaza y Sayyak procedentes de Baalbek y Alepo.

El 3 de marzo a las 11 de la mañana el general Subki hará retroceder sus tropas al lugar convenido en el tratado de paz, justo cuando al-Hashimi comience su discurso en la Cúpula de la Roca. En ese punto habrá observadores internacionales que informarán del movimiento de tropas que se habrá efectuado a fin de establecer las nuevas fronteras según el acuerdo de la tarde.

A las 11.30, justo en cuanto al-Hashimi concluya, pero antes de que Schultz efectúe su movimiento, su comandancia del sector del Golán recibirá una notificación del servicio de información transmitido desde Alepo diciendo que las tropas sirias se están moviendo hacia territorios que se hallan bajo control israelí. Entonces ordenarás que avancen dos batallones dispuestos para un posible ataque. Creo que debería hacer que tu personal se enterara de que notificarás inmediatamente a Jerusalén lo que está sucediendo, pero nuestra gente se encargará de interceptar el mensaje. A las 11.45 se entregará un mensaje en tu puesto de comandancia indicando que las fuerzas sirias han perpetrado un ataque contra las posiciones de vanguardia israelíes al sur de las tuyas. En ese momento, te sugiero que lo mejor sería experimentar un corte total de la comunicación. Mausbach me ha dicho que puede boicotear las líneas sin gran dificultad. A las 11.50 ordenarás a tus hombres que ataquen. Una vez haya comenzado el fuego en ambos lados, Mausbach volverá a restablecer las comunicaciones.

A partir de entonces, todo seguirá de acuerdo con el plan trazado entre los dos en diciembre. Por favor, asegúrate de que Hacker, Wustenfeld y Thiess están seguros de lo que tienen que hacer. Estoy particularmente preocupado de que Wustenfeld no esté seguro al ciento por ciento de que las armas nucleares israelíes serán inoperativas en esa fecha; si no puede garantizarlo para el 1 de marzo, tendremos que seguir el Plan B, pero como sabes, preferiría evitar el retraso que tal cosa supondría. Al-Hashimi puede ser muy popular, pero el control que posee es aún demasiado incierto como para permitirnos malgastar el tiempo. Puede que no tengamos una segunda oportunidad si fallamos el 3 de marzo.

Asegúrate, por lo que más quieras, de que el horario fijado para ese día se cumple escrupulosamente. Una vez que Schultz actúe ya no habrá modo de echarse atrás. Los israelíes tienen que parecer los agresores desde el principio. Al-Bakri nos asegurará el control total de Damasco a las 11.30, pero es vital que las tropas sirias ha-

yan controlado la mayor parte posible de territorio israelí antes de que intervengan en la guerra otras fuerzas árabes. La invasión contará con la legitimidad moral, pero sin una posesión real de territorio, eso no significará nada para las negociaciones subsiguientes. Debemos tener suficiente tierra para ofrecer concesiones a los jordanos y a la OLP en el este, al tiempo que conservamos una parte para nuestro uso exclusivo. Lo ideal sería mantener el control total sobre todas las regiones normalmente habitadas por judíos, ya que ellos serán imprescindibles en la tarea de trabajos forzados durante la primera fase de la ocupación y la sirianización.

Como seguramente sabrás, Ulrich von Meier ha examinado con atención la cuestión de la legitimación. Nuestro mejor argumento, dice él, será dar la vuelta a las reclamaciones sionistas de la región, las cuales no se basan más que en textos bíblicos. Él entiende que algunos de los materiales encontrados en la excavación arqueológica siria de Ebla demuestran una ocupación mucho más temprana de Palestina por Siria. En su última comunicación, me dijo que ha oído hace poco que un experto en textos eblaítas se encuentra actualmente en Israel. Cree que podrá convencerle para que le ayude a recoger referencias en los textos sobre la hegemonía siria de la región palestina. Quiere que yo lo lleve a Iram. Nuestros mayores obstáculos serán la justificación y el control, tal y como dije en mi última carta. Hace unos días tuve noticias de Schneider en Washington. Él y sus asociados son optimistas acerca de la situación actual de los patanes árabes allí y cree que los sionistas se han debilitado considerablemente durante el último año. No será fácil, naturalmente, pero cree que si podemos llevar a cabo la ofensiva inicial sin demasiado derramamiento de sangre, los americanos aceptarán fácilmente el asunto como un hecho consumado. Los patanes judíos se volverán locos, es obvio, pero han conseguido impacientar a tanta gente allí últimamente, sobre todo desde lo sucedido en el Líbano, que sin duda encontrarán resistencia. Lo que los políticos americanos pierden respecto a votos judíos, lo recuperarán con creces en el comercio con el mundo árabe. Lo principal será que nosotros insistamos en adoptar una postura prooccidental y anticomunista desde el principio. De ese modo, nuestra victoria será vista más positiva que negativamente. De hecho, pronto nos verán con reconocimiento por ser los que han quitado la espina que todo el mundo tenía clavada desde hacía tiempo. Si el control sirio pone fin de un modo efectivo a la tensión en la zona, no hay razón alguna para que el mundo entero —y aquí incluyo a los soviéticos— no nos esté agradecido por lo que hemos hecho.

Sin embargo, predigo que el control será difícil. Tú conoces a los israelíes mejor que yo y creo que tienes razón al afirmar que adoptarán un punto de vista al estilo Masada: mejor luchar hasta que caiga el último hombre que abandonarse a manos del enemigo. Y, sobre todo, haz el favor de ir con mucho cuidado a la hora de montar los campos de internamiento. No podemos permitirnos el lujo de dar una impresión errónea o perderemos el beneplácito de todos aquellos que intentamos que contemplen favorablemente nuestra actuación. No debe haber señales de campo de concentración en absoluto. Los internos deben ser sencillamente terroristas conocidos y debe efectuarse rápidamente el juicio de todos los casos. La labor en los campos debe ser guardada discretamente y sobre todo debe parecerse lo más posible a una simple continuación de la de los kibbutzim *ya existentes.*

Naturalmente, tendremos que trasladar un tanto por ciento de la población. ¿Podemos consultarlo más extensamente una vez establecido el control total? Me gustaría discurrir un programa para traer de vuelta a los refugiados palestinos directamente de los campos o bien desde lugares como la Franja de Gaza y desplazar de este modo a los colonos judíos que tomaron lo que claramente era territorio árabe en 1948. Eso será un buen comienzo. También me gustaría que los refugiados judíos permanecieran en la jurisdicción árabe si es posible, ya que en caso de permitírseles ir a Europa o a América podrían unirse a las restantes fuerzas judías y causar problemas.

A estas alturas, lo principal es asegurarse de que todo esté dispuesto para el 3 de marzo. No puede haber cabos sueltos. Tu gente de las fuerzas aéreas tiene que garantizarnos que la operación de sabotaje discurrirá sin contratiempo alguno ya que de otro modo tendríamos problemas. Si todavía crees que ése es un punto débil, debes tratar de remediarlo aunque sea a estas alturas. Ya sé que no te alegraste al ver a los hombres que te fueron enviados desde Iram, pero yo he trabajado con otros de la ciudad durante años y te aseguro que están perfectamente entrenados y son de una confianza absoluta. Sólo necesitan tiempo para acostumbrarse, eso es todo.

Te veré antes de partir hacia Iram. Si Hajj Amin viviera para ver ese día... En su nombre: este año en Jerusalén.

'ABD AL-JABBAR AL-SHAMI

David permaneció atontado durante unos cuantos minutos, mientras la espantosa verdad de lo que había leído se sedimentaba en su estómago como si fuera de plomo. No quería creerlo, ni una sola palabra, ni una sílaba... pero colgaba frente a él como la cara asesinada de Banquo, oscura, inevitable y sangrienta. Casi podía oler la sangre; era picante y tangible, a la espera de ser derramada. Y sabía que eso es lo que ocurriría si el plan de al-Shami y Neusner tenía éxito. Si Israel desaparecía, ya no habría ningún sitio donde escapar. El viejo antisemitismo resurgiría en Francia, en Alemania, en Gran Bretaña, en Estados Unidos. La política mundial ya se había decantado hacia la derecha: sólo haría falta un toque aquí y un empujón allá para moverla un poco más allá. Nadie podría hacer nada, estaba más seguro de ello que de ninguna otra cosa. Israel no sería más que un peso en la espalda de los poderes occidentales. Serían libres para cortejar a los ricos petroleros árabes como jamás lo fueron antes. Después de la segunda guerra mundial tan sólo un puñado de personas habían tenido el valor de hablar claro, mientras los gobiernos y la Iglesia permanecían en silencio, haciendo la vista gorda a los acontecimientos que tuvieron lugar en Alemania. Y todo volvería a ocurrir. Les hablarían de los campos y ellos fingirían no conocer su existencia. Los que tuvieran conocimiento de historias de primera mano sobre ellos serían acusados de exageración voluntaria igual que sucedió con sus predecesores. Se les suplicaría que acogieran a los refugiados y ellos responderían imponiendo rigurosas cuotas de entrada. Con una tasa elevada de desempleo en todos los países desarrollados, un flujo de refugiados educados y a menudo altamente preparados sería muy impopular en todas partes.

Respaldados por fin por el poder estatal, la organización Valkiria crecería en fuerza. Y seguiría creciendo sigilosamente hasta apoderarse de todos los hombres poderosos de todos los países. David se estremeció. A principios de los treinta, nadie habría creído que lo que ocurrió en los cuarenta fuera posible, y sin embargo sucedió. Ahora la gente decía que jamás podría volver a suceder. ¿No? Él sabía que sí y que, sin obstáculos, así sería. No habría banderas negras, ni esvásticas, ni botas altas; eso sería demasiado evidente. Un nuevo estilo y una nueva moda configurarían la forma de vestir y la mentalidad de la siguiente generación de fascistas. Ellos habían aprendido la lección de sus errores del pasado. David sabía que estaban aguardando, siempre aguardando: un hombre de las SS en el interior de cada uno de nosotros. Ellos constituían una corriente en la sangre de la humanidad que, de no ser constantemente vigilada y expulsada, al principio sólo rezumaría para romper finalmente en todos los rincones que anteriormente había poseído.

Oyó un ruido detrás de la puerta. Absorto en los documentos y en sus propios pensamientos, David no se había percatado de que alguien entraba en la casa. Oyó un murmullo de voces, voces masculinas. Desesperado, miró alrededor en busca de una salida. El estudio no tenía ventanas: el único modo de salir era la puerta. Miró los papeles que había sobre el escritorio. Tenía que asegurarse a toda costa de que llegaban a manos adecuadas. Casi sin pensarlo, los cogió y los devolvió a su escondite del suelo, cerrando la tapa y haciendo girar el disco. Seguidamente devolvió a su lugar la pieza del suelo y desenrolló la alfombra que la cubría. Regresó al escritorio, cogió el teléfono y empezó a marcar un número local.

CAPÍTULO 68

La puerta se abrió. Gershon Neusner se hallaba en el umbral junto a Rabin, el mayor del MOSSAD. Tras ellos había un tercer hombre, que estaba con ellos en la casa de Zangwill. David se preguntó quién sería.

—¿Quién demonios es usted y qué cree que está haciendo? —ladró Neusner. Rabin se inclinó hacia él y le susurró algo al oído. La súbita cólera se esfumó y se tranquilizó.

—Por favor —dijo con voz mucho más suave—, cuelgue el teléfono, profesor Rosen. Si tiene algo que decir, prefiero que nos lo diga a nosotros. Me gustaría oír lo que cree que mis amigos y yo estamos haciendo.

David colgó el teléfono pero no dijo nada.

Neusner suspiró audiblemente.

—¿Por qué es usted tan precavido, profesor? Sólo quiero que me diga qué está haciendo aquí. ¿Es eso tan terrible?

David se sintió derrotado. Le habían fastidiado a cada paso, como si un dios caído velara por ellos guiándoles a la victoria.

—Por desgracia —dijo Neusner—, ha venido usted en mala hora. Espero una visita dentro de muy poco. No puede usted quedarse. —Se volvió hacia Rabin—. ¿Puedes cuidarte de él?

Neusner se volvió de nuevo hacia David.

—Creo que ya conoce al mayor Rabin. Me ha dicho que ayer sostuvieron una interesante conversación. Pero creo que no conoce al caballero que está detrás de él. Permítame presentarle al coronel Isserles, el superior departamental del mayor Rabin.

Neusner y Rabin se hicieron a un lado para dar paso a Isserles. Éste miró a David brevemente y se volvió hacia Neusner.

—¿Qué quieres que hagamos con él? —preguntó.

—Quiero saber con quién más trabaja aparte de Blandford. También quiero conocer el paradero de Blandford y de cualquier otra persona relacionada con ellos. Quiero saber a quién más han entregado copias del archivo y los detalles de cualquier medida de seguridad que hayan tomado para protegerse ellos y la información. Concentraos en cualquier cosa que pueda poner en peligro la operación de mañana

—No podemos llevarle a mi casa —dijo Isserles—. Ya ha habido demasiada actividad por allí estos últimos días.

—Muy bien. ¿Qué tal una de vuestras habitaciones de interrogatorios del MOSSAD? Allí tenéis todo el equipo necesario.

Isserles asintió.

—Hay una habitación en el bloque que hay enfrente de mi despacho. La utilizamos para emergencias cuando las dependencias usuales están llenas. Tengo las llaves.

Rabin dio un paso hacia David. Se metió la mano en el abrigo y sacó un pesado revólver.

—Haga el favor de levantarse, profesor —dijo—. Tenemos que hacer un corto viaje.

David se puso en pie. Miró la fotografía de Neusner que había sobre el escritorio, los números tatuados en el brazo y al hombre de verdad que se hallaba junto a la puerta. Todo lo que hacía falta era un último esfuerzo y podría derribar a Neusner. David lo sabía con tanta certeza como que no le daría ni la más mínima oportunidad de hacer aquel esfuerzo.

Se dirigió hacia Rabin, preguntándose si no debería, al menos, intentarlo. Rabin captó la mirada en sus ojos, la tensión de su cuerpo, a pesar de lo casi imperceptible que era. Encogió el brazo y golpeó a David en la cara con el revólver, haciéndole caer sobre el escritorio. David escupió un poco de sangre y notó que también salía un diente. Rabin dio unos pasos hacia él alzando la mano para asestarle un segundo golpe.

—Déjale —dijo Isserles—. Ya tendrás tiempo para eso. Quiero que llegue de una pieza a la habitación número 19.

Sujetó el brazo de Rabin, impidiéndole descargar el golpe. Contener la violencia en nombre de una violencia mucho mayor, aquél era el regalo de Isserles. Igual que Neusner, que permanecía impasible a su lado, se controlaba perfectamente, como siempre. Dentro de poco, ayudaría a Rabin a producir dolor a David Rosen, producirlo y alimentarlo, animarlo a arraigar y a extenderse.

Rabin ayudó a David a ponerse en pie y le ofreció un pañuelo. David se lo puso en la mandíbula y se quejó de dolor. Se le había roto un diente, pero aún tenía un trozo incrustado en la encía, lo cual era una fuente de agonía, un tormento.

Isserles y Rabin le escoltaron hasta el exterior. Neusner les miró partir, impasible. El Volvo negro estaba aparcado en la curva, siniestro y poderoso, construido para resistir. Le obligaron a acomodarse en el asiento trasero junto a Rabin, el cual seguía apuntándole con el revólver a través del bolsillo del abrigo. Isserles se instaló al volante.

Desde Giv'at Oren hasta la ciudad el trecho era corto. Se detuvieron en la esquina de Haneviim con Shivte Yisrael. Haneviim estaba atestado de gente: los hombres corrían hacia el despacho tras el almuerzo, unos turistas madrugadores caminaban desde la estación de autobuses hacia Me'a She'arim y un viejo rabino conducía un grupo de colegiales de vuelta a sus estudios.

—Salga despacio —dijo Rabin cogiendo a David por un brazo con fuerza. Se levantó torpemente, sujeto por Rabin. Mientras éste se agachaba para salir por la puerta, David supo que tenía que hacerlo entonces. Una vez estuviera en la habitación de interrogatorios no tendría una segunda oportunidad.

En aquel instante, mientras el equilibrio se perdía momentáneamente, David se balanceó hacia atrás enviando a Rabin contra el coche y cayó pesadamente sobre la calzada. David se desasió y echó a correr en dirección contraria al coche, hacia el viejo rabino y los niños que había a su cargo.

—Reb Katzir —gritó corriendo hacia el sorprendido anciano, bautizándole con un nombre cualquiera. Se abrió paso entre el grupo de niños de abrigos negros en dirección al rabino. Tras él oía voces, mientras Isserles se precipitaba en su persecución seguido de Rabin. David agarró al rabino y le abrazó como si reencontrara a un amigo querido perdido hacía mucho tiempo.

—Rebbe —murmuró con urgencia al oído del viejo—. Ayúdeme, por el amor de Dios. Esos hombres intentan matarme. Haga como si me conociera.

Hubo unos momentos de suspense. David creyó que el anciano no le había oído y luego oyó un susurro.

—¿Cómo se llama? Tengo que saber su nombre.

Isserles estaba casi encima de él, abriéndose paso entre la multitud de asustados niños.

—¡David! —gritó el rabino—. ¡Viejo amigo! —Y abrazó a su vez a David. Isserles vaciló y permaneció en guardia. Rabin estaba detrás, blandiendo el revólver. Había perdido la cabeza. En aquel momento estaba dispuesto a todo.

El anciano vio que Rabin levantaba el revólver.

—Póngase detrás de mí —susurró a David. Y gritó a Rabin—: ¡Baje el revólver! ¿No ve que hay niños?

Rabin disparó, acertando al anciano en el pecho.

Los niños gritaron, la gente se dio la vuelta para mirar. Alguien echó a correr hacia ellos. El viejo se desplomó en brazos de David. Tenía sangre en el caftán. David alzó la vista y vio a Rabin allí de pie, petrificado por la detonación del revólver en plena calle. Isserles le arrebató el arma y apuntó a David. Él también estaba dispuesto a todo. Sabía lo que había en juego.

—Corra —dijo el rabino a David con voz débil. David vaciló e Isserles disparó, acertándole en el hombro izquierdo. Se oyeron más gritos. El rabino se quejó y comenzó a vomitar sangre, un chorro carmesí que resbalaba por su barba. David le dejó y echó a correr. Un disparo pasó por su lado y se incrustó en la pared que había junto a él, haciendo saltar parte de la pintura. Encontró una vía libre y corrió a toda velocidad.

Oía a Isserles corriendo tras él. En la siguiente bocacalle torció y siguió corriendo y luego otra vez. Se había internado en Me'a She'arim, entre los caftanes y los sombreros de ala ancha, las barbas y los anillos en las cabezas. Cada hombre con el que se cruzaba le recordaba al viejo rabino que, entre sus brazos, escupía sangre. Se sentía perseguido, desesperado, igual que un conejo tras el cual corre un perro enloquecido. Le dolía terriblemente el hombro, y el diente no le concedía ni la más mínima tregua. Le parecía como si tuviera toda la boca hinchada, insoportablemente inflamada y aguijoneada por agujas al rojo vivo.

Había despistado a Isserles. La gente le observaba con curiosidad, pero él no se apartaba de ellos, sintiéndose seguro entre la multitud. Utilizando pequeños callejones poco concurridos, se encaminó hacia la calle donde había residido brevemente al regresar a Jerusalén desde el Sinaí. Permaneció a la entrada del bloque de apartamentos donde se había alojado, vigilando la calle. Pasó media hora pero no había ni rastro de Isserles. Se estaba debilitando a causa de la gran pérdida de sangre. La bala le había atravesado el hombro, pero le había producido un grave desgarrón al pasar. Necesitaba tratamiento.

Con gran dificultad subió al último piso y llamó a la puerta del viejo rabino que vivía encima del suyo. Cayó en la cuenta de que ni siquiera sabía cómo se llamaba. Se oyó un arrastrar de pasos y la puerta se abrió. El viejo permaneció unos intantes recortado en el vano de la puerta mirando a David, la sangre y el pálido y agotado rostro.

—*Riboyne Shel O'lem* —exclamó. Cogió a David y le ayudó a entrar. David trató de decir algo pero la boca le dolía demasiado.

—No hable —murmuró el rabino mientras acompañaba a David hasta el sofá que había en el otro extremo de la habitación—. Ya hablará más tarde. —Ayudó a David a sentarse y le levantó las piernas hasta dejarle tendido—. ¿Es el señor Levi, verdad? ¿Qué le ha ocurrido?

David trató desesperadamente de hablar, pero el rabino le puso una mano en la boca.

—No, no debe usted hablar. Y yo no debería hacerle preguntas. Iré a buscar a un médico. ¿Estará bien aquí? No hable. Sólo asienta con la cabeza si tiene que responder.

David lo hizo. El viejo sonrió, arrugó el entrecejo y se dirigió hacia la puerta. David le vio salir, tocando el *mezuzah* y murmurando oraciones al salir. Una ola de náuseas le sacudió, y luego otra. Se las compuso para incorporarse parcialmente antes de vomitar, una ola de vómito caliente y amargo, de bilis espumosa que procedía de lo más profundo de su pecho. Se sintió obnubilado, a punto de desmayarse. Hubiera sido un alivio hacerlo, caer en un lapso de inconsciencia indolora, pero no podía permitirse ese lujo en aquel momento. Tenía que dominarlo. Permaneció tendido sudando, tratando de dominar el dolor, sintiendo el gusto del vómito en la boca.

Durante todo el tiempo latían en su mente las frases de la carta de al-Shami a Neusner, como si tuviera un disco rayado en la cabeza: La invasión contará con la legitimidad moral... Debemos tener suficiente tierra... Mantener el control total sobre todas las regiones normalmente habitadas por judíos... El control será difícil... Ir con mucho cuidado a la hora de montar los campos de internamiento... La labor en los campos debe ser guardada discretamente... Este año en Jerusalén.

El rabino regresó al cabo de diez minutos con un médico, un joven Hassid cuyo maletín y estetoscopio parecían estar curiosamente fuera de lugar al lado del *pe'ot* y el caftán.

—¿Quién le ha hecho esto? —preguntó el médico mientras ayudaba al rabino a limpiar el vómito y la sangre—. ¿Cuándo ha ocurrido?

—No puede hablar, doctor —dijo el rabino—. No le obligue. Dele algo para el dolor, algo que le ayude a dormir.

David miró frenéticamente al médico. Sacudió la cabeza violentamente. El dolor estalló en el interior de su cabeza como si fueran fuegos artificiales.

—No —murmuró—. Dormir, no. Yo... tengo que estar... despierto. ... Créanme... es importante... Vida o muerte... Por favor.

El médico sacudió la cabeza.

—Está usted herido. Ha perdido mucha sangre. Necesita dormir, aunque no sean más que unas pocas horas. Le daré algo que le calmará el dolor y le ayudará a relajarse. Se despertará dentro de tres o cuatro horas y se encontrará mucho mejor, se lo prometo. Sea lo que sea lo que tiene que hacer, no podrá en estas condiciones.

—Pero no hay tiempo —protestó David. Trató de incorporarse, pero una nube oscura se interpuso ante él. El médico le obligó a recostarse de nuevo.

—Por favor, no intente ponerse de pie. Relájese. —Hurgó en su maletín y sacó una aguja hipodérmica. David le miró suplicante. Sus fuerzas le habían abandonado; ya no podía hacer nada. Había fracasado. El doctor le remangó la camisa y le introdujo la aguja en el brazo. Se hizo la oscuridad y sintió que unos brazos poderosos se extendían hacia él, atrayéndole con calor y suavidad.

CAPÍTULO 69

Cuando despertó, David se encontró tendido en una cama. Durante unos instantes no supo dónde se hallaba y tuvo que luchar para contener el sentimiento de pánico que crecía en su interior. Recordaba haber estado en el estudio con Neusner y los otros, la amenaza del interrogatorio y el corto trayecto hasta Jerusalén. Entonces el resto de los acontecimientos del día regresaron a su memoria. Le dolía terriblemente la cabeza y sentía un dolor agudo en la boca. Se dio la vuelta sobre el costado y vislumbró a alguien sentado en una silla cerca de la cama, observándole. Era el viejo rabino. David recordó que se llamaba Gershevitch.

El viejo le miró sin sonreír. Se levantó y fue hacia la puerta. La abrió y llamó a alguien. Momentos después entró en la habitación el joven médico.

—Ya está despierto —dijo Reb Gershevitch en voz baja.

—Sí, ya lo veo. —El médico se aproximó a la cama y examinó a David sin pronunciar palabra.

—¿Cómo se encuentra? —preguntó por fin.

—No muy bien —respondió David. Su voz sonó áspera y se dio cuenta de que tenía la garganta dolorosamente seca—. Me duele la cabeza... y el diente, el que me he roto.

—Le pondré otra inyección —dijo el médico.

—No quiero volver a dormirme.

—No se preocupe. Ya ha dormido bastante por ahora. Quiero que duerma bien, pero esta noche.

—¿Qué hora es? —preguntó David. Una sensación de urgencia había comenzado a invadirle de nuevo. Tenía mucho que hacer.

—Las siete pasadas —dijo el médico. Igual que el rabino, él tampoco sonreía. David creyó recordar que anteriormente sonreía.

—¿Qué pasa? —preguntó David. Sentía el corazón ligero, como si el viento se hubiera llevado todo y lo tuviera vacío—. ¿Es que pasa algo malo?

El médico asintió.

—Sí —dijo.

¿Habría pasado algo ya?, se preguntó David. ¿Habría adelantado Neusner el plazo? ¿Habría recibido nuevas instrucciones de Damasco?

El doctor se agachó y recogió algo del suelo. Era un ejemplar del *Ma'arev,* un periódico de la tarde editado en Jerusalén.

—Después de marcharme de aquí —dijo el médico— fui a realizar otras visitas a otros pacientes. Pero hace una media hora decidí volver y comprobar sus progresos. De camino, vi un ejemplar del diario en un quiosco.

Entregó el periódico a David, doblado de forma que la primera página quedara frente a él. David se incorporó ligeramente. El médico no trató de impedírselo. Lo primero que David vio fueron cinco fotografías. En la primera estaba su propio rostro devolviéndole la mirada desde... ¿hacía cuántos años atrás? Tres años, cuando el MOSSAD tomó una fotografía para sus archivos. Reconoció el traje y la corbata que llevaba en la foto. Junto a ésta había una de Harry Blandford que habría sido tomada, adivinó David, diez o doce años atrás, pero que aún mostraba un aceptable parecido. La tercera fotografía estaba justo debajo de la de David. Al principio no reconoció al hombre, pero cuando lo hizo lo comprendió todo. Era el viejo rabino a quien Rabin había pegado un tiro aquella tarde. El pie de foto decía: *Rabino Avram Wise.* Más abajo, en la misma página, había fotos de Isserles y Rabin.

Encima de las fotografías había el siguiente titular:

David sintió un fuerte mareo. Sintió que se le revolvía el intestino y que no podía contener la urgente necesidad de defecar. Después la sensación fue subiendo hacia arriba y sintió que tenía ganas de vomitar. Inclinó la cabeza hacia adelante y respiró profundamente. La náusea se esfumó y volvió a echarse hacia atrás. Se acercó el periódico a la cara y comenzó a leer.

Están empezando a conocerse los detalles del trágico tiroteo de hoy en Haneviim. Poco después de las 3 de la tarde un terrorista sospechoso, David Rosen, era escoltado por las calles por dos oficiales del MOSSAD, el coronel Efraim Isserles y el mayor Moshe Rabin. Aprovechando una distracción de ambos, Rosen, que no iba esposado, arrebató el revólver a Rabin, le golpeó y escapó corriendo. Era perseguido por el coronel Isserles, el cual se vio imposibilitado de utilizar su arma por temor a herir a algún transeúnte. En su prisa por escapar, Rosen tropezó con un grupo de escolares de una yeshiva *cercana y, al encontrar su vía de escape obstaculizada por el profesor, el rabino Avram Wise, le disparó y escapó corriendo. El coronel Isserles siguió a Rosen un trecho pero finalmente le perdió entre la multitud en Me'a She'arim.*

Rosen, de 34 años, es profesor de una universidad americana conocido por sus vínculos con organizaciones palestinas, incluido el FPLP. Al ser entrevistado esta tarde, el coronel Isserles declaró que Rosen es sospechoso de complicidad en un complot de la OLP para impedir la firma del tratado de paz de mañana con el presidente de Siria al-Hashimi. Un segundo sospechoso, Harry Blandford, un inglés residente en Jerusalén, se halla aún en libertad y la policía le busca.

Ambos hombres van armados y son peligrosos. Cualquier persona que les vea debe evitar hablar con ellos directamente e informar de inmediato a las autoridades. Igualmente, cualquiera que conozca el paradero de Blandford debe ponerse en contacto con el cuartel local de policía sin demora.

El hombre asesinado, Rabbi Wise, era una figura conocida en Me'a She'arim. El...

David no pudo seguir leyendo. Dejó el periódico a un lado de la cama. Cuando levantó la mirada vio que el Rabbi Gershevitch se había acercado.

—¿Es verdad? —preguntó Gershevitch.

David le miró fijamente como si tratara de verse a sí mismo a través de los ojos del viejo, un asesino, un terrorista. Sacudió la cabeza. El dolor del diente se cebaba en él viciosamente.

—¿Usted no mató a ese hombre? ¿Avram Wise?

David sacudió nuevamente la cabeza. Y de nuevo, el dolor reapareció.

—¿Sabe quién le mató?

—Sí.

—¿Fue ese hombre, Blandford?

David sacudió la cabeza despacio.

—Fue Rabin —dijo—, el mayor del MOSSAD.

Gershevitch miró al médico.

—Pero, ¿por qué iba a hacer él una cosa así? —preguntó a David.

—Me apuntaba a mí —respondió David—. Yo estaba junto al rabino. La bala se desvió y le alcanzó a él.

—¿Por qué disparaba contra usted? ¿Huía usted de él? ¿Trataba de escapar, como dice aquí?

—Sí —dijo David. Era tan difícil de explicar, tan difícil de que creyeran la verdad...

—Entonces admite ser un terrorista. —Esta vez fue el médico quien habló con voz dura e impersonal.

David sacudió la cabeza sin importarle el dolor.

—No —suspiró—. Yo trabajaba para el MOSSAD —prosiguió— y no para la OLP. Isserles y Rabin, esos dos hombres de los que hablan, también trabajan para el MOSSAD, pero en realidad pertenecen a otro grupo. Es difícil de explicar.

—¿Cómo espera que le creamos? Si dijera la verdad, la policía lo sabría, sin duda. Ya sabe que tendré que informarlos.

David cerró los ojos. Tenía que haber algún modo. Los abrió de nuevo y miró al médico. Si aquel hombre no le creía, el resultado sería la guerra.

—¿Y los niños? —preguntó David—. Ellos vieron todo el incidente, podrán explicarles lo que pasó. ¿Por qué no se lo ha preguntado nadie?

El médico miró a Gershevitch.

—Desde luego ayudaría a aclarar el asunto —dijo.

Gershevitch asintió. El doctor se volvió hacia David.

—La única razón por la que no he acudido aún a la policía es porque el artículo del periódico no menciona que esté usted herido de bala y en la boca. Dice que Isserles no disparó su revólver en la calle y Reb Gershevitch me ha dicho que usted no estaba armado cuando llegó. —Hizo una pausa—. Iré a ver si puedo encontrar a alguno de los niños que estaban con el rabino Wise esta tarde.

Gershevitch sacudió la cabeza.

—Es mejor que usted se quede aquí —dijo—. En la *yeshiva* me conocen y yo conozco a varias de las familias de los niños. Confiarán en mí. Usted no le quite el ojo de encima a nuestro amigo. No tardaré mucho.

El médico se quedó con David. Ninguno de los dos habló. No había palabras para una situación así. David cerró los ojos y trató de descansar, pero el dolor de cabeza y los pensamientos que le asaltaban le agitaban profundamente.

—¿Puede darme algo para el dolor? —dijo por fin.

El médico se levantó.

—Sí, naturalmente. Lo siento, se me había olvidado.

Abrió el maletín y sacó unos cuantos comprimidos.

—Tómese dos —dijo—. Tendrían que hacerle efecto rápido y le durará una hora o dos. —Miró a David mientras se tragaba ambos comprimidos con unos sorbos de agua. Tenía que estar seguro de que estaba haciendo lo más correcto. Algo instintivo le hacía inclinarse a creer en la historia de David. Pero tenía que estar seguro. No era un asunto trivial.

Gershevitch regresó media hora después con un niño pequeño y visiblemente asustado, de unos diez años. El chiquillo se encogía, de la mano de Gershevitch. Los acontecimientos del día le habían perturbado. Y ahora el rabino Gershevitch quería que identificara a un hombre. Él confiaba en el rabino, pero estaba muy confuso, y sobre todo asustado.

Entró en la habitación detrás de Gershevitch. David observó que tenía los ojos enrojecidos de haber llorado. El doctor se levantó y fue hacia el chiquillo haciendo esfuerzos por tranquilizarle.

—Éste es Natchum —dijo Gershevitch—. Su padre y su madre le han dejado venir conmigo. —Se volvió hacia el chiquillo—. Y ahora, Natchum —continuó—, trata de no estar asustado, por favor. Conmigo estás seguro. Sólo quiero que nos digas si reconoces al hombre que está en la cama, si le habías visto antes en alguna parte.

El chiquillo permaneció rígidamente de pie durante un rato, mirando a David de hito en hito, luego desvió la vista y asintió.

—¿Le habías visto? —preguntó el médico.

El niño asintió de nuevo.

—¿Puedes decirme dónde le habías visto?

—En Haneviim —musitó el pequeño casi inaudiblemente. Gershevitch tuvo que agacharse para oírle.

—¿Cuándo fue eso? —preguntó.

—Hoy —dijo el niño—. Esta tarde, cuando dispararon sobre el rabino.

—Ya entiendo —dijo Gershevitch. Hubo un silencio. Luego continuó—. ¿Este hombre le mató? —preguntó finalmente.

El chiquillo negó con la cabeza. Gershevitch alzó la mirada y la posó sobre el médico. Se preguntaba si el otro hombre estaría sintiendo el mismo miedo que él sentía correr por sus venas.

—¿Tú viste quién disparó al rabino Wise? Lo siento, pero es muy importante. No te lo preguntaría si no lo fuera.

El niño asintió.

—Sí —dijo.

—¿Le reconocerías? —Gershevitch sintió que el niño apretaba

su mano con fuerza—. No pasa nada —le tranquilizó—. No está aquí. Pero tengo unas fotos que me gustaría que miraras.

El médico cogió el periódico y se lo llevó al pequeño.

—¿Era alguno de estos hombres? —preguntó enseñándole la página con las fotografías. Sin vacilar, el niño señaló con el dedo directamente la foto de Rabin.

—Fue éste —dijo.

—¿Puedes explicarnos cómo ocurrió? —pidió el médico.

—Sí —dijo el niño sintiendo crecer la confianza—. Íbamos andando con el rabino Wise cuando ese hombre —señaló a David— llegó corriendo hasta nosotros. Le dijo algo al rabino. Yo no lo oí, pero el rabino Wise le dijo «Shalom», y le abrazó como si le conociera. Después llegó corriendo el otro hombre, el del periódico. Tenía una pistola. La levantó y disparó. La bala le dio al rabino Wise y el rabino se cayó. Entonces el hombre de la cama se fue corriendo. Luego llegó otro hombre, le quitó el revólver al primero y empezó a perseguir al de la cama.

El médico señaló a David.

—¿Ese hombre tenía alguna pistola? ¿Disparó a alguien?

El niño sacudió la cabeza.

—No, yo no vi que tuviera ninguna. Sólo el otro tenía una. Ese hombre sólo corría.

—Ya veo —dijo el médico. Miró a Gershevitch.

—¿Voy a tener problemas? —preguntó el chico.

—¿Problemas? —preguntó Gershevitch—. ¿Por qué ibas a tenerlos?

—Por venir aquí. Se supone que yo no debía decir nada. El hombre dijo que no debíamos decir nada a nadie.

Gershevitch y el médico intercambiaron sendas miradas.

—¿Y qué hombre era ése? —preguntó el doctor.

—No sé quién era. Vino a la *yeshiva* esta tarde a última hora. Nos llamó a todos los que íbamos con el rabino Wise y nos dijo que le habían dado órdenes de decirnos que no debíamos hablar con nadie sobre lo ocurrido hoy. Creo que era de la policía, pero no estoy seguro. Era un hombre muy grande y nos dio miedo.

—No importa —dijo Gershevitch—. No pasará nada. No tendrás ningún problema, te lo prometo. Vamos. Creo que ya es hora de que te lleve a casa. Te llevaré con tus padres.

El niño asintió y se volvió hacia David.

—¿Te encuentras bien? —le preguntó—. ¿A ti también te dispararon?

David trató de sonreír.

—Sí —dijo—. A mí también me dispararon. Pero ya estoy mejor. El doctor me ha estado cuidando.

—Me alegro —dijo el chiquillo—. Espero que te pongas bien.

Cuando Gershevitch y el niño se hubieron marchado, el médico se sentó en la cama junto a David.

—Tendré que irme en seguida —dijo—. Tengo unos cuantos casos graves que atender, personas que me necesitan. Usted estará bien en cuanto le hayan examinado ese diente. —Hizo una pausa y suspiró—. Pero supongo que eso no será fácil, ¿no?

David sacudió la cabeza. El dolor había disminuido hasta ser únicamente una sensación molesta.

—Veré qué puedo hacer. Necesitaría alguien en quien pudiera confiar. ¿Piensa quedarse aquí? Estará a salvo por el momento.

—No —dijo David—. No puedo quedarme. Tengo cosas que hacer. No puedo explicárselo; tendrá que confiar en mí.

—Sí, confío en usted —dijo el médico. Hubo una pausa—. ¿Está en peligro su amigo? —continuó—. ¿El inglés?

—Sí —dijo David—. Pero creo que por ahora está seguro. Pasado mañana ya dará igual. Si no tengo éxito en lo que tengo que hacer, nadie estará a salvo. Ni usted, ni Gershevitch... ni el pequeño que acaba de estar aquí.

El médico no dijo nada. Por el tono de voz de David se imaginaba lo grave que debía ser.

—¿Hay algo que yo pueda hacer? —preguntó.

—No —respondió David—. Tendría usted que explicar cómo obtuvo cierta información. Tardaría mucho.

—Bueno, al menos le ayudaré a mantener el dolor a raya. —El doctor alargó la mano hacia su maletín y sacó una botellita de los analgésicos que había dado a David.

—Tómese dos de éstas cada vez que lo necesite. Trate de no abusar, pero si le hace falta para mantenerle en forma, tómeselas.

Depositó la botellita en la mesilla de noche. Pocos minutos más tarde, Gershevitch estaba de vuelta.

CAPÍTULO 70

Hasta que el médico no se marchó, David no cayó en la cuenta de que no sabía su nombre.

—Yaakov Gaster —le dijo Gershevitch—. Es joven, pero comprende nuestros caminos. Puede confiar en él.

—Y usted. ¿Por qué no fue derecho a la policía cuando leyó el artículo en el periódico?

Gershevitch resopló.

—¡La policía! ¡Los periódicos! Ése es el primer periódico que leo en toda mi vida. Y lo sucedido confirma mi creencia de que no sirven para otra cosa que para esparcir un montón de mentiras. Por lo que se refiere a la policía, pertenece a los sionistas, no a nosotros.

David le comprendió. Para los ultraortodoxos, el estado de Israel, sus leyes y sus agencias no eran más que una blasfemia. No podía haber ningún Israel antes de la llegada del Mesías. Para ellos era más provechosa la oración que el zumbido de una sirena de policía.

—Pero ¿usted me hubiera alojado aquí creyendo que maté a un hombre, a un rabino?

Gershevitch suspiró y sacudió la cabeza.

—No. El crimen se merece un castigo. Habría acudido a otros en busca de consejo. Ahora me alegro de no haberlo hecho.

—Yo también. Y mucho.

Reb Gershevitch sonrió.

—Ahora debe descansar. Ya ha tenido demasiado movimiento por hoy.

David sacudió la cabeza cansadamente.

—Más tarde, quizá, pero no ahora. Por favor, no intente obligarme. Quiero levantarme. Tengo que hacer dos llamadas telefónicas muy importantes. ¿Me puede ayudar a encontrar un teléfono?

El viejo rabino suspiró.

—Mi yerno tiene teléfono. Como tienen niños, dicen que precisan tener uno por si hay una emergencia. Puede usarlo. Pero primero tendré que encontrarle alguna ropa. Cuando le conocí iba usted vestido adecuadamente. Tenía *pe'ot* y una barba incipiente. Y llevaba un *yarmulkah.* Un tanto frívolo tal vez, pero un *yarmulkah.* Ahora... parece usted un goy. —Suspiró—. Mi yerno es de su talla más o menos. Tendrá que vestirse de judío, un judío con el brazo en cabestrillo. ¿Qué le parece? ¿Servirá?

David sonrió.

—Sí —dijo—. Servirá a la perfección.

Le pareció muy apropiado volver a vestirse de judío.

Después de cambiarse, David telefoneó a casa de los Benabu desde casa del yerno. Etan contestó al teléfono.

—¡David! ¿Dónde estás? ¿Qué pasa? Hemos leído el periódico y estábamos enfermos de preocupación. ¿Sabes lo que dicen de ti?

—Sí —respondió David—. Ya lo he visto. Pero estoy bien, todo marcha bien. Por el momento estoy a salvo.

—¿Es verdad lo que dicen? Que tú...

—No. Fue Rabin quien mató al rabino. Trataba de matarme a mí.

—Sabíamos que no podía ser cierto. Harry dice que Isserles está en tu lista. Su verdadero nombre es Schultz. Estuvo con Neusner en Dachau. David, Harry dice que se ha vuelto demasiado peligroso, que tendréis que dejarlo.

—Déjame hablar con él, Etan. O con Leyla.

Hubo un breve silencio y Etan habló nuevamente.

—Harry está aquí al lado, David. Ahora te lo paso.

Al punto, se oyó en la línea la voz de Harry, tensa y preocupada.

—Gracias a Dios que estás bien, David. ¿Qué ocurre?

—Escuche, Harry. Es muy importante. Esta tarde fui a casa de

Neusner. Encontré un montón de papeles en un escondrijo, todas las pruebas que cualquiera requeriría. Pero entonces aparecieron Neusner y dos de sus sicarios y me sorprendieron. Isserles y Rabin, los que salen en el periódico. Rabin es el mismo hombre que vi ayer. Supieron quién era yo al instante. Pero me las arreglé para devolver los papeles a su escondite antes de que me pescaran, así que no saben que los he visto.

—Harry, tiene que mandar a alguien a por esos papeles, alguien de confianza. Hay un manojo de cartas de al-Shami desde Siria. Contienen detalles sobre un complot para invadir Israel. Y empieza mañana, Harry, justo en cuanto al-Hashimi inicie la firma del tratado.

Hubo un largo silencio en el otro extremo. Finalmente se oyó la voz de Blandford, tensa y gris.

—¡Oh, Dios mío! —musitó. El gentil irredento creció en su interior a oleadas—. ¿Cómo? ¿Cuándo?

—Está todo en las cartas, Harry. Todos los detalles. Lea la última carta, la que tiene fecha de hace un mes.

—¿Estás seguro?

—La he leído. No hay error.

Harry suspiró largamente un par de veces.

—¿Dónde están los papeles, David?

—En el estudio de Neusner. A la izquierda del escritorio, debajo de la alfombra. Hay una baldosa suelta y debajo el escondite. La combinación es el número Valkiria de Neusner; lo encontrará en el archivo Valkiria original o en la copia. Es el número completo, número, fecha, letras, todo.

—Comprendido. Lo encontraré.

—Muy bien. Pero vaya con cuidado con quien pide ayuda. Si les arrestan podrían tardar días en arreglar las cosas. Eso si Isserles y sus gorilas no los cogen primero. No tenemos tanto tiempo. Creo que Leyla debería ponerse en contacto primero. ¿Puedo hablar con ella?

Hubo una pausa molesta.

—Lo siento, David, pero no está aquí.

—¿Dónde está?

—Ella... telefoneó hace un par de horas. Ha conseguido el trabajo de intérprete para mañana. Eso significa que esta noche tiene que recibir las instrucciones. Está en la residencia de al-Hashimi. Sólo sabe que está en Jerusalén, en alguna parte. El personal de seguridad no la dejaba salir. La llevarán desde la residencia de al-Hashimi por la mañana: es el procedimiento usual.

David sintió frío por dentro, como hielo. Tendría que hacerlo solo.

—Harry, si se pone en contacto con vosotros, decidle que se vaya. Que diga que se ha puesto enferma, o lo que sea. Pero decidle que salga de allí. Yo volveré pronto. Esperadme.

David colgó el auricular. Le temblaba la mano, pero permanecía inmóvil, igual que una estatua egipcia, un dios de piedra mirando fijamente la habitación como si siempre hubiera estado allí. Se estaba haciendo tarde. El tiempo se volvía contra él.

David suspiró y se levantó. Entró en la habitación de al lado, donde el rabino Gershevitch y su yerno le esperaban enzarzados en una espesa conversación. Cuando entró, alzaron la vista.

—Rabino —dijo David—. Tengo que irme.

Gershevitch se levantó y fue hacia él.

—Está usted enfermo; debería descansar. Ha hecho todo lo que ha podido. Deje que alguien termine su obra por usted.

David sacudió la cabeza.

—Me encantaría poder hacerlo, pero no puedo. No tengo elección. Si me quedo aquí esperando, pasará algo monstruoso. Morirá gente inocente. Tengo miedo, rabino. Temo por mí mismo, por usted, por todos nosotros.

—¿Habrá más muertes?

—Muchas más. El Holocausto comenzará de nuevo. Toda aquella oscuridad. Pero esta vez será peor. He visto cosas, *rebbe,* cosas terribles. Cosas que mis padres habían visto y usted también. Papeles con esvásticas, chapas con relámpagos...

El viejo sintió un escalofrío.

—¡No hable de esas cosas! —dijo. Habló con voz cortante, igual que se le hablaría a un chiquillo que charla irreflexivamente sobre la muerte el día de un funeral. Miró a su alrededor, a su yerno, a la colección de fotografías que había en una mesita baja, su hija y sus nietos. Los miró durante largo rato—. ¿Qué necesita? —preguntó finalmente.

—Un coche —dijo David—. Alguien que me lleve hasta la casa de mis amigos. No puedo coger un taxi, podrían reconocerme.

El yerno se levantó.

—Yo tengo coche —dijo—. Yo le llevaré. ¿Adónde quiere ir?

CAPÍTULO 71

David había concebido la idea mientras yacía en la cama aguardando a que Gershevitch llevara al niño. Todavía le parecía una locura. Y además giraba sobre algo que finalmente podría no ser más que otra de las tretas de Damien Wise. Etan fue a abrir la puerta solo. David entró y sin dar más explicaciones sobre lo ocurrido le dijo que fuera a hablar con él a su estudio. En cuanto cerraron la puerta y tomaron asiento, fue directo al grano.

—Etan —dijo—, la última vez que estuve aquí me dijiste que conocías una entrada a la Cúpula de la Roca, una que nadie había descubierto jamás. ¿Era una exageración de Damien Wise o por una vez decías la verdad?

Etan le miró, dolido.

—David, ¿mentiría yo? Damien siempre dice la verdad. Lo que le causa problemas es lo que hace con ella. —Hizo una pausa—. Sí, hay una entrada. Me lo estaba guardando para mi próximo libro, *Los secretos de los cruzados.* Iba a ser una gran revelación. No me lo vas a estropear, ¿verdad?

—Eso me temo, Etan. ¿Lo sabe alguien más?

—Lo dudo. Lo averigüé justo antes de tu última visita. ¿Conoces las viejas cavernas que hay cerca de la Puerta de Herodes, las que llaman las Minas de Salomón o la Caverna de Zedekiah?

David asintió. Había estado allí.

—Cuenta la historia que en ese lugar Salomón encontró la piedra para su templo. Según los masones, es allí donde se inició su orden. Un sitio ideal para que Damien Wise vaya a husmear. Bien, pues la mina discurre a unos doscientos metros por debajo del barrio antiguo, pero hay rumores de que otras galerías van más allá. Leí que los cruzados, o, para ser más preciso, los templarios, llevaron a cabo unas excavaciones bajo el monte del Templo. ¿Sabías eso, David?

David sonrió.

—Sí —dijo—. Sabía incluso lo del Pergamino de Cobre.

El Pergamino de Cobre era uno de los manuscritos del mar Muerto descubiertos en Qumran. Se refería a la existencia de lingotes de oro, vasijas sagradas y otros tesoros, y hablaba de veinticuatro tesoros enterrados justo debajo del templo en Jerusalén, es decir, bajo el punto donde en la actualidad se alzaba la Cúpula de la Roca.

—Es una pena —dijo Etan—. Me lo estaba reservando.

—Lo siento, Etan, pero ya está hecho. Sigue con lo de los templarios.

—Los templarios. Bien, pues yo creía que tal vez también hubieran intentado excavar en las minas, especialmente si pensaban que estaban relacionadas con Salomón. Obtuve permiso para hacer unas cuantas exploraciones. No excavaciones de verdad, sino simplemente con un palustre y una linterna. Sin embargo, encontré lo que buscaba. Había sido tapiado cuidadosamente, pero conseguí abrirme paso. Naturalmente, después volví a tapiarlo. Era un túnel muy largo y se dirigía directamente a la zona del templo, bajo el monte.

—¿Crees que lo cavaron los templarios?

—Oh, no, es mucho más antiguo, creo. Pero había emblemas de los cruzados por las paredes. Creo que ellos debieron ser los que lo tapiaron.

—¿Y dónde desemboca?

—En el interior de la Cúpula. David, no estarás pensando en ir allí mañana, ¿verdad?

David asintió.

—¿Puedo preguntar por qué?

—Tengo que matar a al-Hashimi. No hay tiempo para hacer otra cosa si queremos detener todo esto.

Etan respiró profundamente varias veces.

—Ya veo —dijo por fin—. Muy bien. No haré preguntas. ¿Cómo puedo ayudarte?

—Hay tres cosas, Etan. Quiero que mañana me ayudes a encontrar el túnel que va a la Cúpula. Después quiero que ayudes a Harry a conseguir los papeles de Neusner. Y quiero que me prestes tu rifle.

Etan, igual que la mayoría de los israelíes de su edad, era reservista del ejército. Había pasado unos cuarenta y cinco días al año en el servicio militar. Y tenía un rifle a mano en su casa por si había una movilización de emergencia.

Se levantó y fue hacia la ventana. Fuera estaba oscuro y no veía nada.

—De acuerdo, David. Puedes coger el rifle. Te llevaré al túnel. Va por debajo de la roca, justo debajo. Desemboca en una pequeña gruta bajo la roca, la caverna que llaman el Pozo de las Ánimas. ¿Será eso de ayuda? ¿Podrás hacerlo, David?

David hizo unos cálculos. La roca era enorme, una formación casi rectangular que emergía exactamente en el centro del edificio, el cual formaba un octágono a su alrededor. Se decía que era la roca sobre la cual Abraham había preparado a su hijo Isaac para el sacrificio, desde la cual Mahoma había ascendido a los cielos montado en una criatura alada de nombre Buraq. Muchos pensaban que la gruta de debajo era el lugar santo de los santos del templo original, el lugar donde se guardaba el Arca.

—No sé —dijo David—. Necesito un plano de la Cúpula. ¿Tienes algún tipo de croquis?

—Sí, claro que sí. Espera un minuto, creo que tengo uno en mi estudio.

Salió y regresó al cabo de un minuto con un enorme volumen tamaño folio encuadernado en verde, *Arquitectura islámica antigua,* de Cresswell, el primer tomo. Se dirigió hacia la mesa, quitó las cosas que había encima y depositó el libro. David fue junto a él. En el primer capítulo, dedicado exclusivamente al edificio, había un plano bastante claro.

—Mira —dijo Etan señalando la línea que formaban las estrellas en la parte sur de la roca—. Saldrías de la gruta aquí. Y luego, ¿qué?

David meditó.

—Depende de dónde esté al-Hashimi. Podría hacer el discurso desde cualquier parte: por el amor de Dios, es un edificio circular.

—Pero lo lógico sería orientar las cosas hacia uno de los lados. Yo voto por el oeste. Es la entrada normal. Está de cara al Muro de las Lamentaciones, que es la única parte del templo de Herodes que queda en pie. O al menos, la plataforma. Además, eso permitiría a la gente estar de cara al este, lo cual puede resultar simbólico incluso en Jerusalén.

—De acuerdo. Supongamos que esté en el oeste. Probablemente al-Hashimi estará de cara a la puerta, dando la espalda a la columna central en la barandilla que rodea la roca. Tendrá que haber un estrado o una plataforma de algún tipo para que él la ocupe, seguro. Si puedo llegar a la cima de la roca, podré arrastrarme por la barandilla. Creo recordar que la roca es lisa por arriba. Y no está muy lejos del suelo. Si me tumbo, seguro que llegaré. Eso son unas rejas de metal entre las columnas, ¿verdad?

Etan asintió.

—Entonces dispararé a través de ellas. Tiene que funcionar.

Etan parecía inseguro, pero no dijo nada.

—¿Cuándo podemos ir? —preguntó David.

—Las minas se abren al público a las ocho y media. Claro que nadie irá tan pronto, al menos no en marzo, pero yo preferiría que no abriéramos esa pared mientras haya una posibilidad de que nos vean. Sugiero que vayamos antes, hacia las seis. Eso nos dará tiempo para entrar, recorrer el camino y volver a cerrar la pared desde dentro.

Etan se levantó.

—Creo que será mejor que te vayas a la cama ahora. Necesitas dormir. Ya nos dirás mañana todo lo que ha pasado, cuando esto acabe.

David alzó la vista y miró a su amigo. ¿Se acabaría?

—Etan —dijo—, ¿puedes traerme la bolsa negra que está en mi cuarto?

Un tanto perplejo, Etan salió. Volvió al cabo de un minuto con la bolsa y se la entregó a David.

David sacó de la bolsa un pequeño saco de lona que contenía algo pesado. Dentro estaban las dos piedras de la ley. En el viaje de vuelta a Jerusalén se las había arreglado para descifrar la antigua escritura. En una lengua un tanto alterada, pero esencialmente idéntica, contenían las leyes básicas del Decálogo, los Diez Mandamientos que Moisés bajó del Sinaí.

David extrajo las piedras del saco y las sopesó brevemente con ambas manos antes de alargárselas a Etan.

—Toma —le dijo—, son para ti. No para Damien Wise, sino para Etan Benabu. Son auténticas. Y son exactamente lo que parecen. Quiero que te las quedes tú.

Lentamente, Etan comenzó a leer las finas inscripciones que habían realizado sobre las piedras a base de incisiones. Tardó un largo rato, pero su hebreo arcaico era superior al de David. Cuando concluyó, depositó suavemente las piedras en su escritorio y miró a David.

—¿Dónde las encontraste? —preguntó. Pero David se había quedado profundamente dormido en su asiento, exhausto.

CAPÍTULO 72

David estuvo soñando con el desierto. Se despertó sudando, con un brazo y un hombro agarrotados que reclamaban su atención. Había sido un sueño frío, desolado y rebosante de invierno. El desierto simbolizaba algo: la propia sociedad, el mundo feliz del hombre moderno. Todos los caminos y todas las direcciones habían sido barridos y sólo había vastas extensiones de arena que se movían suavemente. La gente, igual que los nómadas en el verdadero desierto, vagaba de un lado a otro en busca de refugio, oteando las vacías arenas a la espera de descubrir señales de vida. Deseaban ardientemente encontrar un salvador, alguien que les condujera fuera de la soledad hacia la tierra prometida. Cualquier tierra prometida serviría, mientras fuera una tierra fértil; y cualquier salvador estaría bien, mientras les diera lo que ansiaban.

Eran las cinco. David se sentía magullado y cansado. Su breve y agitado sueño no le había refrescado. Saltó de la cama y salió de puntillas de la habitación. Etan y él habían quedado en encontrarse en la planta baja a las cinco y media. Llevaba en la mano el rifle de Etan que había guardado en su habitación toda la noche. Encendió una luz y se sentó, cargando y descargando el rifle y repasando lo que tenía que hacer. Más tarde tendría que disparar unas cuantas veces para ajustar la mirilla. David sabía que probablemente sólo tendría una oportunidad, a lo sumo dos. Dos balas para impedir que volviera a hacerse la oscuridad.

Su máxima preocupación era el brazo izquierdo. El derecho le dolía, pero podía apretar el gatillo sin dificultad. Necesitaba el izquierdo para apoyar la culata, pero su hombro amenazaba constantemente con ceder. Sería vital encontrar una posición en la cual pudiera mantener el brazo firme. El MOSSAD le había entrenado, pero el entrenamiento había sido limitado, y él estaba lejos de ser un buen tirador.

Beth abrió la puerta, pero David no reparó en ella. Permaneció en el umbral observándole con sus verdes ojos tristes y pensativos. David alzó la vista y sus ojos se encontraron con los de ella. Conocía a Beth desde hacía años. Se había citado con ella mientras iban a la escuela, antes de que el hombre del espacio entrara en escena. Llamaban así a Etan incluso ahora, era su mote privado. David trató de sonreír, pero su boca permaneció rígida como si estuviera fija en aquel sitio. Ella no dijo una palabra; fue hacia él y se sentó en un taburete.

—¿Vas a seguir adelante, David?

Él asintió.

—Etan me lo explicó ayer por la noche en la cama. Esta mañana, quiero decir. Ojalá no tuvieras que hacerlo.

—Lo mismo digo —dijo David, quedamente.

—¿No hay otro camino?

Él sacudió la cabeza.

—Siempre he odiado las armas, David; desde que era pequeña. Me dan miedo.

—A mí también —dijo él—. ¿No te acuerdas de cuando íbamos juntos a las manifestaciones antibelicistas? Yo odiaba la guerra... todavía la odio. Es un modo tan estúpido de arreglar las diferencias... Todavía asistiría a ellas si hubiera manifestaciones. Pero esto no es la guerra, Beth. En cierto modo, es mucho peor. Te obliga a llegar a un punto donde ya no tienes elección. Si no mato a ese hombre esta mañana, morirá muchísima gente, tal vez millones de personas. No es lo mismo que tirar la bomba en Hiroshima, derrotar a un enemigo que ya ha sido vencido. Esta gente es muy peligrosa.

—¿Y tú crees que puedes detenerlos solo?

David sacudió la cabeza tristemente.

—No. Para eso hace falta todo el mundo. Hay que estar al acecho, mantener los sentidos alerta, desarrollar un profundo conocimiento de sus métodos y su ideología.

—Me recuerdas a McCarthy, David. Llegarás a verles por todas partes si miras lo bastante bien.

David sonrió.

—Lo siento, Beth. No fue mi intención parecer... fanático. McCarthy llevó las cosas de un modo equivocado. Todo liberal se convirtió en un rojo, todo radical en una amenaza para la sociedad. Estar al acecho significa vigilar también a los McCarthys, ya que son ellos los que crean la atmósfera en la cual prosperan esa gente. Eso ya está pasando hoy, Beth. Darwin prohibido en las escuelas, libros de autores homosexuales arrojados fuera de las bibliotecas públicas, antiabortistas poniendo bombas en lugares públicos. ¿Qué mejores condiciones para un resurgimiento de la derecha puedes imaginar?

—¿Crees que habrá un resurgimiento?

—Pues claro que sí. No te creas que la cosa va a quedar así sin salir de Israel, de Oriente Medio. Tienen gente en Estados Unidos y probablemente también algunos en Europa. No tardarán mucho en llevar las cosas hacia ese terreno. Durante la última década más o menos, las cosas han ido mal por casa. Tú no lo sabes porque llevas mucho tiempo fuera de allí; pero ésta es la generación de Rambo, Beth, la generación que actúa rudamente sin preocuparse de quién resulta perjudicado mientras ellos puedan demostrar su virilidad.

—Todo eso es a causa de Vietnam, David, porque perdimos. La gente está insegura. Creímos ser la nación más fuerte de la tierra... y fuimos derrotados por una nación de campesinos. La gente necesita volver a sentirse fuerte. Y es el único modo que conocen.

—Igual que los alemanes después de Versalles. Cuando la gente está de ese humor, todo lo que necesita es el hombre adecuado que les dé lo que quieren. Construir armamento, montar pequeñas guerras en el extranjero, obligar a la gente a ser patriótica.

—¿De veras crees que somos tan estúpidos, David? ¿Crees que nos dejamos gobernar?

—Beth, los alemanes eran una gente inteligente. No tenían la marca de Caín ni nada de eso. No utilizarán las esvásticas ni las botas altas. Harán ondear las barras y las estrellas como si fueran los viejos muchachos de Tejas. No habrá campos de concentración, al principio, no; sólo unas pocas pinceladas de legislación y un régimen más severo en las prisiones ya existentes. Tal vez una línea más dura con los inmigrantes, barcos cargados de mexicanos de vuelta en las fronteras. Algunas leyes muy duras sobre el aborto, la pornografía, la marihuana y después tal vez represalias contra la comunidad gay. La «mayoría moral» enloquecerá de placer: que devuelvan la silla eléctrica a todos los estados y ellos trazarán el esbozo de ley. Después los grandes periódicos revelarán que los judíos están aliados con los comunistas, que ataques perpetrados por los negros están fuera de control y que nadie está a salvo, que los hispanos están pervirtiendo a nuestros jóvenes con las drogas. Unos cuantos disturbios en Washington, otros pocos linchamientos en Alabama y un día un judío gay prende fuego a la Casa Blanca.

Ella le escuchaba en silencio y recordaba. Recordaba a los Kennedy, a Martin Luther King, a Kent State y el fin de la guerra, y se preguntaba dónde había ido a parar todo aquello, todos los sueños, los bellos sueños. Había visto a Jack Kennedy hundirse en el Dealy Plaza, a Bobby Kennedy en el hotel Ambassador y a Martin Luther en el motel Lorraine, como si fueran simples bolos, bolos blancos y negros que caían, y sabía que ellos podían hacerlo, que de hecho ya había empezado hacía años. Ella, como todo el mundo, había hecho la vista gorda a todo aquello y había dirigido su mirada hacia otras cosas.

Se oyó un ruido en la puerta. Entró Etan y tomó asiento. Beth se dispuso a preparar el desayuno, más porque le pareció algo adecuado a aquella hora que porque nadie tuviera hambre. Minutos después entró Harry con *Sammy* bajo el brazo.

A las seis menos cuarto se dispusieron a partir. La despedida fue breve. Todos estaban muy nerviosos.

—Ponte esto, David —dijo Harry quitándose algo de alrededor del cuello—. Es un amuleto de buena suerte. Lo tengo hace años. Era una Magen David vieja y deslucida.

David recordó la estrella que había comprado para su padre hacía mucho tiempo, la que él había guardado sin decírselo. Se la colocó al cuello sin pronunciar una palabra.

Llegaron a la calle del Sultán Suleimán justo después de las seis. Había un pequeño jardín y en la parte trasera una pequeña verja de hierro forjado. Fue fácil forzar el candado, ya que nadie sospechaba que alguien pudiera irrumpir allí. No había más que piedras, nada que robar. Cerraron la verja a sus espaldas y se encaminaron por el primer pasillo mientras las luces de sus linternas jugueteaban por las oscuras y erosionadas paredes. David creyó estar de vuelta en Iram y experimentó una vez más la sofocante claustrofobia que había sentido durante el último trecho de su huida. Caminaron por las galerías mientras sus pasos resonaban de un modo escalofriante en la oscuridad. Etan iba delante y su linterna se balanceaba reflejándose en las paredes y en el techo, proyectando un cono de luz blanca que daba la sensación de ser un témpano de hielo.

La sección de pared que Etan buscaba se hallaba justo al fondo de unos de los corredores más profundos, uno que raramente visitaban los turistas. El túnel había sido astutamente escondido tras unas piedras transportadas desde el exterior, que parecían haberse desprendido. Habían llamado la atención de Etan, el cual observó que de una de las piedras yacía formando un ángulo imposible. Entre los dos apartaron las piedras y descubrieron un agujero negro detrás. Flotaba un olor como de tréboles o coriandros, débil pero inconfundible para su olfato. Franquearon la irregular abertura que habían hecho, pasando de la oscuridad a algo que aún lo era más, pesada y lujuriosa. Una vez al otro lado, volvieron a colocar las piedras que habían desplazado, reconstruyendo la sección de pared para que escapara de la atención del público.

Continuaron avanzando por el túnel. Era bajo y estrecho, de unos ciento veinte centímetros de altura, lo que les obligó a agacharse, medio andando, medio arrastrándose. En aquel momento más que nunca, la pesadilla de Iram acudió vívidamente a los pensamientos de David, y también el momento de sumo terror en el corredor del monasterio y el horror de su paseo por el osario. Era como si una red de túneles interconectados, bajos, oscuros y repletos de cosas monstruosas e indescriptibles, le hubiera conducido por fin a su destino, aquella roca en el centro del mundo, aquel *omphalos.* Había leído una vez en el *Mishnah* que el templo se alzaba directamente sobre *tehom,* las aguas del caos que hay debajo de la tierra, y mientras se arrastraba por la oscuridad, le parecía oírlas agitándose, aunque sabía que aquel sonido no era más que la sangre latiendo en su cabeza. No había tomado más analgésicos porque necesitaba mantenerse alerta, y ahora los dolores del brazo, el hombro y el diente comenzaban a despertar a intervalos, produciéndole a veces terribles espasmos. Le dolía toda la boca y le parecía tener la mejilla paralizada hasta el ojo. Llevaba los comprimidos que le proporcionarían inmediato alivio, pero se contenía al máximo. Tomaría unos pocos justo antes del momento crucial, para no disminuir la capacidad de respuesta.

El túnel acababa abruptamente en un muro desnudo. Etan señaló hacia arriba. En el techo se distinguía la silueta de una losa de piedra. Etan logró darse la vuelta para quedar de cara a David.

—Da directamente a la gruta —dijo—. La otra cara encaja perfectamente en el dibujo del mármol del suelo. Que yo sepa, nadie ha sospechado jamás que esto esté aquí abajo.

—¿Se puede mover con facilidad? —preguntó David.

—Sí, yo lo hice solo. Tuve que venir aquí en un día de fiesta de los musulmanes para no encontrar a nadie en la caverna.

—¿Y hará ruido?

—Si lo hacemos entre los dos, no. ¿Quieres ir arriba y ver lo que hacen?

David dudó un instante y luego asintió.

—Sí. No son más que las siete y unos minutos. Todavía estará muy tranquilo.

Entre ambos empujaron la losa hacia arriba, apartándola a un lado. En la estancia no había ninguna luz. Con ayuda de Etan, David consiguió auparse hasta la gruta. Iluminó a su alrededor con la linterna. Las paredes encaladas resplandecieron unos segundos y volvió a caer la oscuridad como si hubiera apagado la luz. Se dirigió al pie de las escaleras y miró el espacio que había más allá. Vio unas cuantas luces encendidas por encima de su cabeza, en el interior de la Cúpula propiamente dicha. Ascendió un trecho. Oía voces, un sonido de muebles arrastrados y de alguien dando órdenes. Segundos después se escurrió hacia abajo de nuevo al oír unos pasos que se aproximaban a lo largo del deambulatorio interior. Cuando los pasos pasaron de largo, volvió a subir unos pocos escalones. En total había once y los tres últimos estaban junto a la barandilla que circundaba la roca.

Subió un poco más, aplastándose al borde de la barandilla, la cual era lo suficientemente ancha, y se arrastró por ella hasta que pudo deslizarse sobre la roca que había debajo. Como una simple sombra en la penumbra, se arrastró sobre la plana superficie de la roca hasta llegar a un hueco que se abría entre la sección principal de la roca y el lado oeste de la barandilla. Acurrucado allí, observó a unos cuantos hombres que se afanaban en aquel lado colocando sillas en un semicírculo a lo largo del borde exterior del deambulatorio. Unas luces potentes brillaban a través de la verja metálica finamente trabajada. Satisfecho, se deslizó de nuevo hasta la superficie superior de la roca y retrocedió sobre sus pasos hasta la escalinata. Medio minuto después estaba de vuelta en el túnel donde aguardaba Etan. Dejaron la losa abierta para que les advirtiera de la proximidad de cualquier persona que hubiera decidido entrar en la gruta.

—Tal y como pensaste, está al oeste —dijo—. Puedo cruzar sin demasiada dificultad, pero tal vez haya algún problema cuando enciendan todas las luces. Podría ir ahora mismo y esperar si no creyera que pudieran descubrirme, pero sería correr un gran riesgo. Habrá un registro de seguridad minucioso antes de que comience el acto. El momento ideal será cuando todos estén sentados.

—¿No es un cálculo muy justo?

David asintió.

—¿Y ahora qué hacemos? —preguntó Etan.

—Nada. Esperar. Quiero ajustar la mirilla del rifle a mi medida. Voy a volver al túnel para hacer unos cuantos blancos.

David cogió el rifle y unos cuantos cartuchos y retrocedió unos cincuenta metros por el túnel; seguidamente colocó derecha una caja de cartón que traía doblada. Retrocedió otros diez metros, la distancia desde la cual tendría que disparar y emprendió el lento proceso de ajustar la mirilla correctamente. Aquello no eran las condiciones ideales. Cada vez que disparaba tenía que arrastrarse hasta la caja para comprobar el tiro. La linterna le proporcionaba suficiente luz para ver claramente el blanco, pero los rayos le deslumbraban. Finalmente consiguió ajustarla e incluso hizo unas cuantas dianas. Pero el brazo cada vez le molestaba más. Regresó junto a Etan. La larga espera comenzó. Desde donde estaban oían sonidos débiles, pero nadie fue a investigar qué sucedía en el Pozo de las Ánimas. David rogó porque ninguno de los visitantes fuera tan piadoso o exhibicionista como para querer visitar la gruta. Al menos todavía reinaba la oscuridad y obviamente nadie esperaba tampoco aquella eventualidad.

Jamás le pareció tan lento el tiempo a David. Diez minutos parecían arrastrarse interminablemente, atesorando sus segundos igual que un niño pequeño guarda celosamente un trozo de mármol, dejando caer uno cada vez, colocándolos en filas de colores antes de recogerlos y volver a empezar de nuevo. Dieron las nueve, y luego las diez. Allá sentado en el estrecho túnel, entumecido, David temió que su brazo estallara. De vez en cuando lo movía deliberadamente, ignorando el dolor, con la esperanza de conservar una movilidad suficiente.

A las once menos cuarto, David trepó muy animado a la gruta.

—Buena suerte —susurró Etan. Una voz desde la oscuridad.

Oía el sonido de muchas voces a lo lejos. La caverna era fría y oscura. Mientras esperaba, oía el sonido de su propia respiración. Se preguntaba si realmente aquél era el lugar santo entre los santos y si al estar allí no cometía la mayor de las blasfemias. Ningún judío ortodoxo pondría los pies en aquel lugar.

Con gran precaución se dirigió al pie de la escalera. Habían encendido las luces alrededor del edificio, candelabros que se balanceaban a escasa altura por los estrechos pasillos de los ambulatorios interiores y exteriores. Las voces parecían provenir de gran distancia, del lado oeste del edificio. Comenzó a subir los escalones, uno cada vez, deteniéndose en cada uno de ellos para escuchar si se acercaban voces o pasos. Pero no oía nada. Una vez arriba, se deslizó sobre la baranda y reptó hacia la roca. El rifle le pesaba en las manos, como un peso muerto el cual le habían condenado a llevar a cuestas. Poco a poco acortaba el camino por la rugosa superficie de la roca hasta llegar al lado oeste, donde se acurrucó en el hueco. Se arrodilló junto a la baranda y desde allí oteó el panorama cuidadosamente.

A través del enrejado de hierro que había entre las tres delgadas columnas, distinguió múltiples hileras de personas sentadas en sillas de cara a la roca. Otros se hallaban esparcidos alrededor, algunos callados, otros hablando y gesticulando o simplemente transmitiendo mensajes en voz baja mediante un walkie-talkie.

David divisó también un pódium no muy alto con un atril, justo enfrente de la columna central, precisamente donde habían predicho que estaría. A la derecha del atril se erguía un segundo micrófono sobre un estrado.

Había luces por todas partes. Además de los anticuados candelabros que colgaban de unas cadenas desde el techo, habían dispuesto a ambos lados varias lámparas eléctricas de considerable altura, que iluminaban el área situada junto a la baranda tras la cual se hallaba escondido David, como si fuera el espacio perimetral que rodea una prisión. David no se atrevió a poner los pies allí. El menor movimiento sería detectado. A su alrededor vigilaban ojos avezados. A intervalos regulares se veían hombres armados, hombres entrenados para no bajar la guardia jamás ni dejarse engañar por la falsa sensación de seguridad que producía la calma del entorno.

En la parte trasera de las sillas se produjo un bullicio repentino. Eran las once. Los sirios estaban llegando desde la mezquita de Aqsa, donde habían realizado sus oraciones acompañados de los miembros de la delegación egipcia y representantes de las comunidades árabes en Israel. Las personas que se hallaban sentadas eran diplomáticos extranjeros y periodistas. Cuando al-Hashimi entró, se levantaron y estallaron los aplausos. Junto a al-Hashimi iba el presidente israelí. David se daba cuenta de que debían de haber hecho una gran concesión para permitir que el presidente estuviera presente en el encuentro junto al resto de los miembros del Consejo de Ministros israelí: recordó el escándalo que hubo a principios de 1986 cuando varios ministros israelíes visitaron la mezquita de Aqsa.

Los recién llegados fueron escoltados a sus asientos mientras al-Hashimi se dirigía directamente al atril. David dio un respingo al observar que una mujer se adelantaba hacia el segundo micrófono.

Era Leyla. El murmullo de voces entre el público cesó. Un siseo expectante se produjo entre los asistentes. Estaba a punto de escribirse la Historia.

No podía haber sido peor. Leyla se hallaba directamente en su línea de fuego y no había otro ángulo desde el que pudiera acertar a al-Hashimi. Si David se desplazaba hacia la derecha, la columna le obstaculizaba y si se movía hacia la izquierda, la hoja izquierda de la puerta desviaría su tiro. Si disparaba, tenía que ser entre la estrecha abertura... o nada.

Naturalmente, había una solución muy sencilla a aquel problema, pero ni siquiera se la planteaba. Era disparar sobre Leyla. Ella y al-Hashimi estaban lo suficientemente juntos como para que la bala pasara por ella y le alcanzara también a él. Incluso aunque no acertara a la primera, tendría una segunda oportunidad y puede que hasta una tercera de matar a al-Hashimi si éste quedaba inmovilizado con el primer disparo. Lo principal era dejar a al-Hashimi fuera de combate. Pero hacer tal cosa significaría correr el riesgo de matar a Leyla. La idea le resultaba horrorosa.

El micrófono zumbó brevemente y se oyó la voz de al-Hashimi hablando en árabe. Al cabo de unas pocas frases se detenía a fin de que Leyla pudiera traducir sus palabras al hebreo y al inglés. Su voz llegó hasta David, y aunque las palabras le eran incomprensibles, el tono le resultó dolorosamente familiar. Recordó su voz hacía dos días, cuando por fin hicieron el amor, acurrucada a su lado, repitiéndole una y otra vez que le amaba. Apretó los dientes para ahuyentar aquel recuerdo.

—Caballeros —dijo al-Hashimi—, hoy es una fecha histórica. Nos hemos reunido aquí, en el lugar más santo de todos los santos, para hablar de paz. Detrás de mí se halla la roca sobre la cual se erguía Abraham cuando vino a sacrificar a su hijo. Desde el mismo lugar el profeta Mahoma ascendió a los cielos cuando Dios le trajo desde La Meca a Jerusalén en una sola noche. Sobre esta roca se alzaba el templo que construyó Salomón, y debajo se encontraba colocada el Arca de la Alianza de Dios. En el segundo templo, construido sobre las ruinas del primero, Jesucristo fue bautizado cuando era un niño por Simeón, y cuando se convirtió en un hombre enseñó desde aquí y realizó milagros.

David colocó el brazo sobre la barandilla y dispuso su rifle. Con toda seguridad, Leyla se movería. Le dolía el hombro, pero los analgésicos habían empezado a hacerle efecto. Apoyó la culata en el hombro derecho y aseguró el cañón con la mano derecha.

—Pero Jerusalén se ha convertido en un lugar de disensión, un símbolo de disputa —prosiguió al-Hashimi—. Los judíos la llaman Yerushalayim y la reclaman para sí. Los árabes a su vez la denominan al-Quds y persiguen poseerla de nuevo.

David miró a través de la mirilla telescópica. Estaba desenfocada y la imagen era borrosa. La ajustó lentamente. Leyla apareció ante su vista, muy cerca, como si con sólo alargar un brazo pudiera tocarla.

—Durante años la gente ha hablado de paz, ha escrito sobre ella, ha rezado por ella. Pero parece más lejana que nunca. Porque el hombre es incapaz de lograrla él solo. El hombre necesita la guerra, necesita la lucha, necesita el conflicto. Sólo Dios puede traernos la paz.

David notaba el rifle, la pulida madera y el frío metal. La imagen de Leyla persistía ante sus ojos, como un icono esculpido en el cristal. Bajó la vista, apuntándola al cuello. La cabeza de al-Hashimi estaba inmediatamente detrás. Sus dedos apretaron levemente el gatillo. No tenía elección. «Perdóname», pensó. Pero su dedo se negaba a apretarlo más. Era físicamente imposible. No podría hacerlo. Bajó el rifle.

—Yo no soy un hombre de Dios —continuaba al-Hashimi—, lejos de ello, soy un político y eso me ha comprometido en diversas coyunturas de valores morales. Algunos de los que me escucháis comprenderéis lo que quiero decir. Llegué al poder a resultas de un golpe de estado. Y no estoy orgulloso del hecho, pero cuando tomé el poder juré que gobernaría para beneficiar a mi pueblo o que no gobernaría. Juré que sería un hombre de paz o que no sería nada. Hoy vengo aquí para hacer honor a mi juramento.

»Por parte materna —prosiguió al-Hashimi—, soy árabe. Pero mi padre era judío, un judío alemán que temía ser reconocido como tal, que cambió su nombre y creó una nueva identidad para sí mismo. Eso es algo de lo que tuve conocimiento hace tan sólo unos años, pero el saberlo cambió mi vida. En mi propio cuerpo llevo la sangre de ambos bandos de una amarga lucha. Deseo proclamar mi herencia de mis dos progenitores, pero ¿cómo puedo hacerlo?

»Sin embargo, hoy proclamo tales herencias. He venido a sellar la paz en nombre de un Dios y de un antepasado, Abraham. Que esta paz sea eterna. Digamos bien alto y claro que aquellos que se opongan a la paz, también se oponen a la voluntad de Dios y se mofan de la memoria de su padre Abraham. En la paz no cabe la vergüenza, ni hay desgracia en la reconciliación.

David dejó el rifle. No comprendía. ¿Se habría equivocado? ¿Habría venido al-Hashimi a firmar la paz, después de todo? Von Meier había sido judío de veras. De ahí su obsesión por encontrar el Arca y descubrir Iram. Pero si al-Hashimi era sincero, ¿había realmente un complot? En aquel momento, David cayó en la cuenta de que no había prueba alguna de que al-Hashimi estuviera complicado en la conspiración. Estaban utilizando a al-Hashimi. Querían romper el tratado de paz iniciando una guerra. Y algo tenía que hacer de detonante de aquella guerra.

Al-Hashimi concluyó su discurso y bajó del pódium. David lo observaba con la mente hirviendo. Schultz —también llamado Isserles— iba a hacer algo, pero ¿qué? Miró a través de la estrecha rendija de la puerta y vio que Leyla seguía a al-Hashimi al bajar de la plataforma. Entonces vio que se llevaba la mano al bolsillo y sacaba algo: una pequeña pistola. No había creído a al-Hashimi, pensaba que no eran más que nuevas mentiras. ¡Iba a disparar sobre él!

David se incorporó y gritó:

—¡Leyla! ¡Por el amor de Dios, Leyla, está diciendo la verdad! ¡No es él, es Neusner!

Leyla se detuvo, asustada, buscando la voz de David. En su mano brillaba algo de metal. Al-Hashimi se volvió hacia ella.

Entre la multitud alguien se abalanzó corriendo. Un hombre con uniforme israelí. Alzó un revólver y apuntó a Leyla. Sin dudarlo, disparó dos veces sucesivas. Las balas le atravesaron la cabeza. Su cuerpo se sacudió en una convulsión y cayó al suelo; al hacerlo, una minúscula polvera cuadrada —no una pistola— salió rodando de su mano y fue a estrellarse contra los barrotes de la barandilla con un sonido apagado.

Al-Hashimi corrió junto a Leyla. Nadie más se movió. Entonces, como si todo sucediera a cámara lenta, David lo comprendió. El hombre uniformado que aún sostenía el revólver en alto era Isserles. Schultz. Las palabras de al-Shami emergieron vociferando de la oscuridad y llegaron hasta David: «justo en cuanto al-Hashimi concluya, pero antes de que Schultz efectúe su movimiento... Una vez que Schultz actúe...» Miró a Schultz. El hombre alzaba el revólver de nuevo, pero no apuntaba a David. El revólver apuntaba a al-Hashimi.

Aquélla fue la legitimación. Un coronel israelí dispararía sobre el presidente sirio y el ejército israelí atacaría las tropas sirias. Y cuando la guerra terminara, los sirios —al mando de un nuevo líder elegido por al-Shami— se cubrirían de gloria y honor.

David se echó el rifle al hombro. Éste estalló de dolor, pero él lo ignoró. Los ojos de todos se hallaban fijos en al-Hashimi, el cual estaba agachado sobre el cuerpo de Leyla. David hizo fuego. La bala alcanzó a Schultz en la frente. El revólver se agitó en su mano y disparó un tiro a ciegas que chocó contra una columna y se perdió. Se desplomó hacia atrás, sobre la multitud.

David dejó caer el rifle. Había terminado. A partir de aquel momento, había dejado de importarle lo que fuera de él. En la entrada apareció un hombre, un soldado con un arma en la mano. David levantó las manos. Después apareció otro más.

—Salga de ahí —le gritó en hebreo—. ¡Salga o le vuelo la asquerosa cabeza!

David caminó hacia la baranda. Los hombres mantenían las armas a la altura de su cabeza. Pasó por encima y saltó al suelo. Con ambas manos detrás de la cabeza, avanzó hacia la puerta. Los soldados le agarraron y otros se acercaron a la puerta para comprobar que no hubiera nadie más, por si David tenía un cómplice.

Condujeron a David por en medio del jaleo empujándole por las columnas en dirección a la puerta oeste. Vio que al-Hashimi le miraba al pasar junto a él, rodeado de guardias de seguridad. Después divisó a Leyla, una muñeca pálida y sangrante, congelada de aquel modo para siempre en su mente, la sangre manando de su cabeza como en una libación. La peluca se le había caído y su propio cabello yacía desparramado en el charco de sangre. Alguien corrió hacia ella y la cubrió con un abrigo.

Le sacaron al exterior. El sol brillaba, las nubes se habían dispersado y un cielo pálido cubría Jerusalén como un manto. La campana de alguna iglesia comenzó a tañer y el Ángelus resonó por las laderas del monte de los Olivos. Antes de que le metieran en la parte trasera de un coche, David miró hacia la Cúpula de la Roca. Los azulejos blancos y azules brillaban al sol y la Cúpula se alzaba dorada hacia el cielo. Sin embargo, él no veía más que un chorro de sangre oscura cubriéndola, roja y cálida como el vino recién exprimido. Una mano le agarró del brazo, con dedos firmes y apremiantes, y le arrastró hacia el coche que los aguardaba. Echó una ojeada al hombre que le sujetaba. No le reconoció, pero sus ojos se fijaron en el número que llevaba tatuado en el brazo, justo encima de la muñeca. Era en todos los sentidos un número normal y corriente, excepto por la letra V que tenía al final. Los ojos de aquel hombre eran fríos, despiadados y sin vida. David trató de desasirse, pero al punto fue rodeado por varios hombres más que le redujeron. La sangre caliente se iba extendiendo por todas partes, sobre las cúpulas, los campanarios, las casas y las calles de la vieja Jerusalén, bañándolos con su dulce fluido bautismal. David abrió la boca para beberlo, pero allí no había nada, estaba vacío. Gritó a pleno pulmón una vez y volvió a sumirse en el silencio. Las manos le sujetaban por todos lados, apretándole, empujándole, haciéndole caer. Le metieron en el coche, y la luz del sol, la sangre y el cielo azul desaparecieron.

AGRADECIMIENTOS

Me gustaría expresar mi agradecimiento a las numerosas personas que me han ayudado de diferente modo a escribir este libro. Puede que no lo hubiera escrito sin mi esposa Beth: su cariño, su paciencia, puesta a prueba en innumerables ocasiones, sus brillantes ideas y su agudo sentido del estilo y la proporción me han animado en los momentos más difíciles. También debo agradecimiento a los fideicomisarios del trust David Rosen por permitir que haya utilizado y citado literalmente fragmentos de varios periódicos y otros materiales que originalmente se hallaban en sus manos y que he incorporado al texto. Las copias de esos materiales me fueron amablemente proporcionadas por la biblioteca del Institut für Orientforschung de la Akademie der Wissenschaften de Wiesbaden, la biblioteca Avrum Davidson de Haifa y la familia Rosen de Los Ángeles, a los cuales expreso mis más sinceras gracias. Igualmente me siento agradecido al doctor Denis MacEoin, de la Escuela Oriental de la Universidad de Durham, por sus traducciones de los textos arábicos utilizados y por sus comentarios del *Tariq al-mubin.* También doy las gracias a Ahmad Rashid de al-Arish por concederme su permiso para citar uno de sus poemas, publicado originariamente en árabe en *al-Ahram.* Varias personas han leído y comentado el libro en diferentes etapas de su elaboración: Adrian Zackheim, Patrick Filley y Patricia Parkin, que me ayudaron a modificarlo; John Dore me ayudó en la parte arqueológica; Graham Harvey y el profesor John Sawyer me ayudaron a evitar diversas meteduras de pata referentes a Israel. Y estoy particularmente agradecido a Harry Blandford por acceder a recibirme en su domicilio de Jerusalén y por facilitarme varios documentos de importancia. El profesor Richard Halstead, de la Universidad de Cambridge, me suministró detalles de numerosos incidentes. Jeffrey Simmons hizo todo lo que se espera de un agente y mucho más: gracias por todo.

DANIEL EASTERMAN

Colección Fábula

Últimos títulos publicados:

Jack M. Bickham
ARIEL

Fernando Vizcaíno Casas
OBRAS COMPLETAS, 1/*La boda del señor cura, ... y habitó entre nosotros, Un cuento de Reyes, El uniforme*

José Luis Martín Vigil
¡VIVA LA REPÚBLICA!

Nicole de Buron
¿QUIÉN ES ESTE CHICO?

Gilberto Braga
DANCIN' DAYS

José Luis Martín Vigil
UNA COMUNA EN MADRID

Ronald Florence
EL GITANO

Príncipe Miguel de Grecia
LA NOCHE DEL SERRALLO

J. J. Benítez
LA OTRA ORILLA

Manuel Villar Raso
ÚLTIMOS PARAÍSOS

Addison E. Steele
BUCK ROGERS EN EL SIGLO XXV

Antonio Ribera
EL DOCUMENTO

Teresa Juvé
EL ÚLTIMO GUERRERO

Fernando Vizcaíno Casas
ZONA ROJA

José Luis Martín Vigil
LA VIDA A UNA CARTA

Cruz Martínez Esteruelas
LA LEYENDA DE LAS ARDILLAS

Clive Barker
LIBROS SANGRIENTOS/1

Luis Díez Jiménez
DICCIONARIO DEL ESPAÑOL EUROGILIPUERTAS

Moncho
MONCHO Y TÚ

Stephen Laws
EL TREN FANTASMA

Lygia Fagundes Telles
LA FUENTE DE PIEDRA

C. J. Koch
EL DOBLE

James Anderson
EL ASESINATO DE SHERLOCK HOLMES

James Anderson
AMANTES Y OTROS ASESINOS

James Anderson
HURRA POR EL HOMICIDIO

David Deutsch
ASESINATO EN DOS ACTOS

Stephen Sheppard
MONTECARLO

Rex Stout
BAJO LOS ANDES

Steven Bauer
HISTORIAS ASOMBROSAS DE STEVEN SPIELBERG

José Luis Martín Vigil
EL SEXO DE LOS ÁNGELES

Clive Barker
LIBROS SANGRIENTOS/2

Claudia Reilly
CRÍMENES DEL CORAZÓN

Jesse Carr-Martindale/John Raymond
COMO EL PERRO Y EL GATO/1
(Haced la paz, no la guerra/A ojos cerrados)

John Raymond
COMO EL PERRO Y EL GATO/2
(Racha de suerte/El fantasma)

John Raymond/Jack Savage
COMO EL PERRO Y EL GATO/3
(El fraude de Jericó/Te amaré hasta la muerte)

Andrew H. Malcolm
COSECHA FINAL

Luis Díez Jiménez
HISTORIA DE «ESTE PAÍS»